NACHTTREIN

Pascal Mercier debuteerde in :
Schweigen, in 1998 gevolgd d
grote doorbraak kwam in 200₄

Pascal Mercier

Nachttrein
naar Lissabon

Eenentwintigste druk

WERELDBIBLIOTHEEK · AMSTERDAM

Uit het Duits vertaald door Gerda Meijerink

Deze uitgave is mede tot stand gekomen dankzij
ondersteuning van de Zwitserse cultuurstichting
PRO HELVETIA

Eerste druk maart 2006
Eenentwintigste druk februari 2008

Omslagontwerp Volken Beck
Coverdesign by Peter Hassiepen
© Carl Hanser Verlag, München Wien 2004

Oorspronkelijke titel *Nachtzug nach Lissabon*
© 2004 Carl Hanser Verlag, München/Wenen
© 2006 Nederlandse vertaling Gerda Meijerink en
Uitgeverij Wereldbibliotheek bv
Spuistraat 283 · 1012 VR Amsterdam

www.wereldbibliotheek.nl

ISBN 978 90 284 2101 1

*Nuestras vidas son los ríos
que van a dar en la mar,
qu'es el morir*
– JORGE MANRIQUE

Nous sommes tous de lopins et d'une contexture si informe et diver-
se, que chaque piece, chaque momant, faict son jeu. Et se trouve au-
tant de difference de nous à nous mesmes, que de nous à autruy.

Wij bestaan allen slechts uit bontgevlekte flarden die zo los met elkaar zijn verbonden dat elk ervan voortdurend fladdert zoals hij
wil; daarom bestaan er evenzovele verschillen tussen ons en onszelf als tussen ons en de anderen.

– Michel de Montaigne, *Essays*

Cada um de nós é vários, é muitos, é uma prolixidade de si mesmos.
Por isso aquele que despreza o ambiente não é o mesmo que dele se
alegra ou padece. Na vasta colónia do nosso ser há gente de muitas
espécies, pensando e sentindo diferentemente.

Ieder van ons is verschillende, is vele, is een overmaat aan zelven.
Daarom is wie de omgeving veracht niet dezelfde als wie er plezier
aan beleeft of eronder lijdt. In de uitgestrekte kolonie van ons zijn
bestaan mensen van allerlei aard die op uiteenlopende wijze denken en voelen.

– Fernando Pessoa, *Het boek der rusteloosheid*

DEEL 1

Het vertrek

1 De dag waarna in het leven van Raimund Gregorius niets meer zou zijn als ervoor, begon als talloze andere dagen. Hij kwam om kwart voor acht van de Bundesterrasse en liep de Kirchenfeldbrücke op die van het stadscentrum naar het gymnasium leidt. Dat deed hij elke werkdag als er school was en het was altijd kwart voor acht. Toen de brug een keer was afgesloten maakte hij even later tijdens de Griekse les een vergissing. Dat was nooit eerder voorgekomen en het kwam daarna ook niet meer voor. De hele school sprak dagenlang alleen over die vergissing. Hoe langer de discussie erover aanhield des te talrijker werden degenen die ervan overtuigd waren dat ze de leraar verkeerd hadden verstaan. Ten slotte kreeg die overtuiging ook bij de leerlingen die erbij waren geweest de overhand. Het was domweg ondenkbaar dat Mundus, zoals iedereen hem noemde, in het Grieks, het Latijn of het Hebreeuws een vergissing maakte.

Gregorius keek recht voor zich uit naar de spitse torens van het Historisch Museum van de stad Bern, keek naar boven naar de Gurten en naar beneden naar de Aare met haar gletsjergroene water. Een stormachtige wind dreef laaghangende wolken over hem heen, trok aan zijn paraplu en sloeg de regen in zijn gezicht. Nu zag hij midden op de brug de vrouw staan. Ze leunde met haar ellebogen op de brugleuning en las in de stromende regen iets wat eruitzag als een brief. Ze moest het papier met beide handen vasthouden. Toen Gregorius dichterbij kwam, verfrommelde ze plotseling het papier, maakte er een prop van en gooide die met een heftig gebaar van zich af. Onwillekeurig was Gregorius sneller gaan lopen en hij was nu nog maar een paar stappen van haar verwijderd. Hij zag de woede in haar bleke, door de regen nat geworden gezicht. Het was geen woede die zich in luide woorden zou kunnen ontladen om vervolgens weg te ebben. Het was een verbeten, naar binnen gerichte woede die al heel lang in haar moest hebben liggen sluimeren. Nu stak de vrouw haar armen over de leuning en haar hielen gleden uit haar schoenen. *Zo meteen springt ze.* Gregorius liet zijn paraplu over aan een windstoot die hem over de brugleuning woei, gooide zijn tas met schoolschriften op de grond en stiet luid een reeks vloeken uit die niet tot zijn gebruikelijke vocabulaire behoorden. De tas ging open en de schriften gleden op het natte asfalt. De vrouw draaide zich om. Enkele ogenblikken keek ze onbeweeglijk toe hoe de schriften in het water donker kleurden. Toen haalde ze een viltstift uit haar jaszak, deed twee stappen, boog zich voorover naar Gregorius en schreef een reeks getallen op zijn voorhoofd.

'Neemt u me niet kwalijk,' zei ze in het Frans, buiten adem en met een buitenlands accent, 'maar ik mag dit telefoonnummer niet vergeten en ik heb geen papier bij me.'

Toen keek ze naar haar handen alsof ze die voor de eerste keer zag.

'Ik had natuurlijk ook…' En nu schreef ze, tussen Gregorius' voorhoofd en haar hand heen en weer kijkend, het nummer op de rug van haar hand. 'Ik… ik wilde het niet onthouden, ik wilde alles vergeten, maar toen ik die brief zag vallen… Ik moet het vasthouden.'

De regen op zijn dikke brillenglazen vertroebelde Gregorius' zicht, hij tastte onhandig naar de natte schriften. Opnieuw, zo kwam het hem voor, gleed de punt van de viltstift over zijn voorhoofd. Maar toen merkte hij dat het dit keer de vinger van de vrouw was die met een zakdoek de getallen probeerde af te vegen.

'Het is erg opdringerig, dat weet ik…' en nu begon ze Gregorius te helpen met het vergaren van de schriften. Hij raakte haar hand aan en per ongeluk haar knie en toen ze allebei het laatste schrift wilden pakken, stootten ze hun hoofd tegen elkaar.

'Dank u wel,' zei hij toen ze tegenover elkaar stonden. Hij wees naar haar hoofd. 'Doet het pijn?'

Afwezig, haar ogen neergeslagen, schudde ze haar hoofd. De regen kletterde op haar haar en liep over haar gezicht.

'Mag ik een eindje met u meelopen?'

'Eh… ja, natuurlijk,' stamelde Gregorius.

Zwijgend liepen ze samen naar het einde van de brug en verder in de richting van de school. Zijn tijdgevoel zei Gregorius dat het al over achten was en dat het eerste uur al was begonnen. Hoe ver was 'een eindje'? De vrouw had zich aangepast aan zijn tempo en sjokte naast hem voort alsof het de hele dag zo verder zou gaan. Ze had de brede kraag van haar jas zo hoog opgeslagen dat Gregorius van opzij alleen haar voorhoofd kon zien.

'Ik moet daarheen, naar het gymnasium,' zei hij en stond stil. 'Ik ben leraar.'

'Kan ik meekomen?' vroeg ze zachtjes.

Gregorius aarzelde en wreef met zijn mouw over zijn natte bril. 'Het is in elk geval droog daar,' zei hij ten slotte.

Ze liepen de stoep op, Gregorius hield de deur voor haar open en toen stonden ze in de hal die bijzonder leeg en stil leek nu de lessen waren begonnen. Hun jassen dropen.

'Wacht u hier maar even,' zei Gregorius en hij ging naar het toilet om een handdoek te halen.

Voor de spiegel maakte hij zijn bril droog en veegde zijn gezicht af. De getallen op zijn voorhoofd waren nog steeds zichtbaar. Hij hield een punt van de handdoek onder het warme water en wilde ze juist wegvegen toen hij midden in de beweging verstarde. Dat was het moment dat alles besliste, dacht hij, toen hij het incident uren later terugriep in zijn herinnering. Opeens was het hem namelijk duidelijk dat hij het spoor van zijn ontmoeting met de raadselachtige vrouw helemaal niet wilde uitwissen.

Hij stelde zich voor hoe hij straks met een telefoonnummer op zijn voorhoofd voor de klas zou staan, hij, Mundus, de meest betrouwbare en berekenbare persoon in dit gebouw en vermoedelijk in de hele geschiedenis van de school, sinds meer dan dertig jaar hier werkzaam, zonder smet of blaam wat zijn beroepsuitoefening betrof, een hoeksteen van het instituut, een beetje saai misschien maar hooggeacht en zelfs op de universiteit gevreesd om zijn indrukwekkende kennis van de oude talen, liefdevol bespot door zijn leerlingen, waarvan elke nieuwe lichting hem op de proef stelde door hem midden in de nacht te bellen en hem om uitleg van een duistere passage van een oude tekst te vragen, alleen maar om hem elke keer uit het hoofd een even droge als uitputtende uiteenzetting te horen geven, inclusief een kritisch commentaar op mogelijke andere opvattingen, alles zonder enige aarzeling en met een rust voorgedragen waarin niets van irritatie over de verstoring van zijn nachtrust te bespeuren viel – Mundus dus, een man met een onmogelijk ouderwetse, bijna middeleeuwse voornaam die wel afgekort móést worden en niet anders dan zo afgekort kón worden, een afkorting die bovendien het wezen van de man belichtte zoals geen ander woord dat had gekund, want wat hij als taalkundige met zich meedroeg was niet minder dan de hele wereld, of beter gezegd: van verscheidene werelden, want hij had naast alle Latijnse en Griekse teksten ook alle Hebreeuwse in zijn hoofd, waarmee hij al menig in het Oude Testament gespecialiseerde hoogleraar versteld had doen staan. Als jullie een ware geleerde willen zien, placht de rector te zeggen als hij hem voorstelde aan een nieuwe klas: hier is hij.

En die geleerde, dacht Gregorius nu, die gortdroge man, de enige die alleen uit dode woorden leek te bestaan en die door collega's die jaloers waren op zijn populariteit hatelijk de Papyrus werd genoemd – die geleerde zou met een telefoonnummer de klas binnengaan dat een wanhopige, blijkbaar tussen woede en liefde heen en weer geslingerde vrouw op zijn voorhoofd had geschreven, een vrouw in een rode leren jas en met een betoverend zachte, zuidelijke tongval die als een eindeloos gerekt fluisteren klonk en een medeplichtige van je maakte alleen al door ernaar te luisteren.

Toen Gregorius haar de handdoek aanreikte, klemde de vrouw een kam tussen haar tanden en wreef met de doek haar lange zwarte haar droog dat in de kraag van de jas lag als in een schaal. De conciërge kwam de hal in en keek, toen hij Gregorius zag, verbaasd naar de klok boven de uitgang en daarna op zijn horloge. Gregorius knikte hem toe zoals hij altijd deed. Een leerlinge liep gehaast langs, draaide zich al lopend twee keer om en liep door.

'Ik geef boven les,' zei Gregorius tegen de vrouw en hij wees door het raam naar boven, naar een ander deel van het gebouw. Seconden gingen voorbij. Hij voelde zijn hartslag. 'Wilt u meekomen?'

Gregorius kon later niet geloven dat hij dat werkelijk had gezegd; maar het moest wel zo zijn geweest want opeens liepen ze naast elkaar naar het lokaal, hij hoorde het piepen van zijn rubberzolen op het linoleum en het klikken van de korte laarsjes van de vrouw.

'Wat is uw moedertaal?' had hij eerder al gevraagd.

'Português,' had ze geantwoord.

De o, die ze tot zijn verrassing uitsprak als oe, de stijgende, merkwaardig gecomprimeerde helderheid van de ê en het zachte sj aan het eind voegden zich voor hem samen tot een melodie die veel langer klonk dan ze in werkelijkheid was en die hij het liefst de hele dag had gehoord.

'Wacht even,' zei hij nu, haalde een notitieboekje uit zijn zak en scheurde er een bladzijde uit. 'Voor het nummer.'

Hij had zijn hand al op de deurklink toen hij haar verzocht het woord van daarnet nog een keer te zeggen. Ze herhaalde het en toen zag hij haar voor het eerst glimlachen.

Het geroezemoes hield terstond op toen ze het lokaal betraden. Een stilte die één en al stomme verbazing was, vulde het vertrek. Gregorius herinnerde het zich later precies: hij had genoten van die verraste stilte, dat sprakeloze ongeloof dat uit elk van de gezichten sprak, en hij had ook genoten van zijn vreugde over het feit dat hij in staat was geweest het op een manier te ondergaan die hij niet van zichzelf had verwacht.

Wat krijgen we nou? Die vraag sprak uit elke van de ruim twintig blikken die op het merkwaardige paar bij de deur gericht waren, op Mundus, die met zijn natte kale hoofd en zijn van de regen donker geworden jas naast een provisorisch gekamde vrouw met een bleek gezicht stond.

'Daar misschien?' zei Gregorius tegen de vrouw, en hij wees naar een lege stoel achter in de klas. Toen liep hij naar voren, groette zoals gebruikelijk en ging achter zijn lessenaar zitten. Hij had geen idee wat hij ter verklaring moest zeggen en dus liet hij gewoon de tekst vertalen waar ze al mee bezig waren. De vertalingen kwamen aarzelend en hij ving heel wat nieuwsgierige blikken op. Ook verwarde blikken waren erbij, want hij – hij, Mundus, die elke fout zelfs slapend herkende – liet hele reeksen fouten, halfslachtige oplossingen en onbeholpen zinnen passeren.

Hij slaagde erin te doen alsof hij niet naar de vrouw keek. En toch zag hij haar voortdurend, hij zag de vochtige haarslierten die ze uit haar gezicht streek, haar witte handen, die verkrampt in elkaar lagen, haar afwezige, verloren blik die op het raam was gericht. Eén keer haalde ze de viltstift uit haar zak en schreef het telefoonnummer op het papiertje. Toen leunde ze weer achterover en leek nauwelijks te beseffen waar ze was.

Het was een onmogelijke situatie en Gregorius keek steels op zijn horloge: nog tien minuten tot de pauze. Toen stond de vrouw op en liep zachtjes naar de deur. In de deuropening draaide ze zich naar hem om en legde een vinger op haar lippen. Hij knikte, en met een glimlach herhaalde ze het gebaar. Toen viel de deur met een zachte klik achter haar dicht.

Vanaf dat moment hoorde Gregorius niets meer van wat de leerlingen zeiden. Hij had een gevoel alsof hij helemaal alleen was en omringd door een verdovende stilte. Op een bepaald moment stond hij voor het raam en volgde met zijn blik de rode gestalte van de vrouw tot ze om een hoek was verdwenen. Hij voelde de inspanning in hem nazinderen die het hem had gekost haar niet achterna te lopen. Telkens weer zag hij de vinger op haar lippen, die zo veel kon betekenen: ik wil niet storen, en: het blijft ons geheim, maar ook: laat me nu gaan, er kan geen voortzetting zijn.

Toen de bel ging voor de pauze bleef hij voor het raam staan. Achter hem verlieten de leerlingen ongewoon rustig het lokaal. Later ging ook hij naar buiten, verliet het gebouw door de achteruitgang en ging aan de overkant van de straat in de streekbibliotheek zitten, waar niemand hem zou zoeken.

Voor het tweede deel van het blokuur was hij zoals altijd stipt op tijd. Hij had de getallen van zijn voorhoofd geveegd, ze na een kleine aarzeling in zijn notitieboekje vastgelegd en toen zijn dunne krans grijs haar drooggemaakt. Alleen de vochtige kringen op zijn jasje en zijn broek verraadden nog dat er iets ongebruikelijks was gebeurd. Nu haalde hij de stapel natte schriften uit zijn aktetas.

'Een ongelukje,' zei hij kort. 'Ik ben gestruikeld, en toen zijn ze eruit gegleden, in de regen. De correcties zijn misschien toch nog te lezen, anders moeten jullie met conjecturen werken.'

Zo kenden ze hem, een hoorbare opluchting ging door het lokaal. Af en toe ving hij nog een nieuwsgierige blik op en ook lag bij sommige leerlingen nog een zweem van verlegenheid in hun stem. Verder was het als altijd. Hij schreef de meest frequente fouten op het bord. Daarna liet hij de leerlingen voor zichzelf werken.

Kon je wat in het daaropvolgende kwartier met hem gebeurde, een beslissing noemen? Gregorius zou die vraag later telkens weer aan zichzelf stellen, en nooit was hij er zeker van. Maar als het geen beslissing was – wat was het dan?

Het begon ermee dat hij de in hun schriften turende, voorover-gebogen zittende leerlingen opeens bekeek alsof hij ze voor de eer-ste keer zag.

Lucien von Graffenried, die bij het jaarlijkse schaaktoernooi in de aula, waarbij Gregorius simultaan tegen een tiental leerlingen speelde, heimelijk een stuk had verplaatst. Na de zetten aan de an-dere borden had Gregorius weer tegenover hem gestaan. Hij merk-te het meteen. Rustig keek hij hem aan. Er verscheen een vuur-rode blos op Luciens gezicht. 'Zoiets heb jij echt niet nodig,' zei Gregorius, en toen zorgde hij ervoor dat de partij in remise ein-digde.

Sarah Winter, die om twee uur 's nachts op zijn stoep had ge-staan omdat ze niet wist wat ze aanmoest met haar zwangerschap. Hij had thee gezet en geluisterd, verder niets. 'Ik ben zo blij dat ik uw raad heb opgevolgd,' zei ze een week later. 'Het zou veel te vroeg zijn geweest voor een kind.'

Beatrice Lüscher, met haar regelmatige, haarscherpe hand-schrift, die onder de druk van haar altijd perfecte prestaties beang-stigend snel oud werd. René Zingg, wiens cijfers altijd het laagst waren.

En natuurlijk Natalie Rubin. Een meisje dat niet erg toeschiete-lijk was en een beetje op een hofdame uit vergane tijden leek, on-benaderbaar, bewonderd en gevreesd wegens haar scherpe tong. Afgelopen week was ze opgestaan nadat de bel voor de pauze was gegaan, had zich uitgerekt als iemand die zich behaaglijk voelt in haar lijf en had uit de zak van haar rok een snoepje gehaald. Op weg naar de deur haalde ze het papiertje eraf en toen ze langs hem liep bracht ze het naar haar mond. Juist toen het haar lippen be-roerde, onderbrak ze de beweging, draaide zich naar hem om, stak hem het knalrode snoepje toe en vroeg: 'Wilt u?' Geamuseerd over zijn verblufte gezicht had ze haar zeldzaam hoge lachje gelachen en ervoor gezorgd dat haar hand de zijne raakte.

Gregorius ging ze allemaal langs. Eerst leek het alsof hij alleen

een tussenbalans opmaakte van zijn gevoelens voor hen. Maar in het midden van de rijen banken aangekomen merkte hij dat hij steeds vaker dacht: Wat hebben ze nog veel leven vóór zich; wat ligt hun toekomst nog open; wat kan er nog allemaal met hen gebeuren; wat kunnen ze nog allemaal beleven!

Português. Hij hoorde de melodie en zag het gezicht van de vrouw, hoe ze met gesloten ogen was opgedoken van achter de handdoek waarmee ze haar haar had drooggemaakt, wit als albast. Een laatste maal gleed zijn blik over de hoofden van de leerlingen. Toen stond hij langzaam op, liep naar de deur, waar hij zijn klamme jas van de haak nam, en verdween zonder zich nog één keer om te draaien uit het klaslokaal.

Zijn aktetas met de boeken die hem een leven lang hadden vergezeld, was op de lessenaar achtergebleven. Boven aan de trap stond hij even stil en dacht aan hoe hij de boeken om de paar jaar opnieuw had laten inbinden, altijd in dezelfde zaak, waar ze lachten om de beduimelde, slap geworden bladzijden die bijna aanvoelden als vloeipapier. Zolang de tas op de lessenaar lag zouden de leerlingen aannemen dat hij terugkwam. Maar dat was niet de reden waarom hij de boeken had laten liggen en waarom hij nu de verleiding weerstond ze alsnog te gaan halen. Als hij nu wegging, moest hij ook bij die boeken weggaan. Dat voelde hij met grote duidelijkheid, zelfs al had hij op dat moment, op weg naar de uitgang, geen idee wat het eigenlijk betekende: weggaan.

In de hal viel zijn oog op het plasje water dat zich had gevormd toen de vrouw in haar druipende jas had staan wachten tot hij terugkwam van het toilet. Het was het spoor van een bezoekster uit een andere, verre wereld en Gregorius keek ernaar met een aandacht die hij anders alleen voor archeologische vondsten placht te hebben. Pas toen hij de conciërge aan hoorde komen sloffen, rukte hij zich los en verliet snel het gebouw.

Zonder zich om te draaien liep hij naar een hoek van de straat van waaruit hij ongezien een blik terug kon werpen. Met een schok, heel anders dan hij van zichzelf had verwacht, drong het tot hem door hoezeer hij dat gebouw en alles waar het voor stond liefhad en hoezeer hij het zou missen. Hij rekende na: tweeënveertig jaar geleden had hij het op vijftienjarige leeftijd als gymnasiast voor het eerst betreden, vol verwachting en toch niet zonder schroom. Vier jaar later had hij het met het diploma in de hand weer verlaten, alleen om nog weer vier jaar later terug te komen als vervanger van een verongelukte leraar Grieks, de man die destijds de klassieke wereld voor hem had ontsloten. De nog studerende vervanger was een altijd doorstuderende permanente vervanger geworden, die al drieëndertig was toen hij eindelijk afstudeerde.

Dat had hij alleen gedaan omdat Florence, zijn vrouw, erop had aangedrongen. Aan promoveren had hij nooit gedacht; als iemand hem ernaar vroeg, lachte hij alleen. Op zulke dingen kwam het niet aan. Waar het op aankwam was iets heel simpels: de oude tekst tot in elk detail, elk grammaticaal en stilistisch detail te kennen, en te weten wat de geschiedenis van elke uitdrukking was. Met andere woorden: *goed* te zijn. Dat was geen bescheidenheid – met de eisen die hij aan zichzelf stelde was hij zelfs uitgesproken onbescheiden. Ook was het geen rare tic of een vreemd soort ijdelheid. Het was, had hij later weleens gedacht, een stille woede geweest die gericht was op een wereld vol gewichtigdoenerij, een onbuigzame trots waarmee hij zich wilde wreken op de wereld van de opscheppers waaronder zijn vader zijn hele leven lang had geleden omdat hij het niet verder had geschopt dan suppoost in een museum. Dat de andere studenten, die veel minder konden dan hij – belachelijk weinig om de waarheid te zeggen –, afstudeerden en een vaste aanstelling kregen: het was alsof dat bij de anderen hoorde, bij een ondraaglijk oppervlakkige wereld met maatstaven waarvoor hij alleen maar minachting voelde. Op school zouden ze nooit op het idee zijn gekomen hem te ontslaan en door iemand te vervangen die wel volledig bevoegd was. De rector, zelf classicus, wist hoe goed Gregorius was – veel beter dan hij zelf – en hij wist ook dat onder de leerlingen een opstand zou zijn uitgebroken. Het schriftelijk examen dat hij moest afleggen toen hij eindelijk afstudeerde, vond Gregorius een lachertje en hij leverde het in de helft van de tijd die ervoor stond in. Hij had het Florence altijd een beetje kwalijk genomen dat ze hem ertoe had overgehaald zijn verzet op te geven.

Gregorius draaide zich om en liep langzaam in de richting van de Kirchenfeldbrücke. Toen de brug in zicht kwam had hij het vreemde, even verontrustende als bevrijdende gevoel dat hij op het punt stond zijn leven op zevenenvijftigjarige leeftijd voor het eerst in eigen hand te nemen.

2 Op de plek waar de vrouw in de stromende regen de brief had staan lezen stond hij stil en keek naar beneden. Voor het eerst besefte hij hoe diep je zou vallen. Had ze werkelijk willen springen? Of was het alleen maar zijn voorbarige angst geweest die voortkwam uit het feit dat ook de broer van Florence van een brug was gesprongen? Behalve dat Portugees haar moedertaal was, wist hij niets van de vrouw. Niet eens haar naam kende hij. Natuurlijk was het onzinnig van hier bovenaf de verfrommelde brief te willen zien liggen. Toch tuurde hij naar beneden met ogen die van inspanning begonnen te tranen. Was die donkere punt daar zijn paraplu? Hij tastte in de zak van zijn colbert om zich ervan te vergewissen dat hij het notitieboekje bij zich had met daarin het telefoonnummer dat de naamloze Portugese op zijn voorhoofd had geschreven. Toen liep hij naar het einde van de brug, onzeker over de richting die hij in zou slaan. Hij stond op het punt weg te lopen uit het leven dat hij tot dusver had geleid. Kon iemand die zoiets van plan was wel gewoon naar huis gaan?

Zijn blik viel op hotel Bellevue, het oudste en deftigste hotel van de stad. Duizenden keren was hij erlangs gelopen zonder er ooit naar binnen te gaan. Elke keer had hij gevoeld dat het hotel er was en hij bedacht nu dat het voor hem op een ongrijpbare manier belangrijk was geweest dat het er was; het zou hem onaangenaam hebben getroffen als hij had gehoord dat het hotel zou worden afgebroken of zou ophouden een hotel – of zelfs maar: dit hotel – te zijn. Maar het zou nooit bij hem zijn opgekomen dat hij, Mundus, er iets te zoeken had. Aarzelend liep hij nu naar de ingang. Er stopte een Bentley, de chauffeur stapte uit en ging naar binnen. Toen Gregorius hem volgde deed hij dat met het gevoel iets te doen wat heel erg revolutionair en eigenlijk verboden was.

De foyer met de koepel van gekleurd glas lag er verlaten bij en het tapijt absorbeerde elk geluid. Gregorius was blij dat het niet meer regende en dat zijn jas niet droop. Met zijn zware, vormloze schoenen liep hij door naar de eetzaal. Van de tafeltjes die voor het ontbijt waren gedekt, waren er maar twee bezet. De zachte klanken van een divertimento van Mozart maakte de indruk dat je je op een plek bevond die ver verwijderd was van alles wat luid, lelijk en opdringerig was. Gregorius trok zijn jas uit en ging aan een tafeltje bij het raam zitten. Nee, zei hij tegen de ober in een lichtbeige jasje, hij was geen gast van het hotel. Hij merkte hoe hij werd opgenomen: de grove coltrui onder het versleten colbertje met de leren stukken op de ellebogen, de uitgezakte corduroy broek, de povere krans haar rond zijn grote kale hoofd, de grijze baard met hier en daar witte plukken, waardoor hij er een beetje onverzorgd uitzag. Toen de ober de bestelling had opgenomen ging Gregorius met ongecontroleerde bewegingen na of hij wel genoeg geld bij zich had. Toen zette hij zijn ellebogen op het gesteven tafellaken en keek naar de brug.

Het was onzinnig te hopen dat ze daar nog een keer zou opduiken. Ze was over de brug teruggelopen en daarna in de oude binnenstad verdwenen. Hij zag haar voor zich: hoe ze achter in het klaslokaal had gezeten en met afwezige blik uit het raam had gestaard. Hij zag hoe ze haar bleke handen verkrampt samenvouwde. En opnieuw zag hij hoe haar albasten gezicht van achter de handdoek opdook, doodmoe en kwetsbaar. *Português*. Aarzelend haalde hij het notitieboekje uit zijn zak en bekeek het telefoonnummer. De ober kwam met het ontbijt en zette zilveren kannetjes op tafel. Gregorius liet de koffie koud worden. Eén keer stond hij op en liep naar de telefoon. Halverwege keerde hij om en ging terug naar het tafeltje. Hij rekende het onaangeroerde ontbijt af en verliet het hotel.

Het was jaren geleden dat hij in de Spaanse boekhandel op de Hirschengraben was geweest. Vroeger had hij daar af en toe een boek voor Florence afgehaald dat ze nodig had voor haar dissertatie over Johannes van het Kruis. In de bus had hij het weleens doorgebladerd, maar thuis had hij de boeken nooit aangeraakt. Spaans – dat was haar domein. Het was als Latijn en toch heel anders dan Latijn, en dat stoorde hem. Hij had er een hekel aan dat woorden waarin het Latijn zo aanwezig was, uit de mond kwamen van tijdgenoten – op straat, in de supermarkt, in cafés. Dat ze gebruikt werden om Coca-Cola te bestellen, te onderhandelen en te vloeken. Hij kon de gedachte moeilijk verdragen en als dat idee zich aan hem opdrong, verdreef hij het snel en heftig. Natuurlijk, ook de Romeinen hadden onderhandeld en gevloekt. Maar dat was iets anders. Hij hield van Latijnse zinnen omdat ze de rust in zich borgen van alles wat verleden tijd was geworden. Omdat die zinnen je niet dwongen er iets over te zeggen. Omdat ze taal waren die aan al het gepraat voorbij was. En omdat ze in hun onveranderbaarheid mooi waren. Dode talen – mensen die er op die manier over spraken hadden geen idee, werkelijk geen idee, en Gregorius kon hard en onbuigzaam zijn in zijn minachting voor dat soort mensen. Als Florence aan de telefoon Spaans sprak, deed hij de deur dicht. Dat kwetste haar, en hij kon het haar niet uitleggen.

In de boekhandel rook het heerlijk naar oud leer en stof. De eigenaar, een man van middelbare leeftijd met een legendarische kennis van de Romaanse talen, was bezig in het achterste deel van de winkel. Voorin was niemand, op een jonge vrouw na, blijkbaar een studente. Ze zat in een hoekje naast een tafel en las in een dun boekje met een vergeeld omslag. Gregorius was liever alleen geweest. Het gevoel dat hij hier alleen maar was omdat hij de melodie van een Portugees woord niet uit zijn hoofd kreeg en misschien ook omdat hij niet had geweten waar hij anders heen had moeten gaan, was zonder getuigen gemakkelijker te verdragen geweest. Hij liep langs de kasten met boeken zonder iets te zien. Af en toe zette hij zijn bril wat hoger om op een hoge plank een titel beter te kunnen lezen; maar zodra hij hem had gelezen, was hij hem alweer vergeten. Zoals zo vaak was hij met zijn gedachten alleen, en zijn geest was naar buiten toe verzegeld.

Toen de deur openging draaide hij zich snel om en aan zijn teleurstelling dat het alleen maar de postbode was, merkte hij dat hij tegen zijn voornemens in en in strijd met elk gezond verstand toch op de Portugese had gewacht. Nu sloeg de studente het boek dicht en stond op. Maar in plaats van het bij de andere boeken op de tafel te leggen, bleef ze staan, ze liet haar blik steeds opnieuw over het grijze omslag glijden, streek er met haar hand overheen, en pas nadat er nog een aantal seconden waren verstreken legde ze het boek op de tafel, zo zachtjes en voorzichtig alsof het door een harde aanraking tot stof zou vervallen. Heel even bleef ze daarna bij de tafel staan en het leek alsof ze misschien op een andere gedachte zou komen en het boek toch zou kopen. Toen liep ze de winkel uit, haar handen diep in haar jaszakken en met gebogen hoofd. Gregorius pakte het boek op en las: Amadeu Inácio de Almeida Prado, *Um ourives das palavras*, Lissabon 1975.

De boekhandelaar was gekomen, wierp nu een blik op het boek en sprak de titel uit. Gregorius hoorde alleen een reeks sisklanken; de ingeslikte, nauwelijks hoorbare medeklinkers leken niet meer dan een uitvlucht te zijn teneinde de ruisende *sj*-klank telkens opnieuw te kunnen herhalen.

'Spreekt u Portugees?'

Gregorius schudde zijn hoofd.

'Een goudsmid van woorden, betekent dat. Is dat geen mooie titel?'

'Stil en elegant. Als mat zilver. Wilt u hem nog een keer zeggen in het Portugees?'

De boekhandelaar herhaalde de woorden. Behalve van de woorden zelf kon je horen hoe hij genoot van hun fluwelen klank. Gregorius sloeg het boek open en bladerde tot de tekst begon. Hij stak het de man toe, die hem een verbaasde en waarderende blik toewierp en begon voor te lezen. Gregorius deed zijn ogen dicht terwijl hij luisterde. Na een paar zinnen stopte de man met voorlezen.

'Zal ik het vertalen?'

Gregorius knikte. En toen hoorde hij de zinnen die een verdovend effect op hem hadden omdat ze klonken alsof ze enkel en alleen voor hem waren geschreven, en niet alleen voor hem, maar voor hem op deze ochtend die alles had veranderd.

Van de duizenden ervaringen die wij opdoen, brengen we er hoogstens één ter sprake, en dan ook die ene alleen maar toevallig en zonder de zorgvuldigheid die de ervaring verdient. Tussen al die verzwegen ervaringen zitten diegene verborgen die ons leven ongemerkt zijn vorm, zijn kleur en zijn melodie geven. Wanneer we ons, als archeologen van de ziel, over die schatten buigen, ontdekken we hoe verwarrend ze zijn. Het onderwerp van onze beschouwing weigert stil te

staan, de woorden glijden af op wat we beleefd hebben en uiteinde-
lijk staan louter tegenstrijdigheden op papier. Lang heb ik geloofd dat
dat een tekortkoming was, iets wat overwonnen moest worden. Te-
genwoordig denk ik dat het anders in elkaar steekt: dat de erkenning
van de verwarring de koninklijke weg is naar het begrijpen van die
vertrouwde en toch raadselachtige ervaringen. Dat klinkt vreemd, ja
eigenlijk absurd, dat weet ik. Maar sinds ik de zaak zo zie, heb ik het
gevoel voor de eerste keer wakker en levend te zijn.

'Dit is de inleiding,' zei de boekhandelaar en hij begon te bladeren.
'En hier, schijnt het, begint hij alinea na alinea te graven naar al
die verborgen ervaringen. Zijn eigen archeoloog te zijn. Er zijn alinea's die een paar bladzijden beslaan en dan weer heel korte. Hier
is er bijvoorbeeld één die uit een enkele zin bestaat.' Hij vertaalde:

Als het zo is dat wij slechts een klein deel kunnen leven van wat er in
ons zit – wat gebeurt er dan met de rest?

'Ik wil het boek graag hebben,' zei Gregorius.

De boekhandelaar sloeg het dicht en streek op dezelfde tedere
manier over het omslag als de studente zonet had gedaan.

'Ik heb het vorig jaar in een kist met ramsj van een antiquariaat
in Lissabon gevonden. En nu herinner ik het me weer: ik heb het
meegenomen omdat de inleiding me beviel. Op een of andere manier heb ik het toen uit het oog verloren.' Hij keek Gregorius aan
die omslachtig naar zijn portefeuille zocht. 'Ik doe het u cadeau.'

'Dat is…' begon Gregorius schor en schraapte zijn keel.

'Het heeft toch bijna niets gekost,' zei de boekhandelaar en stak
hem het boek toe. 'Nu herinner ik me u ook weer: Johannes van
het Kruis. Correct?'

'Dat was mijn vrouw,' zei Gregorius.

'Dan bent u de leraar oude talen van het Kirchenfeld, ze heeft
het over u gehad. En later heb ik nog iemand over u horen spreken. Het klonk alsof u een wandelende encyclopedie bent.' Hij lachte. 'Een uitgesproken geliefde encyclopedie.'

Gregorius stak het boek in zijn jaszak en gaf hem een hand. 'Har-
telijk bedankt.'

De boekhandelaar liep met hem mee naar de deur. 'Ik hoop dat ik u niet…'

'Geenszins,' zei Gregorius en raakte zijn arm aan.

Op de Bubenbergplatz bleef hij staan en keek om zich heen. Hier had hij zijn hele leven doorgebracht, hier wist hij de weg, hier was hij thuis. Voor iemand die zo bijziend was als hij was dat belangrijk. Voor iemand als hij was de stad waar hij woonde als een omhulsel, een comfortabel hol, een veilig nest. Alle andere dingen betekenen gevaar. Alleen iemand die net zulke dikke brillenglazen had als hij kon dat begrijpen. Florence had het niet begrepen. En waarschijnlijk om dezelfde reden had ze niet begrepen dat hij niet graag vloog. In een vliegtuig stappen en een paar uur later in een heel andere wereld aankomen zonder dat je de tijd had gehad de beelden van wat daartussen lag in je op te nemen – daar hield hij niet van, dat bracht hem in verwarring. Het is niet juist, had hij tegen Florence gezegd. Wat bedoel je, het is niet juist? had ze geïrriteerd gevraagd. Hij had het niet kunnen uitleggen en zo was ze steeds vaker alleen gevlogen, of samen met anderen, meestal naar Zuid-Amerika.

Gregorius liep naar de vitrine van de bioscoop Bubenberg. Als late voorstelling draaide er een zwart-witfilm naar een roman van Georges Simenon: *L'homme qui regardait passer les trains*. De titel beviel hem en ook de foto's bekeek hij langdurig. Aan het eind van de jaren zeventig, toen iedereen een kleurentelevisie kocht, had hij dagenlang tevergeefs geprobeerd nog een zwart-witapparaat te krijgen. Uiteindelijk had hij een toestel mee naar huis genomen dat bij het grofvuil was gezet. Hardnekkig had hij er ook na zijn huwelijk aan vastgehouden, het stond in zijn werkkamer en als hij alleen was liet hij het kleurentoestel in de woonkamer links liggen en zette het oude ding aan; het flakkerde en af en toe rolden de beelden. Mundus, je bent onmogelijk, had Florence op een dag gezegd toen ze hem aantrof voor het lelijke vormeloze ding. Dat ze net als de anderen tegen hem begon te praten en hij nu ook thuis als de dorpsgek van Bern werd behandeld – dat was het begin van het einde geweest. Toen na de scheiding de kleurentelevisie uit de woning was verdwenen, was hij opgelucht. Pas jaren later, toen de beeldbuis helemaal kapot was, had hij een nieuwe kleurentelevisie gekocht.

De foto's in de vitrine waren groot en haarscherp. Op de ene foto stond het bleke, albasten gezicht van Jeanne Moreau die natte haarslierten uit haar gezicht streek. Gregorius rukte zich ervan los en ging naar een café-restaurant om het boek te bekijken waarin de Portugees van adellijke afkomst had geprobeerd zichzelf met zijn zwijgende ervaringen onder woorden te brengen.

Nu pas, nu hij met de bedachtzaamheid van de liefhebber van oude boeken langzaam bladzijde na bladzijde omsloeg, ontdekte hij het portret van de auteur, een oude, op het moment dat het boek was gedrukt al vergeelde foto waarop de ooit zwarte vlakken een donkerbruine kleur hadden aangenomen, het witte gezicht tegen de achtergrond van een grofkorrelig schimmig donker. Gregorius maakte zijn bril schoon, zette hem weer op en was binnen enkele ogenblikken geheel in de ban van het gezicht.

De man was vermoedelijk begin dertig en straalde een intelligentie, een zelfbewustzijn en een vermetelheid uit die Gregorius bijna verblindden. Boven het witte gezicht met het hoge voorhoofd welfde zich het weelderige donkere haar dat mat scheen te glanzen en, naar achteren gekamd, op een helm leek waarbij aan de zijkanten zacht golvende lokken over de oren vielen. Een smalle Romeinse neus gaf het gezicht een grote helderheid, versterkt door de markante wenkbrauwen die op het gezicht stonden als stevige balken, met een brede penseel geschilderd en aan de buitenkant plots afbrekend zodat er naar het midden toe concentratie ontstond, in de richting van waar de gedachten zich bevonden. De volle, gewelfde lippen, die in het gezicht van een vrouw niet zouden hebben misstaan, waren omlijst door een dun snorretje en een kort baardje, dat door de zwarte schaduw die het op de slanke hals wierp bij Gregorius de indruk wekte dat je ook rekening diende te houden met een zekere ruwheid en hardheid. Wat evenwel alles besliste waren de donkere ogen. Er lagen schaduwen onder, maar dat waren niet de schaduwen van vermoeidheid, uitputting of ziekte, maar schaduwen van ernst en melancholie. In zijn donkere blik lag een mengeling van zachtmoedigheid, onverschrokkenheid en onbuigzaamheid. De man was een dromer en een dichter, dacht Gregorius, maar tegelijkertijd iemand die heel gedreven een wapen kon hanteren of een scalpel, een man die je maar beter uit de weg kon gaan als zijn ogen vuur spuugden, ogen die een horde vecht-lustige reuzen op afstand konden houden, ogen die ook schaamteloze blikken konden werpen. Van de kleding was alleen de witte boord van het overhemd en de knoop van een stropdas te zien, daar overheen een jas die Gregorius zich voorstelde als een jacquet.

Het was bijna één uur toen Gregorius ontwaakte uit het diepe gemijmer waarin het portret hem had doen verzinken. Alweer was de koffie die voor hem stond koud geworden. Hij wilde dat hij de stem van de Portugees kon horen en zien hoe hij zich bewoog. 1975: als de man toen begin dertig was geweest, zoals hij de indruk had, dan was hij nu iets over de zestig. *Português.* Gregorius riep de stem van de naamloze Portugese op in zijn herinnering en maakte die in gedachten lager zonder dat hij daardoor de stem van de boek-handelaar werd. Het moest een stem met een melancholieke hel-derheid zijn die paste bij de blik van Amadeu de Prado. Hij pro-beerde de zinnen in het boek met die stem tot klinken te brengen. Maar het ging niet; hij wist niet hoe de woorden moesten worden uitgesproken.

Buiten liep Lucien von Graffenried langs het café-restaurant. Gre-gorius was verrast en opgelucht te merken dat hij niet ineendook. Hij keek de jongen na en dacht aan de boeken op de lessenaar. Hij moest wachten tot de lessen om twee uur weer begonnen. Dan pas kon hij naar de boekhandel gaan om een cursus Portugees te kopen.

3 Thuis had Gregorius de grammofoonplaat nog niet op-gelegd en de eerste Portugese zinnen gehoord, of de telefoon ging. De school. Het gerinkel hield maar niet op. Hij stond naast het toe-stel en probeerde zinnen uit die hij zou kunnen zeggen. 'Sinds van-ochtend voel ik dat ik nog iets anders wil maken van mijn leven. Dat ik niet meer jullie Mundus wil zijn. Ik heb geen idee wat dat nieuwe zal zijn. Maar het duldt geen uitstel, geen enkel. Mijn tijd verstrijkt namelijk en het zou kunnen dat er niet meer veel van over is.' Gregorius sprak de zinnen hardop uit. Ze klopten, dat wist hij, hij had in zijn leven weinig zinnen van betekenis gezegd die zo precies klopten als deze. Maar ze hadden een holle en pathetische toon als hij ze uitsprak en het was onmogelijk ze in de hoorn van de telefoon te spreken.

Het gerinkel van de telefoon was opgehouden. Maar het zou telkens opnieuw beginnen. Ze maakten zich zorgen en zouden niet rusten tot ze hem hadden gevonden; er zou hem iets kunnen zijn overkomen. Vroeg of laat zou er worden aangebeld. Nu, in februari, werd het nog steeds vroeg donker. Hij zou geen licht mogen maken. Midden in de stad die het midden van zijn leven had gevormd was hij op de vlucht en moest zichzelf verstoppen in de woning waarin hij al vijftien jaar woonde. Het was absurd, lachwekkend en had iets van een goedkope komedie. En toch was het serieus, serieuzer dan het meeste wat hij tot dusver had beleefd en gedaan. Maar het was onmogelijk uit te leggen aan de mensen die hem zochten. Gregorius stelde zich voor hoe hij de deur open zou doen en hen zou verzoeken binnen te komen. Het was onmogelijk. Absoluut onmogelijk.

Drie keer achtereen luisterde hij naar de eerste plaat van de cursus en langzaam kreeg hij een idee van het verschil tussen het geschreven en het gesproken Portugees en van de letters die in het gesproken Portugees worden ingeslikt. Zijn feilloze geheugen voor taalconstructies werd geactiveerd.

Met tussenpozen die steeds korter leken te worden ging de telefoon. Van de vorige bewoonster had hij destijds een voorwereldlijk toestel overgenomen met een aansluiting zonder stekker, die hij er nu uit had kunnen trekken. Hij had erop gestaan dat alles bleef zoals het was. Nu haalde hij een wollen deken om het gerinkel te smoren.

De stemmen die op de plaat te horen waren, nodigden hem uit woorden en korte zinnen na te zeggen. Lippen en tong voelden traag en plomp aan als hij het probeerde. De oude talen waren als gemaakt voor zijn aan het Bernse dialect gewende mond en in het tijdloze universum van die talen kwam de gedachte zich te moeten haasten niet voor. De Portugezen leken daarentegen steeds haast te hebben, net als de Fransen, aan wie hij zich om die reden inferieur voelde. Florence had ervan gehouden, van die razendsnelle elegantie, en toen hij het gemak beluisterde waarmee zij die beheerste, was hij tot zwijgen vervallen.

Maar nu was opeens alles anders: Gregorius wilde het onstuimige tempo van de spreker en de dartele lichte toon van de spreekster, een toon die aan een piccolofluit deed denken, nabootsen en liet de steeds gelijkluidende zinnen terugkeren om de afstand tussen zijn logge uitspraak en het stralende voorbeeld te verkleinen. Na een poosje besefte hij dat hij een grote bevrijding beleefde; de bevrijding van een zichzelf opgelegde beperking, van de traagheid en onbeholpenheid waarvan ook zijn naam getuigde en waarvan de langzame passen van zijn vader hadden getuigd als hij in het museum bedachtzaam van de ene zaal naar de andere liep; de bevrijding van een beeld van zichzelf waarin hij, ook als hij niet las, op een man leek die zich bijziend over stoffige boeken boog; een beeld dat hij niet bewust had ontworpen maar dat eerder langzaam en onmerkbaar was gegroeid; het beeld van Mundus, dat niet alleen uit zijn eigen handschrift naar voren kwam maar ook uit het handschrift van vele anderen, die het prettig en gemakkelijk hadden gevonden zich aan die stille, museale gestalte vast te kunnen houden en erbij tot rust te komen. Gregorius had het gevoel alsof hij uit dat beeld naar buiten trad als uit een stoffig schilderij aan de muur van een vergeten zijvleugel van een museum. Hij liep op en neer door de schemer die in zijn onverlichte woning hing, bestelde in het Portugees een kop koffie, vroeg naar een straat in Lissabon, informeerde naar iemands beroep en naam, beantwoordde vragen over zijn eigen beroep en voerde een kort gesprek over het weer.

En opeens begon hij met de Portugese van die ochtend te praten. Hij vroeg haar naar de reden van haar woede jegens de schrijver van de brief. *Você quis saltar?* Wilde u springen? Opgewonden hield hij het nieuwe woordenboek en de grammatica vlak voor zijn ogen en zocht uitdrukkingen en werkwoordsvormen op die hij nodig had. *Português.* Hoe anders dat woord nu al klonk! Had het tot dusver de betovering bezeten van een kleinood uit een ver, ontoegankelijk land, nu was het een van de duizenden edelstenen in een paleis waarvan hij zo-even de deur had opengeduwd.

Er werd aangebeld. Op zijn tenen sloop Gregorius naar de grammofoon en zette hem af. Het waren jonge stemmen, stemmen van leerlingen die buiten beraadslaagden. Nog twee keer sneed de schelle bel door de schemerige stilte waarin Gregorius roerloos wachtte. Toen verwijderden de stemmen zich uit het trappenhuis.

De keuken was het enige vertrek dat aan de achterkant van de woning lag en een jaloezie had. Gregorius liet die zakken en deed het licht aan. Hij haalde het boek van de adellijke Portugees en de cursusboeken, ging aan de eettafel zitten en begon de eerste tekst na de inleiding te vertalen. Het leek op Latijn en was toch heel anders dan Latijn, en nu stoorde hem dat helemaal niet. Het was een moeilijke tekst en het nam tijd. Systematisch en met het doorzettingsvermogen van een marathonloper zocht Gregorius de woorden op en kamde de lijsten met werkwoorden door tot hij de ondoorzichtige werkwoordsvormen had ontraadseld. Na een paar zinnen raakte hij in een koortsachtige opwinding en hij ging papier halen om de vertaling op te schrijven. Het was bijna negen uur toen hij eindelijk tevreden was:

PROFUNDEZAS INCERTOS. ONZEKERE DIEPTEN.

Bestaat er een geheim onder de oppervlakte van het menselijke doen? Of zijn de mensen precies zoals hun handelingen, die zo waarneembaar zijn, het laten zien?

Het is uiterst merkwaardig, maar het antwoord verandert bij mij met het licht dat op de stad en de Tejo valt. Is het het betoverende licht van een zinderende dag in augustus, dat heldere, scherp gesneden schaduwen voortbrengt, dan komt de gedachte aan een verborgen menselijke diepte me vreemd voor en als een curieus en ook ontroerend fantasma, een luchtspiegeling zoals die zich vertoont wanneer ik te lang naar de in dat licht bliksemende golven kijk. Hangt er daarentegen op een sombere dag in januari een koepel van schaduwloos licht en saai grijs boven de stad, dan ken ik geen zekerheid die groter kan zijn dan deze: dat al het menselijke doen slechts een hoogst onvolmaakte, bijna lachwekkend machteloze uitdrukking is van een verborgen innerlijk leven van onvermoede diepte dat naar de oppervlakte dringt zonder die ooit ook maar in de verste verte te kunnen bereiken.

En bij die merkwaardige, verontrustende onbetrouwbaarheid van mijn oordeel komt nog een andere ervaring die, sinds ik haar heb leren kennen, mijn leven telkens weer in een verwarrende onzekerheid

dompelt: dat ik in deze kwestie, waarbuiten voor ons mensen eigen-
lijk niets belangrijkers kan bestaan, evenzeer aarzel als het om mij-
zelf gaat. Wanneer ik namelijk voor mijn favoriete café zit, me koes-
ter in de zon en naar het heldere, op het geluid van een kerkklokje
lijkende lachen van passerende senhoras luister, dan komt het me voor
alsof mijn gehele innerlijke wereld tot in de donkerste hoek gevuld en
mij door en door bekend is omdat ze geheel opgaat in die aangena-
me gewaarwordingen. Maar schuift er dan een onttoverende, ont-
nuchterende wolkendeken voor de zon, dan ben ik er opeens zeker van
dat er in mij verborgen diepten en ondiepten zijn waaruit nog on-
vermoede dingen zullen losbarsten die mij met zich mee kunnen sleu-
ren. Dan reken ik vlug af en zoek haastig naar afleiding, in de hoop
dat de zon spoedig opnieuw te voorschijn komt en de rustgevende op-
pervlakkigheid tot haar recht laat komen.

Gregorius sloeg de foto van Amadeu de Prado op en zette het boek
tegen de tafellamp. Zin voor zin projecteerde hij de vertaalde tekst
in de vermetele, melancholieke blik. Eén enkele keer had hij iets
dergelijks gedaan: toen hij als student de *Overpeinzingen* van Marcus Aurelius had gelezen. Op de tafel had een gipsen borstbeeldje
van de keizer gestaan, en als hij aan de tekst werkte was het alsof
hij dat deed onder de bescherming van diens zwijgende aanwezigheid. Tussen toen en nu was er echter een verschil dat Gregorius
steeds duidelijker voelde naarmate de nacht vorderde, zonder dat
hij het onder woorden kon brengen. Maar één ding wist hij toen
het tegen tweeën liep: de Portugees gaf hem met de scherpte van
zijn waarneming een helderheid van geest en een precisie van gevoelens zoals zelfs de wijze keizer niet had vermocht, wiens reflec-
ties hij had verslonden alsof ze rechtstreeks tot hem waren gericht.
Intussen had Gregorius namelijk nog een passage vertaald:

PALAVRAS NUM SILÊNCIO DE OURO. WOORDEN IN GOUDEN STILTE.
Wanneer ik de krant lees, naar de radio luister of in het café let op
wat de mensen zeggen, ervaar ik steeds vaker weerzin, ja walging te-
genover de altoos zelfde woorden die geschreven en gesproken wor-
den – de altoos gelijkluidende uitdrukkingen, frasen en metaforen.
En het ergste is nog dat ik als ik naar mijzelf luister, moet constate-

ren dat ook ik altoos dezelfde dingen zeg. Ze zijn zo verschrikkelijk afgezaagd en uitgewoond, de woorden, versleten doordat ze miljoenen keren zijn gebruikt. Hebben ze eigenlijk nog een betekenis? Natuurlijk, het uitwisselen van woorden functioneert, de mensen handelen ernaar, ze lachen en huilen, ze lopen naar links of naar rechts, de ober brengt koffie of thee. Maar dat is het niet wat ik wil vragen. De vraag is: zijn ze nog uitdrukkingen van gedachten? Of alleen maar een verzameling effectloze klanken waardoor de mensen alle kanten op worden gedreven omdat de ingegraveerde sporen van het gebabbel voortdurend oplichten?

Het komt voor dat ik dan naar het strand ga en mijn hoofd hoog in de wind houd, die ik liever ijziger heb, kouder dan wij hem kennen in dit land: blies hij al die versleten woorden, al die smakeloze spreekgewoontes maar uit mij weg zodat ik terug kon komen met een gereinigde geest, gereinigd van de slakken van het altoos zelfde geklets. Maar bij de eerste de beste gelegenheid waarop ik iets moet zeggen, is alles als voorheen. De reiniging waarnaar ik zo verlang is niet iets wat vanzelf gaat. Ik moet iets *doen*, en ik moet het met *woorden doen*. Maar wat? Het is niet dat ik uit mijn taal wil treden en een andere taal wil binnentreden. Nee, het gaat er niet om uit de taal te deserteren. En ook iets anders zeg ik tegen mijzelf: je kunt de taal niet opnieuw uitvinden. Maar wat is het dan wat ik wil?

Misschien is het dit: ik wil de Portugese woorden *nieuw* maken. De zinnen die met die nieuwe woorden zouden ontstaan hoeven niet ongewoon en nodeloos ingewikkeld te zijn, niet geëxalteerd, gemaniëreerd en geforceerd. Het moeten archetypische Portugese zinnen zijn die ooit het centrum van de taal hebben gevormd, zodat je het gevoel krijgt dat ze heel direct en zuiver uit het transparante, diamanten wezen van de taal voortkomen. De woorden zouden puur moeten zijn als gepolijst marmer en ze zouden rein moeten zijn als de klanken van een partita van Bach, die alles wat ze niet zelf zijn in volmaakte stilte veranderen. Soms, als in mij nog een restje mededogen met de taalbrij over is, denk ik dat het de weldadige stilte van een tevreden woonkamer zou kunnen zijn of ook de serene stilte tussen twee geliefden. Maar als de woede over het kleffe, alledaagse woordgebruik mij helemaal in haar bezit neemt, mag het niet minder zijn dan de heldere, koele stilte van het lichtloze heelal waarin ik als de enige die

Portugees spreekt mijn geruisloze banen trek. De ober, de kapster, de tramconducteur – ze zouden verbaasd staan als ze de nieuwe woorden zouden horen, en hun verbazing zou de schoonheid van de zinnen gelden, een schoonheid die niets anders zou zijn dan de glans van hun helderheid. Het zouden – stel ik me voor – dwingende zinnen zijn, maar je zou ze ook onverbiddelijk kunnen noemen. Onkreukbaar en onwrikbaar zouden ze zijn en daarin zouden ze lijken op de woorden van een God. Tegelijkertijd zouden ze geen overdrijving en geen pathos kennen, ze zouden precies zijn en zo sober dat je geen enkel woord zou kunnen wegnemen, en geen enkele komma. In die zin zouden ze vergelijkbaar zijn met een gedicht, gevlochten door een goudsmid van woorden.

Gregorius had pijn in zijn maag van de honger en hij dwong zichzelf iets te eten. Later zat hij met een kop thee in de donkere woonkamer. Wat nu? Twee keer was er nog op de deurbel gedrukt en het gesmoorde zoemen van de telefoon had hij voor het laatst kort voor middernacht gehoord. Morgen zouden ze hem als vermist opgeven en dan zou op een bepaald moment de politie voor de deur staan. Hij kon nog terug. Om kwart voor acht zou hij over de Kirchenfeldbrücke lopen, het gymnasium binnengaan en zijn raadselachtige afwezigheid uit de wereld helpen met een of ander verhaal dat hem in een vreemd daglicht zou plaatsen, maar dat was dan ook alles en het paste bij hem. Ze zouden nooit iets te weten komen over de enorme afstand die hij innerlijk in minder dan vierentwintig uur had afgelegd.

Maar dat was het nou net: hij hád die afstand afgelegd. En hij wilde zich niet door de anderen laten dwingen die stille reis ongedaan te maken. Hij pakte een kaart van Europa en vroeg zich af hoe je met de trein naar Lissabon kon komen. De informatiebalie van de Spoorwegen, hoorde hij over de telefoon, was pas vanaf zes uur weer bereikbaar. Hij begon zijn koffer te pakken.

Het was bijna vier uur toen hij klaar voor de reis in zijn stoel zat. Buiten begon het te sneeuwen. Plotseling verloor hij alle moed. Het was een belachelijk idee. Een naamloze Portugese die behoorlijk in de war was. Vergeelde notities van een adellijke Portugees. Een taalcursus voor beginners. De gedachte aan de verstrijkende tijd. Om die redenen vluchtte je niet midden in de winter naar Lissabon.

Tegen vijven belde Gregorius Konstantin Doxiades, zijn oogarts. Al vaak hadden ze midden in de nacht met elkaar getelefoneerd om de ellende te delen van de slapeloosheid waaraan ze beiden leden. Slapeloze mensen waren door een woordeloze solidariteit met elkaar verbonden. Soms speelde hij dan met de Griek een blinde partij snelschaak en daarna kon Gregorius een beetje slapen voordat het tijd werd om naar school te gaan.

'Nogal zinloos allemaal, nietwaar?' zei Gregorius aan het eind van zijn met horten en stoten vertelde verhaal. De Griek zweeg. Gregorius kende dat. Nu zou hij zijn ogen sluiten en met duim en wijsvinger zijn neuswortel beetpakken.

'Helemaal niet zinloos,' zei de Griek nu. 'Helemaal niet.'

'Helpt u me als ik me onderweg geen raad meer weet?'

'Bel me gerust. Dag en nacht. Vergeet uw reservebril niet.'

Daar was het weer, de laconieke zekerheid in zijn stem. De zekerheid van een arts, maar ook een zekerheid die ver boven zijn beroep uitsteeg: de zekerheid van een man die de tijd nam voor zijn gedachten om ze later uit te kunnen drukken in oordelen die ertoe deden. Gregorius kwam al twintig jaar bij deze oogarts, de enige die zijn angst om blind te worden weg kon nemen. Soms vergeleek hij hem met zijn vader, die zich na de vroege dood van zijn vrouw overal – waar hij ook was en wat hij ook deed – in de bedompte zekerheid van een museum scheen op te houden. Gregorius had al jong geleerd dat die erg wankel was, die zekerheid. Hij had zijn vader gemogen en er waren momenten geweest waarop zijn gevoelens zelfs sterker en dieper waren dan alleen 'mogen'. Maar hij had eronder geleden dat zijn vader geen man was op wie je kon steunen en aan wie je je kon vasthouden, geen man als de Griek, op wiens rotsvaste overtuiging je kon bouwen. Later had hij om wat hij zijn vader verweet wel eens een slecht geweten gehad. Voor de zekerheid die hij had gemist kon hij zijn vader niet verantwoordelijk houden en hem dus ook niet van een verzuim betichten. Iemand moest geluk hebben met zichzelf om een zelfverzekerd mens te worden. En veel geluk had zijn vader niet gehad, noch met zichzelf noch met anderen.

Gregorius ging aan de keukentafel zitten en maakte concepten van brieven aan de rector. Maar de brieven werden ofwel te boud of vroegen veel te nederig om begrip. Om zes uur belde hij het informatienummer van de Spoorwegen. Vanuit Genève was je zesentwintig uur onderweg. Je moest via Parijs en Irún in Baskenland, vandaar met de nachttrein naar Lissabon, waar je tegen elf uur in de ochtend aankwam. Gregorius bestelde een ticket. De trein naar Genève vertrok om half acht.

Nu kreeg hij de brief voor elkaar.

Zeer geachte rector, beste collega Kägi,

Je zult intussen wel hebben vernomen dat ik gisteren zonder enige verklaring uit de les ben weggelopen en niet meer ben teruggekeerd, en je zult ook weten dat ik onvindbaar ben gebleven. Het gaat me goed, er is me niets overkomen. Maar wel heb ik gisteren in de loop van de dag een ervaring gehad die veel heeft veranderd. Die ervaring is te persoonlijk en ook nog veel te onoverzichtelijk dan dat ik die nu zou kunnen beschrijven. Ik moet je domweg verzoeken mijn abrupte en onverklaarbare gedrag te accepteren. Je kent me, denk ik, goed genoeg om te weten dat het niet uit lichtzinnigheid, onverantwoordelijkheid of onverschilligheid gebeurt. Ik begeef me op een verre reis en het is helemaal open wanneer ik terugkeer en waarom. Ik verwacht niet dat je mijn aanstelling voor me openhoudt. Het grootste deel van mijn leven is zeer nauw met het gymnasium verweven geweest en ik ben er zeker van dat ik het zal missen. Maar nu is er iets wat me ervan wegdrijft en het kan goed zijn dat die beweging definitief is. Jij en ik, we zijn beiden bewonderaars van Marcus Aurelius en je zult je deze passage in zijn Overpeinzingen *herinneren: 'Zondig gerust, zondig tegen jezelf en doe jezelf geweld aan, mijn ziel; maar later zul je niet meer de tijd hebben om jezelf te achten en te respecteren. Want één leven slechts, een enkel leven, heeft eenieder. Voor jou is het bijna afgelopen en je hebt in je leven jezelf niet ontzien maar je hebt gedaan alsof het bij je geluk om de andere zielen ging... Degenen evenwel die de bewegingen van de eigen ziel niet oplettend volgen, zijn noodgedwongen ongelukkig.'*

Ik dank je voor het vertrouwen dat je mij steeds hebt geschonken en voor de goede samenwerking. Je zult – daarvan ben ik overtuigd

– tegenover de leerlingen de juiste woorden vinden, woorden die hun ook laten weten hoe graag ik met hen heb gewerkt. Voordat ik gisteren wegging heb ik naar ze gekeken en daarbij gedacht: wat hebben die nog veel tijd vóór zich!

Hopend op je begrip en met de beste wensen voor jou en je werk verblijf ik

Raimund Gregorius

P.S. Ik heb mijn boeken op de lessenaar laten liggen. Wil je ze bewaren en erop toezien dat er niets mee gebeurt?

Gregorius deed de brief op het station in de brievenbus. Later, bij de geldautomaat, trilden zijn handen. Hij maakte zijn bril schoon en controleerde of hij zijn paspoort, de tickets en zijn adresboekje bij zich had. Hij vond een plaats aan het raam. Toen de trein het station in de richting van Genève verliet, viel de sneeuw in grote langzame vlokken neer.

4 Zo lang mogelijk hield Gregorius zich met zijn blik vast aan de laatste huizen van Bern. Toen hij ze onherroepelijk uit het oog verloor haalde hij zijn notitieboekje te voorschijn en begon de namen van de leerlingen op te schrijven aan wie hij in de loop van de jaren les had gegeven. Hij begon met het voorgaande jaar en werkte achterwaarts naar het verleden. Bij elke naam zocht hij het gezicht, een karakteristiek gebaar en een typerend voorval. De laatste drie jaar ging het moeiteloos, daarna had hij steeds vaker het gevoel dat er een leerling ontbrak. Halverwege de jaren negentig bestonden de klassen nog maar uit een paar gezichten en namen en daarna raakte de chronologie in de war. Over bleven enkele jongens en meisjes met wie hij iets bijzonders had beleefd.

Hij sloeg het notitieboekje dicht. Af en toe was hij in de stad een leerling of een leerlinge tegengekomen aan wie hij jaren geleden les had gegeven. Het waren nu geen jongens en meisjes meer maar mannen en vrouwen met partners, beroepen en kinderen. Hij schrok als hij zag hoe hun gezicht was veranderd. Soms be-

trof zijn schrik het resultaat van de verandering: een te vroege verbittering, een opgejaagde blik, tekenen van een ernstige ziekte.
Maar meestal was wat hem schrik aanjoeg het simpele feit dat de
veranderde gezichten getuigden van het onstuitbare verstrijken
van de tijd en het meedogenloze verval van alles wat leefde. Hij
keek dan naar zijn handen, waarop de eerste ouderdomsvlekken
zichtbaar waren, en soms haalde hij foto's te voorschijn van zichzelf als student en probeerde zich voor de geest te halen hoe het
was geweest om die grote afstand af te leggen, dag na dag, jaar na
jaar. Op zulke dagen was hij schrikachtiger dan anders en dan
kwam het wel voor dat hij zonder afspraak in de praktijk van Doxiades verscheen om zich zijn angst om blind te worden weer eens
uit zijn hoofd te laten praten. Het meest uit zijn evenwicht brachten hem ontmoetingen met leerlingen die intussen vele jaren in
het buitenland hadden doorgebracht, op een ander continent, in
een ander klimaat, met een andere taal. En u? Nog steeds op het
Kirchenfeld? vroegen ze, en hun bewegingen verraadden dat ze
door wilden lopen. De nacht na zo'n ontmoeting moest hij zich
altijd eerst tegen die vraag verdedigen en daarna tegen het gevoel
zich te moeten verdedigen.

En nu, nu alles door zijn hoofd ging, zat hij, al meer dan vierentwintig uur zonder slaap, in de trein en reed een onbekende toekomst tegemoet zoals hij die nog nooit voor zich had gehad.

De tussenstop in Lausanne was een verzoeking. Aan de overkant
van hetzelfde perron reed de trein naar Bern binnen. Gregorius
stelde zich voor hoe hij op het station van Bern zou uitstappen.
Hij keek op de klok. Als hij een taxi zou nemen naar het Kirchenfeld kon hij nog net op tijd zijn voor het vierde uur. De brief – hij
zou morgen de postbode moeten opvangen of Kägi verzoeken hem
de envelop ongeopend terug te geven. Onaangenaam, maar niet
onmogelijk. Nu viel zijn blik op het notitieboekje dat op het cou-
pétafeltje lag. Zonder het open te slaan zag hij de lijst met de namen van zijn leerlingen voor zich. En opeens besefte hij: wat als
een experiment was begonnen om na het wegglijden van de laatste huizen van Bern aan iets vertrouwds vast te houden, was in de
loop van het daaropvolgende uur veel meer een vorm van afscheid
nemen geworden. En om van iets afscheid te kunnen nemen, dacht

hij terwijl de trein zich in beweging zette, moest je je daar zo tegenover opstellen dat er een innerlijke afstand werd gecreëerd. Je moest de stilzwijgende, diffuse vanzelfsprekendheid waarmee dat iets je had belast, omzetten in een helderheid die duidelijk maakte wat het voor je betekende. En dat betekende dat het iets moest worden wat overzichtelijke contouren had. Iets wat zo overzichtelijk was als de lijst met de vele leerlingen die zijn leven meer dan wat ook hadden bepaald. Gregorius had het gevoel alsof de trein die nu het station uit reed ook een stuk van hemzelf achter zich liet. Een beetje leek het alsof hij op een ijsschots die door een kleine aardbeving was losgeraakt, de open, koude zee opdreef.

Toen de trein meer vaart had gekregen viel hij in slaap en hij werd pas wakker toen hij voelde hoe de wagon op het station van Genève tot stilstand kwam. Op weg naar de Franse TGV voelde hij opwinding, alsof hij aan een wekenlange reis met de Trans-Siberische spoorlijn begon. Hij had nog niet plaatsgenomen of er kwam een Frans reisgezelschap de wagon binnen. Een gesnater vol hysterische elegantie vulde de wagon, en toen iemand zich met open jas over hem heen boog om zijn bagage in het bagagenet te leggen, werd zijn bril van zijn neus gerukt. Toen deed Gregorius iets wat hij uit zichzelf nooit eerder had gedaan: hij pakte zijn spullen en zocht een plaats in de eerste klas.

De schaarse gelegenheden waarbij hij tot dusver eerste klas had gereisd, lagen al twintig jaar terug. Het was Florence geweest die er toentertijd op had aangedrongen, hij had zich erin geschikt en was met het gevoel dat hij zich aanstelde op het dure pluche gaan zitten. 'Vind je me saai?' had hij haar na een van die reizen gevraagd. 'Wat? Ach Mundus, zoiets moet je mij toch niet vragen!' had ze gezegd en had met haar hand door haar haar gestreken zoals ze altijd deed als ze zich geen raad wist. Toen Gregorius, terwijl de trein zich in beweging zette, met beide handen over de chique bekleding streek, kwam zijn manier van handelen hem voor als een wat late, kinderlijke wraak op haar waarvan hij niet goed begreep wat die voor zin had. Hij was blij dat er niemand in de buurt zat die die vreemde gewaarwording aan hem kon afzien.

Hij schrok van het bedrag dat hij aan de conducteur moest bijbetalen en toen de man was doorgelopen, telde hij twee keer zijn geld. In gedachten riep hij de code van zijn creditcard op en schreef die op in zijn notitieboekje. Even later scheurde hij de bladzijde eruit en gooide die weg. Bij Genève was het opgehouden met sneeuwen en nu zag hij sinds weken voor het eerst weer de zon. Die verwarmde achter de ruit zijn gezicht en hij werd rustiger. Hij had altijd veel te veel geld op zijn rekening courant staan, dat wist hij. Wat doet u toch? zei de bankemployee telkens als ze weer eens zag wat er allemaal op zijn rekening stond omdat hij zo weinig opnam. U moet toch echt iets doen met uw geld! Ze belegde het voor hem en op die manier was hij in de loop van de jaren een vermogend man geworden die geen enkel besef leek te hebben van zijn rijkdom.

Gregorius dacht aan zijn twee Latijnse leerboeken die hij gisteren rond dit tijdstip op de lessenaar had achtergelaten. 'Anneli Weiss' stond er voorin geschreven, met inkt, in een kinderlijk handschrift. Voor nieuwe boeken was thuis geen geld geweest en hij had de hele stad afgezocht tot hij in een antiquariaat gebruikte exemplaren had gevonden. Toen hij zijn vondst had laten zien aan zijn vader was diens adamsappel heftig gaan bewegen, die bewoog zich altijd heftig als zijn vader iets op zijn hart had. Eerst had hij zich gestoord aan de vreemde naam in de boeken. Maar later had hij zich de vroegere eigenares voorgesteld als een meisje met witte kniekousen en wapperend haar, en algauw had hij de gebruikte boeken voor geen goud meer willen inruilen. Toch had hij er later van genoten als hij met het geld dat hij als invaller op school verdiende de oude teksten in mooie, dure uitgaven kon aanschaffen. Dat was nu al meer dan dertig jaar geleden en een beetje onwerkelijk kwam het hem zelfs nu nog voor. Kortgeleden nog had hij voor zijn boekenkast gestaan en gedacht: Dat ik me zo'n bibliotheek kan permitteren!

Langzaam veranderden de beelden van zijn herinnering in droombeelden waarin het dunne boekje, waarin zijn moeder opschreef wat ze met schoonmaken verdiende, telkens weer als een hinderlijk dwaallicht opdook. Hij was blij toen hij werd gewekt door het lawaai van een versplinterend glas, dat iemand van de tafel had gestoten.

Nog een uur tot Parijs. Gregorius ging in de restauratie zitten en keek door het raam naar de lichte dag die de lente aankondigde. En toen, opeens, besefte hij dat hij de reis werkelijk maakte – dat die niet alleen een mogelijkheid was, iets dat hij tijdens een slapeloze nacht had uitgedacht en dat werkelijkheid had kunnen worden, maar iets dat werkelijk en waarachtig plaatsvond. En hoe meer ruimte hij gaf aan dat gevoel des te meer kwam het hem voor dat de verhouding tussen wat mogelijkheid en werkelijkheid was, begon om te draaien. Was het eigenlijk niet zo dat Kägi, zijn school en al die leerlingen die in zijn notitieboekje stonden er weliswaar werkelijk waren geweest, maar toch alleen als mogelijkheid die toevallig werkelijkheid was geworden, terwijl dat wat hij op dit moment beleefde – het voortglijden en het gedempte denderen van de trein, het zachte rinkelen van de glazen op het tafeltje naast zich, de geur van ranzige olie die uit de keuken kwam, de rook van de sigaret waaraan de kok af en toe trok –, een werkelijkheid bezat die niets met alleen maar mogelijkheid te maken had en ook niet met verwerkelijkte mogelijkheid, maar die eerder een simpele en pure werkelijkheid was, vol met de compacte en overweldigende dwangmatigheid die typisch was voor iets dat geheel en al werkelijk was?

Gregorius zat voor zijn nu lege bord en zijn dampende kop koffie en had het gevoel dat hij nog nooit in zijn hele leven zo wakker was geweest als nu. Het leek niet een kwestie van gradatie, zoals wanneer iemand langzaam de slaap van zich afschudt en steeds wakkerder wordt totdat hij helemaal bij zinnen is. Dit was anders. Dit was een andere, een nieuwe manier van in de wereld zijn waarvan hij tot dusver niets had geweten. Toen de trein het Gare de Lyon naderde ging hij naar zijn plaats terug, en toen hij even later zijn voet op het perron zette kwam het hem voor alsof hij voor het eerst bij vol bewustzijn uit een trein stapte.

5 De kracht van de herinnering trof hem onvoorbereid. Hij was niet vergeten dat dit hun eerste station was geweest, hun eerste gezamenlijke aankomst in een vreemde stad. Natuurlijk was hij dat niet vergeten. Maar hij had er niet op gerekend dat het, als hij hier zou staan, zou zijn alsof er helemaal geen tijd was verstre-

ken. De groene metalen zuilen en de rode buizen. Het hoge gewelf. Het doorzichtige dak.

'Laten we naar Parijs gaan!' had Florence tijdens het eerste ontbijt in zijn keuken plotseling gezegd, haar armen om haar opgetrokken been geslagen.

'Je bedoelt…'

'Ja, nu. Nu meteen!'

Ze was zijn leerlinge geweest, een mooi, meestal ongekamd meisje van wie iedereen door haar irritante grilligheid gek werd. Van het ene kwartaal op het andere was ze toen een kei in Latijn en Grieks geworden en toen hij dat jaar voor het eerst lesgaf aan de klas die Hebreeuws als extra vak volgde, zat zij op de eerste rij. Maar Gregorius was nooit ofte nimmer op het idee gekomen dat dat iets met hem te maken had.

Ze deed eindexamen en daarna duurde het nog een jaar voordat ze elkaar in de kantine van de universiteit opnieuw tegenkwamen en bleven zitten tot ze eruit werden gegooid.

'Wat ben jij stekeblind!' had ze gezegd toen ze zijn bril van zijn neus nam. 'Heb je echt nooit iets gemerkt? Terwijl iedereen het wist! Iedereen!'

Het klopte, dacht Gregorius toen hij in een taxi naar het Gare Montparnasse zat, dat hij iemand was die zoiets niet merkte – iemand die zelfs voor zichzelf zo onaanzienlijk was dat hij niet kon geloven dat iemand voor hem – hém – hevige gevoelens kon koesteren. Maar bij Florence had hij daarin gelijk gekregen.

'Je hebt nooit echt míj bedoeld,' had hij aan het eind van hun vijf jaar durende huwelijk gezegd.

Het waren de enige verwijtende woorden die hij gedurende al die tijd tegen haar had gezegd. Ze hadden gebrand als vuur en het was geweest alsof alles tot as verviel.

Ze had naar de grond gekeken. Ondanks alles had hij gehoopt dat ze hem zou weerspreken. Dat was niet gebeurd.

La Coupole. Gregorius had er niet op gerekend dat hij over de boulevard Montparnasse zou komen en het restaurant zou zien waarin hun scheiding was bezegeld zonder dat ze er toentertijd een woord over hadden gesproken. Hij vroeg de chauffeur te stoppen en keek een tijdlang zwijgend naar de rode markies met de gele letters en de drie sterren links en rechts. Het was een grote eer geweest dat Florence, die nog niet was afgestudeerd, was uitgenodigd voor het romanistencongres. Aan de telefoon had ze erg opgewonden geklonken, bijna hysterisch, vond hij, zodat hij aarzelde haar zoals afgesproken in het weekend te komen ophalen. Maar toen was hij er toch heen gegaan en had haar met haar nieuwe vrienden ontmoet in een restaurant waarvan de geur van exquise gerechten en de peperdure wijnen hem al bij binnenkomst hadden duidelijk gemaakt dat hij hier niet op zijn plaats was.

'Heel even nog,' zei hij nu tegen de chauffeur en liep naar het restaurant.

Er was niets veranderd en hij zag het tafeltje meteen waaraan hij, zo ongepast gekleed als je maar kon denken, zich te weer had gesteld tegenover de over het paard getilde literatuurwetenschappers met hun prietpraat. Het ging om Horatius en om Sappho, dat herinnerde hij zich terwijl hij de gehaaste en geïrriteerde kelners in de weg stond. Niemand had hem kunnen bijhouden toen hij dichtregel na dichtregel citeerde en de geestrijke aperçu's van de goedgeklede heren van de Sorbonne met zijn Bernse accent van tafel veegde, de ene na de andere, tot het stil werd aan tafel.

Florence had op de terugreis alleen in de restauratiewagen gezeten terwijl de woede die hij nog steeds voelde langzaam wegebde en plaatsmaakte voor droefheid over het feit dat hij het nodig had gevonden zich op die manier tegenover Florence te manifesteren; want daarom was het natuurlijk gegaan.

Opgaand in die verre gebeurtenissen was Gregorius de tijd vergeten en nu moest de taxichauffeur allerlei toeren uithalen om nog op tijd op het Gare Montparnasse te zijn. Toen hij eindelijk buiten adem op zijn plaats zat en de trein naar Irún zich in beweging zette, herhaalde zich de gewaarwording die hem al in Genève had overvallen: dat het de trein was en niet hij die erover besliste of deze zeer bewuste en zeer werkelijke reis, die hem van uur tot uur, van station tot station verder wegvoerde uit het leven dat hij tot dusver had geleid, verder ging. Drie uur lang, tot Bordeaux, zou er geen station meer zijn en dus geen mogelijkheid om te keren.

Hij keek op zijn horloge. Op school liep de eerste dag zonder hem ten einde. Op dit moment zaten zes leerlingen Hebreeuws op hem te wachten. Om zes uur, na het blokuur, was hij soms met hen naar een café gegaan en had hun verteld over de historische achtergrond en de toevalligheid van de bijbelse tekst. Ruth Gautschi en David Lehmann, die theologie wilden gaan studeren en het hardst werkten, hadden steeds vaker een reden gevonden niet mee te gaan. Een maand geleden had hij hen erop aangesproken. Ze hadden het gevoel dat hij iets van hen afpakte, hadden ze aarzelend gezegd. Natuurlijk, je kon die teksten ook taalkundig analyseren. Maar het was wel de Heilige Schrift.

Achter gesloten ogen gaf Gregorius de rector het advies voor Hebreeuws een studente theologie aan te stellen, een voormalige leerlinge van hem. Ze had met haar koperkleurige haar op dezelfde plaats gezeten als destijds Florence. Maar zijn wens dat dat geen toeval was, was niet in vervulling gegaan.

Enkele ogenblikken was er in zijn hoofd een complete leegte, toen zag Gregorius het gezicht van de Portugese voor zich, hoe het wit, bijna doorschijnend, opdook van achter de handdoek waarmee ze zich had afgedroogd. Weer stond hij op school in het toilet voor de spiegel en werd zich ervan bewust dat hij het telefoonnummer dat de raadselachtige vrouw op zijn voorhoofd had geschreven niet wilde afvegen. Nog één keer stond hij op van zijn lessenaar, pakte zijn klamme jas van de haak en liep de klas uit.

Português. Gregorius kromp ineen, deed zijn ogen open en keek naar het vlakke Franse landschap waarboven de zon neerdaalde naar de horizon. Het woord, dat als een melodie was geweest die langzaam wegstierf in een op een droom lijkende uitgestrektheid, deed hem plotseling niets meer. Hij probeerde de betoverende klank die de stem had gehad terug te halen maar wat hij te pakken kreeg was slechts een snel wegstervende echo, en de vergeefse inspanning versterkte alleen maar zijn gevoel dat het kostbare woord waarop deze hele bizarre reis was gebaseerd, hem ontsnapte. En het leverde niets op dat hij nog heel precies wist hoe de spreekster op de plaat van de taalcursus het woord had uitgesproken.

Hij ging naar het toilet en hield zijn gezicht lang onder water, dat naar chloor smaakte. Weer op zijn plaats haalde hij het boek van de adellijke Portugees uit zijn koffer en begon het volgende fragment te vertalen. Eerst was het vooral een vlucht naar voren, de krampachtige poging ondanks de schrik van zo-even verder in de reis te blijven geloven. Maar al na de eerste zin had de tekst hem weer net zo in zijn greep als hij het 's nachts thuis in de keuken had gedaan.

NOBREZA SILENCIOSA. GERUISLOZE ADEL.

Het is een vergissing te denken dat in een leven de beslissende momenten waarop de vertrouwde richting voor altijd verandert, vol luide en felle dramatiek moet zijn en gepaard gaat met hevige gemoedsaandoeningen. Dat is een kitscherig sprookje waarmee dronken journalisten, op aandacht beluste filmregisseurs en schrijvers in wier hoofd het eruitziet als in een roddelblaadje, de wereld hebben opgescheept. De waarheid is, dat de dramatiek van een het hele leven bepalende ervaring er vaak een is van een ongelooflijk milde soort. Die heeft zo weinig gemeen met een knal, een steekvlam en een vulkaanuitbarsting, dat de ervaring meestal niet wordt geregistreerd op het moment waarop zij wordt ondergaan. Als een ervaring haar revolutionaire gevolgen ontplooit en ertoe aanzet dat een leven in een geheel nieuw licht wordt gedompeld en een totaal nieuwe melodie krijgt, dan doet ze dat geruisloos, en in die schitterende geruisloosheid ligt haar bijzondere adel.

Af en toe keek Gregorius op van de tekst en staarde naar het westen. In het licht dat nog zichtbaar was in de schemerige lucht kon je nu al de invloed merken van de zee. Hij legde het woordenboek weg en sloot zijn ogen.

'Als ik nog maar één keer de zee kon zien,' had zijn moeder een halfjaar voor haar dood gezegd, toen ze voelde dat het op een eind liep, 'maar dat kunnen we ons domweg niet permitteren.'

'Welke bank zou mij al een lening verstrekken,' had Gregorius zijn vader horen zeggen, 'en dan voor zoiets.'

Gregorius had hem die matte berusting kwalijk genomen. En toen had hij, destijds leerling op het Kirchenfeld, iets gedaan waar hij zelf zo verbaasd over was dat hij later nooit meer van het gevoel af kon komen dat het misschien niet echt was gebeurd.

Het was eind maart en de eerste lentedag. De mensen droegen

hun jas over hun arm en door de open ramen van de barak stroomde zachte lucht naar binnen. De barak was een paar jaar daarvoor neergezet omdat het hoofdgebouw van het gymnasium gebrek aan ruimte had en het was traditie geworden dat de leerlingen van de hoogste klas daar de lessen volgden. Voor het eerst naar de barak gaan had daardoor iets van de eerste stap op weg naar het eindexamen. Toch hielden gevoelens van bevrijding en angst elkaar in evenwicht. Nog één jaar, dan is het eindelijk over met... Nog één jaar, dan kan ik... Die ambivalente gevoelens uitten zich in de manier waarop de leerlingen naar de barak slenterden, nonchalant en opgeschrikt tegelijk. Nu nog, veertig jaar later in de trein naar Irún, kon Gregorius voelen hoe het destijds was om in zijn lichaam te wonen.

De middag begon met Grieks. Het was de rector die les gaf, de voorganger van Kägi. Hij had het prachtigste Griekse handschrift dat je kon bedenken, hij schilderde praktisch de letters, en vooral de rondingen – zoals in de omega of de theta, of wanneer hij de eta van een lus voorzag – waren pure kalligrafieën. Hij hield van het Grieks. Maar hij houdt er op de verkeerde manier van, dacht Gregorius achter in de klas. De manier waarop hij ervan hield had iets ijdels. Het lag er niet aan dat hij de woorden celebreerde. Als het dat was geweest, had het Gregorius bevallen. Maar als die man virtuoos de meest obscure en moeilijkste werkwoordsvormen opschreef, celebreerde hij niet de woorden maar zichzelf als iemand die ze kende. De woorden werden daardoor ornamenten waarmee hij zichzelf tooide, ze veranderden in iets dat verwant was met zijn gespikkelde vlinderdas die hij jaar in jaar uit droeg. Ze vloeiden uit zijn schrijvende hand met de zegelring alsof ze ook zoiets als zegelringen waren, ijdele sieraden dus en even overbodig. En daarmee hielden de Griekse woorden op werkelijk Gríékse woorden te zijn. Het was alsof het goudstof uit de zegelring hun Griekse aard aantastte, en dat was zichtbaar voor wie de woorden liefhad omwille van henzelf. Literatuur was voor de rector zoiets als een exquis meubelstuk, een heel bijzondere wijn of een elegante smoking. Gregorius had het gevoel dat de rector met die verwaandheid de verzen van Aeschylus en Sophocles van hem afpakte. Hij scheen niets van de Griekse theaters te weten. Of nee, hij wist er alles over, was er vaak geweest, kwam er vaak als groepsleider van studiereizen waarvan hij gebruind terugkeerde. Maar de man begréép er niets van – ook al kon Gregorius niet precies zeggen wat hij daarmee bedoelde.

Hij had door het open raam van de barak naar buiten gekeken en gedacht aan wat zijn moeder had gezegd, een zin die zijn woede over de ijdelheid van de rector aan het koken had gebracht, hoewel hij de samenhang niet had kunnen verklaren. Hij voelde zijn hart kloppen in zijn keel. Met een blik naar het bord vergewiste hij zich ervan dat de rector nog wel even nodig zou hebben tot de zin waarmee hij was begonnen op het bord stond, en hij zich waarschijnlijk zou omdraaien naar de leerlingen om uitleg te geven. Zachtjes schoof hij zijn stoel achteruit terwijl de andere leerlingen met gebogen rug doorschreven. Zijn opengeslagen schrift liet hij op de bank liggen. Met de gespannen traagheid van iemand die zich voorbereidt op een verrassingsaanval deed hij twee stappen in de richting van het open raam, ging op de vensterbank zitten, zwaaide zijn benen eroverheen en stond buiten.

Het laatste wat hij binnen zag was het verbaasde en geamuseerde gezicht van Eva, het meisje met het rode haar, de zomersproeten en de zilveren blik die tot zijn wanhoop nog nooit anders dan spottend had gekeken naar hem, de jongen met de dikke brillenglazen en het lelijke goedkope montuur. Ze draaide zich om naar het meisje dat naast haar zat en fluisterde iets in haar haar. 'Ongelooflijk!' zou ze zeggen. Ze zei het bij elke gelegenheid. De Ongelooflijke werd ze om die reden genoemd. 'Ongelooflijk!' had ze gezegd toen ze die bijnaam hoorde.

Gregorius was snel naar de Bärenplatz gelopen. Er was markt, rijen marktkramen, en je kwam maar langzaam vooruit. Toen de menigte hem dwong naast een kraam stil te blijven staan, viel zijn oog op de openstaande kassa, een simpel metalen kistje met een vakje voor munten en een ander vakje voor de bankbiljetten, die een dik pak vormden. De marktvrouw bukte zich juist en zocht iets onder de toonbank, haar brede achterste in de grove stof van een geruite rok stak in de lucht. Gregorius was langzaam op het geldkistje af geslopen terwijl zijn blik heen en weer gleed langs de mensen. Met twee stappen was hij achter de toonbank, pakte de bundel geldbiljetten uit de kassa en verdween in de menigte. Toen hij hijgend door de langzaam omhooglopende smalle straat naar het station liep en zichzelf dwong rustig te lopen, verwachtte hij dat iemand hem na zou roepen of dat hij met een stevige greep in de kraag zou worden beetgepakt. Maar dat was allemaal niet gebeurd.

Ze woonden in de Länggasse, in een saai huurhuis met vuil geworden stucwerk, en toen Gregorius de hal betrad waarin het van 's ochtends vroeg tot 's avonds laat naar kool rook, zag hij zichzelf de kamer van zijn zieke moeder binnengaan, die hij met de aankondiging wilde verrassen dat ze spoedig de zee zou zien. Pas toen hij in het trappenhuis voor de deur van de woning stond zag hij in dat het onmogelijk was, een absoluut idioot idee. Hoe moest hij haar en later zijn vader uitleggen hoe hij zo plotseling aan zo veel geld was gekomen? Hij, die geen enkele ervaring had met liegen?

Op weg terug naar de Bärenplatz kocht hij een envelop en deed het bundeltje geldbiljetten erin. Toen hij weer bij de marktkraam was, zag de vrouw in de geruite rok eruit alsof ze gehuild had. Hij kocht wat fruit, en toen ze in de andere hoek iets op de weegschaal legde, stopte hij de envelop onder de groente. Kort voor het eind van de pauze was hij weer terug op school, stapte door het open raam van de barak de klas in en ging op zijn plaats zitten.

'Ongelooflijk!' zei Eva, toen ze hem zag, en ze begon met meer respect naar hem te kijken dan ze ooit had gedaan. Maar dat was minder belangrijk dan hij had gedacht. Belangrijker was de ontdekking over zichzelf die het afgelopen uur hem had opgeleverd, dat zijn actie geen ontzetting over hemzelf opriep maar alleen een grote verbazing, die nog wekenlang aanhield.

De trein verliet het station van Bordeaux in de richting van Biarritz. Buiten was het bijna donker en Gregorius zag zichzelf in het raam. Wat zou er van hem zijn geworden als de jongen die destijds het geld uit de kassa had genomen het te zeggen had gehad over zijn leven en niet de jongen die zoveel was gaan houden van de oude, zwijgende woorden dat hij die woorden boven alle andere dingen stelde? Wat hadden die uitbraak van toen en die van nu met elkaar gemeen? Hadden ze wel iets met elkaar gemeen?

Gregorius pakte het boek van Prado en zocht tot hij de laconieke notitie had gevonden die de boekhandelaar in de Spaanse boekhandel op de Hirschengraben had vertaald:

Als het zo is dat wij slechts een klein deel kunnen leven van hetgeen we in ons hebben – wat gebeurt er dan met de rest?

In Biarritz kwamen een man en een vrouw binnen die bij de stoelen tegenover Gregorius bleven staan en over hun reservering praatten. *Vinte e oito.* Het duurde even tot hij de herhaalde klanken als Portugese woorden had herkend en zijn vermoeden bevestigd zag: achtentwintig. Hij concentreerde zich op wat het tweetal tegen elkaar zei en af en toe lukte het hem in het halve uur dat volgde een enkel woord te verstaan, maar het waren er niet veel. Morgenochtend zou hij in een stad uit de trein stappen waar het meeste van wat de mensen zeiden, onbegrepen langs hem heen zou waaien. Hij dacht aan de Bubenbergplatz, de Bärenplatz, de Bundesterrasse, de Kirchenfeldbrücke. Intussen was het buiten pikdonker geworden. Gregorius tastte naar zijn geld, zijn creditcard en zijn reservebril. Hij was bang.

Ze reden het station van Hendaye binnen, de Franse grensplaats. De wagon liep leeg. Toen de Portugezen dat merkten, schrokken ze op en haalden hun bagage uit het bagagerek. 'Isto ainda não é Irún,' zei Gregorius. Dit is Irún nog niet. Het was een zin van de plaat met de taalcursus, alleen de plaatsnaam was daarop een andere. De Portugezen aarzelden door zijn onbeholpen uitspraak en de langzame manier waarop hij de woorden uitsprak. Maar ze keken naar buiten en herkenden nu ook het plaatsnaambord. 'Muito obrigada,' zei de vrouw. 'De nada,' antwoordde Gregorius. De Portugezen gingen zitten, de trein vertrok.

Gregorius zou die scène nooit vergeten. Het waren zijn eerste Portugese woorden in de werkelijke wereld, en ze deden hun werk. Dat woorden iets konden bewerkstelligen, dat ze iemand in beweging konden zetten of tegenhouden, aan het lachen of het huilen konden maken: als kind had hij dat al een groot raadsel gevonden en het was altijd indruk op hem blijven maken. Hoe deden woorden dat? Leek het niet op magie? Maar op dit moment leek het mysterie groter dan ooit, want het waren woorden waarvan hij gis-

terochtend nog geen flauw idee had gehad. Toen hij een paar minuten later zijn voet in Irún op het perron zette, was alle angst vervlogen en hij liep met ferme pas naar de slaapwagon.

6 Het was tien uur toen de trein, die gedurende de nacht
dwars door het Iberisch schiereiland zou rijden, zich in beweging
zette, de droefgeestige stationslantaarns een voor een achter zich
liet en de duisternis binnengleed. De twee compartimenten naast
Gregorius waren leeg gebleven. Twee coupés verderop, in de richting van de restauratie, leunde een slanke, lange man met grijs ge-
mêleerd haar tegen de deur. 'Boa noite,' zei hij toen hun blikken
elkaar ontmoetten. 'Boa noite,' zei ook Gregorius.

Toen hij de onbeholpen uitspraak hoorde, gleed er een lachje
over het gezicht van de vreemdeling. Het was een fijnbesneden gezicht met heldere, markante trekken die iets voornaams en onbe-
naderbaars hadden. Het donkere kostuum dat de man droeg was
opvallend elegant en deed Gregorius aan de foyer van de opera
denken. Alleen de losse stropdas paste er niet bij. Nu kruiste de
man zijn armen voor zijn vest, leunde ook met zijn hoofd tegen
de deur en sloot zijn ogen. Met gesloten ogen leek zijn gezicht erg
bleek en het straalde vermoeidheid uit, een vermoeidheid die nog
met andere dingen te maken moest hebben dan met het late tijdstip. Toen de trein na een paar minuten op volle snelheid was gekomen, deed de man zijn ogen open, knikte Gregorius toe en verdween in zijn coupé.

Gregorius had er alles voor over gehad te kunnen slapen, maar
ook het monotone gebonk van de wielen, waarop het bed mee vi-
breerde, hielp niet. Hij richtte zich op en drukte zijn voorhoofd tegen het raam. Verlaten stationnetjes gleden voorbij, een vaal licht
verspreidende bollampen, pijlsnel voorbijschietende, onleesbare
plaatsnamen, geparkeerde bagagewagens, een hoofd met een pet
in een huisje bij een spoorwegovergang, een struinende hond, een
rugzak tegen een pijler, daarboven een blonde haardos. De zekerheid die het succes met zijn eerste Portugese woorden hem had gegeven, begon af te kalven. Bel me gerust. Dag en nacht. Hij hoor-

de de stem van Doxiades en dacht aan hun eerste ontmoeting, twintig jaar geleden, toen hij een nog veel sterker accent had gehad.

'Blind? Nee. U hebt gewoon pech gehad wat uw ogen betreft. We controleren regelmatig het netvlies. Bovendien hebben we nu de laserbehandeling. Geen reden voor paniek.' Op weg naar de deur was hij blijven staan en had hem met een geconcentreerde blik aangekeken. 'Nog andere zorgen?'

Gregorius had zwijgend zijn hoofd geschud. Dat hij de scheiding van Florence aan had zien komen, had hij pas een paar maanden later gezegd. De Griek had geknikt, het scheen hem niet te verbazen. Soms ben je ergens bang voor omdat je ergens anders bang voor bent, had hij gezegd.

Even voor middernacht ging Gregorius naar de restauratie. De wagon was leeg op de man na met het grijs gemêleerde haar die met de kelner zat te schaken. Eigenlijk was de restauratie al gesloten, zei de kelner, maar toen haalde hij toch een flesje mineraalwater voor Gregorius en nodigde hem met een handgebaar uit aan het tafeltje plaats te nemen. Gregorius zag al snel dat de man, die een goudgerande bril had opgezet, op het punt stond in een geraffineerde val van de kelner te lopen. Met zijn hand al bij het schaakstuk keek de man hem aan voordat hij de zet deed. Gregorius schudde zijn hoofd en de man trok zijn hand terug. De kelner, een man met dikke handen en grove gelaatstrekken waarachter je geen schaakbrein had verwacht, keek verrast op. Nu draaide de man met de gouden bril het bord in de richting van Gregorius en nodigde hem met een handbeweging uit verder te spelen. Het werd een lange, taaie strijd en het liep al tegen tweeën voordat de kelner het opgaf.

Toen ze later voor de deur van zijn coupé stonden, vroeg de man aan Gregorius waar hij vandaan kwam, en toen spraken ze Frans. Hij nam om de twee weken deze trein, zei de man, en slechts een enkele keer had hij van die kelner kunnen winnen, terwijl hij van anderen meestal wel won. Hij stelde zich voor: José António da Silveira. Hij was, zei hij, zakenman en verkocht in Biarritz porselein, en omdat hij bang was om te vliegen, nam hij de trein.

'Wie kent werkelijk de ware redenen van zijn angst,' zei hij na een pauze, en nu verscheen weer die uitputting op zijn gezicht die Gregorius al eerder was opgevallen.

Toen de man vervolgens vertelde hoe hij het bedrijfje van zijn vader had overgenomen en er een groot bedrijf van had gemaakt, sprak hij over zichzelf als over iemand anders die louter begrijpelijke, maar al met al verkeerde beslissingen had genomen. En zo klonk het ook toen hij over zijn scheiding sprak en over zijn beide kinderen, die hij nauwelijks nog te zien kreeg. Teleurstelling en verdriet lagen in zijn stem en het maakte op Gregorius grote indruk dat daarin geen sprake was van zelfmedelijden.

'Het probleem,' zei Silveira, toen de trein op het station van Valladolid stilstond, 'is dat we geen overzicht hebben over ons leven. Noch in voorwaartse noch in achterwaartse richting. Als iets goed gaat, hebben we domweg geluk gehad.' Een onzichtbare hamer controleerde de remmen. 'En hoe komt het dat u in deze trein zit?'

Ze zaten op het bed van Silveira toen Gregorius zijn verhaal vertelde. De Portugese op de Kirchenfeldbrücke liet hij er buiten. Zoiets kon hij aan Doxiades vertellen, niet aan een vreemde. Hij was blij dat Silveira niet aan hem vroeg het boek van Prado te gaan halen. Hij wilde niet dat iemand anders erin las en er iets over zei.

Het bleef stil toen hij klaar was met zijn verhaal. Silveira dacht ingespannen na. Gregorius merkte het doordat hij aan zijn zegelring draaide en door de korte, verlegen blikken die hij hem toewierp.

'En u bent gewoon opgestaan en bent de school uit gelopen? Zomaar?'

Gregorius knikte. Plotseling had hij er spijt van dat hij erover was begonnen, het leek alsof er iets kostbaars in gevaar was gekomen. Hij wilde nu een poging doen te slapen, zei hij. Toen haalde Silveira een notitieboekje te voorschijn. Of hij de woorden van Marcus Aurelius over de bewegingen van de eigen ziel voor hem wilde herhalen? Toen Gregorius de coupé verliet, zat Silveira over zijn notitieboekje gebogen en ging met het potlood langs de woorden.

Gregorius droomde van rode cederbomen. Telkens opnieuw lichtten de woorden *cedros vermelhos* op in zijn slaap. Het was de naam van de uitgeverij waarbij de aantekeningen van Prado waren verschenen. Hij had er tot dusver niet veel aandacht aan geschonken. Pas de vraag van Silveira hoe hij de auteur dacht te vinden, had hem eraan herinnerd dat hij allereerst die uitgeverij moest proberen te vinden. Misschien was het boek in eigen beheer uitgegeven, had hij bij het in slaap vallen gedacht, dan hadden die rode ceders een betekenis die alleen Amadeu de Prado kende. In zijn droom dwaalde hij toen met de geheimzinnige naam op zijn lippen en het telefoonboek onder zijn arm door de lastig begaanbare, voortdurend steil omhooglopende straatjes van Lissabon, alleen in een stad zonder gezicht, waarvan hij niet meer wist dan dat ze op heuvels lag.

Toen hij tegen zessen wakker werd en voor het raam van zijn coupé de naam SALAMANCA zag, ging er, zonder dat hij erop bedacht was, een sluis van de herinnering open die vier decennia lang gesloten was gebleven. Het eerste wat in hem opkwam was de naam van een andere stad: Isfahan. Plotseling was hij er, de naam van de Perzische stad waar hij na zijn schooltijd heen had gewild. De naam die zoveel geheimzinnige vreemdheid in zich droeg, raakte Gregorius op dit moment als een teken voor een mogelijk ander leven, dat hij niet had durven leven. En toen de trein het station van Salamanca verliet, doorleefde hij na lange tijd opnieuw de gevoelens waarin dat andere leven zich destijds had gemanifesteerd en ook weer was verdwenen.

Het was ermee begonnen dat zijn leraar Hebreeuws hen al na een halfjaar het boek Job liet lezen. Gregorius was in een roes gekomen toen de betekenis van de zinnen tot hem begon door te dringen en hij vóór zich een weg zag opdoemen die naar het centrum van de oosterse wereld voerde. Bij Karl May had het Oosten erg Duits geklonken, niet alleen vanwege de taal. Nu, in dit boek dat hij van voor tot achter las, klonk het als het Oosten. Elifaz de Temaniet, Bildad de Soehiet en Zofar de Naämathiet. De drie vrienden van Job. Alleen al die namen, die met hun betoverende vreemdheid van de andere zijde van oceanen leken te komen. Wat was dat voor een schitterende, dromerige wereld?

Daarna had hij er heel lang over gedacht oriëntalist te worden. Iemand die alles weet van het morgenland – hij hield van dat woord, het voerde hem uit de Länggasse naar een helderder licht.

Kort voor het eindexamen had hij gesolliciteerd naar de baan van privé-leraar in Isfahan voor de kinderen van een Zwitserse industrieel. Met grote tegenzin – bezorgd om zijn jongen maar ook vol angst over de leegte die hij zou achterlaten – had zijn vader hem de dertien frank dertig voor de Perzische grammatica gegeven, en hij had de nieuwe tekens van het Oosten in zijn kamertje op het kleine schoolbord geschreven.

Maar toen was een droom hem gaan achtervolgen, een droom die hij de hele nacht door leek te dromen. Het was een heel eenvoudige droom geweest en een deel van het probleem had in die eenvoud gelegen, die elke keer als de droom terugkeerde intenser leek te worden. Want eigenlijk had de droom uit slechts één beeld bestaan: heet woestijnzand, wit en verblindend, was door een brandende Perzische wind tegen zijn brillenglazen gewaaid en had daar een gloeiende korst gevormd die hem van elk zicht beroofde en daarna de glazen deed smelten en zijn ogen aanvrat.

Na twee, drie weken, waarin de droom hem telkens weer teisterde en bijna de hele dag achtervolgde, had hij de Perzische grammatica teruggebracht en het geld aan zijn vader teruggegeven. De drie frank dertig die hij mocht houden had hij in een blikje bewaard en hij had het gevoel gehad dat hij nu Perzisch geld bezat.

Wat zou er van hem zijn geworden als hij de angst voor het verschroeiende stof van het Oosten had overwonnen en erheen was gegaan? Gregorius dacht aan de koelbloedigheid waarmee hij op de Bärenplatz een greep uit de kas van de marktvrouw had gedaan. Zou die koelbloedigheid voldoende zijn geweest om het hoofd te bieden aan alles waarmee hij in Isfahan zou zijn geconfronteerd? De Papyrus. Waarom deed dat wat hij jarenlang als een grap had beschouwd die hem niet kon deren, opeens zoveel pijn?

Silveira's bord was al leeg toen Gregorius de restauratiewagen betrad, en ook de beide Portugezen met wie hij de avond ervoor zijn eerste woorden had gewisseld, waren al aan hun tweede kop koffie toe.

Hij had een uur achter de rug waarin hij wakker op bed had gelegen en aan de postbode had gedacht die tegen negen uur de hal van het gymnasium zou betreden en de post bij de conciërge zou afgeven. Vandaag zou zijn brief erbij zijn. Kägi zou niet weten wat hij las. Mundus liet zijn leven achter zich. Uitgerekend Mundus, van wie je dat nooit had verwacht. Het nieuwtje zou de ronde doen, trap op trap af, en de leerlingen op de stoep voor de ingang zouden alleen nog maar daarover praten.

Gregorius had in gedachten zijn collega's de revue laten passeren en zich voorgesteld wat ze zouden denken, voelen en zeggen. Daarbij had hij een ontdekking gedaan die hem als een stroomstoot had getroffen: van niet een enkele collega wist hij het zeker. Eerst had het anders geleken; neem bijvoorbeeld Burri, majoor in het leger en trouw kerkganger: die vond het onbegrijpelijk, bizar en verwerpelijk, want wat moest er nu van de lessen terechtkomen; Anita Mühletaler, die juist een scheiding achter de rug had, boog peinzend haar hoofd, ze kon zich zoiets wel voorstellen, zij het niet voor haarzelf; Kalbermatten, de rokkenjager en heimelijke anarchist uit Saas Fee, zou in de leraarskamer misschien zeggen: 'Waarom eigenlijk niet?'; terwijl Virginie Ledoyen, de lerares Frans, wier nurkse verschijning in krasse tegenstelling stond tot haar flamboyante naam, met de blik van een scherprechter op het nieuwtje zou reageren. Dat leek aanvankelijk allemaal duidelijk. Maar toen was het Gregorius te binnen geschoten dat hij de godsdienstfanaat en overtuigd gezinshoofd Burri een paar maanden geleden in gezelschap van een blondine had gezien die met haar korte rok méér leek te zijn dan alleen maar een kennisje; hoe kleinzielig Anita Mühletaler kon reageren wanneer leerlingen een misstap hadden begaan; hoe laf Kalbermatten was als het erom ging tegen Kägi in opstand te komen; en hoe gemakkelijk Virginie Ledoyen zich om de vinger liet winden en van strenge voornemens af liet brengen door bepaalde leerlingen die de kunst verstonden haar te vleien.

Kon je daar iets uit afleiden? Iets over de houding tegenover hem en zijn verrassende actie? Hadden ze er begrip voor of koesterden ze zelfs afgunst? Gregorius had zich opgericht en naar het landschap gekeken waaroverheen een sluier lag van het zilverachtige glanzende groen van olijfbomenplantages. De vertrouwdheid waarmee hij al die jaren met zijn collega's had geleefd, ontpopte zich nu als een gestolde onwetendheid die een misleidende gewoonte was geworden. En vond hij het eigenlijk belangrijk – echt

belangrijk – te weten wat ze dachten? Lag het alleen aan zijn slaperige hoofd dat hij dat niet wist of begon hij zich langzamerhand
bewust te worden van een vreemdheid die altijd al had bestaan
maar die zich achter sociale rituelen verborgen had gehouden?

Vergeleken met het gezicht dat in de schemerige nachtverlich-
ting van de coupé weerloos was geweest – weerloos tegen de gevoelens die van binnen naar buiten drongen en weerloos tegen de
blik van buiten die die gevoelens probeerde te doorgronden –, was
Silveira's gezicht deze ochtend gesloten. Aanvankelijk leek het alsof hij er spijt van had dat hij in de intimiteit van de coupé, waar
het naar wollen dekens en schoonmaakmiddelen had geroken, zo
openhartig was geweest tegenover een vreemdeling, en Gregorius
nam aarzelend aan zijn tafeltje plaats. Maar algauw begreep hij:
zijn strakke, beheerste gezicht drukte geen terughoudendheid of
afwijzing uit maar een nadenkende nuchterheid, die verraadde dat
de ontmoeting met Gregorius bij Silveira gecompliceerde gevoelens had opgeroepen die hem hadden verrast en die hij nu een
plaats probeerde te geven.

Hij wees naar de mobiele telefoon naast zijn kopje. 'Ik heb in
het hotel waar mijn zakenpartners altijd logeren een kamer voor
u gereserveerd. Dit is het adres.'

Hij gaf Gregorius een visitekaartje met op de achterkant de
naam en het adres van het hotel. Hij moest nog een paar stukken
doornemen voordat ze zouden aankomen, zei hij toen, en wilde al
opstaan. Maar toen bleef hij toch nog even zitten en de manier
waarop hij Gregorius aankeek bewees dat er in hem iets in gang
was gezet. Of hij er nooit spijt van had gehad dat hij zijn leven aan
de oude talen had gewijd, vroeg hij. Want dat had ongetwijfeld een
erg rustig, teruggetrokken leven met zich mee gebracht.

'Vind je me saai?' Gregorius bedacht plotseling hoe die vraag,
die hij destijds aan Florence had gesteld, hem gisteren bezig had
gehouden tijdens de reis, en iets daarvan moest op zijn gezicht te
zien zijn want Silveira zei geschrokken dat hij zijn woorden in geen
geval verkeerd mocht opvatten, hij probeerde zich alleen voor te
stellen hoe het zou zijn om zo'n leven te leiden, dat zo heel anders
was dan het zijne.

Het was het leven geweest dat hij had gewild, zei Gregorius, en al terwijl hij de woorden vormde, merkte hij tot zijn schrik dat er zelfgenoegzaamheid lag in de overtuiging waarmee hij dat zei. Twee dagen geleden nog maar, toen hij over de Kirchenfeldbrücke was gelopen en de lezende Portugese had gezien, had hij geen behoefte gehad aan die zelfgenoegzaamheid. Hij zou toen precies hetzelfde hebben gezegd, maar de woorden zouden niet zo zelfgenoegzaam hebben geklonken, ze zouden uit hem zijn gekomen als een onopvallende, rustige ademtocht.

En waarom zit u dan hier? Gregorius was bang voor die vraag en heel even kwam de elegante Portugees hem voor als een inquisiteur.

Hoe lang je nodig hebt om Grieks te leren, vroeg Silveira. Gregorius was opgelucht en stortte zich op een antwoord dat veel te lang was. Of hij een paar woorden Hebreeuws voor hem wilde opschrijven, hier op het servet, vroeg Silveira.

En God sprak: Er zij licht; en er was licht, schreef Gregorius en vertaalde het voor hem.

Silveira's telefoon piepte. Hij moest gaan, zei hij, toen het gesprek was beëindigd. Hij stopte het servet in de zak van zijn jasje. 'Wat was het woord voor licht?' vroeg hij toen hij al stond, en op weg naar de deur herhaalde hij het voor zichzelf.

De brede rivier buiten moest al de Tejo zijn. Gregorius schrok: dat betekende dat ze spoedig zouden aankomen. Hij ging naar de coupé die de conducteur in de tussentijd in een gewone coupé met een pluchen zitbank had veranderd, en ging aan het raam zitten. Hij wilde niet dat de reis voorbij was. Wat moest hij in Lissabon? Hij had een hotel. Hij zou de bediende een fooi geven, de deur op slot doen en uitrusten. En dan?

Aarzelend pakte hij het boek van Prado en bladerde erin.

SAUDADE PARADOXAL. PARADOXAAL VERLANGEN.
Op in totaal 1922 dagen ben ik het liceu binnengegaan waarheen mijn vader mij stuurde, het strengste van het land, zei men. 'Je hoeft immers geen geleerde te worden,' zei hij en probeerde te glimlachen, wat zoals meestal mislukte. Al op de derde dag werd me duidelijk dat ik de dagen moest tellen om er niet door vermorzeld te worden.

Terwijl Gregorius 'vermorzelen' opzocht in het woordenboek, reed de trein het station Santa Apolónia van Lissabon binnen.

De paar zinnen hielden hem bezig. Het waren de eerste zinnen die iets lieten doorschemeren van de levensomstandigheden van de Portugees. Leerling van een streng gymnasium die de dagen telde, zoon van een vader die niet kon glimlachen. Lag daar de oorsprong van de onderhuidse woede die uit andere zinnen sprak? Gregorius zou niet kunnen zeggen waarom, maar hij wilde meer over die woede weten. Hij zag nu de eerste verfstreken van een portret van iemand die hier leefde, in deze stad. Van iemand met wie hij meer van doen wilde hebben. Het leek wel alsof de stad hem met deze zinnen tegemoetkwam. Alsof die zojuist had opgehouden een totaal vreemde stad te zijn.

Hij pakte zijn reistas en liep het perron op. Silveira had op hem gewacht. Hij bracht hem naar een taxi en noemde de chauffeur het adres van het hotel. 'U hebt mijn kaartje,' zei hij tegen Gregorius en nam met een kort gebaar afscheid.

7   Toen Gregorius wakker werd was het al laat in de middag en onder de bewolkte hemel begon het al te schemeren in de stad. Meteen na aankomst was hij met zijn kleren aan op de bedsprei gaan liggen en was in een loodzware slaap gevallen waarin hij het beklemmende gevoel had gehad dat hij zichzelf eigenlijk geen slaap mocht gunnen omdat er duizenden dingen gedaan moesten worden, dingen die geen naam hadden maar die daardoor niet minder dringend waren, integendeel, juist hun spookachtige naamloosheid maakte dat ze ogenblikkelijk ter hand moesten worden genomen om te voorkomen dat er iets ergs gebeurde, iets wat niet te benoemen viel. Toen hij in de badkamer zijn gezicht waste, merkte hij tot zijn opluchting dat tegelijk met het versufte gevoel ook de angst verdween dat hij iets had verzuimd en zich daardoor schuldig had gemaakt.

In de uren die volgden zat hij voor het raam en probeerde tevergeefs zijn gedachten te ordenen. Af en toe viel zijn blik op de reistas, die onuitgepakt in een hoek stond. Toen het donker was geworden ging hij naar de receptie en liet de luchthaven bellen met de vraag of er die avond nog een vlucht was naar Zürich of Genève. Die was er niet, en in de lift naar boven merkte hij tot zijn verbazing hoe opgelucht hij daarover was. Hij zat in het donker op het bed en probeerde die onverwachte opluchting te duiden. Hij draaide het nummer van Doxiades en liet de telefoon tien keer overgaan voordat hij ophing. Hij sloeg het boek van Amadeu de Prado open en ging verder vanaf waar hij op het station was opgehouden.

Zes keer per dag hoorde ik het gelui van de torenklok dat het begin van de lessen aankondigde en klonk alsof monniken werden opgeroepen voor het gebed. Derhalve waren het 11532 keren dat ik op mijn tanden beet en van het schoolplein terugliep naar het donkere gebouw in plaats van gehoor te geven aan mijn inbeeldingsvermogen, dat mij door het hek van het schoolplein naar de haven stuurde, aan de reling van een schip, waar ik later het zout van mijn lippen zou likken.

Nu, dertig jaar later, keer ik telkens weer terug naar die plek. Daar is geen enkele praktische reden voor. Waarom dus? Ik zit op de met mos bedekte, afbrokkelende treden voor de ingang en heb geen idee waarom ik mijn hart in mijn keel voel kloppen. Waarom voel ik afgunst als ik zie hoe leerlingen met bruine benen en glanzend haar in en uit lopen alsof ze hier thuis zijn? Wat is het waar ik hen om benijd? Onlangs, toen op een hete dag de ramen openstonden, kon ik verschillende leraren horen praten en vernam de gestamelde antwoorden van geïntimideerde leerlingen op vragen waarvoor ook ik zou hebben gesidderd. Opnieuw daar binnen zitten – nee, dat was zeker niet waarnaar ik verlangde. In het koele donker van de lange gangen kwam ik de conciërge tegen, een man met een hoofd als de kop van een vogel, dat hij ver vooruitstak. Met een wantrouwige blik kwam hij naar me toe. 'Wat zoekt u hier?' vroeg hij toen ik hem al gepasseerd was. Hij had een astmatische falsetstem die klonk alsof die van een gerechtshof uit het hiernamaals stamde. Ik bleef staan zonder me om te draaien. 'Ik heb hier op school gezeten,' zei ik, en minachtte mijzelf toen ik hoorde hoe hees het klonk. Een paar seconden lang hing er een complete, angstaanjagende stilte in de gang. Toen liep de man achter mij langs met sloffende stappen door. Ik had me betrapt gevoeld. Maar op wat?

Op de laatste dag van het eindexamen hadden we allemaal ach-
ter onze banken gestaan, de schoolpetten op het hoofd, het zal eruit-
gezien hebben alsof we in de houding stonden. Plechtig liep senhor
Cortês van de een naar de ander, deelde met zijn voor hem gebrui-
kelijke strenge gezicht het eindcijfer mee en overhandigde het diplo-
ma, waarbij hij ons recht in de ogen keek. Lusteloos en bleek nam
mijn ambitieuze buurman het zijne in ontvangst en hield het als een
bijbel in zijn gevouwen handen. Giechelend liet de slechtste leerling
van de klas, de gebruinde favoriet van de meisjes, zijn diploma op de
grond vallen alsof het een stuk afval was. Toen gingen we naar bui-
ten, waar de middaghitte hing van een julidag. Wat kon, wat moest
je beginnen met de tijd die voor ons lag, open en nog zonder vorm,
vederlicht in haar vrijheid en loodzwaar in haar ongewisheid?

Noch daarvoor noch daarna heb ik iets beleefd waardoor ik zo
overtuigend en nadrukkelijk als bij de nu volgende gebeurtenis onder
ogen kreeg hoe verschillend mensen zijn. De slechtste leerling van de
klas nam als eerste zijn pet af, draaide zich om zijn eigen as en gooi-
de zijn pet over het tuinhek in de vijver van het belendende pand,
waar de pet zich langzaam volzoog en ten slotte onder de waterlelies
verdween. Drie, vier andere jongens volgden zijn voorbeeld, waarbij
sommige mutsen op het hek bleven hangen. De jongen die in de klas
mijn buurman was geweest zette daarop zijn pet recht, bang en ver-
ontwaardigd, het was niet goed te zien welke gewaarwording bij hem
de overhand had. Wat moest hij morgenochtend doen als er geen re-
den meer was de pet op te zetten? Maar de meeste indruk maakte op
mij wat ik in een donker hoekje van het schoolplein zag gebeuren.
Halfverborgen achter een stoffige struik probeerde een leerling zijn
pet in zijn schooltas te stoppen. Gewoon erin stoppen wilde hij hem
niet, dat kon je opmaken uit zijn aarzelende bewegingen. Hij pro-
beerde op allerlei manieren de pet netjes op te bergen; uiteindelijk
maakte hij plaats door een paar boeken uit zijn tas te halen en die
vervolgens radeloos en onbeholpen onder zijn arm te klemmen. Toen
hij zich omdraaide en om zich heen keek, kon je in zijn ogen de hoop
lezen dat niemand zijn stiekeme gedoe had opgemerkt en ook een
laatste spoor van de kinderlijke gedachte dat je, door zelf je blik af te
wenden, onzichtbaar werd.

Nu nog kan ik voelen hoe ik mijn eigen bezwete pet ronddraaide in mijn handen, eerst in de ene, toen in de andere richting. Ik zat op het warme mos van de stoep voor de ingang en dacht aan de gebiedende wens van mijn vader dat ik arts zou worden – iemand dus die in staat is mensen als hij van hun pijn te verlossen. Ik had hem lief om zijn vertrouwen en vervloekte hem om de deprimerende last die hij met zijn ontroerende wens op mijn schouders had gelegd. Intussen waren de leerlingen van de meisjesschool naar ons toe gekomen. 'Ben je blij dat het voorbij is?' vroeg Maria João en kwam naast me zitten. Ze nam me op. 'Of ben je er uiteindelijk toch verdrietig om?'

Nu schijn ik dan eindelijk te weten wat me er steeds opnieuw toe dwingt de verre tocht naar de school te ondernemen: Ik wil terug naar die paar minuten op het schoolplein waarin het verleden van ons af was gevallen zonder dat de toekomst al was begonnen. De tijd stond stil en hield de adem in op een manier zoals ze dat later nooit meer heeft gedaan. Zijn het de bruine knieën van Maria João en de geur van zeep in haar lichtgetinte jurk waar ik naar terug wil? Of gaat het om het verlangen – het pathetische verlangen, als in een droom – nog één keer op dat punt van mijn leven te staan en een heel andere richting in te kunnen slaan dan de richting die van mij de man heeft gemaakt die ik nu ben?

Er is iets vreemds aan dat verlangen, het smaakt naar paradoxie en logische uitzonderlijkheid. Want degene die naar zoiets verlangt is immers niet degene die, nog onberoerd door de toekomst, op een splitsing van wegen staat. Hij is eerder degene die getekend is door de doorgemaakte, tot verleden geworden toekomst, de man die naar vroeger verlangt om het onherroepelijke te herroepen. En zou hij het willen herroepen als hij het niet eerst had ondergaan? Nog één keer op het warme mos zitten en die pet vasthouden – dat is het onzinnige verlangen terug te reizen naar de tijd achter mijzelf en mijzelf – de door de gebeurtenissen getekende – toch ook mee te nemen op die reis. En is het voorstelbaar dat de jongen van toen zich verzette tegen de wens van zijn vader en niet de collegezaal betrad van de medische faculteit – iets waarnaar ik tegenwoordig soms verlang? Had hij dat kunnen doen en ik kunnen zijn? Er was in mij toentertijd geen vast punt van ondergane belevenissen vanwaaruit ik de wens had kunnen koesteren op de kruising van wegen een andere richting in te slaan. Wat voor nut zou het dus voor mij hebben de tijd terug te draai-

60

en en mijzelf, de ene ervaring na de andere uitwissend, te verande-
ren in de jongen die verslaafd was aan de frisse geur van Maria João's
jurk en de aanblik van haar bruine knieën? De jongen met de pet –
hij had zich wel heel erg van mij moeten onderscheiden om op die
manier een andere richting in te slaan, zoals ik dat tegenwoordig zou
willen. Maar: als een ander zou hij ook niet iemand zijn geworden
die later verlangt naar een terugkeer naar de vroegere splitsing van
wegen. Kan ik ernaar verlangen hij te zijn? Het komt me voor alsof
ik ermee tevreden zou kunnen zijn hij te zijn. Maar die tevredenheid
– die kan er alleen voor mij zijn, voor mij die niet hij is, alleen als
vervulling van de wensen die niet de zijne zijn. Zou ik inderdaad hij
zijn – ik zou niet de verlangens hebben waarvan de vervulling me zo
tevreden konden maken hij te zijn als wat mijn eigen verlangens ver-
mogen zolang ik vergeet dat ik ze, als ze in vervulling zouden gaan,
helemaal niet zou hebben.

En toch ben ik er zeker van dat ik spoedig weer zal ontwaken met
de behoefte naar de school te gaan en daarmee toe te geven aan een
sterk verlangen waarvan het object niet kan bestaan omdat het niet
gedacht kan worden. Kan er iets krankzinnigers bestaan dan dit: door
een verlangen te worden voortgedreven dat geen denkbaar object
heeft?

Het was bijna middernacht toen Gregorius er ten slotte zeker van
was dat hij de moeilijke tekst had begrepen. Prado was dus arts,
en hij was het geworden omdat zijn vader, wiens glimlach meestal mislukte, die een bevel gelijkende wens had gehad, een wens die
niet was ontsproten aan dictatoriale willekeur of vaderlijke ijdelheid maar uit de machteloosheid van chronische pijn. Gregorius
sloeg het telefoonboek open. De naam *Prado* kwam er veertien keer
in voor maar er was geen Amadeu bij, geen Inácio en geen Almeida. Waarom had hij aangenomen dat Prado in Lissabon woonde?
Nu zocht hij in het bedrijvenregister van de gids naar uitgeverij
Cedros vermelhos: niets. Zou hij het hele land moeten afzoeken?
Had dat zin? Had dat ook maar enige zin?

Gregorius ging de donkere stad in. Na middernacht de stad in
gaan – dat deed hij sinds hij halverwege de twintig was en het vermogen had verloren zonder moeite in slaap te komen. Ontelbare

keren had hij door de verlaten straten van Bern gelopen, was af en toe blijven staan en had als een blinde naar de sporadische voetstappen geluisterd die in zijn richting kwamen of zich verwijderden. Hij hield ervan voor de donkere etalages van boekhandels te staan en het gevoel te hebben dat, terwijl de anderen sliepen, die boeken allemaal van hem waren. Langzaam lopend sloeg hij nu vanuit de zijstraat waaraan het hotel lag de brede Avenida da Liberdade in en liep in de richting van de Baixa, de benedenstad, waar de straten een patroon vormden als op een schaakbord. Het was koud en een dunne nevel vormde een wazige kring rond de ouderwetse straatlantaarns met hun gouden licht. Hij vond een broodjeszaak waar hij staande een broodje at en een kop koffie dronk.

Prado ging dus telkens weer op de traptreden van zijn school zitten en stelde zich voor hoe het zou zijn geweest een heel ander leven te leiden. Gregorius dacht aan de vraag die Silveira hem had gesteld en waarop hij het eigengereide antwoord had gegeven dat hij het leven had geleid dat hij wilde. Hij merkte dat het beeld van de twijfelende arts op de bemoste traptreden en de vraag van de twijfelende zakenman in de trein iets bij hem teweeg hadden gebracht wat de veilige, vertrouwde straten van Bern nooit bij hem teweeg hadden kunnen brengen.

Nu rekende de enige andere klant in de broodjeszaak af en ging weg. Met een onverhoedse haast die hem bevreemdde rekende ook Gregorius af en liep de man na. Het was een man van middelbare leeftijd die met zijn ene been trok en af en toe bleef staan om uit te rusten. Gregorius volgde hem op grote afstand naar de Bairro Alto, de bovenstad, tot de man achter de deur van een smal, schamel huis verdween. Nu ging op de eerste verdieping het licht aan, het gordijn werd opzijgeschoven en de man kwam voor het open raam staan met een sigaret tussen zijn lippen. Vanuit het bescherming biedende donker van een portiek kon Gregorius langs de man heen in de verlichte woning kijken. Een sofa met kussens van versleten gobelinstof. Twee fauteuils die er niet bij pasten. Een glazen kast met servies en kleine, bonte figuurtjes van porselein. Een crucifix aan de muur. Geen enkel boek. Hoe was het om die man te zijn?

Nadat de man het raam had gesloten en het gordijn had dicht-getrokken verliet Gregorius het portiek. Hij wist niet meer waar hij precies was en sloeg de eerstvolgende straat in. Hij was nog nooit iemand op die manier gevolgd, met de gedachte hoe het zou zijn om in plaats van zijn eigen leven dat van die ander te leven. Het was een heel nieuw soort nieuwsgierigheid die hem vervulde en die paste bij de nieuwe vorm van helderheid die hij tijdens de treinreis had ervaren en waarmee hij op het Gare de Lyon in Parijs was uitgestapt, gisteren, of wanneer het ook was geweest.

Af en toe stond hij stil en staarde voor zich uit. De oude teksten, zijn oude teksten, die waren toch ook vol figuren die een leven leidden, en de teksten lezen en begrijpen had toch ook altijd betekend over die levens te lezen en ze te begrijpen. Waarom was dan nu alles zo nieuw als het de adellijke Portugees betrof of de kreupele man van zonet? Op de vochtige klinkers van de oplopende straat zette hij onzeker zijn ene voet voor zijn andere en hij was opgelucht toen hij de Avenida da Liberdade herkende.

De klap kwam onverhoeds, hij had de skater niet aan horen komen. Het was een reusachtige kerel die bij het passeren met zijn elleboog Gregorius tegen zijn slaap raakte en zijn bril van zijn hoofd stootte. Een beetje verdoofd en plotseling zonder iets te kunnen zien strompelde Gregorius een paar passen vooruit en voelde tot zijn ontzetting dat hij op zijn bril stapte en hem versplinterde. Een golf van paniek sloeg over hem heen. Vergeet uw reservebril niet, hoorde hij Doxiades aan de telefoon zeggen. Het duurde minuten voordat hij weer rustig kon ademhalen. Toen knielde hij op de straat en tastte naar de glassplinters en de brokstukken van het montuur. Wat hij kon vinden, veegde hij bijeen op zijn zakdoek en die knoopte hij dicht. Langzaam tastend langs de muren ging hij naar zijn hotel.

Geschrokken stond de nachtportier op van zijn stoel, en toen Gregorius vlak voor de spiegel in de foyer ging staan, zag hij dat er bloed uit zijn slaap kwam. In de lift drukte hij de zakdoek van de portier tegen de wond, liep gehaast door de gang, deed met trillende vingers de deur open en liep vlug naar zijn reistas. De tranen sprongen in zijn ogen van opluchting toen zijn hand het koude metalen etui vond. Hij zette de bril op, veegde het bloed af en plakte de pleister die de portier hem had gegeven op de wond. Het was half drie. Op de luchthaven nam niemand de telefoon op. Tegen vieren viel hij in slaap.

8   Als Lissabon de ochtend daarna niet in zulk betoverend licht gedompeld was geweest, dacht Gregorius later, dan had alles misschien een heel andere wending genomen. Misschien zou hij dan naar het vliegveld zijn gegaan en was met de eerstvolgende vlucht naar huis teruggekeerd. Maar het licht gaf hem geen kans op zijn schreden terug te keren. De stralende zon zette het verleden op heel grote afstand, maakte het onwerkelijk, door de kracht van het licht verloor zijn wil de schaduw van wat ooit was geweest en de enige mogelijkheid die hij had was zich op de toekomst te richten, waar die toekomst ook uit mocht bestaan. Bern met zijn sneeuwvlokken lag ver weg en Gregorius kon nauwelijks geloven dat het maar drie dagen geleden was dat hij op de Kirchenfeld-brücke de Portugese had ontmoet.

Na het ontbijt belde hij José António da Silveira en kreeg zijn secretaresse aan de lijn. Hij vroeg of ze hem een oogarts kon aanbevelen die Duits, Frans of Engels sprak. Na een halfuur belde ze terug, deed hem de groeten van Silveira en noemde hem de naam van een vrouwelijke arts waar ook de zuster van Silveira heen ging, een arts die lang aan de oogheelkundige klinieken van de universiteiten van Coimbra en München verbonden was geweest.

De praktijk lag in de wijk Alfama, het oudste gedeelte van de stad, achter de burcht. Gregorius liep langzaam door de stralende dag en ging op tijd iedereen uit de weg die tegen hem op dreigde te lopen. Soms bleef hij staan en wreef achter de dikke brillenglazen in zijn ogen: dit was dus Lissabon, de stad waar hij naartoe was gegaan omdat hij bij het observeren van zijn leerlingen plotseling zijn leven vanaf het eindpunt had gezien en omdat hij door toeval in het bezit was gekomen van het boek van een Portugese arts wiens woorden klonken alsof ze tot hem waren gericht.

De vertrekken die hij een uur later betrad zagen er helemaal niet uit als de praktijkruimte van een arts. De donkere lambrisering, de olieverfschilderijen en de dikke tapijten maakten eerder de indruk dat je je in het huis van een vooraanstaande familie bevond waarin alles zijn vaste vorm had en rustig zijn gang ging. Het verbaasde Gregorius niet dat er niemand in de wachtkamer zat. Iemand die in zo'n huis woonde, had geen inkomsten van patiënten nodig. Senhora Eça komt zo, had de receptioniste gezegd. Aan niets kon je zien dat zij de assistente was. Het enige wat iets zakelijks had, was het beeldscherm met namen en getallen. Gregorius dacht aan de kale en enigszins slonzige praktijk van Doxiades en aan zijn assistente met haar snibbige manier van doen. Plotseling had hij het gevoel verraad te plegen, en toen een van de hoge deuren openging en de arts binnenkwam, was hij blij niet langer alleen te zijn met dat gevoel dat nergens op sloeg.

Doutora Mariana Conceição Eça was een vrouw met grote donkere ogen die je vertrouwen inboezemden. In vloeiend Duits, waarin ze slechts af en toe een fout maakte, begroette ze Gregorius als een vriend van Silveira, en ze wist ook al waar het om ging. Hoe hij op het idee kwam zich te verontschuldigen voor zijn opwinding over de kapotte bril, vroeg ze. Het was vanzelfsprekend dat iemand die zo bijziend was als hij het noodzakelijk vond een reservebril te bezitten.

Gregorius was meteen gerustgesteld. Hij zeeg diep neer in de fauteuil voor haar bureau en zou het liefst nooit meer zijn opgestaan. De vrouw scheen een zee van tijd voor hem te hebben, Gregorius had dat gevoel nog nooit gehad bij een arts, ook niet bij Doxiades, het was onwerkelijk, bijna een droom. Hij had erop gerekend dat ze de reservebril zou opmeten, de gebruikelijke tests zou doen en hem dan met een recept naar de opticien zou sturen. In plaats daarvan liet ze hem eerst het verhaal over zijn bijziendheid vertellen, fase voor fase, met alle erbij passende zorgen. Toen hij haar uiteindelijk zijn bril overhandigde, keek ze hem onderzoekend aan.

'U bent iemand die niet goed slaapt,' zei ze.

Toen verzocht ze hem haar te volgen naar het andere deel van het vertrek, waar de apparaten stonden.

Het onderzoek duurde meer dan een uur. De apparaten zagen er heel anders uit dan bij Doxiades en senhora Eça bestudeerde zijn ogen met de grondigheid van iemand die kennismaakt met een heel nieuw landschap. Maar wat de meeste indruk maakte op Gregorius was dat ze de tests drie keer herhaalde. Tussendoor liet ze hem wat rondlopen en verwikkelde hem in een gesprek over zijn beroep.

'Hoe goed iemand ziet hangt van veel dingen af,' zei ze, en ze glimlachte toen ze zijn verbazing zag.

Uiteindelijk stond er een dioptriegetal op papier dat sterk afweek van wat hij gewend was en ook de waarden van de beide ogen lagen veel verder uit elkaar dan anders. Senhora Eça zag hoe hij daardoor in verwarring werd gebracht.

'Laten we het maar gewoon proberen,' zei ze en legde even haar hand op zijn arm.

Gregorius aarzelde tussen verzet en vertrouwen. Het vertrouwen won. De arts gaf hem het kaartje van een opticien en belde de man. Met haar Portugese stem keerde de betovering terug die hij had gevoeld toen de raadselachtige vrouw van de Kirchenfeldbrücke het woord Português had uitgesproken. Plotseling zag hij dat het zin had in deze stad te zijn, al kon hij niet benoemen welke zin dat was, integendeel, het hoorde bij die zin dat je hem niet mocht forceren door te proberen hem onder woorden te brengen.

'Twee dagen,' zei de arts nadat ze had opgehangen, 'nog sneller, zegt César, gaat het ook met de beste wil van de wereld niet.'

Nu haalde Gregorius het boekje met de aantekeningen van Amadeu de Prado uit zijn jaszak, liet haar de vreemde naam van de uitgeverij zien en vertelde over zijn vergeefse gezoek in het telefoonboek. Ja, zei ze met een afwezige blik, dat klinkt naar een privé-uitgave.

'En die rode ceders – het zou me niet verbazen als die een metafoor voor iets zijn.'

Dat had Gregorius ook al gedacht: een metafoor of een code voor iets geheimzinnigs – iets bloedigs of iets moois – verborgen onder het kleurige, verwelkende loof van een levensverhaal.

De arts liep naar een andere kamer en keerde terug met een adresboek. Ze sloeg het open en gleed met een vinger over een pagina.

'Hier, Júlio Simões,' zei ze, 'een vriend van mijn overleden echtgenoot, een antiquaar van wie wij de indruk hadden dat hij meer over boeken wist dan enig andere sterveling, het was bijna griezelig.'

Ze schreef het adres op en legde Gregorius uit waar het antiquariaat was.

'Doe hem de groeten van me. En komt u met de nieuwe bril nog even langs, ik wil graag weten of ik het goed heb gedaan.'

Toen Gregorius zich op de overloop omdraaide, stond ze nog steeds in de deuropening, een hand tegen het kozijn. Silviera had met haar getelefoneerd. Dan wist ze wellicht ook dat hij de benen had genomen. Hij had haar er uitgebreid over verteld, en toen hij door het trappenhuis liep waren zijn stappen aarzelend, als van iemand die een plek ongaarne verlaat.

Aan de hemel had zich een dunne witte sluier uitgebreid die de glans van het zonlicht deed vervagen. De zaak van de opticien lag in de buurt van de veerpont over de Tejo. César Santaréms norse gezicht klaarde op toen Gregorius hem zei wie hem had gestuurd. Hij keek naar het recept, woog de bril die Gregorius hem had aangereikt in zijn hand en zei toen in gebroken Frans dat je de glazen ook van lichter materiaal kon maken en in een lichter montuur kon zetten.

Dat was binnen korte tijd de tweede keer dat iemand het oordeel van Konstantin Doxiades in twijfel trok en Gregorius kreeg het gevoel dat het leven dat hij tot dusver had geleid van hem werd afgepakt, een leven dat, zolang hij zich kon herinneren, een leven met een zware bril op zijn neus was geweest. Onzeker paste hij het ene montuur na het andere en liet zich ten slotte door de assistente van Santarém, die alleen Portugees sprak en praatte als een waterval, tot een dun, roodachtig montuur verleiden dat hij voor zijn brede, hoekige gezicht eigenlijk veel te modern en chic vond. Op weg naar de Bairro Alto, waar het antiquariaat van Júlio Simões lag, zei hij telkens weer tegen zichzelf dat hij de nieuwe bril als reservebril kon gebruiken en hem helemaal niet hoefde te dragen, en toen hij eindelijk voor het antiquariaat stond had hij zijn evenwicht alweer hervonden.

Senhor Simões was een tanige man met een scherpe neus en donkere ogen waaruit een sprankelende intelligentie sprak. Mariana Eça had hem gebeld en hem verteld waar het om ging. Heel Lissabon, dacht Gregorius, scheen druk bezig te zijn hem aan te kondigen en aan iemand anders over te dragen, je kon bijna spreken van een rondedans van aankondigingen, hij kon zich niet herinneren ooit iets dergelijks te hebben meegemaakt.

Cedros vermelhos – een uitgeverij met die naam, zei Simões, was hij in de dertig jaar dat hij in het boekenvak zat nooit tegengekomen, dat wist hij heel zeker. *Um ourives das palavras* – nee, ook van die titel had hij nog nooit gehoord. Hij bladerde het boek door, las hier en daar een zin, en Gregorius had de indruk dat hij wachtte of zijn geheugen misschien toch nog iets naar boven zou halen. Ten slotte keek hij nog een keer naar het jaar van verschijnen. 1975 – toen was hij nog met zijn opleiding bezig geweest en zou niets hebben vernomen over een boek dat in eigen beheer was uitgegeven, al helemaal niet als het in Lissabon was gedrukt.

'Als er iemand is die het weet,' zei hij terwijl hij een pijp stopte, 'dan is dat de oude Coutinho, de vorige eigenaar van de zaak. Hij loopt tegen de negentig en is stapelgek, maar zijn geheugen voor boeken is fenomenaal, echt een wonder. Bellen kan ik hem niet omdat hij bijna niets meer hoort; maar ik zal u een briefje meegeven.'

Simões liep naar zijn bureau dat in een hoek stond en schreef iets op een papiertje dat hij in een envelop stak. 'U moet geduld met hem hebben,' zei hij toen hij Gregorius de envelop aanreikte, 'hij heeft veel pech gehad in zijn leven en is een verbitterde oude man. Maar hij kan ook erg aardig zijn als je de juiste toon weet te treffen. Het probleem is dat je van tevoren nooit weet welke die juiste toon is.'

Gregorius bleef lang in het antiquariaat. Een stad leren kennen door middel van de boeken die je er aantrof – zo had hij het altijd gedaan. Zijn eerste buitenlandse reis als student was naar Londen geweest. Op de boot terug naar Calais had hij beseft dat hij tijdens de drie dagen behalve de jeugdherberg, het British Museum en de vele boekhandels in de buurt daarvan, zo goed als niets van de stad had gezien. Maar diezelfde boeken kunnen toch ook op een heel andere plek staan! zeiden de anderen en schudden hun hoofd over al die dingen die hij links had laten liggen. Ja, maar in werkelijkheid staan ze niet op een andere plek, had hij geantwoord.

En nu stond hij voor de tot het plafond reikende boekenkasten met allemaal Portugese boeken die hij eigenlijk helemaal niet kon lezen, en merkte hoe hij contact begon te krijgen met de stad. Toen hij die ochtend het hotel had verlaten had hij het gevoel gehad dat hij, teneinde zijn verblijf hier een zin te geven, zo snel mogelijk Amadeu de Prado moest vinden. Maar toen had hij de donkere ogen, het rossige haar en het zwartfluwelen jasje van Mariana Eça nog niet gezien, en nu al die boeken hier met de namen van de vroegere eigenaren, die hem aan het handschrift van Anneli Weiss in zijn Latijnse boeken deden denken.

O grande terramoto. Behalve dat die aardbeving in 1755 had plaatsgevonden en Lissabon had verwoest, wist hij over de grote aardbeving niet meer dan dat die bij heel veel mensen het geloof in God aan het wankelen had gebracht. Hij trok het boek van de plank. Het boek ernaast, dat daardoor schuin was komen te staan, droeg de titel *A morte negra* en ging over de pestepidemieën in de veertiende en vijftiende eeuw. Met beide boeken onder zijn arm liep Gregorius naar de andere kant van de winkel, waar de literatuur stond. Luís Vaz de Camões; Francisco de Sá de Miranda; Fernão Mendes Pinto; Camilo Castelo Branco. Een heel universum waarover hij nog nooit iets had gehoord, ook niet van Florence. José Maria Eça de Queirós, *O crime do padre Amaro.* Aarzelend, alsof het om iets verbodens ging, trok hij het boek uit de kast en deed het bij de twee andere. En toen opeens stond hij ervoor: Fernando Pessoa, *O livro do desassossego, Het boek der rusteloosheid.* Eigenlijk was het ongelooflijk, maar hij was naar Lissabon gegaan zonder eraan te denken dat hij naar de stad van de assistent-boekhouder Bernardo Soares ging, die op de Rua dos Douradores werkte en vanuit wie Pessoa gedachten opschreef die eenzamer waren dan alle gedachten waarvan de wereld vóór hem en ná hem ooit had gehoord.

Wás dat wel zo ongelooflijk? 'De velden zijn groener in de beschrijving dan in hun groen.' Die zin van Pessoa had tot de ergste scène geleid die zich tussen hem en Florence in al die jaren had afgespeeld.

Ze zat met collega's in de woonkamer, hij hoorde gelach en het gerinkel van glazen. Met tegenzin was Gregorius de kamer binnengegaan omdat hij een boek nodig had. Juist op dat moment las iemand die zin voor. Is dat geen briljante zin? had een collega van Florence uitgeroepen. Daarbij schudde hij zijn lange kunstenaarshaar en legde zijn hand op de blote arm van Florence. Die zin kan maar door heel weinig mensen worden begrepen, had Gregorius gezegd. Meteen viel er een verlegen stilte. En jij bent zeker één van die uitverkorenen? had Florence op scherpe toon gevraagd. Overdreven langzaam had Gregorius het boek dat hij nodig had uit de kast gehaald en was zonder een woord te zeggen de kamer uit gegaan. Het duurde minuten voordat hij ze weer hoorde praten.

Als hij na dat voorval ergens *Het boek der rusteloosheid* zag, liep hij vlug door. Ze hadden nooit meer over het voorval gesproken. Het hoorde bij al die andere dingen die onbesproken waren gebleven bij hun scheiding.

Nu haalde Gregorius het boek uit de kast.

'Weet u hoe dat ongelooflijke boek op mij overkomt?' vroeg senhor Simões toen hij de prijs van de boeken op de kassa intikte. 'Het is alsof Marcel Proust de *Essays* van Montaigne heeft geschreven.'

Gregorius viel bijna om van vermoeidheid toen hij met zijn zware tas boven aan de Rua Garrett bij het standbeeld van Camões aankwam. Maar hij had geen zin om naar zijn hotel te gaan. Hij stond op het punt in deze stad aan te komen en hij wilde méér van dat gevoel, om er zeker van te zijn dat hij vanavond niet wéér de luchthaven zou bellen om een retourvlucht te boeken. Hij dronk koffie en stapte toen op de tram die hem naar het Cemitério dos Prazeres zou brengen, in de buurt waarvan Vítor Coutinho woonde, de stapelgekke oude man die misschien iets meer wist over Amadeu de Prado.

9 Met de honderd jaar oude tram van Lissabon reed Gregorius terug naar het Bern van zijn jeugd. De tramwagon, die hobbelend, schuddend en bellend door de Bairro Alto reed, leek zich in niets van de oude tramwagons te onderscheiden waarmee hij, toen hij nog gratis mocht reizen, urenlang door de straten en straatjes van Bern had gereden. Hetzelfde soort banken van gelakt hout, hetzelfde belkoord naast de lussen die aan het plafond bungelden, dezelfde metalen arm die de bestuurder hanteerde om te remmen en op te trekken en waarvan Gregorius de werkwijze nog even weinig begreep als destijds. Op een bepaald moment, toen hij al de pet droeg van leerlingen van de onderbouw van het gymnasium, waren de oude trams door nieuwe vervangen. Die maakten minder lawaai en reden veel soepeler, de andere leerlingen vochten erom in die nieuwe tram te mogen rijden en menigeen kwam te laat op school omdat hij op een van de nieuwe wagens had gewacht. Gregorius had het niet durven zeggen, maar het ergerde hem dat de wereld veranderde. Hij raapte al zijn moed bijeen, reed naar de tramremise en vroeg aan een man in overall wat er met de oude wagens gebeurde. Die werden aan Joegoslavië verkocht, zei de man. Hij moest gezien hebben hoe ongelukkig Gregorius was want hij liep naar zijn kantoor en kwam met een model van de oude wagen terug. Gregorius bezat het nog steeds en hoedde het als een kostbare, onvervangbare schat uit de prehistorie. Hij zag het model voor zich toen de Lissabonse tram op het eindpunt rammelend en piepend tot stilstand kwam.

Dat de Portugees met de onverschrokken blik ook dood kon zijn, daaraan had Gregorius tot dusver niet gedacht. Die gedachte kwam nu pas bij hem op, nu hij voor het kerkhof stond. Langzaam en beschroomd liep hij door de straten van de dodenstad, aan weerszijden waarvan kleine mausoleums stonden.

Hij had ongeveer een halfuur rondgedwaald toen hij stilstond voor een grote grafkamer van wit marmer dat door invloed van het weer vlekkerig was geworden. Twee platen met versierde hoeken en randen waren in de steen gehouwen. AQUI JAZ ALEXANDRE HORÁCIO DE ALMEIDA PRADO QUE NASCEU EM 28 DE MAIO DE 1890 E FALECEU EM 9 DE JUNHO DE 1954, stond op de bovenste tafel te lezen, EN AQUI JAZ MARIA PIEDADE REIS DE PRADO QUE NASCEU EM 12 DE JANEIRO DE 1899 E FALECEU EM 24 DE OUTUBRO DE 1960. Op de onderste plaat, die duidelijk lichter van kleur was en minder bemost, las Gregorius: AQUI JAZ FÁTIMA AMÉLIA CLEMÊNCIA GALHARDO DE PRADO QUE NASCEU EM 1 DE JANEIRO DE 1926 E FALECEU EM 3 DE FEVEREIRO DE 1961, en daaronder, met minder patina op de letters, AQUI JAZ AMADEU INÁCIO DE ALMEIDA PRADO QUE NASCEU EM 20 DE DEZEMBRO DE 1920 E FALECEU EM 20 DE JUNHO DE 1973.

Gregorius staarde naar het laatste jaartal. Het boek in zijn zak was in 1975 verschenen. Als het bij Amadeu de Prado om een arts ging die op het strenge liceu van senhor Cortês had gezeten en later heel vaak op het warme mos van de traptreden zat omdat hij zich afvroeg hoe het zou zijn om een ander te worden – dan had hij zijn aantekeningen niet meer zelf gepubliceerd. Iemand anders had het dan gedaan, waarschijnlijk in eigen beheer. Een vriend, een broer, een zuster. Als die persoon na negenentwintig jaar nog leefde, dan was het zaak ernaar op zoek te gaan.

Maar de naam op de grafsteen kon ook toeval zijn. Gregorius wilde dat het een toevallige overeenstemming was; hij wilde het uit alle macht. Hij wist hoe teleurgesteld en moedeloos hij zou zijn als zou blijken dat een ontmoeting met de melancholieke man die de Portugese taal had willen vernieuwen omdat ze in de oude vorm zo versleten was, niet meer mogelijk was.

Toch haalde hij zijn notitieboekje te voorschijn en schreef alle namen met de bijbehorende geboorte- en sterfdata op. Deze Amadeu de Prado was drieënvijftig geworden. Zijn vader had hij verloren toen hij vierendertig was. Was dat de vader geweest wiens glimlach meestal mislukte? Zijn moeder was overleden toen hij veertig was. Fátima Galhardo – dat zou de vrouw van Amadeu geweest kunnen zijn, een vrouw die maar vijfendertig was geworden en die was overleden toen hij eenenveertig was.

Opnieuw liet Gregorius zijn blik over het grafmonument glijden, en nu pas viel hem het opschrift op de sokkel op dat half bedekt was door wilde klimop: QUANDO A DITADURA É UM FACTO A REVOLUÇÃO É UM DEVER. Als de dictatuur een feit is, is de revolutie een plicht. Was de dood van deze Prado een politieke dood geweest? De Anjerrevolutie in Portugal, het einde van de dictatuur, had zich in het voorjaar van 1974 afgespeeld. Deze Prado had die dus niet meer beleefd. Het opschrift klonk alsof hij als verzetsstrijder was gestorven. Gregorius haalde het boek uit zijn zak en bekeek het portret: het is mogelijk, dacht hij, het zou bij het gezicht passen, en ook de ingehouden woede achter alles wat hij schreef.

Een poëet en taalmysticus die naar het wapen had gegrepen en tegen Salazar had gevochten.

Bij de uitgang probeerde hij de man in uniform te vragen hoe je er achter kon komen wie de eigenaar was van een graf. Maar de paar woorden Portugees die hij machtig was, waren niet voldoende. Hij haalde het briefje te voorschijn waarop Júlio Simões het adres van zijn voorganger had opgeschreven en ging op weg.

Vítor Coutinho woonde in een huis dat eruitzag alsof het elk moment kon instorten. Het lag een eindje van de straat af, verborgen achter andere huizen, en het onderste deel was helemaal begroeid met klimop. Een deurbel was er niet en Gregorius stond een tijdlang radeloos in de voortuin. Juist toen hij wilde weggaan riep een blaffende stem uit een van de ramen op de bovenverdieping: 'O que é que quer? Wat wilt u?'

Het hoofd in de raamopening was omgeven door witte krullen die naadloos overgingen in een witte baard, en op de neus zat een bril met een breed, donker montuur.

'Pergunta sobre livro,' riep Gregorius zo hard als hij kon en hield het boek van Prado omhoog.

'O quê?' vroeg de man, en Gregorius herhaalde zijn woorden.

Het hoofd verdween en de deuropener zoemde. Gregorius betrad een donkere gang met boekenkasten die tot het plafond reikten en met op de rode tegelvloer een versleten oosters tapijt. Er hing een verschaalde etensgeur en het rook naar stof en pijptabak. Op de krakende trap verscheen de witharige man, een pijp tussen zijn donkere tanden. Een grofgeruit overhemd van een verschoten, ondefinieerbare kleur hing over zijn uitgezakte corduroybroek, zijn voeten staken in sandalen die niet waren dichtgegespt.

'Quem é?' vroeg hij op de overdreven luide toon van slechthorenden. De lichtbruine, aan barnsteen herinnerende ogen onder de enorme wenkbrauwen stonden geïrriteerd, als bij iemand die in zijn rust is gestoord.

Gregorius stak hem de envelop met het bericht van Samões toe. Hij was een Zwitser, zei hij in het Portugees en voegde er in het Frans aan toe dat hij een classicus was die op zoek was naar de auteur van dit boek. Toen Coutinho niet reageerde begon hij op nog luidere toon aan een herhaling.

Hij was niet doof, onderbrak de oude man hem in het Frans, en nu verscheen een sluwe grijns op het rimpelige, verweerde gezicht. Een dove – dat zou, zei hij, een goede rol zijn bij al het gebazel dat je overal hoorde.

Zijn Frans had een avontuurlijk accent en hij bracht de woorden er weliswaar langzaam maar op ordelijke wijze uit. Hij vloog over de regels van Samões, wees toen naar de keuken aan het eind van de gang en liep voor Gregorius uit. Op de keukentafel lag naast een open blikje sardines en een half leeggedronken glas rode wijn een opengeslagen boek. Gregorius nam plaats op de stoel aan de andere zijde van de tafel. Toen liep de oude man naar hem toe en deed iets verrassends: hij nam de bril van zijn hoofd en zette hem zelf op. Hij knipperde met zijn ogen en keek in het rond terwijl hij zijn eigen bril in zijn hand heen en weer zwaaide.

'Dat hebben we dus gemeen met elkaar,' zei hij ten slotte en gaf Gregorius de bril terug.

De solidariteit van mensen die met dikke glazen rondliepen. Opeens was elke irritatie en afweer uit het gezicht van Coutinho verdwenen en hij nam Prado's boek in de hand.

Zonder een woord te zeggen keek hij minutenlang naar het portret van de arts. Tussendoor stond hij op, afwezig als een slaapwandelaar, en schonk een glas wijn in voor Gregorius. Een kat kwam binnengeslopen en streek langs zijn been. Hij sloeg geen acht op het dier, nam zijn bril af en pakte met duim en wijsvinger zijn neuswortel beet, een gebaar dat Gregorius van Doxiades kende. Vanuit een zijkamer was het tikken van een klok te horen. Nu klopte hij zijn pijp uit, pakte uit een rek een andere pijp en stopte die. Weer verstreken minuten voordat hij begon te praten, zachtjes en op de toon van een verre herinnering.

'Het zou onjuist zijn als ik beweerde dat ik hem heb gekend. Zelfs van een ontmoeting kun je niet spreken. Maar ik heb hem gezien, twee keer, in de deuropening van zijn spreekkamer, in een witte jas, zijn wenkbrauwen opgetrokken in afwachting van de volgende patiënt. Ik was daar met mijn zuster, die bij hem in behandeling was. Geelzucht. Hoge bloeddruk. Ze zwoer bij hem. Was, geloof ik, een beetje verliefd op hem. Geen wonder, zo'n mooie man, en met een uitstraling waardoor de mensen gehypnotiseerd werden. Hij was de zoon van de beroemde rechter Prado, die zelfmoord heeft gepleegd, naar sommigen zeggen omdat hij de pijn in zijn kromme rug niet meer uithield, anderen spreken het vermoeden uit dat hij zichzelf niet kon vergeven dat hij onder de dictatuur zijn ambt was blijven uitoefenen.

Amadeu de Prado was een geliefd arts, een aanbeden arts zelfs. Tot hij het leven redde van Rui Luís Mendes, de man van de geheime politie, die ze de slager noemden. Dat was halverwege de jaren zestig, kort na mijn vijftigste verjaardag. Daarna meden de mensen hem. Dat heeft zijn hart gebroken. Vanaf die tijd werkte hij voor het verzet, maar zonder dat de mensen het wisten; alsof hij wilde boeten voor het redden van Mendes. Dat werd pas bekend ná zijn dood. Hij overleed, voor zover ik me kan herinneren, heel plotseling aan een hersenbloeding, een jaar vóór de revolutie. Leefde op het laatst samen met Adriana, zijn zuster, die hem verafgoodde.

Zij moet het zijn geweest die dit boek heeft laten drukken, ik heb zelf een vermoeden bij wie, maar die drukkerij bestaat al heel lang niet meer. Een paar jaar later dook het bij mij in het antiquariaat op. Ik heb het ergens in een hoekje gezet, ik had een afkeer van het boek, weet eigenlijk niet eens waarom. Misschien omdat ik Adriana niet mocht, hoewel ik haar nauwelijks kende, maar ze was zijn assistente en de twee keer dat ik er was, ergerde ik me aan de bazige manier waarop ze met de patiënten omging. Vermoedelijk onterecht van mij, maar zo ben ik altijd geweest.'

Coutinho bladerde. 'Goede zinnen, heb ik de indruk. En een goede titel. Ik wist niet dat hij schreef. Hoe bent u eraan gekomen? En waarom zit u achter hem aan?'

Het verhaal dat Gregorius nu vertelde klonk anders dan het verhaal dat hij aan José Antonio da Silveira in de nachttrein had verteld. Vooral omdat hij nu ook over de raadselachtige Portugese op de Kirchenfeldbrücke sprak en over het telefoonnummer op zijn voorhoofd.

'Hebt u dat nummer nog?' vroeg de oude man, wie het verhaal zo goed beviel dat hij een nieuwe fles wijn openmaakte.

Heel even voelde Gregorius de verleiding zijn notitieboekje te voorschijn te halen. Maar toen ging hem dat toch te ver: na dat voorval met zijn bril was het niet onwaarschijnlijk dat de man het nummer zou bellen. Simões had gezegd dat de man stapelgek was. Daarmee kon hij niet bedoeld hebben dat Coutinho verward was; daar was geen sprake van. Wat hij in zijn eenzame leven samen met zijn kat verloren scheen te hebben, was gevoel voor distantie en nabijheid.

Nee, zei Gregorius nu, het nummer had hij niet meer. Jammer, zei de oude man. Hij geloofde hem geen moment, en plotseling zaten ze weer als twee totale vreemden tegenover elkaar.

In het telefoonboek kwam geen Adriana de Almeida Prado voor, zei Gregorius na een ongemakkelijke stilte.

Dat zegt helemaal niets, zei Coutinho knorrig. Als Adriana nog leefde moest ze bijna tachtig zijn, en oude mensen schaften vaak de telefoon af, dat had hijzelf kortgeleden ook gedaan. En als ze overleden was, zou haar naam toch ook op het graf moeten staan. Het adres waar de arts had gewoond en gewerkt, nee, dat wist hij na veertig jaar niet meer. Ergens in de Bairro Alto. Al te moeilijk zou het voor hem niet zijn om het huis te vinden want het was een huis met veel blauwe tegels in de gevel en in de wijde omtrek het enige blauwe huis. In elk geval destijds. *O consultório azul*, de blauwe praktijk, zo noemden de mensen het toen.

Toen Gregorius de oude man een uur later verliet, waren ze elkaar weer nader gekomen. Botte distantie en overrompelende kameraadschap wisselden elkaar in het gedrag van Coutinho in onregelmatige afstanden af, zonder dat er voor de omslag een oorzaak was aan te wijzen. Verbaasd liep Gregorius door het huis, dat tot in alle uithoeken één grote bibliotheek was. De oude man was ongemeen belezen en bezat een ongelooflijk aantal eerste drukken.

Hij wist ook veel te vertellen over Portugese namen. De Prado's, hoorde Gregorius, waren een zeer oud geslacht dat terugging tot João Nunes do Prado, een kleinzoon van Alfonsus III, koning van Portugal. En Eça? Die naam ging terug tot Peter I en Inês de Castro en was een van de meest vooraanstaande namen van heel Portugal.

'Maar mijn familie is nog ouder en is ook verbonden met het koningshuis,' zei Coutinho, en door de ironische toon heen kon je horen hoe trots hij was.

Hij benijdde Gregorius om zijn kennis van de oude talen en op weg naar de deur trok hij opeens een Grieks-Portugese uitgave van het Nieuwe Testament uit de kast.

'Geen idee waarom ik het je cadeau doe,' zei hij, 'maar zo is het nu eenmaal.'

Toen Gregorius door de tuin liep, wist hij dat hij die zin nooit zou vergeten. En ook niet de hand van de oude man op zijn rug die hem zachtjes naar buiten had geduwd.

De tram ratelde door de vroege schemering. 's Avonds laat zou hij het blauwe huis nooit kunnen vinden, dacht Gregorius. De dag had een eeuwigheid geduurd en nu liet hij zijn hoofd tegen de beslagen ruit rusten. Was het mogelijk dat hij pas twee dagen in deze stad was? En dat er pas vier dagen, dus nog geen honderd uur, voorbij waren gegaan sinds hij zijn Latijnse leerboeken had achtergelaten op de lessenaar? Op de Rossio, het bekendste plein van Lissabon, stapte hij uit en sjokte met de zware tas uit het antiquariaat van Simões naar zijn hotel.

10 Waarom had Kägi met hem in een taal gesproken die Portugees klonk maar het niet was? En waarom had hij op Marcus Aurelius gemopperd zonder een woord over hem te zeggen?

Gregorius zat op de rand van zijn bed en wreef de slaap uit zijn ogen. Daarna was de conciërge verschenen die in de hal van het gymnasium met een tuinslang de plek had schoongespoten waar hij met de Portugese had gestaan toen ze haar haar droogde. Daarvóór of daarna, dat was niet uit te maken, was Gregorius met haar naar het kantoor van Kägi gegaan om haar aan hem voor te stellen. Hij hoefde daarvoor geen deur te openen, plotseling hadden ze zomaar voor het enorme bureau gestaan, een beetje als smekelingen die vergeten waren wat hun verzoek was; maar toen was de rector er opeens niet meer, zijn bureau en zelfs de muur erachter waren verdwenen en ze hadden een vrij uitzicht gehad op de Alpen.

Nu merkte Gregorius dat de deur van de minibar halfopen stond. Hij moest op zeker moment van honger wakker zijn geworden en de pinda's en de chocolade hebben opgegeten. Daaraan voorafgaand had hij een nachtmerrie gehad over de uitpuilende brievenbus in zijn woning in Bern, allemaal rekeningen en reclamedrukwerk, en opeens had zijn bibliotheek in brand gestaan, voordat die veranderde in de bibliotheek van Coutinho, waarin zich louter verkoolde bijbels bevonden, eindeloze rijen bijbels.

Bij het ontbijt nam Gregorius overal twee keer van en bleef toen zitten, tot ongenoegen van de serveerster, die de eetzaal wilde klaarmaken voor de lunch. Hij had geen idee hoe het nu verder moest. Zonet had hij naar een Duits echtpaar zitten luisteren dat een toeristisch plannetje had gemaakt voor de dag. Hij had het ook geprobeerd en was er niet in geslaagd. Lissabon interesseerde hem niet als bezienswaardigheid, als toeristische coulisse. Lissabon was de stad waarheen hij was weggelopen uit zijn leven. Het enige wat hij zich kon voorstellen was de pont over de Tejo te nemen om de stad eens vanuit een ander perspectief te zien. Toch wilde hij dat eigenlijk ook niet. Maar wat was het dan wat hij wilde?

In zijn kamer maakte hij een stapeltje van de boeken die hij had verzameld: de twee boeken over de aardbeving en de Zwarte Dood, de roman van Eça de Queirós, *Het boek der rusteloosheid*, het Nieuwe Testament, de taalcursussen. Om de proef op de som te nemen pakte hij zijn koffer in en zette hem bij de deur.

Nee, dat was het ook niet. Niet vanwege de bril die hij morgen moest afhalen. Nu in Zürich landen en in Bern uit de trein stappen: het was niet mogelijk; het was niet meer mogelijk.

Maar wat dan? Was het dat waartoe de gedachte aan de verstrijkende tijd en de dood leidde: dat je opeens niet meer wist wat je wilde? Dat je je eigen wil niet meer kende? Dat je de vanzelfsprekende vertrouwdheid met je eigen wil kwijtraakte? En je op die manier van jezelf vervreemdde en jezelf tot een probleem maakte?

Waarom ging hij niet op zoek naar het blauwe huis waarin Adriana de Prado misschien nog steeds woonde, eenendertig jaar na de dood van haar broer? Waarom aarzelde hij? Waarom was er opeens een barrière?

Gregorius deed wat hij altijd had gedaan als hij onzeker was: hij sloeg een boek open. Zijn moeder, een boerendochter uit het Berner Mittelland, had zelden een boek in de hand genomen, hoogstens wel eens een roman van Ludwig Ganghofer, die zich op het platteland afspeelde, en over zo'n boek deed ze dan weken. Zijn vader had het lezen ontdekt als een middel tegen de verveling in de lege zalen van het museum waar hij werkte, en nadat hij de smaak te pakken had gekregen las hij alles waar hij de hand op wist te leggen. Nu vlucht hij ook al in de boeken, had zijn moeder gezegd toen ook haar zoon het lezen ontdekte. Het had Gregorius pijn gedaan dat zij het zo zag en dat ze er niets van begreep als hij sprak over de betovering en de intense kracht van goede zinnen.

Je had mensen die lazen en je had de anderen. Of iemand een lezer was of een niet-lezer – dat merkte je snel. Er bestond tussen mensen geen groter verschil dan dat. Mensen waren verbaasd als hij dat beweerde en sommigen schudden hun hoofd over zo'n zonderlinge bewering. Maar het wás zo. Gregorius wist het. Hij wíst het.

Hij stuurde het kamermeisje weg en in de uren die volgden ging hij helemaal op in de inspanning die het kostte om een aantekening van Amadeu de Prado te begrijpen die hem bij het doorbladeren was opgevallen.

O INTERIOR DO EXTERIOR DO INTERIOR. DE BINNENKANT VAN DE BUITENKANT VAN DE BINNENKANT.

Enige tijd geleden – het was op een gloeiend hete ochtend in juni, het vroege licht stroomde onbeweeglijk door de straten – stond ik in de Rua Garrett voor een etalage waarin ik ten gevolge van het verblindende licht in plaats van de koopwaar mijn spiegelbeeld zag. Ik vond het vervelend mijzelf in de weg te staan – vooral omdat het een zinnebeeld was van de manier waarop ik mij ook anders tot mijzelf verhield – en ik wilde juist door de schaduw werpende trechter van mijn handen heen voor mijn blik een weg naar binnen banen, toen achter mijn spiegelbeeld – het leek op een dreigende onweerswolk die de wereld veranderde – de gestalte opdook van een rijzige man. Hij bleef staan, haalde uit het zakje van zijn overhemd een pakje sigaretten en stak er één tussen zijn lippen. Terwijl hij de rook van de eerste trek uitblies, liet hij zijn blik ronddwalen die uiteindelijk aan mij bleef hangen. Wij mensen, wat weten wij van elkaar? dacht ik en deed – om zijn gespiegelde blik niet te hoeven ontmoeten – alsof ik de uitgestalde waar in de etalage moeiteloos kon bekijken. De vreemdeling zag een magere, lange man met haar dat al grijs begon te worden, een smal, streng gezicht en donkere ogen achter ronde glazen in een gouden montuur. Ik wierp een onderzoekende blik op mijn spiegelbeeld. Zoals altijd stond ik met mijn hoekige schouders rechter dan recht, mijn hoofd hoog opgericht, hoger dan mijn lengte eigenlijk toestond, bovendien neeg het iets achterover en het was ongetwijfeld juist wat zelfs de mensen zeiden die mij niet mochten: ik zag eruit als een hoogmoedige mensenverachter die alles wat menselijk is minacht, een misantroop die voor alles en iedereen een spottende opmerking paraat heeft. Dat was de indruk die de rokende man moest krijgen.

Hoezeer hij zich vergiste! Soms denk ik namelijk: ik sta en loop alleen maar zo overdreven rechtop om tegen het onherroepelijk gekromde lijf van mijn vader te protesteren, tegen zijn ellendige lot door de ziekte van Bechterev kromgetrokken te worden, zijn blik naar de grond te moeten richten als een afgebeulde knecht die niet meer het lef heeft zijn heer en meester met opgeheven hoofd recht in de ogen te kijken. Het is dan een beetje alsof ik, door me uit te rekken, de rug van mijn trotse vader over het graf heen kan rechtbuigen of er met een magische, terugwerkende kracht voor kan zorgen dat zijn leven minder gebogen en minder door pijn geknecht is geweest dan het in werkelijkheid was – alsof ik door mijn huidige inspanning het smartelijke verleden van zijn feitelijkheid kan ontdoen en het door een beter, vrijer verleden kan vervangen.

En dat was niet de enige misvatting die mijn aanblik in de onbekende man achter mij moest oproepen. Na een eindeloze nacht waarin ik zonder slaap en troost was gebleven, zou ik de laatste zijn die op anderen neerkeek. De dag ervóór had ik een patiënt in aanwezigheid van zijn vrouw moeten vertellen dat hij niet lang meer te leven had. Je moet het doen, had ik mijzelf ingeprent voordat ik het echtpaar binnenliet in mijn spreekkamer, ze moeten zichzelf en hun vijf kinderen erop kunnen voorbereiden – en trouwens: een deel van de menselijke waardigheid bestaat uit het vermogen het lot, ook het zware lot, onder ogen te zien. Het was vroeg op de avond geweest, door de openstaande balkondeur had een lichte, warme wind de geluiden en geuren van een ten einde lopende zomerdag naar binnen gevoerd,

en als je je zonder enige terughoudendheid en dromerig had kunnen
overgeven aan die zachte golf van levenslust, dan had het ook een
moment van geluk kunnen zijn. Liet een scherpe, meedogenloze
wind de regen maar tegen de ruiten kletteren! *dacht ik toen de man*
en de vrouw tegenover mij op het puntje van hun stoel hadden plaats-
genomen, aarzelend en vol angstig ongeduld, gretig om de diagnose
te horen die hen van de verschrikking van een spoedige dood zou ver-
lossen zodat ze naar beneden zouden kunnen gaan en zich onder de
flanerende passanten zouden kunnen mengen, een zee van tijd voor
de boeg. Ik zette mijn bril af en pakte met duim en wijsvinger mijn
neuswortel beet voordat ik begon te spreken. Het tweetal moest het
gebaar hebben herkend als de voorbode van een verschrikkelijke
waarheid want toen ik opkeek hadden ze elkaars hand vastgepakt,
iets – zo kwam het me voor, en de gedachte snoerde mijn keel dicht
zodat het angstige wachten nog langer duurde – wat ze al tientallen
jaren lang niet meer hadden gedaan. Ik sprak met neergeslagen blik
tegen die handen, zo moeilijk was het de ogen te verdragen waaruit
onuitsprekelijke ontzetting sprak. De handen grepen zich aan elkaar
vast, het bloed vloeide eruit weg en het was dat beeld van een bloe-
deloze, bleke kluwen van vingers dat me van mijn slaap beroofde en
dat ik probeerde te verjagen toen ik aan mijn wandeling begon, die
me voor de spiegelende etalage had gebracht. (En nog iets anders had
ik in de zonovergoten straten moeten verjagen: de herinnering aan
hoe ik mijn woede over de onhandigheid van mijn woorden bij het
verkondigen van de wrange boodschap later over Adriana had uitge-
stort, alleen maar omdat zij, die beter voor mij zorgt dan een moe-
der, bij wijze van uitzondering had vergeten mijn lievelingsbrood te
kopen. Kon het witgouden licht van de ochtend die onrechtvaardig-
heid, die voor mij niet ontypisch was, maar uitwissen!)

De man met de sigaret, die nu tegen een lantaarnpaal leunde, liet
zijn blik heen en weer gaan tussen mij en wat er op straat gebeurde.
Wat hij van mij zag kon niets verraden over mijn twijfel en kwets-
baarheid die zo weinig overeenkwamen met mijn trotse, ja arrogan-
te lichaamshouding. Ik verplaatste mij in zijn blik, nam die innerlijk
over en nam vanuit die blik mijn spiegelbeeld in me op. Zoals ik er-
uitzag en de indruk die ik maakte – dacht ik – was ik nooit geweest,
geen minuut in mijn hele leven. Niet op school, niet tijdens mijn stu-

die, niet in mijn praktijk. Vergaat het de anderen ook zo, dat ze zichzelf niet herkennen in hun uiterlijk? Dat hun spiegelbeeld als een coulisse vol plompe vertekeningen op hen overkomt? Dat ze tot hun schrik een afgrond ontdekken tussen de waarneming die de anderen van hen hebben en de manier waarop ze zichzelf beleven? Dat de vertrouwdheid vanbinnen en de vertrouwdheid vanbuiten zo ver uit elkaar kunnen liggen dat ze nauwelijks meer als vertrouwdheid met hetzelfde *kunnen worden beschouwd?*

De afstand tot de anderen waartoe dit bewustzijn ons brengt, wordt nog veel groter als we beseffen dat onze uiterlijke gestalte door de ander anders wordt waargenomen dan door onze eigen ogen. Mensen zie je niet als huizen, bomen en sterren. Je ziet ze in de verwachting hen op een bepaalde manier te kunnen ontmoeten en hen daardoor tot een deel van het eigen innerlijk te maken. Het inbeeldingsvermogen dwingt ze in een vorm waarin ze bij de eigen wensen en verlangens passen, maar maakt ze ook zo dat in hen de eigen angsten en vooroordelen kunnen worden bevestigd. We kunnen zelfs niet met zekerheid en zonder vooringenomenheid de uiterlijke contouren van een ander waarnemen. Onderweg wordt de blik afgeleid en vertroebeld door alle wensen en drogbeelden die ons tot de bijzondere, unieke mens maken die we zijn. Zelfs de buitenwereld van een binnenwereld is een deel van onze binnenwereld, om maar niet te spreken van de gedachten die wij over die vreemde binnenwereld ontwikkelen en die zo onzeker en wankelbaar zijn dat ze meer over onszelf zeggen dan over de ander. Hoe ziet de man met de sigaret een man met een geforceerd rechte houding, een mager gezicht, volle lippen en een goudgerande bril op zijn scherpe rechte neus, waarvan ikzelf vind dat hij te lang is en te dominerend? Hoe voegt die gestalte zich in het stramien van zijn voorkeuren en antipathieën en in de overige architectuur van zijn ziel? Wat aan mijn verschijning wordt door zijn blik overdreven en overtrokken en wat laat hij weg alsof het helemaal niet aanwezig is? Wat de rokende vreemde van mijn spiegelbeeld maakt zal ongetwijfeld een karikatuur zijn, en het beeld dat hij in gedachten van mijn gedachtewereld maakt, zal ook uiterst karikaturaal zijn. En zo zijn wij dubbel vreemd voor elkaar want tussen ons in staat niet alleen de bedrieglijke buitenwereld maar ook het drogbeeld dat daarvan in elke binnenwereld ontstaat.

Is het iets kwalijks, die vreemdheid en afstand? Zou een schilder
ons moeten uitbeelden met wijd uitgestrekte armen, wanhopig in de
vergeefse poging de ander te bereiken? Of moet het portret van de
schilder ons laten zien in een houding waarin de opluchting wordt
uitgedrukt over het bestaan van die dubbele barrière, die ons immers
ook bescherming biedt? Moeten wij dankbaar zijn voor de bescher-
ming van die vreemdheid voor elkaar? En dankbaar voor de vrijheid
die die vreemdheid mogelijk maakt? Hoe zou het zijn als wij, onbe-
schermd door de dubbele breking die het geduide lichaam inhoudt,
tegenover elkaar zouden staan? Als we, omdat er niets wat scheidt en
vertekent tussen ons in zou staan, als het ware totaal in elkaar op
zouden gaan?

Bij het lezen van de beschrijving die Prado van zichzelf gaf keek
Gregorius telkens weer naar het portret voor in het boek. In gedachten liet hij het tot een helm gekamde haar van de arts grijs
worden en zette hem een goudgerande bril met ronde glazen op.
Hoogmoed, zelfs minachting voor mensen hadden de anderen in
hem gezien. Toch was hij, had Coutinho gezegd, een geliefde arts
geweest, een aanbeden arts zelfs. Tot hij de man van de geheime
politie het leven had gered. Daarna was hij door dezelfde mensen
die van hem hadden gehouden in de ban gedaan. Dat had zijn hart
gebroken en hij had geprobeerd het goed te maken door in het verzet te gaan.

Hoe kon het gebeuren dat een arts de behoefte had te boeten
voor iets wat elke arts deed – móést doen – en wat het tegendeel
van een misdaad was? Iets klopte niet aan het verhaal van Coutinho, dacht Gregorius. Het moest veel complexer zijn geweest, in-
gewikkelder. Hij bladerde. *Nós homens, que sabemos uns dos ou-*
tros? Wij mensen, wat weten wij van elkaar? Hij bleef nog een
tijdlang in het boek bladeren. Misschien was er een aantekening
over die dramatische en smartelijke ommekeer in zijn leven?

Toen hij niets vond, verliet hij in de schemering het hotel en
ging op weg naar de Rua Garrett, waar Prado in een etalage naar
zijn spiegelbeeld had gekeken en waar ook het antiquariaat van Júlio Simões was.

Er was geen zonlicht meer dat van de etalageruiten spiegels

maakte. Maar na een poosje vond Gregorius een felverlichte kledingzaak met een enorme spiegel waarin hij door de ruit heen zichzelf kon bekijken. Hij probeerde te doen wat Prado had gedaan: zich verplaatsen in een vreemde blik, die blik in zichzelf overnemen en vanuit die blik zijn spiegelbeeld in zich opnemen. Zichzelf als een vreemde te ontmoeten, als iemand die je bezig bent te leren kennen.

Zo hadden zijn leerlingen en collega's hem dus gezien. Zo zag hun Mundus eruit. En ook Florence had hem op deze manier voor zich gezien, eerst als de verliefde leerlinge op de eerste rij, later als een vrouw voor wie hij meer en meer een melancholieke en saaie man was geworden die steeds vaker gebruik maakte van zijn geleerdheid om de roes, de uitgelatenheid en de chic van haar romantische glitterwereld te verstoren.

Allemaal hadden ze dit beeld voor zich gehad en toch hadden ze, zoals Prado zei, allemaal iets anders gezien omdat elk waargenomen deel van de menselijke buitenwereld ook een deel binnenwereld was. De Portugees was er zeker van geweest dat hij geen seconde in zijn leven zo was geweest als hij op anderen overkwam; hij had zichzelf in zijn uiterlijke verschijning – hoe vertrouwd hem die ook was – niet herkend en was hevig geschrokken over die vreemdheid.

Nu liep een gehaaste jongeman tegen Gregorius op en hij schrok. De schrik over de duw viel samen met de verontrustende gedachte dat hij geen zekerheid bezat die van dezelfde orde was als die van de arts. Waaraan had Prado de zekerheid ontleend dat hij heel anders was dan de anderen hem zagen? Hoe was hij eraan gekomen? Hij sprak erover als over een fel innerlijk licht dat hem altijd al had vergezeld, een licht dat tegelijkertijd grote vertrouwdheid met zichzelf en de grootst mogelijke vreemdheid in de ogen van anderen had betekend. Gregorius sloot zijn ogen en zat weer in de restauratiewagen op weg naar Parijs. De nieuwe manier van wakker zijn die hij daar had ervaren toen tot hem was doorgedrongen dat zijn reis werkelijk plaatsvond – had die iets te maken met die bijzondere wakkerheid die de Portugees tegenover zichzelf had bezeten, een wakkerheid waarvan de prijs eenzaamheid was geweest? Of waren dat twee verschillende dingen?

Hijzelf ging door het leven met een houding alsof hij almaar over een boek gebogen zat en alsof hij voortdurend las, hadden de mensen tegen Gregorius gezegd. Nu richtte hij zich op en probeerde te voelen hoe het was om met een overdreven rechte rug en een bijzonder hoog opgericht hoofd de van pijn gekromde rug van zijn eigen vader recht te buigen. In de eerste klassen van het gymnasium had hij een leraar gehad die aan de ziekte van Bechterev leed. Dergelijke mensen trokken hun hoofd in hun nek om niet voortdurend naar de grond te moeten kijken. Daardoor leken ze op de conciërge die Prado had beschreven die hij op de school had gezien: op een vogel. Er hadden wrede grappen de ronde gedaan over de gekromde gestalte en de leraar had wraakgenomen door extra streng te zijn en hoge straffen uit te delen. Hoe was het als je een vader had die zijn leven in dezelfde vernederende houding moest doorbrengen, uur na uur, dag in dag uit, achter de tafel van de rechter evenzeer als aan de eettafel met de kinderen?

Alexandre Horácio de Almeida Prado was rechter geweest, een beroemde rechter, had Coutinho gezegd. Een rechter die onder Salazar recht had gesproken – onder een man dus die elk recht had geschonden. Een rechter die het zichzelf misschien niet had kunnen vergeven en die daarom de dood had gezocht. ALS DE DICTATUUR EEN FEIT IS, IS DE REVOLUTIE EEN PLICHT, stond op de sokkel van het familiegraf van de Prado's. Stond het daar vanwege de zoon, die in het verzet was gegaan? Of vanwege de vader, die de waarheid van de zin te laat had ingezien?

Op weg naar het grote plein merkte Gregorius dat hij die dingen wilde weten en dat hij ze op een andere, veel dringender wijze wilde weten dan de vele historische zaken waarmee hij zijn leven lang via de oude teksten te maken had gehad. Waarom? De rechter was al een halve eeuw dood, de revolutie was dertig jaar geleden en ook de dood van de zoon hoorde bij het verre verleden. Waarom dus? Wat ging hem dat allemaal aan? Hoe had het kunnen gebeuren dat één enkel Portugees woord en een telefoonnummer op zijn voorhoofd hem uit zijn geregelde leven had weggerukt en ver van Bern verwikkeld had doen raken met de levens van Portugezen die niet meer leefden?

In de boekhandel op de Rossio ontdekte hij een biografie over

António de Oliveira Salazar, de man die een beslissende, wellicht fatale rol in het leven van de Prado's had gespeeld. Op het omslag stond een geheel in het zwart geklede man met een heerszuchtig maar toch niet ongevoelig gezicht, met een harde, zelfs fanatieke blik die ook intelligentie liet doorschemeren. Gregorius bladerde. Salazar, dacht hij, was de man die de macht had gezocht, maar niet iemand die die macht verblind door heerszucht en met grof geweld had veroverd, en ook niet iemand die van de macht had genoten als van de rijke, overstelpende overvloed van copieuze gerechten op een orgiastisch banket. Om die macht in handen te krijgen en zo lang in handen te houden, had hij in zijn leven afgezien van alles wat niet onvermoeibare waakzaamheid, onvoorwaardelijke discipline en een ascetisch ritueel had gediend. De prijs was hoog geweest, je kon die aflezen aan de strenge gelaatstrekken en de geforceerdheid van zijn sporadische glimlach. En de verdrongen behoeften en impulsen van dat sobere leven te midden van de pracht en praal die bij de regering van het land hoorden, hadden zich – onherkenbaar vervormd door de retoriek van het openbaar belang – ontladen in genadeloze maatregelen die alle tegenstanders neersabelden.

In het donker lag Gregorius wakker en hij dacht aan de grote afstand die er altijd was geweest tussen hem en de grote gebeurtenissen in de wereld. Het was niet zo dat hij geen belangstelling had gehad voor wat zich over de grens op het politieke vlak afspeelde. In april 1974, toen de dictatuur in Portugal ten einde liep, waren een paar van zijn generatiegenoten erheen gegaan en hadden het hem kwalijk genomen toen hij zei dat politiek toerisme niets voor hem was. Het was dus niet zo dat hij als een blinde kamergeleerde niet op de hoogte was van zijn tijd. Maar het was altijd een beetje geweest alsof hij Thucydides las. Een Thucydides die in de krant stond en die je later op het televisiejournaal zag. Had dat iets te maken met Zwitserland en de ongevoeligheden van dat land? Of alleen met hem? Met zijn fascinatie voor woorden, waar de dingen, hoe wreed, bloedig en onrechtvaardig ook, achter verdwenen?

Als zijn vader, die het niet verder had geschopt dan tot onderofficier, over de tijd sprak waarin zijn compagnie, zoals hij het zei, aan de Rijn had gelegen, had hij, de zoon, altijd het gevoel gehad alsof het om iets onwerkelijks ging, om iets wat een beetje lachwekkend was en waarvan de betekenis er hoofdzakelijk uit bestond dat je je het kon herinneren als iets opwindends, als iets wat boven de banaliteit van het gewone leven uit torende. Zijn vader had dat gemerkt en één keer was hij hevig uitgevallen: We waren bang, we waren doodsbang, had hij gezegd, want het had ook heel anders kunnen aflopen en dan was jij misschien wel nooit geboren. Geschreeuwd had hij niet, dat deed zijn vader nooit; toch waren het woedende woorden geweest die de zoon schaamtevol had aangehoord en die hij nooit was vergeten.

Was het daarom dat hij nu wilde weten hoe het was geweest om Amadeu de Prado te zijn? Teneinde door dit te begrijpen dichter bij de wereld te komen?

Hij deed het licht aan en las nog een keer de zinnen die hij eerder voor het slapengaan had gelezen.

NADA. NIETS.

Aneurysma. Elk moment kan het laatste zijn. Zonder dat ik het voel aankomen, in volmaakte onzekerheid, zal ik een onzichtbare wand doorschrijden waarachter niets is, zelfs geen duisternis. Mijn volgende stap kan al die stap door die wand zijn. Is het niet onlogisch daar bang voor te zijn, aangezien ik dat onverhoedse einde immers helemaal niet meer zal beleven en aangezien ik weet dat het zo is?

Gregorius belde Doxiades en vroeg hem wat een aneurysma was. 'Ik weet dat het woord een verwijding betekent. Maar waarvan?' De Griek zei dat het een ziekelijke verwijding van een arterieel bloedvat kon zijn ten gevolge van een aangeboren of verworven verandering van de vaatwand. Ja, ook in de hersenen, heel vaak zelfs. Meestal merkten de mensen er niets van en het kon heel lang, zelfs tientallen jaren goed gaan. Maar dan brak het bloedvat plotseling door, en dat was dan het einde. Waarom hij dat midden in de nacht wilde weten? Of hij klachten had? En waar was hij eigenlijk?

Gregorius bedacht dat hij de Griek beter niet had kunnen bellen. Hij vond niet de woorden die bij hun al jaren durende vriendschap pasten. Stijf en hakkelend vertelde hij iets over de oude tram, over een zonderlinge antiquaar en over het kerkhof waar de dode Portugees lag. Er viel een stilte.

'Gregorius?' vroeg Doxiades ten slotte.

'Ja?'

'Wat is schaken in het Portugees?'

Gregorius had hem om die vraag wel willen omhelzen.

'Xadrez,' zei hij, en de droogte in zijn mond was opeens verdwenen.

'Met uw ogen is alles in orde?'

Nu plakte zijn tong weer aan zijn gehemelte. 'Ja.' En na weer een korte stilte vroeg Gregorius: 'Hebt u de indruk dat de mensen u zien zoals u bent?'

De Griek begon luid te lachen. 'Natuurlijk niet!'

Het maakte Gregorius hulpeloos dat iemand, Doxiades nog wel, over iets kon lachen waarvan Amadeu de Prado hevig geschrokken was. Hij nam het boek van Prado in zijn hand als om zich eraan vast te houden.

'Is alles echt in orde?' vroeg de Griek nadat het weer even stil was geweest.

'Ja,' zei Gregorius, 'alles is in orde.'

Verward lag Gregorius in het donker en hij probeerde er achter te komen wat het was wat er tussen hem en de Griek was gekomen. Tenslotte was hij de man wiens woorden hem de moed hadden gegeven de reis te maken, ondanks de sneeuw die in Bern begon te vallen. Doxiades had zijn studie bekostigd als taxichauffeur in Thessaloniki. Een nogal ruw volkje, die taxichauffeurs, had hij een keer gezegd. Af en toe kon ook hij plotseling ruw uit de hoek komen. Bijvoorbeeld als hij vloekte of als hij heftig aan zijn sigaret trok. Door zijn donkere baardstoppels en het dikke zwarte haar op zijn onderarmen leek hij op zulke momenten wild en ontembaar.

Hij vond het dus vanzelfsprekend dat de waarneming van de anderen een verkeerde indruk van hem wekte. Was het mogelijk dat iemand zich daar niets van aan trok? En was het een gebrek aan sensibiliteit? Of een nastrevenswaardige innerlijke onafhankelijkheid? Het was al bijna ochtend toen Gregorius eindelijk in slaap viel.

11 Dat kán niet, dat is onmogelijk. Gregorius nam zijn nieuwe bril, die bijna niets woog, af, wreef in zijn ogen en zette hem weer op. Het wás mogelijk: hij zag beter dan ooit tevoren. Dat gold vooral voor de bovenste helft van de glazen, waardoorheen hij naar de wereld keek. De dingen leken zich aan hem op te dringen, het was alsof ze hun best deden zijn aandacht te trekken. En omdat hij niet meer het gewicht op zijn neus voelde waaraan hij gewend was en dat van de bril een soort beschermend bolwerk had gemaakt, leken de dingen in hun nieuwe helderheid erg opdringerig, bijna beangstigend. De nieuwe indrukken maakten hem ook duizelig en hij zette de bril weer af. Op het norse gezicht van César Santarém verscheen een glimlach.

'En nu weet u niet of de oude of de nieuwe bril beter is,' zei hij.

Gregorius knikte en ging voor de spiegel staan. Het fragiele, rode montuur en de nieuwe glazen die nu niet meer op vervaarlijke barrières voor zijn ogen leken, maakten een heel andere man van hem. Een man die prijs stelde op een verzorgd uiterlijk. Een man die er elegant wilde uitzien, chic. Goed, dat was wat overdreven, maar toch. Santaréms assistente, die hem het montuur had aangepraat, maakte op de achtergrond een als compliment bedoeld gebaar. Santárem zag het. 'Tem razão,' zei hij, ze heeft gelijk. Gregorius voelde woede in zich opkomen. Hij zette de oude bril op, liet de nieuwe inpakken en rekende vlug af.

Naar de praktijk van Mariana Eça in Alfama was het een halfuur lopen. Gregorius deed er vier uur over. Het begon ermee dat hij elke keer als hij ergens een bank zag, daarop plaatsnam en de nieuwe bril opzette. Met de nieuwe glazen was de wereld groter en de ruimte had voor de eerste keer werkelijk drie dimensies waarin de dingen zich ongehinderd konden uitstrekken. De Tejo was niet langer een onduidelijk bruingetint vlak maar een rivier, en het Castelo de São Jorge rees in drie richtingen op, als een echte burcht. Maar de wereld was op deze manier wel erg vermoeiend. Weliswaar liep hij met de lichte montuur op zijn neus veel gemakkelijker, de zware stappen die hij gewend was pasten niet meer bij de nieuwe lichtheid van zijn gezicht. Maar de wereld was dichterbij en drong zich veel meer aan hem op, verlangde ook meer van hem zonder dat duidelijk was waaruit haar eisen bestonden. Kreeg hij genoeg van die ondoorgrondelijke eisen dan trok hij zich terug achter zijn oude brillenglazen, die alles op afstand hielden en het hem veroorloofden eraan te twijfelen of er achter de woorden en teksten nog wel een buitenwereld was, een twijfel die hem lief en dierbaar was en zonder welke hij zich het leven eigenlijk niet goed kon voorstellen. Maar vergeten kon hij de nieuwe blik ook niet, en in een plantsoentje haalde hij Prado's aantekeningen te voorschijn om uit te proberen hoe het met lezen was.

O verdadeiro encenador da nossa vida é o acaso – um encenador cheio de crueldade, misericórdia e encanto cativante. Gregorius geloofde zijn ogen niet, nog nooit had hij zo moeiteloos een zin van Prado begrepen: *De werkelijke regisseur van ons leven is het toeval – een regisseur vol wreedheid, barmhartigheid en verwarrende charme.* Hij sloot zijn ogen en gaf zich over aan de heerlijke illusie dat de nieuwe brillenglazen ook alle andere zinnen van de Portugees voor hem toegankelijk maakten – alsof ze een fantastisch, magisch instrument waren die behalve de vorm van de woorden ook hun betekenis zichtbaar konden maken. Hij greep naar de bril en zette hem recht. Hij begon hem sympathiek te vinden.

Ik wil graag weten of ik het goed heb gedaan – dat waren de woorden geweest van de vrouw met de grote ogen en de zwartfluwelen blazer; woorden die hem hadden verrast omdat ze geklonken hadden als de woorden van een ijverige scholiere met weinig zelfvertrouwen, wat helemaal niet strookte met de zekerheid die de vrouw had uitgestraald. Gregorius keek een meisje op skeelers na. Als de man op skates van de eerste avond zijn elleboog een klein beetje, een heel klein beetje anders had gehouden – en vlak langs zijn slaap was gescheerd – dan zou hij nu niet op weg zijn naar die vrouw, heen en weer geslingerd tussen een onmerkbaar versluierd en een glashelder blikveld dat aan de wereld zo'n onwerkelijke werkelijkheid verleende.

In een bar dronk hij een kop koffie. Het was lunchtijd, de bar was vol goed in het pak zittende mannen van een kantoorgebouw in de buurt. Gregorius bekeek zijn nieuwe gezicht in de spiegel, toen zijn hele gestalte zoals de oogarts die binnenkort te zien zou krijgen. De slobberige corduroy broek, de grove coltrui en het oude windjack vielen negatief op tussen al die getailleerde colberts, de overhemden in een bijpassende tint en de stropdassen. En ook bij zijn nieuwe bril pasten ze niet; helemaal niet. Het irriteerde Gregorius dat het contrast hem stoorde, bij elke slok werd hij er kwader om. Hij dacht aan hoe de ober in hotel Bellevue hem op de ochtend van zijn vlucht had opgenomen en hoe hem dat niets had kunnen schelen, integendeel, hij had het gevoel gehad zich met zijn sjofele uiterlijk juist af te zetten tegen de lege elegantie van de omgeving. Waar was die zekerheid gebleven? Hij zette zijn oude bril op, betaalde en ging weg.

Hadden de deftige huizen naast en tegenover de praktijk van Mariana Eça er werkelijk al bij zijn eerste bezoek gestaan? Gregorius zette zijn nieuwe bril op en keek om zich heen. Artsen, advocaten, een wijnhandel, een Afrikaanse ambassade. Hij transpireerde onder de dikke trui, tegelijkertijd voelde hij in zijn gezicht de koude wind die de hemel leeg had geveegd. Achter welk raam lag de spreekkamer?

Hoe goed je kunt zien hangt van zoveel dingen af, had ze gezegd. Het was kwart voor twee. Kon hij op dit tijdstip gewoon naar boven gaan? Hij liep een paar straten verder en stond stil voor een herenmodezaak. Je zou best eens iets nieuws kunnen kopen om aan te trekken. De leerlinge Florence, het meisje op de eerste rij, had zijn onverschilligheid over zijn uiterlijke verschijning aantrekkelijk gevonden. Als echtgenote had ze algauw schoon genoeg gehad van die houding. Tenslotte leef je niet alleen. En met Grieks kun je het niet compenseren. In de negentien jaar dat hij nu alweer alleen leefde, was hij slechts twee of drie keer in een modezaak geweest. Hij had ervan genoten dat niemand hem verwijten maakte. Was negentien jaar koppigheid genoeg? Aarzelend ging hij de zaak binnen.

De beide verkoopsters deden hun uiterste best op hem, de enige klant, en uiteindelijk haalden ze ook de bedrijfsleider erbij. Telkens weer zag Gregorius zichzelf in de spiegel: eerst in kostuums die van hem een bankier maakten, een operabezoeker, een man van de wereld, een professor, een boekhouder; daarna in colberts die varieerden van blazers met twee rijen knopen tot sportieve jasjes die aan een rit te paard door een slotpark deden denken; ten slotte in leren spullen. Van alle enthousiaste Portugese uitroepen die op hem neer hagelden, verstond hij er niet één en hij schudde steeds opnieuw zijn hoofd. Uiteindelijk verliet hij de zaak in een kostuum van grijs corduroy. Onzeker bekeek hij zichzelf een paar huizen verderop in een etalageruit. Paste de dunne colpullover die hij zich had laten opdringen bij het rood van zijn nieuwe brilmontuur?

Opeens verloor Gregorius zijn zelfbeheersing. Met vlugge, woedende passen liep hij naar het openbare toilet aan de overkant van de straat en trok zijn oude spullen weer aan. Toen hij langs een tuinhek kwam waarachter een hele berg oud metaal lag, zette hij zijn plastic tas met de nieuwe kleren erbij. Daarna liep hij langzaam in de richting waar de oogarts woonde.

Hij was het huis nog niet binnengegaan of hij hoorde hoe boven een deur werd geopend en toen zag hij haar in een wapperende jas de trap af komen. Nu had hij graag zijn nieuwe kostuum aan gehad.

'Ach, u bent het,' zei ze, en ze vroeg hoe het hem verging met de nieuwe bril.

Terwijl hij sprak, kwam ze naar hem toe en onderzocht of de bril goed zat. Hij rook haar parfum, een lok van haar haar gleed langs zijn gezicht en een fractie van een seconde lang smolt haar beweging samen met die van Florence, toen die voor de eerste keer zijn bril van zijn neus had genomen. Toen hij over de onwerkelijke werkelijkheid vertelde die de dingen hadden, glimlachte ze en keek op haar horloge.

'Ik moet naar de veerboot, een visite afleggen.' Iets in zijn gezicht moest haar bevreemd hebben want midden in de beweging van weggaan aarzelde ze. 'Bent u al eens op de Tejo geweest? Wilt u meekomen?'

De rit per auto naar de veerboot kon Gregorius zich later niet meer herinneren. Hij herinnerde zich alleen dat ze met een vloeiende beweging de auto op een plek had geparkeerd die veel te klein leek. Daarna zaten ze samen op het bovenste dek van de veerboot en Mariana Eça vertelde over de oom bij wie ze op bezoek ging, de broer van haar vader.

João Eça woonde aan de overkant van de rivier in Cacilhas, in een verzorgingstehuis, hij sprak heel weinig en speelde de hele dag beroemde schaakpartijen na. Hij was boekhouder geweest bij een groot bedrijf, een bescheiden, eenvoudige, bijna onzichtbare man. Niemand was ooit op het idee gekomen dat hij in het verzet zat. De camouflage was perfect. Hij was zevenenveertig toen Salazars handlangers hem kwamen halen. Als communist werd hij wegens landverraad tot levenslang veroordeeld. Twee jaar later haalde Mariana, zijn lievelingsnichtje, hem bij de gevangenis af.

'Dat was zomer 1974, een paar weken na de revolutie, ik was eenentwintig en studeerde in Coimbra,' zei ze nu met afgewend hoofd.

Gregorius hoorde haar slikken, en nu werd haar stem schor, om niet te breken.

'Wat ik toen zag heb ik nooit kunnen verwerken. Hij was pas negenenveertig maar de martelingen hadden van hem een oude, zieke man gemaakt. Hij had een volle, sonore stem gehad; nu sprak hij hees en heel zachtjes, en zijn handen, die Schubert hadden gespeeld, vooral Schubert, waren misvormd en trilden voortdurend.' Ze haalde diep adem en ging rechtop zitten. 'Alleen de ongehoord open, onverschrokken blik in zijn grijze ogen – die was ongebroken. Het duurde jaren voordat hij het me kon vertellen: ze hadden een stuk gloeiend ijzer voor zijn ogen gehouden om hem aan de praat te krijgen. Steeds dichterbij waren ze gekomen en hij had verwacht elk moment in een golf van gloeiende duisternis te verzinken. Maar hij wendde zijn blik niet af van het ijzer, hij sneed dwars door de hardheid en de gloed ervan heen en aan de andere kant door de gezichten van zijn beulen. Die ongelooflijke onbuigzaamheid maakte dat ze ophielden. "Sindsdien ben ik nergens meer bang voor," zei hij, "letterlijk nergens meer voor." En ik weet zeker: hij is nooit doorgeslagen.'

Ze gingen aan land.

'Daarginds,' zei ze, en nu had haar stem weer de gebruikelijke vastheid, 'dat is het tehuis.'

Ze wees een veerboot aan die een grotere boog beschreef, zodat je de stad vanuit nog een heel ander perspectief kon bekijken. Toen bleef ze heel even besluiteloos staan, het was een aarzeling die er blijk van gaf dat ze zich bewust was van een zekere intimiteit tussen hen beiden, een intimiteit die verbazend snel tot stand was gekomen zonder dat die nu kon worden voortgezet, en misschien twijfelde ze er ook aan of het wel juist was geweest zoveel over João en zichzelf te hebben prijsgegeven. Toen ze uiteindelijk wegreed in de richting van het verzorgingstehuis, keek Gregorius haar lang na en stelde zich voor hoe ze op haar eenentwintigste voor de gevangenis had gestaan.

Hij voer terug naar Lissabon en maakte toen de hele tocht over de Tejo nog een keer. João Eça had in het verzet gezeten. Amadeu de Prado had voor het verzet gewerkt. *Resistência.* De oogarts had heel vanzelfsprekend het Portugese woord gebruikt – alsof er voor die zaak, die heilige zaak, geen ander woord kon bestaan. Uit haar mond had het woord, op indringende wijze uitgesproken, een overdonderende klankrijkdom gehad en het was daardoor een woord geworden met een mythische glans en een mystiek aura. Een boekhouder en een arts, met een leeftijdsverschil van vijf jaar. Allebei hadden ze alles geriskeerd, allebei waren ze meester in het zwijgen en virtuozen van de verzegelde lippen geweest. Hadden ze elkaar gekend?

Toen hij weer aan land was kocht Gregorius een plattegrond van de stad met een heel gedetailleerde kaart van de Bairro Alto. Tijdens het eten legde hij de route vast voor zijn zoektocht naar het blauwe huis waarin wellicht nog steeds Adriana de Prado woonde, oud en zonder telefoon. Toen hij het restaurant verliet, begon het te schemeren. Hij nam de tram naar de wijk Alfama. Na een poosje vond hij het tuinhek met de schroothoop. De tas met zijn nieuwe kleren stond er nog. Hij pakte hem op, hield een taxi aan en liet zich naar zijn hotel rijden.

12 De volgende ochtend verliet Gregorius vroeg het hotel en betrad een dag die grijs en nevelig begon. Geheel tegen zijn gewoonte in was hij gisteravond snel in slaap gevallen en terechtgekomen in een vloed van droombeelden waarin het in een onbegrijpelijke sequentie om schepen, kleren en gevangenissen was gegaan. Hoewel onbegrijpelijk, was het niet onplezierig geweest en allesbehalve een nachtmerrie, want de warrige, grillig wisselende episoden waren steeds begeleid door een onhoorbare stem die een overweldigende presentie bezat en bij een vrouw hoorde naar wier naam hij koortsachtig had gezocht alsof zijn leven ervan afhing. Precies op het moment waarop hij wakker was geworden, was hem toen het woord te binnen geschoten waarnaar hij al die tijd op zoek was geweest: *Conceição* – het mooie, betoverende deel in de volle naam van de vrouwelijke arts, die op het messing bord bij de ingang van de praktijk stond: MARIA CONCEIÇÃO EÇA. Toen hij de naam zachtjes had uitgesproken, was uit de vergetelheid nog een droomfragment opgedoken waarin een vrouw van snel wisselende identiteit hem zijn bril had afgenomen om die vervolgens stevig op zijn neus te drukken, zo stevig dat hij de druk nu nog voelde.

Dat was om één uur 's nachts geweest en opnieuw inslapen was uitgesloten. En zo had hij in Prado's boek gebladerd en was blijven steken bij een aantekening die de titel droeg: CARAS FUGAZES NA NOITE. VLUCHTIGE GEZICHTEN IN DE NACHT.

Ontmoetingen tussen mensen, zo komt het me vaak voor, zijn als het elkaar passeren van bezinningloos voortrazende treinen in het holst van de nacht. We werpen een vluchtige, gehaaste blik op de anderen, die achter vertroebeld glas in het vale licht zitten en die weer uit ons gezichtsveld verdwijnen nadat we amper de tijd hebben gehad hen waar te nemen. Waren het werkelijk een man en een vrouw die zo-even voorbijflitsten als fantasma's achter een verlicht raam dat uit het niets opdook en zonder zin en doel uitgesneden leek uit de godverlaten duisternis? Kenden ze elkaar? Spraken ze met elkaar? Lachten ze? Huilden ze? Je zult zeggen: zo is het misschien wanneer onbekende wandelaars elkaar in regen en wind passeren; in zo'n geval heeft de vergelijking misschien enige zin. Maar tegenover veel mensen zitten we toch veel langer, we eten en werken met elkaar, liggen naast elkaar, wonen onder één dak. Waar is in dat geval de vluchtigheid? Maar alles wat ons bestendigheid, vertrouwdheid en intieme kennis voorspiegelt – is dat niet een alleen ter geruststelling uitgevonden bedrog waarmee we de flakkerende, verontrustende vluchtigheid proberen te verdoezelen en te verdrijven omdat je die onmogelijk de hele tijd kunt verdragen? Is niet toch elke aanblik van een ander en elk oogcontact te vergelijken met de spookachtige korte ontmoeting van blikken tussen reizigers die langs elkaar heen glijden, verdoofd door de onmen-

selijke snelheid en door de vuistslag van de luchtdruk die alles doet
trillen en rammelen? Glijden onze blikken niet voortdurend langs de
ander af, zoals in de vliegensvlugge ontmoeting 's nachts, en laten ze
ons niet achter met niets dan vermoedens, fragmentarische gedach-
ten en toegedichte eigenschappen? Is het in waarheid niet zo dat het
niet mensen zijn die elkaar ontmoeten maar schaduwen die hun voor-
stellingen werpen?

Hoe was het geweest, had Gregorius gedacht, om de zuster te zijn
van een man uit wie een eenzaamheid van duizelingwekkende
diepte sprak? Van iemand die in zijn nadenken een dermate rigou-
reuze consequentie aan de dag had gelegd zonder dat zijn woorden om die reden wanhopig of zelfs maar opgewonden hadden geklonken? Hoe was het geweest hem te assisteren, een injectiespuit
aan te reiken en te helpen bij het leggen van een verband? Wat hij,
als hij schreef, dacht over de afstand en de vreemdheid tussen de
mensen: wat had dat betekend voor de sfeer in het blauwe huis?
Had hij het helemaal in zichzelf verborgen gehouden of was het
huis de plaats geweest, de enige plaats, waar hij had toegelaten dat
die gedachten ook naar buiten kwamen? Op de manier bijvoorbeeld waarop hij van het ene vertrek naar het andere liep, een boek
in de hand nam en de muziek uitkoos die hij wilde horen? Welke
klanken waren het geweest die hij vond passen bij de eenzame gedachten, die door hun helderheid en hardheid de indruk maakten
voorwerpen van glas te zijn? Had hij naar klanken gezocht die een
bevestiging leken te zijn, of had hij melodieën en ritmes gezocht
die als een balsem waren, die weliswaar niet in slaap susten en ver-
doezelden, maar die toch kalmerend waren?

Met die vragen in zijn hoofd was Gregorius tegen de ochtend
toch nog even in een lichte slaap gegleden en had toen voor een
onwerkelijk smalle, blauwe deur gestaan met de wens op de bel te
drukken en tegelijkertijd met de zekerheid dat hij geen idee had
wat hij tegen de vrouw die open zou doen moest zeggen. Na het
wakker worden was hij in zijn nieuwe kleren en met de nieuwe bril
gaan ontbijten. De serveerster was stomverbaasd geweest toen ze
zijn veranderde uiterlijk zag, en er was heel even een glimlach op
haar gezicht verschenen. En nu was hij op deze grijze, nevelige zon-

dagochtend op weg gegaan om het blauwe huis te zoeken waarover de oude Coutinho had gesproken.

Eerst was hij langzaam door een paar straten van de bovenstad gelopen, daar zag hij de man die hij op de eerste avond was gevolgd rokend voor het raam staan. Nu, bij daglicht, leek het huis nog smaller en bouwvalliger dan toen. De kamer was schaars verlicht, en toch ving Gregorius een blik op van de gobelinstof op de sofa, de vitrine met de bonte porseleinen figuurtjes en het kruis. Hij stond stil en zocht de blik van de man.

'Uma casa azu?' vroeg hij.

De man hield zijn hand achter zijn oor en Gregorius herhaalde de vraag. Een stortvloed van woorden die hij niet verstond was het antwoord, vergezeld door bewegingen van de hand met de sigaret. Terwijl de man sprak, kwam een gebogen, bejaard uitziende vrouw naast hem staan.

'O consultório azul?' vroeg Gregorius nu.

'Sim!' riep de vrouw met krakende stem, en toen nog een keer: 'Sim!'

Opgewonden gesticuleerde ze met haar broodmagere armen en rimpelige handen, en na een poosje begreep Gregorius dat ze wilde dat hij naar binnen kwam. Aarzelend betrad hij het huis, het rook er naar schimmel en verbrande olie. Hij had het gevoel alsof hij door een dikke muur van afstotelijke geuren heen moest breken om bij de huisdeur te komen, waar de man stond te wachten met een nieuwe sigaret tussen zijn lippen. Hompelend ging hij Gregorius voor naar de woonkamer en verzocht hem met onverstaanbaar gemompel en een vaag gebaar plaats te nemen op de met gobelinstof beklede sofa.

Een halfuur lang probeerde Gregorius moeizaam wijs te worden uit de meestal onbegrijpelijke woorden en meerduidige gebaren van de beide mensen, die hem probeerden uit te leggen hoe het veertig jaar geleden was geweest, toen Amadeu de Prado de mensen uit de wijk had behandeld. Er lag bewondering in hun stem, een bewondering zoals je voor iemand koestert die heel ver boven je staat. Maar daarnaast hing er nog een ander gevoel in de kamer, waarvan Gregorius pas na enige tijd besefte dat het schroom was, een schroom zoals die voortkomt uit een langgeleden gekoes-

terd verwijt dat je het liefst zou ontkennen zonder het helemaal uit
je geheugen te kunnen wissen. Vanaf toen meden de mensen hem.
Dat heeft zijn hart gebroken, hoorde hij Coutinho zeggen nadat
hij had verteld hoe Prado Rui Luís Mendes, de slager van Lissabon, had gered.

Nu trok de man een broekspijp op en liet Gregorius een litteken zien. 'Ele fez isto, dat heeft híj gedaan,' zei hij en streek er met
zijn van de nicotine geel geworden vingertop overheen. De vrouw
wreef met haar rimpelige vingers over haar slapen en maakte toen
de beweging van wegvliegen: Prado had een einde gemaakt aan
haar hoofdpijn. En toen liet ook zij op een van haar vingers een
klein litteken zien op de plaats waar waarschijnlijk een wrat had
gezeten.

Wanneer Gregorius zich later wel eens afvroeg wat het was geweest dat de doorslag had gegeven en hem er uiteindelijk toe had
gebracht op de bel van de blauwe deur te drukken, kwamen altijd
de gebaren van die twee mensen bij hem op, op wier lichamen de
bewonderde, later verfoeide en ten slotte opnieuw bewonderde arts
sporen had nagelaten. Het was geweest alsof diens handen weer levend waren geworden.

Nu liet Gregorius zich de weg naar de voormalige praktijk van
Prado beschrijven en verliet toen het echtpaar. Hoofd aan hoofd
keken ze hem uit het raam na en hij had het gevoel alsof er afgunst
in hun ogen lag, een paradoxale afgunst over het feit dat hij iets
kon doen wat voor hen niet meer mogelijk was: Amadeu de Prado helemaal nieuw te leren kennen door zich een weg te banen
naar zijn verleden.

Was het mogelijk dat de beste weg om je van jezelf te vergewissen bestond uit het leren kennen en begrijpen van een ander? Iemand wiens leven heel anders was verlopen en een heel andere
logica had bezeten dan zijn eigen leven? Hoe paste die nieuwsgierigheid naar een ander leven bij het bewustzijn dat zijn eigen tijd
afliep?

Gregorius stond aan de toog van een kleine bar en dronk koffie. Het was al de tweede keer dat hij hier stond. Een uur geleden
had hij de Rua Luz Soriano gevonden en had na een paar stappen
voor de blauwe praktijk van Prado gestaan, een huis van drie ver-

diepingen dat zeker mede door de blauwe tegels een blauwe indruk maakte, maar toch vooral doordat alle ramen waren overwelfd door ronde bogen die in een stralend ultramarijnblauw waren geschilderd. De verflaag was oud, de kleur bladderde af en er waren vochtige plekken waarop een zwarte schimmel woekerde. Ook van de smeedijzeren tralies onder de ramen bladderde de blauwe verf af. Alleen de blauwe voordeur was onberispelijk geschilderd, alsof iemand wilde zeggen: deze deur is het waar het op aankomt.

Er zat geen naambordje naast de bel. Met bonzend hart had Gregorius de deur met de messing klopper bekeken. Alsof mijn hele toekomst achter die deur ligt, had hij gedacht. Toen was hij naar de bar, een paar huizen verderop, gegaan en had zich tegen het beangstigende gevoel verzet dat hij op het punt stond zichzelf kwijt te raken. Hij had op zijn horloge gekeken: zes dagen geleden was het intussen dat hij rond deze tijd in het schoollokaal zijn vochtige jas van de haak had gehaald en was weggelopen uit zijn zo veilige, overzichtelijke leven zonder zich ook nog maar één keer om te draaien. Hij had zijn hand in de zak van zijn jas gestoken om naar de sleutel van zijn Bernse woning te tasten. En plotseling was hij, even heftig en fysiek voelbaar als een onverwachts opkomende enorme honger, door de behoefte overvallen een Griekse of Hebreeuwse tekst te lezen, de vreemde, mooie letters voor zich te zien die voor hem ook na veertig jaar nog niets van hun oosterse, betoverende elegantie hadden verloren; zichzelf ervan te verzekeren dat hij in de loop van de zes verwarrende dagen niets van zijn vermogen had verloren om alles te begrijpen wat die letters uitdrukten.

In zijn hotel lag het Nieuwe Testament in het Grieks en het Portugees dat Coutinho hem cadeau had gedaan; maar het hotel was ver weg en het ging hem erom dat hij hier en nu kon lezen, niet ver van het blauwe huis dat hem, al voordat de deur open was gegaan, dreigde te verslinden. Vlug had hij afgerekend en was op zoek gegaan naar een boekhandel waar hij zulke teksten kon aantreffen. Maar het was zondag en het enige wat hij vond was een gesloten kerkelijke boekhandel met boeken in de etalage die Griekse en Hebreeuwse titels droegen. Hij had zijn voorhoofd tegen de klamme ruit gelegd en gevoeld hoe hij plotseling opnieuw de verzoeking kreeg naar het vliegveld te gaan en het eerste het beste vliegtuig naar Zürich te nemen. Opgelucht had hij gemerkt dat hij erin slaagde het hevige verlangen als een de kop opstekende en weer afnemende koorts over zich heen te laten komen en lijdzaam voorbij te laten gaan. Ten slotte was hij langzaam teruggewandeld naar de bar in de buurt van het blauwe huis.

Nu haalde hij Prado's boek uit de zak van zijn nieuwe colbert en bekeek het vermetele, onverschrokken gezicht van de Portugees. Een arts die zijn beroep met ijzeren consequentie had uitgeoefend. Een verzetsstrijder die met gevaar voor eigen leven een schuld had willen vergelden die geen schuld was. Een goudsmid van woorden wiens diepste hartstocht het was geweest de zwijgzame ervaringen van het menselijke leven te onttrekken aan hun sprakeloosheid.

Plotseling overviel Gregorius de angst dat er intussen heel iemand anders in het blauwe huis zou wonen. Haastig legde hij het geld voor de koffie op de toog en liep met snelle stappen naar het huis. Voor de blauwe deur haalde hij twee keer diep adem en liet de lucht heel langzaam uit zijn longen ontsnappen. Toen drukte hij op de bel.

Een ratelend geluid dat klonk alsof het helemaal uit de Middeleeuwen kwam, schalde overdreven luid door het huis. Er gebeurde niets. Geen licht, geen voetstappen. Weer dwong Gregorius zichzelf kalm te blijven, toen belde hij opnieuw aan. Niets. Hij draaide zich om en leunde uitgeput tegen de deur. Hij dacht aan zijn woning in Bern. Hij was blij dat het voorbij was. Langzaam stopte hij Prado's boek in zijn jaszak en raakte daarbij het koele metaal aan van zijn huissleutel. Toen maakte hij zich van de deur los en maakte aanstalten weg te gaan.

Op dat moment hoorde hij voetstappen in het huis. Iemand kwam de trap af. Achter een raam zag hij een lichtschijnsel. De voetstappen naderden de deur.

'Quem é?' riep een donkere, hese vrouwenstem.

Gregorius wist niet wat hij moest zeggen. Zwijgend wachtte hij. Seconden gingen voorbij. Toen werd er een sleutel in het slot omgedraaid, en de deur ging open.

DEEL 2

De ontmoeting

13 De grote, geheel in het zwart geklede vrouw die tegen-over hem stond, leek met haar strenge, non-achtige schoonheid zo weggelopen uit een Griekse tragedie. Om haar bleke, magere ge-zicht droeg ze een gehaakte hoofddoek die ze met een hand onder haar kin vasthield; een slanke, knokige hand met onder de huid goed zichtbare, donkere aderen die, meer nog dan dat de gelaats-trekken dat deden, haar hoge leeftijd verraadden. Uit dieplig-gen-de ogen die als zwarte diamanten glansden, nam ze Gregorius op met een bittere blik die van ontberingen getuigde, van zelfbeheer-sing en zelfverloochening, een blik die als een mozaïsche waarschu-wing was aan al diegenen wier leven eruit bestond zich zonder eni-ge discipline te laten gaan. Die ogen konden vuur spugen, dacht Gregorius, wanneer iemand zich zou verzetten tegen de zwijgen-de, onverzettelijke wil van deze vrouw, die een kaarsrechte hou-ding had en haar hoofd hoger droeg dan haar lengte eigenlijk ver-oorloofde. Er ging een ijzige gloed van haar uit en Gregorius had geen idee hoe hij zich moest gedragen tegenover die vrouw. Hij wist niet eens meer wat in het Portugees 'goedendag' was.

'Bonjour,' zei hij zachtjes toen de vrouw hem zwijgend bleef aan-kijken, en toen haalde hij Prado's boek uit zijn jaszak, sloeg het open bij zijn portret en liet het haar zien.

'Ik weet dat deze man, een arts, hier heeft gewoond en gewerkt,' ging hij in het Frans verder. 'Ik... ik wilde zien waar hij heeft ge-woond en met iemand spreken die hem heeft gekend. Het zijn erg indrukwekkende zinnen die hij heeft geschreven. Wijze zinnen. Prachtige zinnen. Ik wil graag weten wie de man was die zulke zin-nen kon schrijven. Hoe het was om met hem samen te zijn.'

De verandering in het strenge, witte gezicht van de vrouw, dat door het zwart van de hoofddoek een matte glans kreeg, was nau-welijks waar te nemen. Alleen iemand met de bijzondere waak-zaamheid die Gregorius op dit moment bezat, kon zien dat de strenge gelaatstrekken zich een klein beetje – heel weinig maar – ontspanden en dat haar blik een fractie van zijn afwijzende scherpte verloor. Maar ze bleef zwijgen en de tijd verstreek en verstreek maar.

'Pardonnez-moi, je ne voulais pas...' begon Gregorius nu, deed twee stappen achteruit en frummelde aan zijn jaszak, die opeens te klein leek om het boek weer op te nemen. Hij draaide zich om en wilde weggaan.

'Attendez!' zei de vrouw. Haar stem klonk nu minder geïrriteerd en warmer dan zonet achter de deur. En in het Franse woord was hetzelfde accent te horen als in de stem van de naamloze Portugese op de Kirchenfeldbrücke. Desondanks klonk het als een bevel waartegen je het niet moest wagen je te verzetten. Gregorius moest aan Coutinho's verhaal denken over de heerszuchtige manier waarop Adriana de patiënten had behandeld. Hij draaide zich weer naar haar om, het weerspannige boek nog steeds in zijn hand.

'Entrez,' zei de vrouw, deed een stap opzij en wees naar de trap naar boven. Ze deed de deur op slot met een grote sleutel, die uit een andere eeuw leek te komen, en volgde hem. Toen ze boven haar hand met de witte knokkels van de trapleuning losmaakte en langs hem heen naar de salon liep, hoorde hij haar hijgen en hij ving een kruidige geur op die evengoed van een medicijn als van een parfum afkomstig kon zijn.

Zo'n salon had Gregorius nog nooit gezien, zelfs niet in een film. Hij besloeg de hele diepte van het huis, er scheen geen eind aan te komen. De onberispelijk glanzende parketvloer bestond uit rozetten waarin verschillende soorten en tinten hout elkaar afwisselden, en als je dacht dat je blik bij de laatste rozet was aangekomen, kwam er daarna nog een. Achter het raam zag je oude bomen die nu, eind februari, een wirwar van zwarte takken vormden die hoog in de loodgrijze hemel oprezen. In een hoek stond een ronde tafel met Franse stijlmeubels – een sofa en drie fauteuils, die zittingen van olijfgroen, zilverglanzend fluweel, de gebogen leuningen en poten van een roodachtig hout – en in een andere hoek een zwartglanzende staande klok, waarvan de gouden slinger stilstond, de wijzer was op zes uur drieëntwintig blijven staan. En in de hoek bij het raam stond een vleugel, tot en met het klavier bedekt met een zwaar kleed van zwart brokaat waardoorheen gouden en zilveren draden waren geweven.

Maar wat de meeste indruk maakte op Gregorius waren de eindeloze boekenkasten die tegen de okerkleurige muren stonden. Aan de bovenkant waren ze voorzien van kleine lampjes in Jugendstil en over dat alles heen strekte zich het gewelfde plafond uit waarin het oker van de wanden werd voortgezet en waarin donkerrode geometrische patronen waren opgenomen. Net een kloosterbibliotheek, dacht Gregorius, net de bibliotheek van een voormalige, klassiek gevormde kloosterleerling uit een welgestelde familie. Hij waagde het niet langs de muren te lopen, maar zijn ogen vonden algauw de Griekse klassieken in de donkerblauwe uitgave met het gouden opschrift uit Oxford, meer naar achteren Cicero, Horatius, de geschriften van de kerkvaders, de *Obras completas* van San Ignacio. Hij was nog geen tien minuten in dit huis en voelde al de wens het nooit meer te verlaten. Dit moest wel de bibliotheek van Amadeu de Prado zijn. Maar was die het ook?

'Amadeu hield van dit vertrek, van de boeken. "Ik heb zo weinig tijd, Adriana," zei hij vaak, "veel te weinig tijd om te lezen; misschien had ik toch priester moeten worden." Maar hij wilde dat de praktijk altijd open was, van 's ochtends vroeg tot 's avonds laat. "Wie pijn heeft of bang is, kan niet wachten," zei hij altijd als ik zag hoe moe hij was en als ik hem probeerde af te remmen. Lezen en schrijven deed hij 's nachts, als hij niet kon slapen. Of wie weet kon hij niet slapen omdat hij het gevoel had te moeten lezen en schrijven en nadenken, ik weet het niet. Het was een vloek, die slapeloosheid, en ik weet zeker: zonder die kwaal en zonder zijn radeloosheid, zijn eeuwige, ademloze gezoek naar woorden, zouden zijn hersenen het veel langer hebben uitgehouden. Misschien zou hij dan nog wel leven. Hij zou dit jaar vierentachtig zijn geworden, op twintig december.'

Zonder dat hij ook maar iets had hoeven vragen en zonder dat zij zich aan hem had voorgesteld, was ze over haar broer begonnen, over zijn kwaal, zijn overgave, zijn hartstocht en zijn dood. Over alle dingen die – daar lieten haar woorden en de uitdrukking op haar gezicht geen twijfel over bestaan – de belangrijkste dingen in haar leven waren geweest. En ze was er zo prompt over begonnen dat het wel leek of ze er heel vanzelfsprekend recht op had dat Gregorius in een bliksemsnelle, onaardse metamorfose die zich buiten de tijd had afgespeeld, veranderde in een bewoner van haar voorstellingswereld en een alwetende getuige van haar herinneringen. Hij was iemand die het boek met het geheimzinnige teken van de *Cedros vermelhos* bij zich droeg, en dat was voldoende geweest om hem toegang te verschaffen tot het heilige domein van haar gedachten. Hoeveel jaar had ze gewacht voordat er iemand langskwam met wie ze over haar dode broer kon spreken? 1973 stond als sterfjaar op de grafsteen. Dus had Adriana eenendertig jaar lang alleen in dit huis gewoond, eenendertig jaar alleen met de herinneringen en de leegte die haar broer had achtergelaten.

Tot nu toe had ze haar hoofddoek onder haar kin bijeengehouden, alsof ze iets moest verbergen. Nu nam ze haar hand weg, de gehaakte doek viel open en nu werd de zwartfluwelen band zichtbaar die ze om haar hals droeg. De aanblik van de openvallende doek waardoor de brede band over de witte rimpels van haar hals zichtbaar werd, zou Gregorius nooit meer vergeten, die stolde tot een hecht en gedetailleerd beeld en werd later, toen hij wist wat er door de band verborgen werd gehouden, meer en meer een icoon van zijn herinnering, waarbij ook het gebaar hoorde waarmee Adriana naging of de band er nog was en op de juiste plek zat, een gebaar – zo leek het – dat haar meer overkwam dan dat ze het voltrok, maar tegelijkertijd een gebaar waarin ze helemaal opging en dat meer over haar scheen te zeggen dan alles wat ze met opzet en bij vol bewustzijn deed.

De doek was verder naar achteren gegleden en nu zag Gregorius haar grijze haar, waarin je aan een paar plekken nog kon zien hoe zwart het vroeger was geweest. Adriana greep naar de glijdende doek, tilde hem op en schoof hem ietwat verlegen naar voren, aarzelde even en trok hem toen met een koppige beweging van haar hoofd. Hun ogen ontmoetten elkaar even en de hare schenen te zeggen: Ja, ik ben oud geworden. Ze neeg haar hoofd naar voren, een krullende lok viel over haar ogen, haar bovenlichaam zakte ineen en toen streken haar handen met de donkerpaarse aderen langzaam en in zichzelf besloten over de doek in haar schoot.

Gregorius wees naar Prado's boek, dat hij op de tafel had gelegd. 'Is dat alles wat Amadeu heeft geschreven?'

Die paar woorden deden wonderen. Alle tekenen van uitputting en uitgeblustheid vielen van Adriana af, ze richtte zich op, gooide haar hoofd naar achteren, streek met haar handen door haar haar en keek hem aan. Het was de eerste keer dat er een glimlach op haar gezicht verscheen, kwajongensachtig en samenzweerderig, het maakte haar twintig jaar jonger.

'Venha, senhor. Kom.' Het heerszuchtige in haar stem was helemaal verdwenen, de woorden klonken niet als een bevel, zelfs niet als een uitnodiging, eerder als een aankondiging dat ze hem iets wilde laten zien, hem wilde binnenleiden in iets verborgens, iets geheims, en het paste bij de in het vooruitzicht gestelde intimiteit en medeplichtigheid dat ze blijkbaar was vergeten dat hij geen Portugees sprak.

Ze nam hem mee naar de gang waar een tweede trap was, die naar de zolder leidde, en liep hijgend trede voor trede naar boven. Voor een van de twee deuren bleef ze staan. Je kon het opvatten als de noodzaak even uit te rusten, maar toen Gregorius later orde bracht in de beelden die hij zich herinnerde, wist hij zeker dat het ook een aarzeling was geweest, de twijfel of ze de vreemdeling dat allerheiligste werkelijk wilde laten zien. Uiteindelijk duwde ze de deurklink naar beneden, zachtjes als bij het bezoek aan een ziekenkamer, en de behoedzaamheid waarmee ze de deur eerst op een kier opendeed om hem vervolgens langzaam helemaal open te duwen, maakte de indruk alsof ze tijdens het bestijgen van de trap meer dan dertig jaar was teruggereisd in de tijd en nu het vertrek betrad in de verwachting Amadeu erin aan te treffen, schrijvend en nadenkend, misschien ook slapend.

Achter in zijn bewustzijn, aan de uiterste rand en een beetje verduisterd, kwam in Gregorius de gedachte op dat hij met een vrouw te maken had die over een scherpe bergkam liep, die haar tegenwoordige, zichtbare leven van een ander leven scheidde dat in zijn onzichtbaarheid en tijdelijke verafgelegenheid voor haar veel werkelijker was, en dat er niet meer dan een klein duwtje, niet meer dan een zachte windvlaag voor nodig was om haar te laten neerstorten en onherroepelijk in het verleden van haar leven met haar broer te laten verdwijnen.

Inderdaad was in het grote vertrek dat ze nu betraden de tijd stil blijven staan. De kamer was met ascetische karigheid ingericht.

Aan het ene einde, tegen de muur gekeerd, stond een bureau met een leunstoel, aan de andere kant een bed met een klein tapijt ervoor dat aan een gebedskleed deed denken, in het midden een fauteuil en een staande schemerlamp, ernaast slordige stapels boeken op de kale houten vloer. Verder niets. Het geheel zag eruit als een sanctuarium, een kamer als een altaar ter nagedachtenis aan Amadeu Inácio de Almeida Prado, arts, verzetsstrijder en goudsmid van woorden. Er hing de koele, veelzeggende stilte van een kathedraal, het geluidloze ruisen van een ruimte die gevuld is met bevroren tijd.

Gregorius bleef bij de deur staan; het was niet een kamer waarin een vreemde zomaar rond kon lopen. En ook al liep Adriana nu heen en weer tussen de paar meubels die in de kamer stonden, het was toch anders dan een normale beweging. Niet dat ze op haar tenen liep of dat haar manier van lopen iets geaffecteerds had. Maar haar langzame schreden leken iets etherisch te hebben, dacht Gregorius, leken immaterieel en bijna ruimte- en tijdloos. Dat gold ook voor de beweging van haar armen en handen nu ze naar de meubelstukken liep en ze zachtjes, bijna zonder ze aan te raken, streelde.

Eerst deed ze dat met de bureaustoel, die met zijn ronde zitting en de gebogen rugleuning bij de stoelen in de salon paste. Hij stond schuin voor het bureau alsof iemand er in grote haast van was opgestaan en hem had teruggeduwd. Onwillekeurig verwachtte Gregorius dat Adriana de stoel recht zou zetten, en pas toen ze met haar handen teder alle kanten had gestreeld zonder iets te veranderen besefte hij: de asymmetrische positie van de stoel was die waarin Amadeu hem dertig jaar en twee maanden geleden had achtergelaten en dus de positie die in geen geval mocht worden veranderd, want dat zou zijn alsof iemand met een prometheïsche aanmatiging zou proberen het verleden te beroven van zijn onwrikbaarheid, of de natuurwetten omver te werpen.

Wat voor de stoel gold, gold ook voor de voorwerpen op het bureau waarop een ietwat schuin oplopend blad was geplaatst om gemakkelijker te kunnen lezen en schrijven. Op het blad lag in een avontuurlijk schuine positie een reusachtig, in het midden opengeslagen boek en daarvóór een stapel papieren waarvan het bovenste blad slechts met een paar woorden was beschreven, zoals Gregorius met veel inspanning kon zien. Voorzichtig gleed Adriana met de rug van haar hand over het hout en raakte nu het kopje van blauw porselein aan dat op een roodkoperen dienblad stond, samen met een suikerpot vol kandijsuiker en een overvolle asbak. Waren die dingen ook zo oud? Een restje koffie van dertig jaar geleden? As van sigaretten die meer dan een kwart eeuw oud was? De inkt in de open vulpen moest tot fijn stof zijn vervallen of tot een zwarte klomp zijn ingedroogd. Zou de gloeilamp in de rijkversierde bureaulamp met de smaragdgroene kap het nog doen?

Er was iets wat Gregorius verbaasde, maar het duurde even voordat hij begreep wat het was: er lag geen stof op de dingen. Hij sloot zijn ogen en nu was Adriana alleen nog een geest met hoorbare contouren die door het vertrek gleed. Had die geest hier regelmatig stof afgenomen, elke dag, in totaal elfduizend maal? En was ze door dat werk grijs geworden?

Toen hij zijn ogen weer opendeed stond Adriana voor een torenhoge stapel boeken die eruitzag alsof hij elk moment kon omvallen. Ze keek neer op een groot formaat boek dat bovenop lag en een afbeelding van hersenen op het omslag had.

'O cérebro, sempre o cérebro,' zei ze zachtjes en vol verwijt. De hersenen, altijd de hersenen. 'Porquê não disseste nada?' Waarom heb je niets gezegd?

Nu lag er ergernis in haar stem, berustende ergernis, versleten door de tijd en het zwijgen waarmee de dode broer al die tientallen jaren had gereageerd op die vraag. Hij had haar niets gezegd over het aneurysma, dacht Gregorius, niets over zijn angst en het bewustzijn dat er elk moment een eind kon komen aan zijn leven. Pas door de aantekeningen was ze het te weten gekomen. En was, door haar verdriet heen, woedend geweest dat hij haar de intimiteit van die wetenschap had onthouden.

Nu keek ze op en keek Gregorius aan alsof ze hem was vergeten. Heel langzaam keerde haar geest weer terug naar het heden.

'Ach ja, komt u maar,' zei ze in het Frans en liep met stappen die zekerder waren dan ervoor terug naar het bureau, waar ze twee laden opentrok. Daarin lagen dikke pakken papier, bijeengehouden door kartonnen schutbladen en verscheidene keren omwikkeld met rood lint.

'Hij is er kort na Fátima's dood mee begonnen. "Het is een strijd tegen de innerlijke verlamming," zei hij, en een paar weken later: "Waarom ben ik er in hemelsnaam niet eerder mee begonnen! Je bent niet werkelijk wakker als je niet schrijft. En je hebt er geen idee van wie je bent. Om maar niet te spreken van wie je niet bent." Niemand mocht het lezen, ook ik niet. Hij haalde de sleutel uit de laden en had die altijd bij zich. Hij was... hij kon erg wantrouwig zijn.'

Ze duwde de laden dicht. 'Ik wil nu graag alleen zijn,' zei ze abrupt, bijna vijandig, en terwijl ze de trap af liepen zei ze geen woord meer. Toen ze de huisdeur had opengedaan bleef ze zwijgend staan, weerbarstig en stijf. Het was niet een vrouw wie je een hand gaf.

'Au revoir et merci,' zei Gregorius en wilde zich juist aarzelend omdraaien.

'Hoe heet u?'

De vraag kwam er luider uit dan nodig, het leek een beetje op hees geblaf, wat hem aan Coutinho deed denken. Ze herhaalde zijn naam: *Gregoriusj.*

'Waar logeert u?'

Hij noemde de naam van het hotel. Zonder een woord ten afscheid sloot ze de deur en draaide de sleutel om.

14 Op de Tejo spiegelden de wolken zich in het water. In razende vaart joegen ze achter de in de zon glinsterende vlakken aan, gleden eroverheen, slokten het licht op en lieten het vervolgens op een andere plek in een verblindende gloed weer opduiken uit de donkere schaduw. Gregorius nam zijn bril af en bedekte zijn gezicht met zijn handen. De koortsige wisseling tussen verblindend licht en dreigende schaduwen die ongebruikelijk scherp door de nieuwe glazen drong, was een marteling voor zijn kwetsbare ogen. Zonet, in het hotel, nadat hij uit een lichte en onrustige middagslaap was ontwaakt, had hij zijn oude bril maar weer eens opgezet. Maar intussen vond hij het compacte gewicht van de bril lastig, hij had het gevoel zijn gezicht als een zware last door de wereld te moeten duwen.

Onzeker en een beetje alsof hij voor zichzelf een vreemde was, had hij lang op de rand van zijn bed gezeten en geprobeerd de verwarrende belevenissen van de ochtend te analyseren en te ordenen. In zijn droom, waarin een zwijgende Adriana met een bleek gezicht van marmer had rondgespookt, had de kleur zwart overheerst, een zwart dat de bevreemdende eigenschap had gehad op de voorwerpen – alle voorwerpen – te gaan liggen, ongeacht wat die normaal voor kleuren hadden en hoezeer ze ook in die andere kleuren straalden. De fluwelen band om de hals van Adriana die tot haar kin reikte, leek haar te wurgen, want ze trok er voortdurend aan. Dan greep ze weer met beide handen naar haar hoofd en daarmee probeerde ze niet zozeer haar schedel als wel haar hersenen te beschermen. Stapels boeken waren een voor een omgevallen en een ogenblik lang, waarin de gespannen verwachting werd afgewisseld door de beklemming en het slechte geweten van de voyeur, had Gregorius aan het bureau van Prado gezeten waarop een oceaan van versteende dingen lag en daar middenin een voor de helft beschreven vel papier, waarvan de regels in een mum van tijd tot onleesbaarheid verbleekten zodra hij zijn blik erop richtte.

Terwijl hij zich met die droombeelden bezighield, had hij een paar keer het gevoel gehad alsof het bezoek in de blauwe praktijk niet werkelijk had plaatsgevonden – alsof het allemaal alleen maar een bijzonder levendige droom was geweest waarin – als om de verwarring nog groter te maken – een verschil werd gesuggereerd tussen wakker zijn en dromen. Toen had ook hij zijn hoofd in zijn handen genomen, en zodra hij het gevoel voor de werkelijkheid van zijn bezoek had teruggevonden en de gestalte van Adriana, ontdaan van alle droomachtige toevoegingen, rustig en helder voor zich had gezien, had hij in gedachten het uur dat hij bij haar had doorgebracht doorgenomen, gebaar na gebaar, woord voor woord. Een paar keer had hij gehuiverd bij de gedachte aan haar strenge, bittere blik waarin onverzoenlijkheid lag ten aanzien van gebeurtenissen uit het verre verleden. Een gevoel van angst had hem beslopen toen hij haar door Amadeu's kamer zag zweven, helemaal opgaand in het verleden en dicht bij de waanzin. Maar even later had hij graag de gehaakte doek zacht om haar hoofd willen plooien om de gepijnigde geest een rustpauze te gunnen.

De weg naar Amadeu de Prado liep via die tegelijkertijd harde en kwetsbare vrouw, of beter gezegd: die weg liep dwars door haar heen, door de donkere krochten van haar herinnering. Had hij dat ervoor over? Was hij daartegen opgewassen? Hij, die door hatelijke collega's de Papyrus werd genoemd omdat hij meer in oude teksten had geleefd dan in de wereld?

Het was van belang nog andere mensen te vinden die Prado hadden gekend; die hem niet alleen hadden gezien, zoals Coutinho, en als arts hadden meegemaakt, zoals de kreupele man en de bejaarde vrouw van vanochtend, maar die hem echt hadden gekend, als vriend, misschien ook als kameraad in het verzet. Het zou lastig zijn, dacht hij, van Adriana daar iets over te weten te komen; zij beschouwde haar dode broer als haar exclusieve eigendom, dat was duidelijk te zien geweest aan de manier waarop ze tegen hem had gesproken terwijl ze naar beneden keek, naar het medische boek. Iedereen die het enig juiste beeld van hem – dat háár beeld en alleen het hare was – ter discussie zou kunnen stellen, zou door haar worden genegeerd of met alle middelen uit de buurt van Prado worden gehouden.

Gregorius had het telefoonnummer van Mariana Eça opgezocht en haar na een aarzeling van een paar minuten gebeld. Of ze er bezwaar tegen had dat hij João, haar oom, ging opzoeken in het tehuis? Hij wist nu dat Prado ook in het verzet had gezeten en wellicht had João hem gekend. Heel even had ze gezwegen en Gregorius wilde zich juist excuseren voor zijn verzoek, toen ze nadenkend zei: 'Ik heb er natuurlijk niets tegen, integendeel, een nieuw gezicht zou hem misschien goeddoen. Ik vraag me alleen af hoe hij het zal opvatten, hij kan erg bot zijn en gisteren was hij nog zwijgzamer dan anders. U mag in geen geval met de deur in huis vallen.'

Ze zweeg even.

'Ik geloof dat ik iets weet wat zou kunnen helpen. Ik wilde gisteren een grammofoonplaat voor hem meebrengen, een nieuwe opname van de sonates van Schubert. Eigenlijk wil hij op de piano alleen Maria João Pires horen, ik weet niet of het de klank is of de vrouw, of een vreemde vorm van patriottisme. Maar deze plaat zal hem ondanks dat wel bevallen. U zou de plaat bij mij kunnen komen afhalen en hem dan aan mijn oom brengen. Als bode in mijn opdracht zogezegd. Misschien maakt u dan een kans.'

Hij had bij haar thee gedronken, een roodgouden, dampende Assam met kandijsuiker, en haar over Adriana verteld. Hij had gewild dat ze daar iets op zou zeggen, maar ze luisterde zwijgend. Slechts één keer, toen hij over het gebruikte koffiekopje en de volle asbak vertelde die blijkbaar drie decennia hadden overleefd, vernauwden haar ogen zich als bij iemand die denkt plotseling iets op het spoor te zijn gekomen.

'Wees voorzichtig,' zei ze bij het afscheid. 'Met Adriana, bedoel ik. En vertel me hoe het bij João was.'

En nu zat hij, met Schuberts sonates in een tas, op de boot en stak de rivier over naar Cacilhas, naar een man die door de hel van martelingen was gegaan zonder zijn zuivere blik te verliezen. Opnieuw bedekte Gregorius zijn gezicht met zijn handen. Als iemand hem een week geleden, toen hij, in zijn woning in Bern, bezig met de correctie van Latijnse vertalingen van zijn leerlingen, zou hebben gezegd dat hij over zeven dagen in een nieuw kostuum en met een nieuwe bril op in Lissabon op een veerboot zou zitten om bij een gemarteld slachtoffer van het Salazar-regime iets over een Portugese arts en schrijver te weten te komen die al meer dan dertig jaar dood was, dan zou hij die persoon voor gek hebben verklaard. Was dit nog steeds hij, Mundus, de bijziende boekenwurm, die bang was geworden alleen omdat in Bern een paar sneeuwvlokken waren gevallen?

De boot legde aan en Gregorius liep langzaam naar het tehuis. Hoe moest hij zich verstaanbaar maken? Sprak João naast Portugees nog iets anders? Het was zondagmiddag, de mensen gingen op bezoek in het tehuis, je herkende ze al op straat aan de bossen bloemen die ze bij zich hadden. Op de smalle balkons van het tehuis zaten de oude mensen in dekens gewikkeld in de zon, die telkens achter wolken verdween. Gregorius vroeg de portier naar het kamernummer. Voordat hij op de deur klopte ademde hij een paar keer langzaam in en uit, het was de tweede keer deze dag dat hij met kloppend hart voor een deur stond zonder te weten wat hem te wachten stond.

Zijn geklop bleef onbeantwoord, ook de tweede keer. Hij had zich al omgekeerd om weg te gaan toen hij hoorde hoe de deur met een zacht gepiep openging. Hij had een man in slordige kleren verwacht, een man die zichzelf helemaal niet of niet correct kleedde en in zijn ochtendjas achter zijn schaakbord zat. De man die nu geruisloos als een geest in de deuropening verscheen, was heel anders. Hij droeg een donkerblauw gebreid vest over een sneeuwwit overhemd en een rode stropdas, een broek met een onberispelijke vouw en glimmend zwarte schoenen. Zijn handen hield hij in de zakken van zijn vest verborgen, zijn kale hoofd met het schaarse, kortgeknipte haar boven de afstaande oren hield hij een beetje schuin als bij iemand die geen zin had zich druk te maken over de dingen die hem overkwamen. Uit grijze, toegeknepen ogen kwam een blik die alles waar die op viel, in stukken leek te snijden. João Eça was dan wel oud en misschien ook ziek, zoals zijn nicht had gezegd, maar een gebroken man was hij niet. Je kon hem maar beter niet als tegenstander hebben, dacht Gregorius onwillekeurig.

'Senhor Eça?' zei Gregorius. 'Venho da parte de Mariana, a sua sobrinha. Trago este disco. Sonatas de Schubert.' Het waren woorden die hij op de boot had opgezocht en bij zichzelf een paar keer had gerepeteerd.

Eça bleef roerloos in de deuropening staan en keek hem aan. Een dergelijke blik had Gregorius nog nooit hoeven pareren en na een poosje sloeg hij zijn ogen neer. Nu deed Eça de deur helemaal open en nodigde hem met een gebaar uit om binnen te komen. Gregorius betrad een keurig netjes opgeruimde kamer waarin alleen het noodzakelijkste stond, alleen het allernoodzakelijkste. Een vluchtig moment lang dacht hij aan de luxueuze vertrekken waarin Mariana woonde en hij vroeg zich af waarom ze geen betere plek had gezocht voor haar oom. Die gedachte werd weggevaagd door de eerste woorden van Eça.

'Who are you?' De woorden kwamen er zacht en hees uit en toch bezaten ze autoriteit, de autoriteit van een man die alles had gezien en wie je niets kon wijsmaken.

Gregorius, de plaat in zijn hand, vertelde in het Engels over zijn afkomst en zijn beroep en legde uit hoe hij Mariana had leren kennen.

'Waarom bent u hier? Toch niet vanwege die plaat.'

Gregorius legde de plaat op de tafel en ademde diep in. Toen haalde hij het boek van Prado uit zijn zak en liet hem het portret zien.

'Uw nicht dacht dat u hem misschien hebt gekend.'

Na een korte blik op de foto sloot Eça zijn ogen. Hij wankelde een beetje, toen liep hij met nog steeds gesloten ogen naar de sofa en ging zitten.

'Amadeu,' zei hij in de stilte, en toen nog een keer: 'Amadeu. O sacerdote ateu. De goddeloze priester.'

Gregorius wachtte. Eén verkeerd woord, één verkeerd gebaar, en Eça zou geen woord meer zeggen. Hij liep naar het schaakbord en bekeek de begonnen partij. Hij moest het riskeren.

'Hastings 1922. Aljechin verslaat Bogoljoebov,' zei hij.

Eça deed zijn ogen open en wierp hem een verbaasde blik toe.

'Tartakover werd een keer gevraagd wie hij als de grootste schaker beschouwde. Hij zei: "Als schaak een gevecht is – Lasker; als het wetenschap is – Capablanca; als het kunst is – Aljechin."'

'Ja,' zei Gregorius, 'het offer van de beide torens is iets wat de fantasie van de kunstenaar verraadt.'

'Klinkt naar afgunst.'

'Is het ook. Ik zou er domweg niet op komen.'

Op het verweerde, boerse gezicht van Eça verscheen een zweem van een glimlach.

'Als het u troost: ik ook niet.'

Hun blikken ontmoetten elkaar, toen keek elk weer voor zich uit. Ofwel Eça deed nu iets om het gesprek voort te zetten, dacht Gregorius, ofwel de ontmoeting is ten einde.

'Daar in de nis is thee,' zei Eça. 'Ik wil graag ook een kopje.'

Op het eerste moment bevreemdde het Gregorius dat hem opgedragen werd te doen wat normaal gesproken de gastheer doet. Maar toen zag hij hoe Eça's handen zich in zijn zakken tot vuisten balden, en nu begreep hij het: hij wilde niet dat Gregorius zijn verminkte en bevende handen zag, de blijvende tekenen van de verschrikking. En dus schonk hij voor hen allebei thee in. Uit de kopjes rees damp op. Gregorius wachtte. In de kamer ernaast hoorde hij het lachen van bezoekers. Toen was het weer stil.

De geruisloze manier waarop Eça uiteindelijk zijn hand uit zijn zak haalde en naar het kopje bracht, deed aan zijn geruisloze verschijnen in de deuropening denken. Hij hield zijn ogen gesloten alsof hij meende dat de mismaakte hand daardoor ook voor de ander onzichtbaar zou zijn. De hand was bezaaid met littekens van brandende sigaretten, twee nagels ontbraken, en hij beefde als bij iemand die de ziekte van Parkinson heeft. Nu wierp Eça Gregorius een onderzoekende blik toe: of hij de aanblik wel kon verdragen. Gregorius kon zijn ontzetting, die hem half verlamde, slechts ternauwernood verbergen en bracht het kopje rustig naar zijn mond.

'Mijn kopje mag niet meer dan tot de helft worden gevuld.'

Eça zei het zachtjes en met geknepen stem en Gregorius zou die woorden nooit vergeten. Hij voelde zijn ogen branden, wat tranen aankondigde, en toen deed hij iets wat de relatie tussen hem en deze gemartelde man voor altijd zou bepalen: hij pakte Eça's kopje en dronk de helft van de hete thee op.

Zijn tong en zijn keel gloeiden. Het maakte hem niets uit. Rustig zette hij het halfvolle kopje weer neer en draaide het oortje in de richting van Eça's duim. Nu keek de man hem lang aan, en ook die blik zette zich vast in zijn geheugen. Het was een blik waarin ongeloof en dankbaarheid samengingen, een dankbaarheid die slechts voor heel even gold, want Eça had het lange tijd geleden opgegeven iets van anderen te verwachten waarvoor je dankbaar kon zijn. Bevend bracht hij het kopje naar zijn lippen, wachtte op een gunstig moment en dronk toen met haastige slokken het kopje leeg. Er klonk een ritmisch gerinkel toen hij het kopje op het schoteltje zette.

Nu haalde hij een pakje sigaretten uit zijn vestzak, stak een sigaret tussen zijn lippen en bracht de trillende vlam naar de tabak. Hij rookte met diepe, rustige trekken en het beven werd minder. De hand met de sigaret hield hij zo dat je de ontbrekende nagels niet zag. De andere hand was weer in de vestzak verdwenen. Hij keek uit het raam en begon opnieuw te praten.

'De eerste keer heb ik hem in de herfst van 1952 ontmoet, in Engeland, in de trein van Londen naar Brighton. Ik volgde een taalcursus waar het bedrijf waar ik werkte me heen had gestuurd, ze wilden dat ik me tot buitenlands correspondent zou ontwikkelen. Het was de zondag na de eerste week en ik ging naar Brighton omdat ik de zee miste, ik ben aan zee opgegroeid, in het noorden, in Esposende. De deur van de coupé ging open en binnen kwam de man met het glanzende haar dat als een helm op zijn hoofd zat en met die ongelooflijke ogen, vermetel, zacht en melancholiek. Hij maakte met Fátima, zijn verloofde, een verre reis. Geld speelde nooit een rol voor hem, destijds niet en later ook niet. Ik kreeg van hem te horen dat hij arts was, iemand die vooral een fascinatie had voor de hersenen. Een bikkelharde materialist die oorspronkelijk priester had willen worden. Een man die tegenover veel dingen een paradoxale houding had, niet een wankelmoedige houding maar een paradoxale.

Ik was zevenentwintig, hij vijf jaar ouder. Hij stak in alle opzichten torenhoog boven mij uit. In elk geval ervoer ik dat zo tijdens die treinreis. Hij de zoon uit een adellijk geslacht uit Lissabon, ik de boerenzoon uit het noorden. We brachten de dag samen door, wandelden langs het strand, aten samen. Op een bepaald moment kwamen we over de dictatuur te spreken. *Devemos resistir*, we moeten ons verzetten, zei ik, ik herinner me die woorden nog heel goed, ik herinner ze me omdat ik ze op een bepaalde manier nogal plomp vond tegenover een man met het fijnbesneden gezicht van een dichter, een man die af en toe woorden gebruikte die ik nog nooit had gehoord.

Hij sloeg zijn ogen neer, keek uit het raam, knikte. Ik had een onderwerp aangesneden waarover hij met zichzelf niet in het reine was. Het was het verkeerde onderwerp voor een man die met zijn verloofde door de wereld reisde. Hij praatte over andere dingen, maar hij was er niet echt bij met zijn gedachten en liet de conversatie aan Fátima en mij over. "Je hebt gelijk," zei hij bij het afscheid, "natuurlijk heb je gelijk." En het was duidelijk dat hij over verzet sprak.

Toen ik op de terugreis naar Londen aan hem dacht had ik het gevoel alsof hij, of een deel van hem, liever met mij was teruggekeerd naar Portugal dan zijn reis voort te zetten. Hij had me om mijn adres gevraagd en het was meer geweest dan beleefdheid tegenover iemand die je op reis hebt leren kennen. Inderdaad braken ze de reis kort daarna af en keerden terug naar Lissabon. Maar dat had niets met mij te maken. Zijn zuster, de oudste, had abortus laten plegen en was daarbij bijna gestorven. Hij wilde zien hoe de zaken ervoor stonden en vertrouwde de artsen niet. Een arts die artsen wantrouwt. Zo was hij, zo was Amadeu.'

Gregorius zag Adriana's verbitterde, onverzoenlijke blik voor zich. Hij begon het te begrijpen. En hoe zat het met de jongste zuster? Maar dat moest wachten.

'Het duurde dertien jaar voordat ik hem terugzag,' ging Eça verder. Het was winter 1965, het jaar waarin de geheime politie Delgado had vermoord. Hij had van het bedrijf mijn nieuwe adres gekregen en stond op een avond op de stoep, bleek en ongeschoren. Zijn haar, dat ooit had geglansd als zwart goud, was dof geworden en in zijn ogen stond verdriet. Hij vertelde hoe hij Rui Luís Mendes, een hoge officier van de geheime politie die de slager van Lissabon werd genoemd, het leven had gered en hoe zijn vroegere patiënten hem nu meden, hij voelde zich buitengesloten.

"Ik wil voor het verzet werken," zei hij.

"Om het weer goed te maken?"

Hij keek verlegen naar de grond.

"Je hebt niets misdaan," zei ik. "Je bent arts."

"Ik wil iets doen," zei hij. "Begrijp je: dóén. Zeg me wat ik kan doen. Jij bent immers op de hoogte."

"Hoe weet jij dat?"

"Ik weet het," zei hij. "Ik weet het sinds Brighton."

Het was gevaarlijk. Voor ons nog veel meer dan voor hemzelf. Want voor een verzetsstrijder had hij – hoe moet ik het zeggen – had hij niet het juiste postuur, het juiste karakter. Je moet geduld hebben, kunnen wachten, je moet een hoofd hebben als het mijne, een boerenkop, en niet de ziel van een fijnbesnaarde dromer. Anders riskeer je te veel, maak je fouten, breng je alles in gevaar. De koelbloedigheid, die had hij wel, hij had er bijna te veel van, hij neigde naar overmoed. Hij beschikte niet over het uithoudingsvermogen, de hardnekkigheid, het vermogen niets te doen ook als de gelegenheid gunstig leek. Hij merkte dat ik zo dacht, hij kende de gedachten van anderen al voordat ze met denken waren begonnen. Het was heel moeilijk voor hem, denk ik, de eerste keer in zijn leven dat iemand tegen hem zei: Dat kun jij niet, daarvoor ben je niet geschikt. Maar hij wist dat ik gelijk had, hij was allesbehalve blind tegenover zichzelf en hij accepteerde dat zijn taken in het begin klein en onbeduidend waren.

Telkens weer peperde ik hem in dat hij vooral weerstand moest bieden aan de verleiding zijn patiënten te vertellen dat hij voor ons werkte. Dat wilde hij immers, om de loyaliteitsbreuk te helen met de slachtoffers van Mendes. En eigenlijk had zijn plan alleen zin als de mensen die hem verwijten maakten, daarvan weet hadden. Als hij ze zover kon krijgen hun minachting voor hem terug te nemen. Als ze hem weer zouden bewonderen en liefhebben als voorheen. Dat verlangen was oppermachtig, dat wist ik, en het was zijn en onze grootste vijand. Hij werd razend als ik het erover had, deed alsof ik zijn intelligentie onderschatte, ik, een eenvoudig boekhoudertje dat bovendien vijf jaar jonger was dan hij. Maar hij wist dat ik ook op dat punt gelijk had. "Ik haat het als iemand zoveel van mij weet als jij," zei hij een keer. En grijnsde.

Hij heeft dat diepe, absurde verlangen naar vergeving voor iets wat helemaal geen misdaad was geweest onderdrukt, en geen fouten gemaakt, of in elk geval geen fouten die consequenties hadden kunnen hebben.

In het geheim hield Mendes hem een hand boven het hoofd, boven het hoofd van de man die zijn leven had gered. In de praktijk van Amadeu werden berichten doorgegeven, enveloppen met geld gingen van hand tot hand. Zijn praktijk werd nooit doorzocht zoals bij andere artsen schering en inslag was. Amadeu was er kwaad over; zo was hij, de goddeloze priester, hij wilde serieus worden genomen, dat hij werd ontzien kwetste hem in zijn trots, die iets van de trots van een martelaar had.

Een tijdlang zorgde dat voor een nieuw gevaar: het gevaar dat hij Mendes door een al te overmoedige daad zou kunnen uitdagen zodat die hem niet langer zou kunnen beschermen. Ik sprak hem erop aan. Onze vriendschap hing aan een zijden draad. Deze keer gaf hij niet toe dat ik gelijk had. Maar hij werd beheerster, bedachtzamer.

Kort daarna voerde hij met veel succes twee ingewikkelde acties uit die alleen iemand als hij kon ondernemen, iemand die het spoorwegnet tot in de finesses kende, en dat was bij Amadeu het geval, hij was gek op treinen, rails, wissels, kende alle types locomotieven, en vooral kende hij alle stationsgebouwen in Portugal, zelfs van het kleinste gehucht wist hij of er een seinhuis was of niet, want dat was een van zijn obsessies: dat je, door een hendel over te halen, de richting van een trein kon bepalen. Die eenvoudige mechanische operatie fascineerde hem boven alles en het was uiteindelijk zijn kennis van deze zaken, zijn krankzinnige spoorwegpatriottisme, dat het leven van onze mensen redde. De kameraden die er tegen waren geweest dat ik hem erbij had betrokken omdat ze hem als een geëxalteerde intellectueel beschouwden die gevaarlijk zou kunnen zijn voor ons, herzagen hun mening.

Mendes moet hem oneindig dankbaar zijn geweest. Ik mocht in de gevangenis geen bezoek ontvangen, ook Mariana kwam er niet in, en al helemaal geen kameraden die ervan verdacht werden dat ze tot het verzet behoorden. Met één uitzondering: Amadeu. Hij mocht twee keer per maand komen en hij mocht zelf de dagen en zelfs het tijdstip bepalen, hij brak met alle regels.

En hij kwam. Hij kwam altijd en bleef langer dan toegestaan, de bewakers waren bang voor zijn kwaaie blik als ze hem kwamen vertellen dat het tijd was om weg te gaan. Hij bracht medicijnen voor me mee, tegen de pijn en om te kunnen slapen. Ze lieten hem dóór met die spullen en pakten ze later van mij af, ik heb het hem nooit verteld, hij zou de boel kort en klein hebben geslagen. De tranen liepen over zijn wangen toen hij zag wat ze met me hadden gedaan, tranen die natuurlijk ook tranen van medelijden waren maar vooral tranen van machteloze woede. Het scheelde niet veel of hij had de bewakers aangevallen, zijn vochtige gezicht was rood van woede.'

Gregorius keek Eça aan en stelde zich voor hoe hij met zijn grijze, snijdende blik naar het gloeiende ijzer had gekeken dat zijn gezichtsvermogen in een sissende gloed had kunnen vernietigen. Hij voelde de ongelooflijke kracht van de man die je alleen kon overwinnen door hem psychisch klein te krijgen, en zelfs van zijn afwezigheid, van zijn ontbreken in een ruimte, zou nog een verzet zijn uitgegaan dat zijn tegenstanders uit hun slaap hield.

'Amadeu bracht de bijbel voor me mee, het Nieuwe Testament. In het Portugees en het Grieks. Die bijbel en de Griekse grammatica, die hij erbij legde, waren in die twee jaar de enige boeken die ze doorlieten.

"Jij gelooft er geen woord van," zei ik toen ze kwamen om me terug te brengen naar mijn cel.

Hij glimlachte. "Het is een mooie tekst," zei hij. "Een wondermooie taal. En let op de metaforen."

Ik was stomverbaasd. Ik had de bijbel nooit werkelijk gelezen, kende alleen de gevleugelde woorden, net als iedereen. Ik verbaasde me over de merkwaardige mengeling van exacte zaken en bizarre dingen. Soms spraken we erover. Een religie in het centrum waarvan een executie staat vind ik weerzinwekkend, zei hij een keer. Stel je voor dat het een galg was geweest, een guillotine of een wurgstok. Stel je voor hoe onze religieuze symboliek er dan had uitgezien. Zo had ik er nog nooit naar gekeken, ik schrok bijna een beetje, ook al omdat die woorden tussen die muren een bijzonder gewicht hadden.

Zo was hij, de goddeloze priester: hij dacht de dingen ten einde. Hij dacht ze altijd ten einde, ongeacht hoe zwart de consequenties waren. Soms had het iets bots, die manier van denken, iets destructiefs. Misschien was het daarom dat hij behalve mij en Jorge geen vrienden had, je moest het een en ander kunnen verdragen. Hij was er ongelukkig over dat Mélodie hem uit de weg ging, hij hield van zijn kleine zusje. Ik heb haar maar een enkele keer gezien, ze maakte op mij een lichte en vrolijke indruk, een meisje dat de grond nooit leek te raken, ik kon me voorstellen dat ze geen raad wist met de zwaarmoedige kant van haar broer, die bovendien een vulkaan was die op uitbarsten stond.'

João Eça sloot zijn ogen. Zijn gezicht was getekend door uitputting. Het was een reis in de tijd geweest en misschien had hij al jaren niet meer zoveel gesproken. Gregorius had graag verder gevraagd: naar het zusje met de merkwaardige naam, naar Jorge en Fátima, en ook of hij destijds was begonnen Grieks te leren. Hij had ademloos geluisterd en was intussen zijn brandende keel vergeten. Nu brandde die weer en zijn tong was dik. Midden in zijn verhaal had Eça hem een sigaret aangeboden. Hij had het gevoel gehad hem niet te kunnen weigeren, dat zou geweest zijn alsof hij de dunne draad die hen nu verbond zou stuktrekken, hij kon niet de thee uit João's kopje drinken en de sigaret weigeren, dat kon niet, wie weet waarom, het kon gewoon niet, en zo had hij de eerste sigaret van zijn leven tussen zijn lippen gestoken, de trillende vlam in Eça's hand angstig tegemoet gezien en toen aarzelend en heel voorzichtig gepaft om niet te moeten hoesten. Nu pas voelde hij hoe erg de hete rook gif was geweest voor het branden in zijn mond. Hij vervloekte zijn stommiteit en tegelijkertijd stelde hij verbaasd vast dat hij niets anders had gewild dan dat rokerige branden.

Een schelle bel liet Gregorius schrikken.

'Eten,' zei Eça.

Gregorius keek op zijn horloge: half zes. Eça zag zijn verbazing en grijnsde verachtelijk.

'Veel te vroeg. Net als in de gevangenis. Het gaat niet om de tijd van de bewoners maar om de tijd van het personeel.'

Of hij nog een keer op bezoek mocht komen, vroeg Gregorius. Eça keek naar de schaaktafel. Toen knikte hij zwijgend. Het was alsof het pantser van zijn zwijgzaamheid hem weer omsloot. Toen hij merkte dat Gregorius hem een hand wilde geven, stopte hij zijn handen stevig in de zakken van zijn vest en keek naar de grond.

Gregorius ging terug naar Lissabon zonder veel van de omgeving te zien. Hij wandelde door de Rua Augusta, dwars door het schaakbord van de Baixa, naar de Rossio. Hij had het gevoel alsof de langste dag van zijn leven ten einde liep. Later, op het bed in zijn hotelkamer, schoot hem te binnen hoe hij die ochtend met zijn voorhoofd tegen de klamme ruit van de etalage had geleund en gewacht had tot de hevige drang om naar het vliegveld te gaan, was weggeëbd. Daarna had hij Adriana leren kennen, de roodgouden thee van Mariana Eça gedronken en bij haar oom met verbrande mond zijn eerste sigaret gerookt. Had zich dat echt allemaal op een enkele dag afgespeeld? Hij sloeg de foto van Amadeu de Prado op. Alle nieuwe dingen die hij vandaag over hem aan de weet was gekomen, veranderden zijn trekken. Hij begon te leven, de goddeloze priester.

15 'Voilà. Ça va aller?' Het is niet bepaald comfortabel, maar...' zei Agostinha, de stagiaire bij de *Diario de notícias*, de grote en gerenommeerde krant van Portugal, ietwat verlegen.

Ja, zei Gregorius, het zal wel gaan, en hij nam plaats in de donkere nis met het afleesapparaat voor microfilms. Agostinha, die door een ongeduldige redacteur aan hem was voorgesteld als geschiedenisstudente, had nog geen zin om weg te gaan, hij had meteen al de indruk gekregen dat ze boven, waar de telefoons constant rinkelden en de beeldschermen flakkerden, meer werd gedoogd dan dat er van haar diensten gebruik werd gemaakt.

'Waar zoekt u eigenlijk naar?' vroeg ze nu. 'Ik bedoel, het gaat me natuurlijk niets aan...'

'Ik zoek naar de dood van een rechter,' zei Gregorius. 'Naar de zelfmoord in 1954, op 9 juni, van een beroemde rechter. Die misschien een einde aan zijn leven heeft gemaakt omdat hij de ziekte van Bechterev had en de pijn in zijn rug niet langer kon verdragen, maar misschien ook omdat hij het gevoel had dat hij schuldig was omdat hij tijdens de dictatuur gewoon door was gegaan met rechtspreken en zich niet had verzet tegen het onmenselijke regime. Hij was vierenzestig toen hij het deed. Hij had dus nog maar kort te gaan tot zijn pensionering. Er moet iets zijn gebeurd dat het hem onmogelijk maakte te wachten. Iets met zijn rug en de pijn, of iets bij de rechtbank. Dat is wat ik wil uitzoeken.'

'En... en waarom wilt u dat uitzoeken? Pardon...'

Gregorius haalde Prado's boek te voorschijn en liet haar lezen:

PORQUÊ, PAI? WAAROM, VADER?

'Neem jezelf niet zo serieus!' placht je te zeggen als iemand zich beklaagde. Je zat in de leunstoel waarin niemand anders mocht zitten, je stok tussen je magere benen, je door jicht vervormde handen op de zilveren knop, vanuit je gebogen houding stak je je hoofd ver naar voren. (O God, kon ik je me maar één enkele keer in een rechte houding voorstellen, met opgeheven hoofd, zoals bij je trots paste! Eén enkele keer! Maar de duizenden keren dat ik je gekromde rug heb gezien, hebben elke andere herinnering uitgewist, en niet alleen dat, het heeft zelfs mijn voorstellingsvermogen verlamd.) De pijn die

je in je leven hebt moeten verdragen, verleende autoriteit aan je altijd eendere vermaningen. Niemand durfde je tegen te spreken. Niet
alleen uiterlijk was dat zo, ook innerlijk was tegenspraak ondenkbaar.
Weliswaar parodieerden wij kinderen je woorden, als je niet in de
buurt was werd er gespot en gelachen, en zelfs mama, wanneer ze ons
dan bestraffend toesprak, verraadde zichzelf soms door een vaag glimlachje, waar we allemaal opgetogen over waren. Maar de bevrijding
was slechts schijn, het was net als met de machteloze blasfemie van
godvrezende mensen.

Jouw woorden waren wet. Ze waren wet tot die bewuste ochtend
waarop ik in een sombere bui naar school liep en de wind de regen
in mijn gezicht sloeg. Waarom was mijn somberheid over de donkere schoollokalen en de vervelende lessen niet iets wat ik serieus mocht
nemen? Waarom zou ik het niet serieus nemen dat Maria João mij
behandelde alsof ik lucht was, terwijl ik nauwelijks aan iets anders
kon denken? Waarom was jouw pijn en bezonkenheid, die de pijn je
had bezorgd, de maat van alle dingen? 'Vanuit het standpunt van de
eeuwigheid gezien,' merkte je vaak op, 'verliest het toch aan betekenis.' Woedend en jaloers op de nieuwe vriend van Maria João verliet
ik de school, liep vastberaden naar huis en ging na het eten tegenover
je op een stoel zitten. 'Ik wil naar een andere school,' zei ik met een
stem die vaster klonk dan ik vanbinnen voelde, 'op deze school houd
ik het niet uit.' 'Je neemt jezelf te serieus,' zei je, en je wreef over de
zilveren knop van je stok. 'Wat, indien niet mijzelf, moet ik dan wel
serieus nemen?' vroeg ik. 'En het standpunt van de eeuwigheid – dat
bestaat niet.'

Een stilte die dreigde te exploderen, vulde de kamer. Zoiets was nog
nooit voorgevallen. Het was ongehoord, en dat het zijn lievelingskind
was die het zei maakte het nog erger. Allemaal verwachtten we een
uitbarsting in het verloop waarvan je stem zoals gewoonlijk zou overslaan. Er gebeurde niets. Je legde je beide handen op de knop van de
stok. Op het gezicht van mama verscheen een uitdrukking die ik nog
nooit had gezien. Die maakte begrijpelijk – dacht ik later – waarom
ze met je was getrouwd. Je stond zonder iets te zeggen op, alleen een
zacht gekreun wegens de pijn was te horen. Bij het avondeten verscheen je niet. Dat was, sinds ons gezin bestond, nog geen enkele keer
voorgekomen. Toen ik de volgende dag plaatsnam aan de eettafel,

*keek je me kalm en een beetje bedroefd aan. 'Aan welke andere school
denk je?' vroeg je. Maria João had me in de pauze gevraagd of ik een
sinaasappel wilde.'Het is al in orde,' zei ik.*

*Hoe kun je er achter komen of je een gevoel serieus moet nemen
of het als een onbeduidende gril moet behandelen? Waarom, papá,
heb je niet met me gesproken voordat jíj het deed? Zodat ik tenminste wist waaróm je het deed?*

'Ik begrijp het,' zei Agostinha, en toen zochten ze samen in de fi-
ches naar een bericht over de dood van rechter Prado.

'Negentienvierenvijftig, toen was de censuur het hevigst,' zei
Agostinha. 'Daar weet ik alles van, op perscensuur ben ik afgestudeerd. Wat de *Diario* publiceerde hoeft niet te kloppen. En als het
een politieke zelfmoord was al helemaal niet.'

Het eerste wat ze vonden was de overlijdensadvertentie, die op
11 juni was verschenen. Agostinha vond die voor de Portugese omstandigheden van die tijd extreem sober, zo sober dat je hem als
een zwijgende kreet van ontzetting kon beschouwen. *Faleceu*, Gregorius kende het woord van het kerkhof. *Amor, recordação*, korte,
standaardformuleringen. Eronder de namen van de nauwste ver-
wanten: Maria Piedade Reis de Prado; Amadeu; Adriana; Rita. Het
adres. De naam van de kerk waar de mis zou worden gehouden.
Dat was alles. Rita, dacht Gregorius – was dat Mélodie, over wie
João Eça had gesproken?

Nu zochten ze naar een bericht. In de eerste week na de negen-
de juni was er niets. 'Nee, nee, verder,' zei Agostinha, toen Gregorius het wilde opgeven. Het bericht was op 20 juni verschenen, achteraan in de krant, bij het lokale nieuws:

'Vandaag heeft het ministerie van Justitie bekendgemaakt dat
Alexandre Horácio de Almeida Prado, die de Hoge Raad vele jaren als een uitmuntend rechter heeft gediend, vorige week aan de
gevolgen van een langdurige ziekte is overleden.'

Daarnaast een foto van de rechter, verrassend groot, de omvang
van de foto paste niet bij de korte mededeling. Een streng gezicht
met een lorgnet aan een kettinkje, een puntbaard en een snor, een
hoog voorhoofd, niet minder hoog dan het voorhoofd van zijn
zoon, licht grijzend maar nog steeds vol haar, een witte opstaande

kraag met geknikte hoeken, een zwarte stropdas, een zeer witte hand waarop zijn kin steunde, de rest vervaagde tegen de donkere achtergrond. Een handig gemaakte foto, er was niets te zien van de ellende van de kromme rug, ook niets van de jichtige handen, hoofd en hand doken stil en spookachtig op uit het donker, wit en gebiedend, commentaar, laat staan tegenspraak, was onmogelijk, de foto van een man die een woning, een geheel huis in zijn ban kon brengen, in zijn ban kon houden en met zijn verstikkende autoriteit kon vergiftigen. Een rechter. Een rechter die onmogelijk iets anders had kunnen zijn dan rechter. Een man van onvermurwbare strengheid en ijzeren consequentie, ook ten opzichte van zichzelf. Een man die zichzelf zou veroordelen als hij een misstap zou hebben begaan. Een vader wiens glimlach meestal mislukte. Een man die iets gemeen had met António de Oliveira Salazar: niet zijn wreedheid, niet zijn fanatisme, niet zijn eerzucht en zijn belustheid op macht, maar wel de strengheid, de onverbiddelijkheid tegenover zichzelf. Had hij hem daarom zo lang gediend, de man in het zwart met het strakke gezicht onder de bolhoed? En had hij zichzelf ten slotte niet kunnen vergeven dat hij op die manier ook had meegewerkt aan de wreedheid, een wreedheid die je kon aflezen aan de bevende handen van João Eça, handen die ooit Schubert hadden gespeeld?

Aan de gevolgen van een langdurige ziekte overleden. Gregorius begon te gloeien van woede.

'Dat is nog niets,' zei Agostinha, 'dat is helemaal niets vergeleken met wat ik verder aan vervalsingen heb gezien. Aan zwijgende leugens.'

Op weg naar boven vroeg Gregorius haar naar de straat die in de overlijdensadvertentie had gestaan. Hij zag dat ze graag met hem mee was gegaan en was blij dat ze haar nu toch nodig leken te hebben op de redactie.

'Dat u zich de geschiedenis van die familie zo... zo erg eigen hebt gemaakt... het is...' zei ze, nadat ze elkaar al een hand hadden gegeven.

'Vreemd, bedoelt u? Ja, het is vreemd. Erg vreemd. Ook voor mij.'

16 Het was geen paleis maar wel een huis voor welgestelde lieden, voor een gezin dat zich in het huis naar believen kon uitbreiden, op een kamer meer of minder kwam het niet aan en er waren ongetwijfeld twee of drie badkamers. Hier had de kromgegroeide rechter gewoond, door dit huis had hij gelopen met zijn stok met de zilveren knop, verbeten tegen de voortdurende pijn vechtend, gedreven door de overtuiging dat je jezelf niet te serieus moest nemen. Had hij zijn werkkamer in het hoekige torentje gehad waarvan de ramen met de ronde bogen door kleine zuiltjes van elkaar waren gescheiden? Balkons waren er zo veel aan de op vele plaatsen verspringende gevel dat je de indruk kreeg ze niet te kunnen tellen, elk balkon voorzien van een fijn geciseleerd smeedijzeren hek. Elk van de vijf gezinsleden, stelde Gregorius zich voor, had er één of twee voor zichzelf gehad, en hij dacht aan de kleine, gehorige kamers waarin ze bij hem thuis hadden gewoond, de museumsuppoost en de schoonmaakster met haar bijziende zoon die in zijn kleine kamertje aan een eenvoudige houten tafel zat en zich met lastige Griekse werkwoordsvormen verzette tegen het geschetter uit de radio van de buren. Op het kleine balkon, te klein voor een parasol, was het 's zomers gloeiend heet en ook in de andere seizoenen kwam hij er nauwelijks omdat er voortdurend allerlei keukenluchtjes hingen. Het huis van de rechter was daarentegen een paradijs van ruimte, schaduw en stilte. Overal hoge, breed uitdijende naaldbomen met knoestige stammen en in elkaar gegroeide takken, die schaduwrijke afdakjes vormden die hier en daar aan pagodes deden denken.

Ceders. Gregorius schrok. Cederbomen. *Cedros vermelhos.* Waren het werkelijk ceders? Dé ceders, waarin Adriana een rode gloed had gezien? De bomen die met hun imaginaire kleur zo'n grote betekenis hadden gekregen dat het die bomen waren die haar voor ogen stonden toen ze naar een naam zocht voor de zogenaamde uitgeverij? Gregorius hield een paar passanten aan en vroeg hun of de bomen inderdaad ceders waren. Schouderophalen en opgetrokken wenkbrauwen, verbazing over de vraag van een rare buitenlander. Ja, zei een jonge vrouw ten slotte, dat waren ceders, buitengewoon grote en mooie cederbomen. Nu verplaatste hij zich in gedachten naar binnen in het huis en keek naar buiten naar het intense, donkere groen. Wat kon er gebeurd zijn? Wat kon het groen in rood hebben veranderd? Bloed?

Achter een raam in het torentje verscheen een in felle kleuren geklede vrouw met opgestoken haar, licht, bijna zwevend liep ze heen en weer, druk in de weer maar beheerst, nu pakte ze ergens vandaan een brandende sigaret, rook steeg op naar het plafond, ze deed een stap opzij voor een zonnestraal die door de ceders heen in de kamer viel en die haar blijkbaar verblindde, toen was ze opeens verdwenen. Een meisje dat de grond niet leek te raken, zo had João Eça Mélodie genoemd, die in werkelijkheid Rita moest heten. Amadeu's kleine zusje. Kon het leeftijdsverschil zo groot zijn geweest dat ze nu een vrouw was die nog zo soepel en rap kon bewegen als de vrouw in de toren?

Gregorius liep verder en ging in de volgende straat een koffiebar binnen. Bij de koffie liet hij zich een pakje sigaretten geven, hetzelfde merk dat hij gisteren bij Eça had gerookt. Hij rookte en zag de leerlingen in het Kirchenfeld voor zich, hoe ze een paar straten verderop voor de bakkerswinkel stonden, rookten en koffie dronken uit een kartonnen bekertje. Wanneer had Kägi het rookverbod ingevoerd in de leraarskamer? Nu probeerde hij over zijn longen te roken, een blaffende hoestbui benam hem de adem, hij legde zijn nieuwe bril op de toog, hoestte en wreef de tranen uit zijn ogen. De vrouw achter de toog, een kettingrokende matrone, grijnsde. 'É melhor não começar, het is beter er niet aan te beginnen,' zei ze, en Gregorius was trots dat hij het verstond, ook al duurde het even tot het tot hem doordrong wat ze had gezegd. Hij wist niet waar hij de sigaret moest laten en maakte hem ten slotte uit in het glas water naast zijn kop koffie. De vrouw nam het glas met een toegeeflijk hoofdschudden weg, hij was immers een echte beginneling, hij kon er niets aan doen.

Langzaam liep hij naar de ingang van het huis met de ceders, hij was erop voorbereid nu alweer in totale onzekerheid bij een huis aan te bellen. Maar toen ging de deur open en de vrouw van daarnet kwam naar buiten met een ongeduldige herdershond aan de lijn. Nu had ze een spijkerbroek en gymschoenen aan, alleen de pastelkleurige blouson scheen dezelfde. De paar stappen naar het tuinhek liep ze, voortgetrokken door de hond, op haar tenen. Een meisje dat de grond niet leek te raken. Ondanks het vele grijs in haar asblonde haar leek ze ook nu nog op een meisje.

'Bom dia,' zei ze, trok vragend haar wenkbrauwen op en keek hem met een heldere blik aan.

'Ik...' begon Gregorius onzeker in het Frans en voelde de onaangename nasmaak van de sigaret. 'Langgeleden heeft hier een rechter gewoond, een beroemde rechter, en ik wil graag...'

'Dat was mijn vader,' zei de vrouw en blies een haarlok uit haar gezicht die zich had losgemaakt uit haar opgestoken kapsel. Ze had een heldere stem die bij het waterige groen van haar ogen en bij de Franse woorden paste die ze bijna zonder accent uitsprak. Rita was als naam goed, maar Mélodie was domweg perfect.

'Waarom bent u in hem geïnteresseerd?'

'Omdat hij de vader van deze man was,' en nu liet Gregorius haar het boek van Prado zien.

De hond trok aan de lijn.

'Pan,' zei Mélodie, 'Pan.'

De hond ging zitten. Ze schoof de lus van de riem over haar onderarm tot aan haar elleboog en sloeg het boek open. 'Cedros ver...' las ze, en van lettergreep tot lettergreep werd haar stem zachter, stierf uiteindelijk helemaal weg. Ze sloeg de bladzijde om en bekeek de foto van haar broer. Haar vrolijke gezicht, dat bezaaid was met kleine zomersproeten, stond nu somber en met slikken leek ze moeite te hebben. Roerloos, als een standbeeld van buiten ruimte en tijd, keek ze naar de foto, en één keer gleed ze met het puntje van haar tong over haar droge lippen. Nu bladerde ze verder, las een paar zinnen, bladerde terug naar de foto, toen naar het titelblad.

'Negentien vijfenzeventig,' zei ze, 'toen was hij al twee jaar dood. Van dit boek wist ik niets. Hoe bent u eraan gekomen?'

Terwijl Gregorius vertelde, streek ze met haar hand zachtjes over het grijze omslag, de beweging deed hem denken aan de studente in de Spaanse boekhandel in Bern. Ze scheen niet meer te luisteren en hij zweeg.

'Adriana,' zei ze nu. 'Adriana. En er geen woord over gezegd. È próprio dela, dat is typisch voor haar.' Aanvankelijk lag er alleen verbazing in de woorden, toen kwam er verbittering bij, en nu paste de melodieuze naam niet meer bij haar. Ze staarde in de verte, langs de burcht, over het lage deel van de Baixa heen naar de heuvel van de Bairro Alto. Alsof ze haar zuster daarginds in het blauwe huis met haar verbolgen blik wilde treffen.

Zwijgend stonden ze tegenover elkaar. Pan hijgde. Gregorius kwam zichzelf voor als een indringer, als een voyeur.

'Kom, we drinken een kop koffie,' zei ze, en het klonk alsof ze zo-even lichtvoetig over haar boosheid heen was gestapt. 'Ik wil het boek bekijken. Pan, je hebt pech gehad', en met die woorden trok ze de hond met haar sterke armen mee het huis in.

Het was een huis dat leven uitstraalde, een huis met speelgoed op de trap, met de geur van koffie, sigarettenrook en parfum, met Portugese kranten en Franse tijdschriften op de tafels, met open cd-hoezen en met een kat die op de ontbijttafel aan de boter likte. Mélodie joeg de kat weg en schonk koffie in. Het bloed dat eerder naar haar gezicht was geschoten, had zich teruggetrokken, alleen een paar rode vlekken getuigden nog van de opwinding. Ze pakte haar bril, die op de krant lag, en begon te lezen wat haar broer had geschreven. Nu eens de ene, dan weer een andere bladzijde. Af en toe beet ze op haar onderlip. Eén keer, zonder haar ogen van het boek los te maken, trok ze haar blouson uit en viste blindelings een sigaret uit het pakje. Haar adem ging zwaar.

'Dat met Maria João en de verandering van school – dat moet vóór mijn geboorte zijn geweest, we scheelden zestien jaar. Maar papá – die was zoals het hier staat, precies zo. Hij was zesenveertig toen ik werd geboren, ik was een ongelukje, verwekt aan de Amazone, op een van de weinige reizen waartoe mama hem heeft kunnen verleiden, ik kan me papá helemaal niet voorstellen aan de Amazone. Toen ik veertien was, vierden we zijn zestigste verjaardag, ik heb het gevoel dat ik hem eigenlijk alleen maar als oude man heb gekend, als oude, gebogen, strenge man.'

Mélodie zweeg, stak een nieuwe sigaret op en staarde voor zich uit. Gregorius hoopte dat ze iets zou gaan zeggen over de dood van de rechter. Maar nu klaarde haar gezicht op, haar gedachten gingen in een andere richting.

'Maria João. Hij kende haar dus al toen hij nog een klein ventje was. Dat wist ik helemaal niet. Een sinaasappel. Hij hield blijkbaar toen al van haar. En is er nooit mee opgehouden. De grote, platonische liefde van zijn leven. Het zou me niet verbazen als hij haar zelfs nooit een kus heeft gegeven. Maar niemand, geen vrouw, kon aan haar tippen. Ze trouwde, kreeg kinderen. Het maakte hem niets uit. Als hij zorgen had, echte zorgen, ging hij naar haar toe. In zekere zin wist alleen zij, zij alleen, wie hij was. Hij wist hoe je door geheimen te delen intimiteit laat ontstaan, hij was een meester in die kunst, een virtuoos. En wij wisten: als er iemand was die al zijn geheimen kende, was het Maria João. Fátima leed eronder, en Adriana haatte haar.'

Of Maria João nog leefde, vroeg Gregorius. Op het laatst had ze buiten de stad in Campo de Ourique gewoond, in de buurt van het kerkhof, zei Mélodie, maar het was vele jaren geleden dat ze haar had ontmoet aan zijn graf, het was een vriendelijke en toch koele ontmoeting geweest.

'Zij, de boerendochter, bleef altijd op afstand van ons, de adellijke familie. Dat ook Amadeu bij ons hoorde – ze deed alsof ze dat niet wist. Of alsof het iets toevalligs was, iets uiterlijks dat niets met hem te maken had.'

Hoe haar achternaam was? Mélodie wist het niet. 'Voor ons was ze gewoon Maria João.'

Ze gingen naar de torenkamer in het andere deel van het huis, waar een weefgestoelte stond.

'Ik heb duizend dingen gedaan,' lachte ze toen ze Gregorius' nieuwsgierige blikken zag, 'ik ben altijd het onrustige, het onberekenbare kind geweest, daarom kon papá ook niets met me beginnen.'

Heel even werd haar lichte stem dieper, zoals wanneer een vluchtige wolk langs de zon schuift, toen was het voorbij en wees ze naar de foto's op de muur waar ze in heel verschillende situaties op stond.

'Als serveerster in een bar, aan het spijbelen, als bediende van een benzinestation, en hier, moet u eens kijken, mijn orkest.'

Het was een straatorkest van acht meisjes die allemaal viool speelden en allemaal ronde baseballpetjes droegen met de klep naar opzij.

'Herkent u me? Ik draag de klep links, alle anderen rechts, dat betekende dat ik de baas was. We verdienden geld, echt goed geld. We speelden op bruiloften, feesten; we waren erg populair.'

Abrupt draaide ze zich om, liep naar het raam en keek naar buiten.

'Papá hield er niet van, van mijn getokkel. Kort voor zijn dood – ik was met de *moças de balão*, de ballonnenmeisjes, zoals ze ons noemden, ergens aan het spelen –, zag ik aan de overkant langs het trottoir plotseling papá's dienstwagen met de chauffeur die hem elke ochtend om tien voor zes afhaalde en naar de rechtbank reed. Hij was altijd de eerste in het paleis van Justitie. Papá zat zoals altijd op de achterbank, en keek naar ons. De tranen schoten in mijn ogen en ik maakte bij het spelen de ene fout na de andere. Het portier van de auto ging open en papá klom eruit, moeizaam en met van pijn vertrokken gezicht. Met zijn stok hield hij de auto's tegen – zelfs daar straalde hij de autoriteit van een rechter uit – kwam naar ons toe, stond een poosje helemaal achteraan tussen de toeschouwers, baande zich toen een weg naar de open vioolkist voor het geld en gooide er zonder mij aan te kijken een handvol munten in. De tranen biggelden over mijn gezicht en de rest van het stuk moesten ze zonder mij spelen. Aan de overkant van de straat reed de auto weg en nu zwaaide papá met zijn door de jicht vervormde hand, ik zwaaide terug, ging in een portiek zitten en huilde mijn ogen uit mijn hoofd, ik weet niet meer of het uit blijdschap was dat hij was gekomen of uit verdriet dat hij nú pas was gekomen.'

Gregorius liet zijn blik over de foto's dwalen. Ze was een meisje geweest dat bij iedereen op schoot klom en iedereen aan het lachen maakte, en als ze huilde was het even snel voorbij als een regenbui op een zonnige dag. Ze spijbelde van school, ging toch steeds over omdat ze met haar innemende brutaliteit de leraren betoverde. Het paste erbij dat ze nu vertelde hoe ze min of meer van de ene dag op de andere Frans had geleerd en zichzelf naar een Franse actrice Élodie had genoemd, wat de anderen meteen in Mélodie veranderden, een naam die voor haar gemaakt leek, want haar gezelschap was heerlijk en vluchtig als van een melodie. Iedereen werd verliefd op haar, niemand kon haar vasthouden.

'Ik hield van Amadeu, of laten we zeggen: ik zou graag van hem hebben gehouden, want het was moeilijk, hoe moet je van een monument houden, en hij was een monument, al toen ik klein was keek iedereen tegen hem op, zelfs papá, maar vooral Adriana, die hem van me heeft afgepakt met haar jaloezie. Hij was lief voor me zoals je lief bent voor een jonger zusje. Maar ik had graag gehad dat hij me ook serieus had genomen, dat ik niet alleen werd geaaid alsof ik een pop was. Ik moest wachten tot ik vijfentwintig was en op het punt stond te trouwen, pas toen kreeg ik die brief van hem, een brief uit Engeland.'

Ze deed een secretaire open en haalde er een dikke envelop uit. Het vergeelde briefpapier was tot aan de rand volgeschreven met kalligrafisch gevormde letters in pikzwarte inkt. Mélodie las een tijdlang zwijgend, toen begon ze te vertalen wat Amadeu haar vanuit Oxford had geschreven, een paar maanden na het overlijden van zijn vrouw.

Lieve Mélodie, het was verkeerd deze reis te ondernemen. Ik dacht dat het me zou helpen als ik nog één keer de dingen zou zien die ik samen met Fátima had gezien. Maar het doet alleen maar pijn en ik keer eerder naar huis terug dan het plan was. Ik mis je en daarom stuur ik je iets wat ik de afgelopen nacht heb geschreven. Misschien kan ik mijzelf op die manier met mijn gedachten in jouw nabijheid brengen.

OXFORD: JUST TALKING. Waarom komt de nachtelijke stilte tussen de op kloosters lijkende gebouwen me zo mat voor, zo levenloos en verlaten, zo totaal geestloos en zonder charme? Zo heel anders dan de Rua Augusta, die zelfs om drie of vier uur in de ochtend, als er niemand meer op straat is, bruist van het leven? Hoe is dat mogelijk terwijl toch de lichte, onaards stralende bakstenen gebouwen omsluiten met geheiligde namen, cellen van geleerdheid, exquise bibliotheken, vertrekken vol stilte van stoffig fluweel waarin vormvolmaakte zinnen worden gesproken, overwogen, weerlegd en verdedigd? Hoe is dat mogelijk?

'Come on,' zei de roodharige Ier tegen me toen ik voor het affiche stond waarop een lezing werd aangekondigd met de titel LYING TO LIARS, 'let's listen to this; might be fun.' Ik dacht aan pater Bartolomeu, die Augustinus had verdedigd: Leugen met leugen vergelden zou

hetzelfde zijn als wanneer iemand roof met roof, heiligschennis met heiligschennis, echtbreuk met echtbreuk vergeldt. En dat ongeacht wat er destijds in Spanje gebeurde, en in Duitsland! We hadden geredetwist, zoals zo vaak, zonder dat hij zijn zachtmoedigheid had verloren. Die verloor hij nooit, die zachtmoedigheid, nooit ofte nimmer, en toen ik in de collegezaal achter de Ier ging zitten, miste ik hem opeens heel erg en ik had heimwee.

Het was ongelooflijk. De spreker, een vrouw met een spitse neus, een gehaaide blauwkous, ontwierp met krakende stem een casuïstiek van de leugen die onmogelijk spitsvondiger en wereldvreemder had kunnen zijn. Een vrouw die nooit in het web van leugens van een dictatuur had hoeven leven, waar het een kwestie van leven en dood kan zijn goed te kunnen liegen. Kan God een steen scheppen die hij niet kan optillen? Als dat niet zo is, is hij niet almachtig; is het wel zo, dan is hij ook niet almachtig, want nu is er een steen die hij niet kan optillen. Dat was het soort scholastiek dat door die vrouw de zaal in werd geslingerd, een vrouw van perkament met een kunstig gebouwd vogelnest van grijs haar op haar hoofd.

Maar dat was niet het eigenlijk ongelooflijke. Wat werkelijk onthutsend was, was de discussie na haar lezing, of wat daarvoor doorging. Gegoten en opgesloten in het grijze glas-in-lood van de Britse beleefdheidsclichés praatten de mensen volmaakt langs elkaar heen. Voortdurend beweerden ze dat ze elkaar begrepen, dat ze op elkaar reageerden. Maar dat was niet zo. Niemand die aan de discussie deelnam liet ook maar even doorschemeren dat er door de argumenten die door de anderen naar voren werden gebracht, verandering was opgetreden in zijn overtuiging. En plotseling, met een schrik die ik zelf in mijn lichaam voelde, besefte ik: zo is het altijd. Tegen een ander iets zeggen: hoe kun je verwachten dat dat iets bewerkstelligt? De stroom van gedachten, beelden en gevoelens die voortdurend door ons heen gaat, die sterke stroom heeft zo'n geweldige kracht dat het een wonder zou zijn als hij niet alle woorden die iemand anders tegen ons spreekt met zich mee zou sleuren en aan de vergetelheid prijs zou geven als ze niet toevallig, heel toevallig, bij de eigen woorden passen. Vergaat het mij anders? dacht ik. Heb ik ooit werkelijk naar iemand anders geluisterd? Hem met zijn woorden in me opgenomen zodat mijn innerlijke stroom van richting veranderde?

'How did you like it?' vroeg de Ier toen we over Broad Street liepen. Ik zei niet alles, ik zei alleen dat ik het beangstigend had gevonden hoe iedereen eigenlijk alleen tegen zichzelf had gesproken. 'Well,' zei hij, 'well.' En na een poosje: 'It's just talking, you know; just talking. People like to talk. Basically, that's it. Talking.' 'No meeting of minds?' vroeg ik. 'What!' riep hij uit en barstte in een schor gelach uit dat een beetje op grommen leek. 'What!' En toen knalde hij de voetbal die hij de hele tijd met zich mee had gedragen op het asfalt. Ik zou graag die Ier zijn geweest, een Ier die het lef had in het All Souls College bij een lezing te verschijnen met een knalrode voetbal onder zijn arm. Wat had ik er niet voor over gehad die Ier te zijn!

Ik geloof dat ik nu weet waarom die nachtelijke stilte op deze illustere plek een slechte stilte is. De woorden, allemaal voorbestemd om vergeten te worden, zijn weggestorven. Dat zou niet erg zijn, ze sterven ook weg in de Baixa. Maar daar pretendeert niemand dat het om meer gaat dan om babbelen, de mensen babbelen en genieten van het babbelen, zoals ze er ook van genieten aan een ijsje te likken zodat de tong kan uitrusten van het gebabbel. Terwijl ze hier allemaal voortdurend doen alsof het iets anders is. Alsof het ongelooflijk belangrijk is wat ze zeggen. Maar ook zij moeten ondanks al hun belangrijkheid slapen, en dan blijft de stilte over, die naar verrotting riekt omdat er overal kadavers van de opschepperij zwijgend liggen te stinken.

'Hij haatte ze, de opscheppers, *os presunçosos,* die hij ook *os enchouriçados* noemde, de blaaskaken,' zei Mélodie en deed de brief terug in de envelop. 'Hij haatte ze overal: in de politiek, in de medische wereld, onder journalisten. En hij was onverbiddelijk in zijn oordeel. Ik hield van zijn oordeel omdat het oprecht was, strikt, ook als het hemzelf betrof. Ik hield er niet van als het te scherp, als het vernietigend was. Dan zorgde ik dat ik uit de buurt bleef van mijn monumentale broer.'

Naast Mélodies hoofd hing een foto aan de muur waarop ze samen dansten, zij en Amadeu. Zijn bewegingen waren niet echt stijf, dacht Gregorius, en toch kon je zien dat hij zich ongemakkelijk voelde. Toen hij er later over nadacht, vond hij het juiste woord ervoor: dansen was iets dat niet bij Amadeu *paste.*

'De Ier met de rode bal in het heilige college,' doorbrak Mélodie de stilte die was gevallen, 'die passage in de brief raakte me destijds erg. Die, had ik het gevoel, drukte een verlangen van hem uit waar hij anders nooit over sprak: ook een keer een jongen te mogen zijn die met een bal speelde. Hij kon immers al lezen toen hij vier was en van die tijd af las hij alles, kris kras door elkaar, op de lagere school verveelde hij zich dood en op het liceu sloeg hij twee keer een klas over. Toen hij twintig was wist hij eigenlijk alles al en vroeg zich wel eens af wat er verder nog zou kunnen gebeuren. En door al die dingen had hij verzuimd met een bal te spelen.'

De hond sloeg aan en toen kwamen kinderen binnenstormen die haar kleinkinderen moesten zijn. Mélodie gaf Gregorius een hand. Ze wist dat hij nog veel meer had willen horen, over de *cedros vermelhos* bijvoorbeeld, en over de dood van de rechter. Haar blik gaf aan dat ze dat wist. Die gaf ook aan dat ze vandaag geen zin had nog meer te vertellen, ook als de kinderen niet waren gekomen.

Gregorius ging op een bank bij het Castelo zitten en dacht na over de brief die Amadeu uit Oxford aan zijn zusje had gestuurd. Hij moest pater Bartolomeu zien te vinden, de zachtmoedige leraar. Prado had een goed oor gehad voor de verschillende soorten stilte, een oor zoals mensen hadden die aan slapeloosheid leden. En hij had over de vrouw die op de bewuste avond een lezing had gehouden gezegd dat ze van perkament was. En nu werd Gregorius zich ervan bewust dat hij bij die opmerking ineen was gekrompen en innerlijk afstand had genomen van de goddeloze priester met het genadeloze oordeel, voor het eerst. Mundus, de Papyrus. Perkament en papyrus.

Gregorius liep de heuvel af in de richting van zijn hotel. In een winkel kocht hij een schaakspel. De rest van de dag, tot laat op de avond, probeerde hij van Aljechin te winnen door, anders dan Bogoljoebov, het offer van de twee torens niet te accepteren. Hij miste Doxiades en zette zijn oude bril op.

17 'Het zijn geen teksten, Gregorius. Wat de mensen zeggen zijn geen teksten. Ze praten maar wat.' Het was langgeleden dat Doxiades dat tegen hem had gezegd. Wat de mensen zeiden was vaak zo onsamenhangend en inconsistent, had hij een keer tegen hem geklaagd, en ze vergaten zo snel wat ze hadden gezegd. De Griek vond het ontroerend. Als je zoals hij taxichauffeur was geweest, in Griekenland en dan ook nog in Thessaloniki, dan wist je – er was bijna niets dat je zekerder wist – dat je de mensen niet mocht vastleggen op wat ze zeiden. Vaak praatten ze alleen maar om te praten. En niet alleen in een taxi. Ze aan hun woord houden – dat was iets waar alleen een taalkundige op kon komen, met name een classicus die de hele dag met vaststaande woorden te maken had, met teksten dus, en bovendien met teksten waarop duizenden commentaren waren geschreven.

Als je de mensen niet aan hun woord kon houden: wat moest je dan met hun woorden doen? had Gregorius gevraagd. De Griek had vreselijk moeten lachen. 'Ze als een aanleiding beschouwen om zelf iets te zeggen.' En nu had de Ier in Prado's brief aan zijn zusje bijna hetzelfde gezegd en hij had niet op reizigers in Griekse taxi's gedoeld maar op hoogleraren van het All Souls College in Oxford. Hij had het tegen een man gezegd die zo walgde van de versleten woorden dat hij wilde dat hij de Portugese taal opnieuw zou kunnen maken.

Buiten regende het dat het goot, al twee dagen. Het was alsof een magisch gordijn Gregorius afschermde van de buitenwereld. Hij was niet in Bern en hij was in Bern; hij was in Lissabon en hij was niet in Lissabon. Hij zat de hele dag te schaken en vergat opstellingen en zetten, iets wat hem nooit eerder was overkomen. Soms betrapte hij zich erop dat hij een stuk in zijn hand hield en niet meer wist waar het vandaan kwam. Beneden, tijdens het eten, moest de ober telkens opnieuw vragen wat hij beliefde te eten, en één keer bestelde hij het dessert vóór de soep.

De tweede dag belde hij zijn buurvrouw in Bern en verzocht haar zijn brievenbus te legen, de sleutel had hij onder de mat gelegd. Ze vroeg of ze hem de post moest nasturen. Ja, zei hij, en toen belde hij haar nog een keer en zei nee. Bij het doorbladeren van zijn notitieboekje stuitte hij op het telefoonnummer dat de Portugese op zijn voorhoofd had geschreven. *Português*. Hij nam de hoorn van de haak en toetste het nummer in. Toen de telefoon overging, hing hij weer op.

De koine, het Grieks van het Nieuwe Testament, verveelde hem, het was te simpel, alleen de tegenoverliggende bladzijde in de uitgave van Coutinho, de Portugese vertaling, kon hem min of meer bekoren. Hij belde een paar boekhandels en vroeg of ze Aeschylus en Horatius hadden, of eventueel Herodotus en Tacitus. Ze begrepen hem niet helemaal en toen hij uiteindelijk succes had, ging hij de boeken niet afhalen omdat het regende.

In het zakenregister van het telefoonboek zocht hij naar taalinstituten waar hij Portugees zou kunnen leren. Hij belde Mariana Eça en wilde haar vertellen over zijn bezoek aan João, maar ze had haast en haar hoofd stond er niet naar. Silveira was in Biarritz. De tijd stond stil en de wereld stond stil en dat was omdat zijn wil stilstond zoals die nog nooit had stilgestaan.

Soms stond hij met een lege blik voor het raam en ging in gedachten na wat de anderen – Coutinho, Adriana, João Eça, Mélodie – over Prado hadden gezegd. Het was een beetje alsof de contouren van een landschap opdoken uit de mist, nog wel een wat wazig, maar toch al zichtbaar zoals op een Chinese gewassen tekening. Een enkele keer tijdens die dagen bladerde hij in Prado's aantekeningen en bleef bij deze passage hangen:

AS SOMBRAS DA ALMA. DE SCHADUWEN VAN DE ZIEL.

De verhalen die de anderen over je vertellen en de verhalen die je over jezelf vertelt: welke komen in de buurt van de waarheid? Zijn dat vanzelfsprekend je eigen verhalen? Is iemand voor zichzelf een autoriteit? Maar dat is niet de werkelijke vraag die me bezighoudt. De werkelijke vraag luidt: is er bij dergelijke verhalen eigenlijk wel een verschil tussen waar en onwaar? Bij verhalen over het uiterlijk wel. Maar als we ons opmaken iemands innerlijk te begrijpen? Is dat een reis waar ooit een einde aan komt? Is de ziel een domein van feitelijkheden? Of zijn de vermeende feitelijkheden niet meer dan de bedrieglijke schaduwen van onze verhalen?

Donderdagochtend ging Gregorius onder een heldere, blauwe hemel naar de krant en verzocht Agostinha, de stagiaire, of ze wilde uitzoeken waar in het begin van de jaren dertig een liceu was geweest waar je oude talen kon leren en waar ook paters lesgaven. Ze ging voortvarend aan de slag en toen ze het had gevonden wees ze de plek aan op de stadsplattegrond. Ze vond ook het bureau van de kerk dat het liceu beheerde en informeerde voor Gregorius naar een zekere pater Bartolomeu die op het liceu had lesgegeven, dat moest rond 1935 zijn geweest. Dat kon alleen maar pater Bartolomeu Lourenço de Gusmão zijn, kreeg ze te horen. Hij was nu ver over de negentig en ontving nog maar zelden bezoek. Waar het om ging? Amadeu Inácio de Almeida Prado? Ze zouden het de pater vragen en terugbellen. Dat gebeurde al na een paar minuten. De pater was bereid met iemand te praten die zich na zo lange tijd voor Prado interesseerde. Hij verwachtte het bezoek laat op de middag.

Gregorius nam de tram naar het voormalige liceu waar de scholier Prado met pater Bartolomeu had gediscussieerd over het strikte verbod van Augustinus te liegen, zonder dat de pater ooit zijn zachtmoedigheid had verloren. Het liceu lag in het oosten, al buiten de eigenlijke stad, en was omgeven door hoge bomen. Je zou het gebouw met zijn vaalgele muren bijna voor een voormalig Grand Hotel uit de negentiende eeuw kunnen houden, alleen de balkons ontbraken en ook het torentje met de klok op het dak paste niet. Het gebouw was totaal vervallen. Het stucwerk bladderde, de ruiten waren blind of kapot, op het dak ontbraken pannen, de goot was verroest en hing aan één kant naar beneden.

Gregorius ging voor de hoofdingang op de stoep zitten, die ook al bij de nostalgische bezoekjes van Prado bedekt was geweest met mos. Dat moest aan het eind van de jaren zestig zijn geweest. Hier had hij gezeten en zich afgevraagd hoe het zou zijn geweest als hij dertig jaar daarvoor op een wegsplitsing een andere richting was ingeslagen. Als hij zich had verzet tegen de aandoenlijke maar ook dwingende wens van zijn vader en zich niet als student had ingeschreven bij de medische faculteit.

Gregorius haalde zijn aantekeningen te voorschijn en bladerde erin.

… de op een droom gelijkende, pathetische wens nog één keer op

dat punt in mijn leven te staan en een heel andere richting in te slaan
dan de richting die van mij heeft gemaakt wie ik nu ben... Nog één
keer op het warme mos te zitten en mijn pet in mijn handen te hou-
den – het is het onzinnige verlangen terug te reizen naar de tijd die
achter me ligt en mijzelf – getekend door de gebeurtenissen – toch
mee te nemen op die reis.

Daarginds was het vervallen houten hek rond het schoolplein waar de jongen, die altijd de laagste cijfers had gehaald, zijn pet overheen had gegooid in de vijver met de waterlelies, intussen zevenenzestig jaar geleden. De vijver was allang drooggevallen, er was alleen nog een soort kuil, overgroeid door een tapijt van klimop, van over gebleven.

Het gebouw achter de bomen moest de meisjesschool zijn geweest waar Maria João op had gezeten, het meisje met de bruine knieën en de geur van zeep in haar lichtgetinte jurk, het meisje dat de grote platonische liefde was geweest in het leven van Amadeu, de vrouw die volgens de inschatting van Mélodie de enige was die wist wie hij werkelijk was geweest, een vrouw van zo'n alles en iedereen uitsluitende betekenis dat Adriana haar had gehaat, hoewel Prado haar misschien wel nooit een kus had gegeven.

Gregorius sloot zijn ogen. Hij stond in het Kirchenfeld, op de hoek van de straat waarvandaan hij ongezien een blik terug had kunnen werpen naar het gymnasium nadat hij midden in de les was weggelopen. Opnieuw onderging hij wat hij tien dagen geleden onverwacht hevig had gevoeld en wat hem duidelijk had gemaakt hoezeer hij dat gebouw en alles waar het voor stond liefhad en hoezeer hij het zou missen. Het was een vergelijkbaar gevoel en toch was het anders omdat het niet meer hetzelfde gevoel was. Het deed hem pijn dat het niet meer hetzelfde gevoel was en daardoor eigenlijk ook niet meer echt vergelijkbaar. Hij stond op, liet zijn blik over de verbrokkelde, verbleekte gele stuclaag van de gevel glijden en nu deed het opeens niet meer pijn, de pijn maakte plaats voor een intense nieuwsgierigheid en hij duwde de deur open die op een kier stond en in zijn roestige scharnieren piepte als in een griezelfilm.

Een geur van vocht en verval ontving hem. Na een paar stappen gleed hij bijna uit over de laag vochtig geworden vuil en vergaan mos op de ongelijke en uitgesleten stenen vloer. Langzaam, zijn hand op de leuning, liep hij de brede trap op. De vleugels van de dubbele deur, die toegang gaf tot de bel-etage, waren bedekt met zo'n dikke laag spinrag dat hij een zacht scheurend geluid hoorde toen hij ze openduwde. Hij schrok toen een paar door zijn komst opgeschrikte vleermuizen door de gang fladderden. Daarna heerste er een stilte zoals hij nog nooit had meegemaakt: een stilte waarin de jaren zwegen.

De deur van de kamer van de rector was gemakkelijk te herkennen, hij was versierd met houtsnijwerk. Ook die deur zat vol spinrag en gaf pas mee toen hij er een paar keer tegen duwde. Hij betrad een ruimte waarin één ding meteen opviel: een enorm zwart bureau dat op gedraaide, van houtsnijwerk voorziene poten stond. De rest – de lege, stoffige boekenplanken, de sobere theetafel op de kale, halfvermolmde vloer, de Spartaanse leunstoelen – maakte naast dat bureau een totaal onwerkelijke indruk. Gregorius veegde het stof van de zitting van de stoel en ging achter het bureau zitten. Senhor Cortês was de naam geweest van de rector van destijds, de man met de afgemeten pas en het strenge gezicht.

Gregorius had stof doen opdwarrelen, de fijne deeltjes dansten in de kegel van zonlicht. De zwijgende tijd gaf hem het gevoel een indringer te zijn en een tijdlang vergat hij te ademen. Toen won zijn nieuwsgierigheid het en trok hij de laden van het bureau open, één voor één. Een stuk touw, verschimmeld slijpsel van een potlood, een kromgetrokken postzegel uit 1969, een muffe geur. En toen, in de onderste lade, een Hebreeuwse bijbel, dik en zwaar, gebonden in grijs linnen, gesloten, beduimeld en opgezet door het vocht, op het omslag in gouden letters waarop zwarte vlekken zaten: BIBLIA HEBRAICA.

Gregorius was verbaasd. Het liceu, dat had Agostinha gezegd, was geen religieuze school geweest. De Marquês de Pombal had de jezuïeten in het midden van de achttiende eeuw het land uit gejaagd en aan het begin van de twintigste eeuw was er iets vergelijkbaars gebeurd. Aan het eind van de jaren veertig hadden religieuze ordes als de Maristas eigen *colégios* gesticht, maar dat was geweest toen Prado al van school af was. Tot die tijd waren er alleen openbare liceu geweest, waar ook wel paters werden aangesteld, meestal als docent oude talen. Waarom dan deze bijbel? En waarom in het bureau van de rector? Een vergissing, een onbetekenend toeval? Een onzichtbaar, heimelijk protest tegen degenen die de school hadden gesloten? Een subversieve actie, gericht tegen de dictatuur en onopgemerkt gebleven door de handlangers van die dictatuur?

Gregorius las. Voorzichtig sloeg hij de pagina's van dik papier om dat klam aanvoelde en bijna uit elkaar viel. De kegel zonlicht schoof door de kamer. Hij knoopte zijn jas dicht, zette zijn kraag op en verstopte zijn handen in zijn mouwen. Na een poosje stak hij een van de sigaretten op die hij die maandag had gekocht. Af en toe moest hij hoesten. Buiten, langs de op een kier staande deur, rende iets door de gang. Dat kon niets anders dan een rat zijn.

Hij las in het boek Job en hij las met bonzend hart. Elifaz de Temeniet, Bildad de Soehiet en Zofar de Naämathiet. *Isfahan.* Wat was ook alweer de naam van de familie die hij destijds les zou gaan geven? In boekhandel Francke had in die tijd een fotoboek over Isfahan gelegen, met foto's van de moskeeën, de pleinen, de door zandstormen vaag zichtbare bergen in de omgeving. Hij had zich het boek niet kunnen permitteren en was daarom elke dag naar de boekhandel gegaan om erin te bladeren. Nadat de droom over het gloeiende zand dat hem van zijn gezichtsvermogen zou beroven hem had genoodzaakt zijn sollicitatie terug te trekken, was hij maandenlang niet bij boekhandel Francke geweest. Toen hij er eindelijk weer heen ging, was het fotoboek er niet meer.

De Hebreeuwse letters waren wazig geworden terwijl Gregorius ernaar keek. Hij veegde het vocht van zijn gezicht, maakte zijn bril schoon en ging door met lezen. Er was in zijn leven iets blijven hangen van Isfahan, de stad van de verblinding: hij had de bijbel van begin af aan als een poëtisch boek gelezen, als literatuur, als taalmuziek waaromheen het ultramarijn en het goud van de moskeeën speelde. Ik heb het gevoel dat het u niet ernst is met de tekst, had Ruth Gautschi gezegd, en David Lehmann had geknikt. Was dat werkelijk pas een maand geleden gebeurd?

Kan er een ernst bestaan die ernstiger is dan de ernst van de poëzie? had hij het tweetal gevraagd. Ruth had naar de grond gekeken. Ze mocht hem. Niet zoals Florence destijds, op de eerste rij;

zij zou nooit zijn bril willen afzetten. Maar ze mocht hem, en nu werd ze heen en weer geslingerd tussen sympathie en teleurstelling, misschien zelfs was ze er wel ontdaan over dat hij Gods woord ontheiligde door de bijbel te lezen als een lang gedicht en ernaar te luisteren als naar een reeks oriëntaalse sonaten.

De zon was uit de kamer van senhor Cortês verdwenen en Gregorius had het koud. De verlatenheid van de kamer had een paar uur lang alles tot verleden tijd gemaakt, hij had midden in een totale leegte gezeten waarin alleen de Hebreeuwse letters aanwezig waren geweest, als runen van een moedeloze droom. Nu stond hij op en liep stijf door de gang naar de trap die naar de klaslokalen leidde.

De lokalen hingen vol stof en stilte. Als er al verschil was tussen de diverse lokalen, dan in de mate van verval. In het ene lokaal zaten enorme vochtplekken in het plafond, in het andere hing de wastafel scheef ten gevolge van een doorgeroeste bout, in nog weer een ander lokaal lag op de vloer een in gruzelementen gevallen glazen lamp, de kale gloeilamp bungelde aan een snoer aan het plafond. Gregorius probeerde het licht aan te doen, maar er gebeurde niets, ook niet in de andere vertrekken. Ergens in een hoek lag een leeggelopen voetbal, de scherpe punten van stukgegooide ruiten glinsterden in de middagzon. En door al die dingen was hij vergeten met een bal te spelen, had Mélodie over haar broer gezegd, die ze in dit gebouw twee klassen hadden laten overslaan omdat hij al op zijn vierde was begonnen hele boeken te verslinden.

Gregorius ging op de plaats zitten waar hij als leerling van het gymnasium in Bern in de barak had gezeten. Vanaf die plaats kon hij de meisjesschool zien, maar de helft van het gebouw werd aan het zicht onttrokken door de stam van een reusachtige pijnboom. Amadeu de Prado had waarschijnlijk een andere plek uitgekozen, een plek waarvandaan hij de hele gevel van het gebouw kon zien. Omdat hij Maria João wilde kunnen zien in haar schoolbank, om het even waar haar plaats was. Gregorius ging op de plek met het beste uitzicht zitten en keek nieuwsgierig naar het andere gebouw. Jazeker, Prado had haar kunnen zien in haar lichte jurk die naar zeep rook. Ze hadden blikken gewisseld en als ze een repetitie had, had hij graag haar hand willen vasthouden. Had hij een toneelkijker gebruikt? In het adellijke huis van een rechter bij het hoogste gerechtshof moesten ze er een hebben gehad. Alexandre Horácio zou zo'n ding niet hebben gebruikt, als hij al ooit in de loge van de Opera had gezeten. Maar misschien wel zijn vrouw, Maria Piedade Reis de Prado? Was zijn dood een bevrijding geweest voor haar? Of had hij de tijd tot stilstand gebracht en de emoties doen stollen tot lavaformaties van gevoel, net als bij Adriana?

De lokalen lagen aan lange gangen die een soort carré vormden. Gregorius ging ze allemaal af. Eén keer struikelde hij over een dode rat, bleef daarna bevend van schrik staan en veegde zijn handen, die er niets mee te maken hadden, af aan zijn jas. Weer aangekomen op de bel-etage opende hij een hoge, simpele deur. Hier hadden de leerlingen gegeten, er was een doorgeefluik en daarachter de betegelde ruimte van de voormalige keuken, waarvan alleen nog een paar verroeste leidingen restten die uit de muur staken. De lange eettafels waren blijven staan. Was er ergens een aula?

Die vond hij aan de andere kant van het gebouw. Aan de vloer vastgeschroefde banken, een glas-in-loodraam waarin een paar kleine stukjes ontbraken, voorin een hoog katheder met een leeslampje. Eén bank stond iets terzijde, waarschijnlijk de bank voor de schoolleiding. De stilte van een kerk, of nee, gewoon een stilte die geladen was, een stilte waaraan je niet met een paar woorden gedachteloos een einde zou maken. Een stilte die van woorden sculpturen maakte, monumenten van lof, van vermaning of van een vernietigend vonnis.

Gregorius ging terug naar de kamer van de rector. Besluiteloos stond hij met de Hebreeuwse bijbel in zijn hand. Hij had hem al onder zijn arm gestoken en was op weg naar de uitgang toen hij omkeerde. Hij drapeerde zijn trui in de vochtige lade en legde het boek erin.

Toen ging hij op weg naar pater Bartolomeu Lourenço de Gusmão, die aan de ander kant van de stad woonde, in Belém, in een tehuis van de kerk.

18 'Augustinus en de leugen – dat was maar één van de duizend dingen waarover we bakkeleiden,' zei pater Bartolomeus. 'We waren het vaak oneens met elkaar, zonder dat het op een ruzie uitliep. Want weet u, hij was een driftkop, een rebel, bovendien een jongen met een sprankelende intelligentie en een begenadigd spreker, ervoor geschapen een legende te worden.'

De pater had Prado's boek opengeslagen en gleed met de rug van zijn hand over het portret. Het kon gladstrijken zijn, maar ook strelen. Gregorius zag Adriana voor zich, hoe ze de rug van haar hand over het bureau van Amadeu had laten glijden.

'Hij is hier ouder,' zei de pater, 'maar zo is hij. Zo was hij, exact zo.'

Hij legde het boek op de deken die hij om zijn benen had gewikkeld.

'In de tijd dat ik zijn leraar was, was ik halverwege de twintig. Het was een ongelooflijke uitdaging voor me om me te handhaven tegenover hem. Het lerarenkorps was verdeeld in degenen die hem vervloekten en degenen die van hem hielden. Ja, dat is het juiste woord: een paar van ons waren verliefd op hem – op zijn mateloosheid, zijn ongekende grootmoedigheid en ongelooflijke onverzettelijkheid, zijn onverschilligheid en vermetelheid, op zijn durf en op het fanatisme dat hij aan de dag kon leggen. Hij was erg roekeloos, een avonturier die je je heel goed kon voorstellen op een van onze historische schepen, zingend, predikend en vastbesloten de inwoners van het verre continent te beschermen tegen vernederende inbreuken op hun waardigheid, zo nodig met het zwaard. Hij was ertoe in staat iedereen uit te dagen, ook de duivel, zelfs God. Nee, het was geen arrogantie, zoals zijn vijanden zeiden, het was alleen maar een overvloed aan levenslust en zijn op de uitbarsting van een vulkaan lijkende jeugdige energie, een vuurwerk van verrassende invallen. Ongetwijfeld zat hij ook vol hoogmoed, die jongen. Maar die was zo enorm, zo buiten proportie, dat je je verzet ertegen liet varen en er verbaasd naar keek, als naar een natuurwonder dat zijn eigen wetten kent. Degenen die van hem hielden zagen hem als een ruwe diamant, een ongeslepen edelsteen. Degenen die hem afwezen namen aanstoot aan het feit dat hij respectloos was, kon kwetsen, en aan zijn onmis-

kenbare eigengereidheid zoals mensen bezitten die sneller, helderder van geest en stralender zijn dan de anderen, en die zich daarvan bewust zijn. Ze zagen in hem een adellijke opschepper die
door het lot was begunstigd en die niet alleen geld in overvloed
had maar ook talent bezat en schoonheid en charme. Daarbij
kwam zijn onweerstaanbare melancholie, die hem voorbestemde
de lieveling van vrouwen te worden. Het was niet rechtvaardig dat
deze ene jongen het zoveel beter had getroffen dan de anderen,
het was unfair en het leidde ertoe dat hij afgunst en jaloezie aantrok als een magneet. En toch waren ook degenen die hem al die
dingen verweten vol bewondering want iedereen kon het met eigen ogen zien: hij was een jongen die het vermogen bezat de hemel aan te raken.'

De herinnering had de pater ver meegevoerd uit de kamer waarin ze zaten, een kamer die weliswaar groot was en vol boeken stond,
die niet te vergelijken was met het schamele kamertje van João Eça
ginds in Cacilhas, maar toch een kamer in een verzorgingstehuis,
wat te zien was aan de medische apparatuur en de alarmknop boven het bed. Gregorius had hem meteen gemogen, de lange magere man met het spierwitte haar en de diepliggende schrandere
ogen. Als hij les had gegeven aan Prado moest hij intussen ver over
de negentig zijn, maar hij had niets van een oude man, niets wees
erop dat hij iets had ingeboet van de wakkerheid waarmee hij zeventig jaar geleden de onstuimige uitdagingen van Amadeu had
gepareerd. Hij had slanke handen met lange, sierlijke vingers, als
geschapen om de bladzijden van oude, kostbare boeken om te
slaan. Met die vingers bladerde hij nu in Prado's boek. Maar hij las
niet, het aanraken van het papier leek meer op een ritueel waarmee hij het verre verleden probeerde terug te halen.

'Wat hij allemaal al had gelezen toen hij op zijn tiende in zijn
met de hand gemaakte lange jas op het liceu kwam! Sommigen van
ons betrapten zichzelf erop dat ze met hem rivaliseerden. En dan
zat hij na de les met zijn fenomenale geheugen in de bibliotheek
en zijn donkere ogen zogen met hun ongehoord geconcentreerde,
afwezige blik die zelfs een harde knal zouden hebben genegeerd al
die boeken op, regel na regel, bladzijde na bladzijde. "Als Amadeu
een boek leest," zeiden de andere leraren, "dan zitten er als hij klaar

is geen letters meer in. Hij verslindt niet alleen de betekenis maar ook de drukinkt."

Dat was waar: de teksten leken helemaal in hem te verdwijnen, en wat er later in de boekenkast stond, waren alleen nog maar lege omhulsels. Het landschap van zijn geest achter dat ongelooflijk hoge voorhoofd werd in een adembenemend tempo weidser, week na week kwamen daarin nieuwe constellaties tot stand, verrassende constellaties van ideeën, associaties en fantastische taalconstructies, die ons elke keer weer met stomheid sloegen. Het kwam voor dat hij zich verstopte in de bibliotheek en de hele nacht doorlas met behulp van een zaklamp. De eerste keer was zijn moeder in paniek toen hij niet thuiskwam. Maar met een zekere trots wende ze er allengs aan dat haar jongen de neiging had alle regels aan zijn laars te lappen.

Menig docent was bang als de geconcentreerde blik van Amadeu op hem viel. Niet dat het een afwijzende, uitdagende of vijandige blik was. Maar hij gaf de man voor de klas maar één kans, één enkele kans om het goed te doen. Maakte je een vergissing of liet je zien dat je niet zeker was van je zaak, dan werd zijn blik niet dreigend of minachtend, zelfs teleurstelling was er niet in te lezen, nee, hij keerde zijn blik gewoon af, wilde niet dat de docent het merkte, was bij het verlaten van de klas beleefd, vriendelijk. Maar juist die duidelijk merkbare wil om niet te kwetsen, was vernietigend. Ik heb het zelf meegemaakt en anderen hebben het bevestigd: je voelde die vorsende blik ook als je je lessen voorbereidde. Je had leraren voor wie het de blik van de examinator was, die je weer in de schoolbank deed belanden, en je had anderen, die erin slaagden die blik te pareren met de mentaliteit van een sporter die een sterke tegenstander tegenover zich heeft. Ik heb niemand gekend die het niet heeft meegemaakt: dat Amadeu Inácio de Almeida Prado, de vroegrijpe, uiterst wakkere zoon van de beroemde rechter, aanwezig was in de studeerkamer als je een moeilijke les voorbereidde, een les waarin je ook als leraar fouten kon maken.

Maar toch: hij was niet alleen iemand die veel van je vergde. Hij was ook onevenwichtig. Er zaten oneffenheden in hem, scheuren en barsten, en soms had je het gevoel geen wijs uit hem te kunnen worden. Als hij merkte wat hij met zijn onstuimige maar toch ook arrogante manier van doen had aangericht, was hij diep ontdaan, verbijsterd, en deed alles om het weer goed te maken. En er was ook de andere Amadeu, de aardige, hulpvaardige kameraad. Hij kon nachtenlang anderen helpen bij het voorbereiden van een repetitie en legde daarbij zo'n grote bescheidenheid en zoveel engelengeduld aan de dag dat degenen die kwaad over hem hadden gesproken, zich schaamden.

Ook aanvallen van zwaarmoedigheid hoorden bij de andere Amadeu. Wanneer hij daardoor overvallen werd, leek het wel alsof zich tijdelijk een heel ander gemoed van hem meester maakte. Hij was dan overdreven schrikachtig, bij het geringste lawaai dook hij ineen alsof hij met een zweep werd geslagen. Op zulke momenten maakte hij de indruk het leven bijna niet aan te kunnen. En o wee als je dan een troostende of bemoedigende opmerking maakte: dan viel hij sissend van woede tegen je uit.

Hij kon zoveel, die zo rijk gezegende jongeman. Maar één ding kon hij niet: feestvieren, zich laten gaan, uitgelaten zijn. Dan stond hij zichzelf met zijn buitengewone wakkerheid en zijn hartstochtelijke behoefte aan overzicht en controle in de weg. Geen alcohol. Ook geen sigaretten, die kwamen pas later. Maar enorme hoeveelheden thee, hij hield van de roodgouden glans van sterke Assam en had daarvoor van thuis een zilveren theepot meegebracht die hij, toen hij van school ging, de kok cadeau deed.'

Er moet ook een meisje zijn geweest, Maria João, merkte Gregorius op.

'Ja. En Amadeu hield van haar. Hij hield van haar op een onnavolgbaar kuise manier waar we allemaal om moesten glimlachen zonder onze afgunst te kunnen verbergen. Het was afgunst om een gevoel dat eigenlijk alleen in sprookjes voorkomt. Hij hield van haar en aanbad haar. Ja, dat was het: hij aanbád haar – ook al zeg je dat niet gauw van kinderen. Maar bij Amadeu waren zoveel dingen anders. Terwijl zij niet eens een bijzonder mooi meisje was, geen prinses, in de verste verte niet. En een goede leerlinge was ze ook niet, voor zover ik weet. Niemand begreep het helemaal en het minst de andere meisjes van de school aan de overkant, die er alles voor over hadden om de aandacht van de adellijke prins op zich te vestigen. Misschien kwam het wel omdat zij niet verblind was door hem, niet diep onder de indruk, zoals alle andere meisjes. Misschien was dat wat hij nodig had: dat iemand hem tegemoet trad met de vanzelfsprekendheid van iemand die zich gelijkwaardig voelt, met woorden, blikken en bewegingen die hem door hun natuurlijkheid en eenvoud van hemzelf verlosten.

Als Maria João naar hem toe kwam en naast hem op de stoeptrede ging zitten, leek hij opeens heel rustig te worden, bevrijd van de last van zijn wakkerheid en snelheid, de last van zijn constante tegenwoordigheid van geest, van het probleem zichzelf innerlijk steeds te moeten inhalen en overtreffen. Als hij naast haar zat kon het voorkomen dat hij de bel niet hoorde die de lessen aankondigde, en als je naar hem keek had je de indruk dat hij het liefst nooit meer zou opstaan. Dan legde Maria haar hand op zijn schouder en haalde hem terug uit de paradijselijke ontspanning die voor hem zo kostbaar was. Het was altijd zij die hem aanraakte; ik heb nooit gezien dat hij zijn hand op haar liet rusten. Altijd als hij aanstalten maakte het schoolgebouw binnen te gaan, bond zij met een elastiekje haar zwartglanzende haar in een paardenstaart. Elke keer keek hij er gefascineerd naar, ook nog de honderdste keer, hij moet er erg veel van hebben gehouden, van dat gebaar. Op een dag was het geen elastiekje meer maar een zilveren haarspeld en aan zijn gezicht kon je zien dat het een geschenk van hem was.'

Net als Mélodie kende ook de pater de achternaam van het meisje niet.

'Nu u me ernaar vraagt komt het me voor alsof we die naam niet wilden weten, alsof het ons had gestoord die naam te kennen,' zei hij. 'Een beetje zoals je ook bij heiligen niet naar een achternaam vraagt. Of bij Diana, of Electra.'

Een zuster in nonnendracht kwam binnen.

'Nu niet,' zei de pater toen ze de manchet wilde pakken voor het meten van zijn bloeddruk.

Hij zei het met een zachte autoriteit en plotseling begreep Gregorius waarom deze man voor de jonge Prado zo bijzonder was geweest: hij bezat precies het soort autoriteit dat hij nodig had om zijn eigen grenzen te kunnen bepalen en misschien ook om zich te bevrijden uit de strikte autoriteit van zijn rechtsprekende vader.

'Maar we willen wel graag thee,' zei de pater en verdreef met een glimlach de opkomende irritatie van de zuster. 'Een pot Assam, en maakt u hem maar heel sterk zodat het rode goud goed glanst.'

De pater sloot zijn ogen en zweeg. Hij wilde het verre verleden waarin Amadeu de Prado Maria João een haarspeld cadeau had gedaan, niet verlaten. Hoe dan ook, dacht Gregorius, wilde hij bij zijn lievelingsleerling blijven met wie hij over Augustinus en duizend andere dingen had gediscussieerd. Bij de jongen die de hemel had kunnen aanraken. De jongen op wiens schouder hij wel eens zijn hand had gelegd, net als Maria João.

'Maria en Jorge,' ging de pater nu met gesloten ogen verder, 'waren zijn beschermheiligen. Jorge O'Kelly. In hem, de latere apotheker, vond Amadeu een vriend, en het zou me niet verbazen als hij de enige echte vriend is gebleven, afgezien van Maria. In veel dingen was Jorge precies zijn tegendeel en ik heb wel eens gedacht: hij heeft hem nodig om *heel* te zijn. Met zijn boerenkop, zijn weerbarstige, altijd ongekamde haar en zijn slome, onhandige manier van doen kon hij de indruk wekken niet helemaal goed snik te zijn. Op open dagen van de school heb ik wel meegemaakt dat ouders van goeden huize zich verbaasd naar hem omdraaiden als ze hem zagen lopen in zijn armelijke kleren. Hij bezat geen spoor van elegantie met zijn gekreukte overhemden, zijn vormloze jasje en de stropdas die altijd dezelfde was en die hij uit protest tegen de dwang altijd scheef droeg.

Eén keer kwamen een collega en ik Amadeu en Jorge tegen op het schoolplein en die collega zei later: "Als ik in een encyclopedie het verschil tussen elegantie en het absolute tegendeel ervan zou moeten uitleggen, zou ik die twee jongens afbeelden. Commentaar zou verder overbodig zijn."

Jorge was iemand bij wie Amadeu kon uitrusten en op verhaal komen van zijn razende tempo. Als hij met hem samen was, werd hij na een poosje eveneens traag, de bedachtzaamheid van Jorge ging op hem over. Bijvoorbeeld bij het schaken. In het begin werd hij er gek van dat Jorge eindeloos op een zet broedde, en het paste niet in zijn wereldbeeld, bij zijn kwikzilverachtige metafysica, dat iemand die zoveel tijd nodig had om iets te bedenken, uiteindelijk toch kon winnen. Maar toen begon hij zijn rust in te ademen, de rust van iemand bij wie het leek alsof hij altijd al wist wie hij was en wat zijn plaats was. Het klinkt gek, maar ik geloof dat het uiteindelijk zo was dat Amadeu de regelmatige nederlagen tegen Jorge nodig had. Hij was ongelukkig als hij bij wijze van uitzondering won, het moet voor hem zijn geweest alsof de rotswand afbrak waaraan hij zich vastklampte.

Jorge wist precies wanneer zijn Ierse voorvaderen naar Portugal waren gekomen en hij was trots op zijn Ierse bloed en beheerste het Engels goed, ook al was zijn mond allerminst geschapen voor de Engelse woorden. En inderdaad zou het je niet verbaasd hebben hem aan te treffen op een Ierse boerderij of in een pub op het platteland, en als je je dat voorstelde zag hij er plotseling uit als de jonge Samuel Beckett.

Hij was in die tijd al een overtuigd atheïst, ik weet niet hoe we dat wisten, maar we wisten het. Als hij erop werd aangesproken, citeerde hij doodgemoedereerd de wapenspreuk van zijn familie: *Turris fortis mihi Deus*. Hij las de Russische, Andalusische en Catalaanse anarchisten en speelde met de gedachte de grens over te gaan en tegen Franco te gaan vechten. Dat hij later bij het verzet ging, verbaasde me niet. Zijn hele leven lang was hij een illusieloze romanticus, als zoiets bestaat, en ik denk dat dat zo is. En die romanticus had twee dromen: apotheker worden en op een Steinway spelen. De eerste droom heeft hij waargemaakt, tot op de dag van vandaag staat hij in een witte jas achter de toonbank op de Rua dos Sapateiros. Om de andere droom moest iedereen lachen, hijzelf het meest. Want zijn grove handen met de brede vingertoppen en de gekloofde nagels pasten beter bij de contrabas die de school bezat en waarop hij een tijdlang probeerde te spelen, tot hij van wanhoop over zijn gebrek aan talent een keer zo heftig over de snaren zaagde dat de strijkstok brak.'

De pater dronk zijn thee en Gregorius merkte teleurgesteld op dat het drinken allengs overging in slurpen. Plotseling was hij toch een oude man die niet meer helemaal heer en meester was over zijn lippen. Ook zijn stemming was veranderd, er lag droefenis en weemoed in zijn stem toen hij over de leegte begon die Prado had achtergelaten nadat hij van school was gegaan.

'Natuurlijk wisten we allemaal dat we hem in de herfst, als de hitte zou zijn afgenomen en zich een gouden schaduw over het licht zou hebben uitgespreid, niet meer zouden tegenkomen in de gangen. Maar niemand sprak erover. Bij het afscheid gaf hij ons allemaal een hand, vergat niemand, bedankte ons met hartelijke, welgekozen woorden, ik weet nog dat ik heel even dacht: als een president.'

De pater aarzelde, en toen zei hij het toch.

'Ze hadden iets minder welgekozen mogen zijn, die woorden. Iets onzekerder, iets meer onbeholpen en aarzelend. Meer als ruwe steen. Wat minder als gepolijst marmer.'

En hij had van hem, van pater Bartolomeu, anders afscheid moeten nemen dan van de anderen, dacht Gregorius. Met andere, meer persoonlijke woorden, misschien met een omhelzing. Het had de pater pijn gedaan dat hij hem als slechts een van de vele andere docenten had behandeld. Het deed hem ook nu, zeventig jaar later, nog pijn.

'De eerste dagen na het begin van het nieuwe schooljaar liep ik als verdoofd door de gangen. Verdoofd door zijn afwezigheid. Telkens weer moest ik tegen mijzelf zeggen: je kunt niet meer verwachten de helm van zijn haar te zien opduiken, je mag er niet meer op hopen dat je zijn trotse gestalte de hoek om ziet komen en kunt toekijken hoe hij iemand iets uitlegt en daarbij zijn handen op die onnavolgbare, sprekende manier beweegt. En ik weet zeker dat het de andere docenten net zo verging, hoewel wij er niet over spraken. Eén keer hoorde ik iemand zeggen: "Het is sindsdien zo anders." Het was zonder meer duidelijk dat hij op het ontbreken van Amadeu doelde. Dat zijn zachte bariton niet meer gehoord werd in de gangen. Het was niet alleen zo dat je hem niet meer zag, hem niet meer tegenkwam. Je zag zijn afwezigheid en die voelde aan alsof die tastbaar was. Zijn ontbreken was als de scherp afgetekende leegte op een foto waar iemand met een scherpe schaar een figuur uit heeft geknipt met als gevolg dat de ontbrekende figuur belangrijker, dominanter is dan de rest. Precies zo ervoeren we het ontbreken van Amadeu: door de scherpte van zijn afwezigheid.

Het duurde jaren voordat ik hem weer ontmoette. Hij studeerde in Coimbra, in het noorden van het land, en ik hoorde alleen af en toe iets over hem van een vriend die een hoogleraar in de geneeskunde assisteerde bij de colleges en in de snijzaal. Amadeu was ook daar al snel een legende. Maar niet zo'n alles verblindende. Door de wol geverfde, met prijzen overladen hoogleraren, coryfeeën in hun vak, voelden zich door hem op de proefbank gelegd. Niet omdat hij meer wist dan zij, dat niet. Maar hij was onverzadigbaar in zijn behoefte aan verklaringen en er moeten zich dramatische scènes hebben afgespeeld in de collegezaal wanneer hij de professor er met zijn onverbiddelijke cartesiaanse scherpzinnigheid op attent maakte dat iets wat voor een verklaring moest doorgaan, in werkelijkheid geen verklaring was.

Men zegt dat hij een keer een bijzonder ijdele hoogleraar voor schut heeft gezet door diens verklaring te vergelijken met een door Molière bespotte uitlating van een arts die het slaperig makende effect van een bepaald medicijn had verklaard met de *virtus dormitiva* van dat medicijn. Hij kon genadeloos zijn als hij met ijdelheid werd geconfronteerd. Genadeloos. Dan ging het mes in zijn zak bij wijze van spreken open. IJdelheid is een miskende vorm van domheid, placht hij te zeggen, je moet de kosmische onbeduidendheid van al ons doen vergeten om ijdel te kunnen zijn, en dat is een krasse vorm van domheid.

Als hij in zo'n stemming was, was je blij niet zijn tegenstander te zijn. Dat ontdekten ze ook in Coimbra. En ze ontdekten nog iets: dat hij een zesde zintuig had voor de voorgenomen vergeldingsmaatregelen van de ander. Ook Jorge bezat dat zesde zintuig en het lukte Amadeu het van hem over te nemen en zelfstandig te cultiveren. Wanneer hij voorvoelde dat iemand hem erin wilde luizen, zocht hij naar de meest onvoorspelbare zet die je kon bedenken en bereidde zich er minutieus op voor. Zo moet het ook op de faculteit in Coimbra zijn geweest. Als hem in de collegezaal werd gevraagd naar voren te komen en hij op allerlei vergezochte vragen antwoord moest geven, dan weigerde hij het krijtje dat de wraakzuchtige hoogleraar hem met een kwaadaardig glimlachje aanbood en haalde zijn eigen krijtje uit zijn zak. "O, dát bedoelt u," moet hij bij zulke gelegenheden op minachtende toon hebben gezegd, en dan kalkte hij het bord vol met anatomische tekeningen, fysiologische vergelijkingen of biochemische formuleringen. "Móét ik dat weten?" vroeg hij, toen hij zich een keer had verrekend. De grijns van de anderen was niet zichtbaar, maar die kon je wel horen. Hij was domweg niet klein te krijgen.'

Het laatste halfuur hadden ze in het donker gezeten. Nu maakte de pater licht.

'Ik heb hem begraven. Adriana, zijn zuster, wilde het zo. Hij was op de Rua Augusta, waar hij zoveel van hield, in elkaar gestort, om zes uur in de ochtend toen hij wegens zijn ongeneeslijke slapeloosheid door de stad dwaalde. Een vrouw die haar hond uitliet, belde een ambulance. Maar hij was al dood. Het bloed van een gesprongen aneurysma had het stralende licht van zijn bewustzijn voor altijd gedoofd.

Ik aarzelde, ik wist niet of hij het eens zou zijn geweest met het verzoek van Adriana. De teraardebestelling is een zaak van de anderen; de overledene heeft er niets mee te maken, had hij vroeger een keer gezegd. Het was een van die kille zinnen geweest waar veel mensen bang voor waren. Gold die uitspraak nog?

Adriana, die heel goed een draak kon zijn, een draak die Amadeu beschermde, was hulpeloos als een klein meisje ten aanzien van dingen die de dood van ons vraagt. En dus koos ik ervoor aan haar verzoek te voldoen. Ik zou woorden moeten vinden die zich konden handhaven tegenover zijn stilgevallen geest. Na vele tientallen jaren waarin hij niet meer meekeek over mijn schouder als ik lessen voorbereidde, was hij er nu weer. Zijn levensvlam was gedoofd, maar ik had het gevoel dat zijn witte, nu onherroepelijk stille gelaat nog meer van mij vroeg dan zijn vroegere gezicht, dat mij met zijn bonte levendigheid zo vaak had uitgedaagd.

Mijn woorden aan het graf moesten zich niet alleen tegenover de dode kunnen handhaven. Ik wist dat O'Kelly er ook zou zijn. In zijn bijzijn kon ik onmogelijk woorden spreken die betrekking hadden op God of op zaken die Jorge altijd Gods loze beloften noemde. De oplossing was dat ik over mijn ervaringen met Amadeu sprak en over de onuitwisbare sporen die hij bij iedereen had nagelaten die hem had gekend, zelfs bij zijn vijanden.

De menigte op de begraafplaats was ongelooflijk. Allemaal mensen die hij had behandeld, eenvoudige lieden aan wie hij nooit een rekening had gestuurd. Ik permitteerde me slechts één religieus woord: Amen. Ik sprak het uit omdat Amadeu van dat woord had gehouden en omdat Jorge dat wist. Het heilige woord stierf weg in de stilte van de graven. De mensen huilden, vielen elkaar in de armen. Niemand maakte aanstalten weg te gaan. De sluizen van de hemel gingen open en de mensen werden kletsnat. Maar ze bleven staan. Bleven domweg staan. Ik dacht: ze willen met hun loden voeten de tijd tegenhouden, ze willen verhinderen dat de tijd doorstroomt en hun geliefde dokter van hen afpakt zoals elke seconde dat met alles doet wat aan die seconde vooraf is gegaan. Eindelijk, nadat wel een halfuur van roerloosheid was verstreken, kwam er beweging in de menigte. Die begon bij de oudste mensen, die niet langer op hun benen konden staan. Maar het duurde daarna nog minstens een uur voordat iedereen de begraafplaats had verlaten.

Toen ik uiteindelijk weg wilde gaan, gebeurde er iets merkwaardigs, iets waarvan ik later vaak heb gedroomd, iets wat de onwerkelijkheid van een scène bij Buñuel bezat. Twee mensen, een man en een jonge vrouw van discrete schoonheid, kwamen uit tegenovergestelde richtingen over het pad naar het graf toe lopen. De man was O'Kelly, de vrouw kende ik niet. Ik kon het niet weten maar ik voelde het: die twee kenden elkaar. Ik had de indruk dat het een intiem kennen was en het was alsof die intimiteit was verbonden met een onheil, een tragedie waarin ook Amadeu verwikkeld was geweest. Ze moesten ongeveer dezelfde afstand afleggen om bij het graf te komen en het leek wel alsof ze het tempo waarin ze liepen precies op elkaar afstemden om tegelijk aan te komen. Hun blikken ontmoetten elkaar die hele lange weg lang geen enkele keer, ze hielden beiden hun ogen neergeslagen. Dat ze vermeden elkaar aan te kijken schiep een grotere nabijheid tussen hen dan waartoe een ontmoeting van hun blikken in staat zou zijn geweest. Ze keken elkaar zelfs niet aan toen ze naast elkaar aan het graf stonden en in hetzelfde ritme leken te ademen. De dode scheen nu geheel en al aan hen toe te behoren en ik voelde dat ik weg moest gaan. Ik weet tot op heden niet door wat voor geheim die twee mensen verbonden waren en wat het met Amadeu te maken had.'

Er werd een bel geluid, dat moest het teken zijn voor het avondeten. Een zweem van irritatie gleed over het gezicht van de pater. Met een heftige beweging trok hij de deken van zijn benen, liep naar de deur en deed die op slot. Weer in zijn stoel tastte hij naar het lichtknopje en deed het licht uit. Een wagen met rammelend eetgerei reed door de gang en verwijderde zich. Pater Bartolomeu wachtte tot het weer stil was voordat hij verder ging: 'Of misschien weet ik toch iets, of heb ik een vermoeden. Ruim een jaar voor zijn dood namelijk stond Amadeu midden in de nacht plotseling voor mijn deur. Al zijn zelfvertrouwen scheen hem te hebben verlaten. Gejaagdheid sprak uit zijn gezicht, zijn adem, zijn bewegingen. Ik zette thee en hij glimlachte vluchtig toen ik kandijsuiker aanbood, waar hij als scholier zo dol op was geweest. Toen verscheen weer de gekwelde uitdrukking op zijn gezicht.

Het was duidelijk dat ik hem niet mocht opjagen en dat ik zelfs niets mocht vragen. Ik zweeg en wachtte. Hij voerde een strijd met zichzelf zoals alleen hij dat kon: alsof overwinning en nederlaag in die strijd een kwestie van leven of dood was. En misschien was dat ook werkelijk zo. Ik had geruchten gehoord dat hij voor het verzet werkte. Terwijl hij moeizaam ademend voor zich uit staarde, observeerde ik wat de jaren met hem hadden gedaan: de eerste ouderdomsvlekken op zijn slanke handen, de slappe huid onder zijn slaperige ogen, enkele grijze haren. En plotseling werd ik me tot mijn schrik bewust: hij zag er verwaarloosd uit. Niet als een ongewassen clochard. De verwaarlozing was onopvallender, minder erg: zijn onverzorgde baard, haartjes die uit zijn neus en oren groeiden, slordig geknipte nagels, het boord van zijn overhemd lichtelijk vergeeld, ongepoetste schoenen. Alsof hij dagenlang niet meer thuis was geweest. En er gingen onregelmatige schokken door zijn ledematen die het gevolg leken van levenslange spanningen.

"Eén leven tegenover vele levens. Zo kun je niet rekenen. Toch?" Amadeu sprak met gesmoorde stem en achter de woorden lag zowel verontwaardiging als de angst iets verkeerds te doen, iets wat onvergeeflijk was.

"Je weet hoe ik erover denk," zei ik. "Mijn mening is sinds die tijd niet veranderd."

"En als het er erg veel zijn?"

"Was het onvermijdelijk dat jij het deed?"

"Integendeel, ik moest het verhinderen."

"Hij weet te veel?"

"Zij. Ze is een gevaar geworden. Ze zou er niet tegen kunnen.

Ze zou doorslaan. Dat denken de anderen."

"Jorge ook?" Het was een schot in het donker en het trof doel.

"Daar wil ik het niet over hebben."

Minutenlang zwijgen. De thee werd koud. Het verscheurde hem. Hield hij van haar? Of was het gewoon omdat ze een mens was?

"Hoe heet ze? Namen zijn de onzichtbare schaduwen waarmee de anderen ons bekleden, en wij hen. Weet je nog?"

Het waren zijn eigen woorden in een van de vele opstellen waarmee hij ons allemaal versteld had doen staan.

Heel even bevrijdde de herinnering hem en hij glimlachte.

"Estefânia Espinhosa. Een naam als een gedicht, nietwaar?"

"Hoe wil je het doen?"

"Over de grens. Door de bergen. Vraag me niet waar."

Hij verdween door het tuinhek, en dat was de laatste keer dat ik hem levend heb gezien.

Na het voorval op de begraafplaats dacht ik heel vaak aan dat nachtelijke gesprek. Was die vrouw Estefânia Espinhosa? Kwam ze uit Spanje, waar het bericht van Amadeu's dood haar had bereikt? En ging ze, toen ze op O'Kelly toeliep, op de man af die haar had willen opofferen? Stonden ze zonder elkaar aan te raken of aan te kijken bij het graf van de man die zijn levenslange vriendschap had opgeofferd om de vrouw met de poëtische naam te redden?'

Pater Bartolomeu maakte licht. Gregorius stond op.

'Wacht even,' zei de pater. 'Nu ik u al die dingen heb verteld, moet u ook dit lezen.' Hij haalde uit een boekenkast een oeroude map, samengebonden door twee verbleekte linten. 'U bent classicus, u kunt dit lezen. Het is een afschrift van de toespraak die Amadeu heeft gehouden bij het afscheid van school. Hij heeft hem speciaal voor mij gemaakt. In het Latijn. Geweldig. Ongelooflijk. U hebt het katheder in de aula gezien, zegt u. Daar stond hij toen hij de toespraak hield, exact dáár.

We hadden het een en ander verwacht, maar niet zoiets. Vanaf de eerste zin heerste er een ademloze stilte. En hij werd steeds dieper en ademlozer, die stilte. De zinnen uit de pen van een zeventienjarige beeldenstormer die sprak alsof hij al een heel leven achter de rug had, leken op zweepslagen. Ik begon me af te vragen wat er zou gaan gebeuren nadat hij zijn laatste woord had uitgesproken. Ik was bang. Bang om hem, om die overgevoelige avonturier wiens kwetsbaarheid niet onderdeed voor zijn virtuoze retoriek. Bang ook om ons, omdat we wellicht niet opgewassen zouden zijn tegen wat er ging gebeuren. De leraren zaten stokstijf op hun stoel, rechtop. Een paar hadden hun ogen gesloten en leken innerlijk een muur op te bouwen om zichzelf te beschermen tegen het trommelvuur van godslasterlijke aanklachten, een bolwerk tegen een godslastering zoals je die in deze zaal niet voor mogelijk had gehouden. Zouden ze nog met hem willen praten? Zouden ze de verleiding weerstaan zich met de minzaamheid te verdedigen die weer een kind van hem zou maken?

De laatste zin, dat zult u zien, bevatte een dreigement, aandoenlijk en ook beangstigend, want je voelde dat daarachter een vulkaan zat die vuur kon spuwen, en als het niet zover zou komen dan zou die vulkaan misschien aan zijn eigen gloed ten gronde gaan. Amadeu sprak die zin niet luid en met gebalde vuist uit, maar zachtjes, bijna mild, en ik weet tot op heden niet of dat uit berekening was teneinde het effect te verhogen of dat hij plotseling, na al de zelfverzekerdheid waarmee hij de gewaagde, onverbiddelijke zinnen had gesproken, de moed verloor en met de zachtheid van zijn stem bij voorbaat om vergeving wilde vragen. Hij had dat zeker niet van tevoren bedacht, maar misschien welde die wens wel plotseling in hem op, want hij was immers wel aan de buitenkant klaarwakker, maar nog niet vanbinnen.

Het laatste woord was gesproken. Niemand verroerde zich. Amadeu ordende zijn papieren, langzaam, zijn blik op het katheder gericht. Nu viel er niets meer te ordenen. Er was niets meer wat hij kon doen, helemaal niets. Maar je kunt, na zo'n toespraak, niet zomaar weglopen van zo'n katheder zonder dat het publiek een standpunt heeft ingenomen, wat voor standpunt dan ook. Dat zou een nederlaag zijn van het ergste soort: alsof je niets hebt gezegd.

Ik voelde de drang om op te staan en te applaudisseren. Alleen al vanwege de scherpzinnigheid en geladenheid van zijn toespraak. Maar toen voelde ik: je kunt niet applaudisseren voor godslasteringen, hoe gecultiveerd die ook zijn. Niemand kan dat doen, en een priester, een man Gods, al helemaal niet. En dus bleef ik zitten. Seconden gingen voorbij. Veel langer mocht het niet duren, anders zou het een catastrofe worden, voor hem én voor ons. Amadeu keek op en rechtte zijn rug. Hij richtte zijn blik op het glas-in-loodraam en bleef daarnaar kijken. Hij deed het niet met opzet, het was niet het trucje van een acteur, dat weet ik zeker. Het gebeurde onwillekeurig en illustreerde, zoals u nog zult zien, zijn toespraak. Het toonde aan dat hij zijn toespraak wás.

Misschien was dat genoeg geweest om het ijs te breken. Maar toen gebeurde er iets waarvan iedereen in de zaal het gevoel had dat het een komisch soort godsbewijs was: buiten begon een hond te blaffen. Eerst was het een kort, droog geblaf dat ons beschimpte wegens ons kleinzielige, humorloze zwijgen, toen veranderde het in een langgerekt gejank en gehuil dat gericht was op de ellende van het hele thema.

Jorge O'Kelly begon hard te lachen en na een seconde van schrik volgden de anderen hem. Ik geloof dat Amadeu heel even ontdaan was, op humor had hij geen moment gerekend. Maar het was Jorge die was begonnen, dus moest het wel in orde zijn. De glimlach die op zijn gezicht verscheen was een beetje krampachtig, maar hield wel stand, en terwijl ook andere honden instemden met het gehuil en gejank, verliet hij het katheder.

Nu pas ontwaakte senhor Cortês, de rector, uit zijn verlamming. Hij stond op, liep naar Amadeu toe en gaf hem een hand. Kun je aan een handdruk merken dat iemand blij is te weten dat het de laatste zal zijn? Senhor Cortês sprak een paar woorden tot Amadeu, die in het lawaai van de honden verloren gingen. Amadeu antwoordde en terwijl hij sprak vond hij zijn zelfverzekerdheid terug, je kon het aan de bewegingen zien waarmee hij het scandaleuze manuscript in de zak van zijn geklede jas stak; dat waren namelijk niet bewegingen waarmee je iets beschaamd wegbergt maar bewegingen waarmee je iets kostbaars op een veilige plek opbergt. Ten slotte boog hij zijn hoofd, keek de rector recht in de ogen en keerde zich om naar de deur, waar Jorge op hem stond te wachten. O'Kelly legde een arm om zijn schouders en nam hem mee naar buiten.

Later zag ik ze samen in het park lopen. Jorge praatte en gebaarde, Amadeu luisterde naar hem. Ze deden me denken aan een trainer die met een pupil de wedstrijd van zo-even doorneemt. Toen kwam Maria João eraan. Jorge legde zijn beide handen op de schouders van zijn vriend en duwde hem lachend in de richting van het meisje.

Over de toespraak werd door de leraren nauwelijks gesproken. Ik zeg niet dat hij werd doodgezwegen. Het was meer zo dat wij er geen woorden voor vonden en geen toon waarop we erover hadden kunnen praten. En misschien waren velen ook blij met de ondraaglijke hitte van die dagen. We hoefden niet "Onmogelijk!" te zeggen of: "Misschien had hij wel een beetje gelijk." In plaats daarvan konden we zeggen: "Wat een hitte, wat een hitte!"'

19 Hoe was het mogelijk, dacht Gregorius, dat hij in een tram van honderd jaar oud door avondlijk Lissabon reed en het gevoel had alsof hij nu pas, achtendertig jaar na dato, toch nog naar Isfahan vertrok? Van pater Bartolomeu komend was hij onderweg uitgestapt en had in de boekhandel eindelijk de drama's van Aeschylus en de gedichten van Horatius afgehaald. Op weg naar het hotel had er iets door zijn hoofd gespookt en hij was steeds langzamer en aarzelender gaan lopen. Minutenlang had hij in de walm van een kraam gestaan waar kippen werden gebraden, en de vieze geur van verbrand vet getrotseerd. Hij had het gevoel gehad dat het buitengewoon belangrijk was uitgerekend nú stil te blijven staan en er achter zien te komen wat het was dat in hem opwelde. Had hij ooit eerder zo intens geprobeerd zichzelf op het spoor te komen?

Hij was immers wel aan de buitenkant klaarwakker, maar vanbinnen niet. Het had heel vanzelfsprekend geklonken toen pater Bartolomeu dat over Prado had gezegd. Alsof elke volwassene vertrouwd is met begrippen als innerlijke wakkerheid. *Português.* Gregorius had de Portugese vrouw op de Kirchenfeldbrücke voor zich gezien, hoe ze met gestrekte armen op de brugleuning leunde en hoe haar hielen uit haar schoenen waren gegleden. Estefânia Espinhosa. Een naam als een gedicht, had Prado gezegd. De grens over. Door de bergen. Vraag me niet waar. En toen, plotseling, zonder te begrijpen hoe het kwam, had Gregorius geweten wat er in hem was omgegaan zonder het te beseffen: hij wilde Prado's toespraak niet in zijn hotelkamer lezen maar in het verlaten liceu, op de plaats waar de toespraak was gehouden. Op de plaats waar de Hebreeuwse bijbel in de lade in zijn trui gewikkeld lag. Op de plaats met de ratten en vleermuizen.

Waarom had hij die wellicht wat vreemde, maar toch onschuldige wens als iets beschouwd dat voor hem van het grootste belang was? Alsof het vergaande consequenties zou hebben als hij, in plaats van naar zijn hotel te gaan, weer in de tram stapte? Kort voor sluitingstijd was hij naar een ijzerwarenzaak gegaan en had de sterkste zaklantaarn gekocht die ze hadden. En nu zat hij weer in zo'n oude tram en reed rammelend naar de metro, die hem naar het liceu aan de rand van de stad zou brengen.

Het schoolgebouw lag verborgen in de duisternis van het park en zag er verlaten uit, zoals nog nooit een gebouw er verlaten bij had gelegen. Onderweg had Gregorius het beeld voor zich gehad van de kegel zonlicht die 's middags door het kantoor van senhor Cortês was gegleden. Wat hij nu voor zich zag was een gebouw dat er zo stil bij lag als een gezonken schip op de bodem van de zee, onaanraakbaar voor de mensen en onaanraakbaar voor de tijd.

Hij ging op een steen zitten en dacht aan de leerling die, langgeleden, 's nachts had ingebroken in het gymnasium in Bern en die, om zich te wreken, vanuit de kamer van de rector voor duizenden franken de hele wereld had afgetelefoneerd. Hans Gmür had die leerling geheten en hij had zijn naam manmoedig gedragen. Gregorius had de rekening betaald en Kägi overgehaald geen aangifte te doen. Met Gmür had hij een afspraak gemaakt in de stad om er achter te komen wat het was waarvoor hij zich wilde wreken. Daarin was hij niet geslaagd. 'Gewoon uit wraak,' had de jongen bij herhaling gezegd. Hij zag er doodmoe uit achter zijn stuk appeltaart en scheen zich vanbinnen op te vreten vanuit een gevoel van haat dat even oud was als hijzelf. Toen ze uit elkaar gingen, had Gregorius hem lang nagekeken. Op een bepaalde manier bewonderde hij hem een beetje, zei hij later tegen Florence, of benijdde hem zelfs.

'Stel je voor: hij zit in het donker achter Kägi's bureau en belt met Sydney, naar Belém, naar Santiago, zelfs naar Peking. Belt allemaal ambassades waar ze Duits spreken. Hij heeft niets te zeggen, helemaal niets. Hij wil alleen de open leiding horen ruisen en de schandelijk dure seconden laten verstrijken. Is dat niet op de een of andere manier grandioos?'

'En dat zegt uitgerekend jij? Een man die zijn rekeningen het liefst zou betalen nog voordat ze zijn uitgeschreven? Om maar geen schulden te hebben?'

'Precies,' had hij gezegd, 'precies.'

Florence had haar hypermoderne bril rechtgezet, zoals altijd als hij zoiets zei.

Nu deed Gregorius de zaklantaarn aan en volgde de lichtbundel naar de ingang. In het donker klonk het piepen van de deur veel luider dan overdag en het klonk ook veel meer als iets verbodens. Opgeschrikte vleermuizen maakten een suizend geluid in het gebouw. Gregorius wachtte tot het was weggeëbd voordat hij door de vleugeldeur naar de bel-etage ging. Als met een bezem veegde hij met de lichtbundel over de stenen vloer van de gangen om maar niet op een dode rat te trappen. Het was ijskoud tussen de kille muren, hij liep meteen naar de kamer van de rector om zijn trui te halen.

Hij bekeek de Hebreeuwse bijbel. Die was het eigendom geweest van pater Bartolomeu. In 1970, toen het liceu werd gesloten omdat werd beweerd dat het een kaderopleiding van communisten was, hadden de pater en de opvolger van senhor Cortês in het lege kantoor van de rector gestaan, woedend en machteloos. 'We hadden de behoefte iets te doen, iets symbolisch,' had de pater gezegd. En ze hadden toen zijn bijbel in de lade van het bureau gelegd. De rector had hem aangekeken en gegrijnsd. 'Prima! De Lieve Heer zal het ze nog wel eens betaald zetten,' had hij gezegd.

Gregorius ging in de aula op de bank voor de schoolleiding zitten, op de plaats waar senhor Cortês met versteend gelaat de toespraak van Prado had aangehoord. Hij haalde de map van pater Bartolomeus uit het plastic tasje van de boekhandel, maakte de linten los en haalde de stapel papieren eruit die Amadeu na zijn toespraak ginds op het katheder had geordend, omgeven door bedremmeld, onthutst zwijgen. Het waren dezelfde kalligrafisch gevormde letters in diepzwarte inkt die hij al kende van de brief die Prado uit Oxford aan Mélodie had gestuurd. Gregorius richtte de lichtbundel van zijn zaklantaarn op het vergeelde papier en begon te lezen.

EERBIED VOOR HET WOORD VAN GOD

Ik wil niet in een wereld zonder kathedralen leven. Ik heb hun schoonheid en verhevenheid nodig. Ik heb ze nodig als verzet tegen de platvloersheid van de wereld. Ik wil opkijken naar de stralende kerkramen en me laten verblinden door hun bovenaardse kleuren. Ik heb hun glans nodig. Die heb ik nodig als verzet tegen de smerige eenheidskleur van uniformen. Ik wil mijzelf hullen in de bittere kou die in de kerken hangt. Ik heb hun gebiedend zwijgen nodig. Ik heb het nodig als verzet tegen het gebral van de kazernes en het stompzinnige gezwets van de meelopers. Ik wil het bruisende geluid van het orgel horen, die stortvloed van bovenaardse klanken. Ik heb die klanken nodig als verzet tegen de schelle lachwekkendheid van marsmuziek. Ik houd van biddende mensen. Ik heb hun aanblik nodig. Ik heb die nodig als verzet tegen het verraderlijke gif van de oppervlakkigheid en de stompzinnigheid. Ik wil de machtige woorden van de bijbel lezen. Ik heb de magische kracht van hun poëzie nodig. Ik heb ze nodig als verzet tegen de verwaarlozing van de taal en de dictatuur van de leuzen. Een wereld zonder die dingen zou een wereld zijn waarin ik niet meer wil leven.

Maar er is ook een andere wereld, waarin ik niet wil leven: de wereld waarin het lichaam en het zelfstandig denken worden zwartgemaakt en waarin dingen als zonden worden gebrandmerkt die tot het beste behoren wat we kunnen meemaken. De wereld waarin van ons liefde wordt geëist voor tirannen, folteraars en lafhartige moordenaars, of ze nu het brute gestamp van hun laarzen met oorverdovend lawaai door de straten laten dreunen of dat ze met het geruisloze optreden van een kat als lafhartige schimmen door de straten sluipen en hun slachtoffers het blikkerende staal van achteren in het hart stoten. Het behoort tot het meest absurde dat vanaf de kansel ooit van mensen is geëist dat zij zulke lieden moeten vergeven, dat zij hen zelfs lief moeten hebben. Zelfs als iemand daartoe werkelijk in staat zou zijn: het zou een ongekend gebrek aan waarachtigheid en een gena-deloze zelfverloochening betekenen waarvan de prijs de complete mis-vorming is. Dat gebod, het waanzinnige, absurde gebod van de lief-de voor de vijanden, is erop gericht de mensen te breken, hen te beroven van al hun moed en zelfvertrouwen en hen week te maken in de handen van de tirannen opdat zij maar niet de kracht mogen vinden tegen hen op te staan, zo nodig met wapenen.

Ik vereer het woord van God want ik houd van zijn poëtische kracht. Ik verafschuw het woord van God omdat ik de wreedheid er-van haat. De liefde tot het woord Gods is een erg ingewikkelde liefde want ze moet voortdurend onderscheid maken tussen de lichtende kracht van de woorden en, met gebruikmaking van diezelfde woor-den, de onderwerping door een zelfingenomen God. De haat is een erg ingewikkelde haat want hoe kun je jezelf permitteren woorden te haten die bij de melodie van het leven horen in dit deel van de aar-de? Woorden aan de hand waarvan we van jongs af aan hebben ge-leerd wat eerbied is? Woorden die voor ons een baken vormden toen we ons er allengs van bewust werden dat het zichtbare leven niet het hele leven kan zijn? Woorden zonder welke we niet zouden zijn wat we zijn?

Maar laten we niet vergeten: het zijn woorden die van Abraham eisen dat hij zijn eigen zoon slacht als een dier. Wat doen we met on-ze woede wanneer we dat lezen? Wat moeten we vinden van zo'n God? Van een God die Job het verwijt maakt dat hij met Hem rede-twistte hoewel hij niets kon en niets begreep? Maar wie was het dan die hem zo had geschapen? En waarom is het minder onrechtvaar-dig wanneer God iemand zonder reden in het ongeluk stort dan wan-neer een gewone sterveling dat doet? Had Job niet redenen genoeg tot klagen?

De poëzie van het goddelijke Woord is zo overweldigend dat ze al-les en iedereen met stomheid slaat en van elk verzet ertegen jammer-lijk hondengeblaf maakt. Daarom kun je de bijbel niet simpelweg wegleggen maar moet je hem weggooien als je genoeg hebt van de onredelijke eisen die hij aan ons stelt en van de onderwerping die hij ons oplegt. Uit de bijbel spreekt een wereldvreemde en vreugdeloze God die de geweldige omvang van een menselijk leven – de enorme boog die zo'n leven kan beschrijven als men het de vrijheid geeft –

wil inperken tot dat ene beperkte punt van de gehoorzaamheid. Ge-
bukt gaand onder berouw en met zonden beladen, verdord door de
onderwerping en de onwaardigheid van de biecht, en met een kruis
van as op ons voorhoofd, moeten we naar het graf toe leven in ontel-
bare malen weerlegde hoop op een beter leven aan Zijn zijde. Maar
hoe kan het beter zijn aan de zijde van iemand die ons eerder van al-
le vreugden en vrijheden heeft beroofd?

En toch zijn ze van een betoverende schoonheid, de woorden die
van Hem komen en tot Hem gaan. Wat heb ik ze liefgehad, toen ik
misdienaar was! Wat hebben ze me in een roes gebracht in het schijn-
sel van de kaarsen op het altaar! Hoe duidelijk, hoe zonneklaar leek
het dat die woorden de maat van alle dingen waren! Hoe onbegrij-
pelijk kwam het me voor dat voor de mensen ook andere woorden
belangrijk waren, terwijl immers elk van die woorden slechts verwer-
pelijke oppervlakkigheid en het verlies van het wezenlijke kon bete-
kenen. Ook nu nog blijf ik stilstaan wanneer ik gregoriaans gezang
hoor en een onbedachtzaam ogenblik lang ben ik dan bedroefd dat
de vroegere roes onherroepelijk heeft plaatsgemaakt voor rebellie.
Voor een rebellie die als een steekvlam in mij omhoogschoot toen ik
voor het eerst de woorden sacrificium intellectūs *hoorde.*

Hoe kunnen we gelukkig zijn zonder nieuwsgierigheid, zonder vra-
gen, twijfel en argumenten? Zonder plezier in het denken? Die twee
woorden, die als een houw met het zwaard zijn dat ons onthoofdt, ze
houden niet minder in dan de eis ons voelen en handelen onderge-
schikt te maken aan ons denken, ze behelzen de uitnodiging tot een
allesomvattende gespletenheid, het bevel juist dat te offeren wat de
kern van elk geluk is: de innerlijke eenheid en harmonie van ons le-
ven. De galeislaaf op het schip is vastgeketend en toch kan hij den-
ken wat hij wil. Maar wat Hij, onze God, van ons vraagt, is dat wij
onze slavernij eigenhandig tot in onze diepste diepte in ons opnemen
en dan ook nog vrijwillig en met vreugde. Kan er een grotere bespot-
ting bestaan?

De Heer is in zijn alomtegenwoordigheid iemand die ons dag en
nacht in de gaten houdt, hij houdt van elk uur, elke minuut, elke se-
conde een boekhouding bij over ons doen en denken, nimmer laat hij
ons met rust, nimmer gunt hij ons een moment waarop wij geheel
voor onszelf kunnen bestaan. Wat is een mens zonder geheimen? Zon-

der gedachten en wensen die alleen hij, en hij alleen, kent? De beulen van de inquisitie en de folteraars van tegenwoordig wisten en weten het heel goed: voorkom dat hij naar binnen vlucht, doe nooit het licht uit, laat hem nooit alleen, weiger hem slaap en stilte: dan begint hij te praten. Dat martelingen ons van onze ziel beroven, betekent dat ze ons van de eenzaamheid met onszelf beroven die we nodig hebben als de lucht die we inademen. Heeft de Heer, onze God, er nooit aan gedacht dat hij ons met zijn mateloze nieuwsgierigheid en zijn weerzinwekkend voyeurisme onze ziel afneemt, een ziel die nota bene onsterfelijk heet te zijn?

Wie zou er al naar werkelijke onsterfelijkheid verlangen? Wie zou er al tot in alle eeuwigheid willen leven? Hoe saai en oninteressant zou het zijn te weten: wat vandaag, deze maand, deze jaren gebeurt, is van geen belang, er komen nog oneindig vele dagen, maanden, jaren. Oneindig vele, letterlijk. Zou er, als dat zo zou zijn, nog iets kunnen bestaan dat enige betekenis heeft? We zouden geen rekening meer hoeven houden met de tijd, we kunnen niets mislopen, we hoeven ons niet te haasten. Het maakt niets uit of we iets vandaag doen of morgen, dat is van geen enkel belang. We kunnen miljoenen keren iets verzuimen en in het licht van de eeuwigheid zou het niets zijn en het zou geen zin hebben ergens spijt van te hebben, want er rest altijd tijd genoeg om het goed te maken. We kunnen zelfs niet van de hand in de tand leven want het geluk dat daaruit voortvloeit berust op het bewustzijn van de verstrijkende tijd. De klaploper is immers een avonturier in het aangezicht van de dood, een kruisridder tegen het dictaat van de haast. Als er altijd en overal tijd voor alles en iedereen is: waar is dan nog ruimte voor het plezier van het tijdverspillen?

Een gevoel is niet meer hetzelfde als het voor de tweede keer komt. Het verschiet van kleur door de gewaarwording van zijn wederkeer. We krijgen genoeg van onze gevoelens als ze te vaak komen en te lang duren. In de onsterfelijke ziel zou zich een gigantische verzadiging ophopen en een kermende wanhoop ten aanzien van de zekerheid dat er nooit een eind zal komen aan het verzadigde gevoel, nooit ofte nimmer. Gevoelens willen zich ontwikkelen en wij ontwikkelen ons door onze gevoelens. Die zijn wat ze zijn omdat ze afstoten wat ze ooit waren en op een toekomst zijn gericht waarin ze zich opnieuw van zichzelf zullen verwijderen. Als die stroom van gevoelens gericht zou zijn *op het oneindige, zou in ons een oneindig aantal gewaarwordingen ontstaan die wij ons, gewend aan een overzichtelijke tijd, absoluut niet kunnen voorstellen. Zodat we niet eens zouden weten wat ons wordt beloofd als we over het eeuwige leven horen spreken. Hoe zou het zijn tot in eeuwigheid wij te zijn zonder de troost ooit verlost te worden van de dwang wij te zijn? We weten het niet en het is een zegen dat we het nooit zullen weten. Want één ding weten we heel goed: het zou een hel zijn, dat paradijs van de onsterfelijkheid.*

Het is de dood die het ogenblik zijn schoonheid verleent en zijn verschrikking. Alleen door de dood is de tijd een levende tijd. Waarom weet de HERE *dat niet, de alwetende God? Waarom bedreigt hij ons met een eindeloosheid die alleen maar ondraaglijke leegte kan betekenen?*

Ik wil niet in een wereld zonder kathedralen leven. Ik heb de glans van de ramen nodig, de koele stilte die er heerst, het gebiedende zwijgen. Ik heb het bruisen van het orgel nodig en de heilige devotie van biddende mensen. Ik heb de heiligheid van de woorden nodig, de verhevenheid van grote poëzie. Dat alles heb ik nodig. Maar evenzeer heb ik vrijheid nodig en de vijandschap tegenover alles wat wreed is. Want het een is niets zonder het ander. En laat niemand het in zijn hoofd halen mij te dwingen tot een keuze.

Gregorius las de tekst drie keer en zijn verbazing werd almaar groter. Een Latijnse retoriek en een stilistische elegantie die niet onderdeed voor de taal van Cicero. Een denkkracht en een oprechtheid van gevoelens die aan Augustinus deed denken. Een jongen van zeventien. Bij vergelijkbare virtuositeit op een instrument, dacht hij, zou je van een wonderkind spreken.

Wat de slotzin betrof had pater Bartolomeu gelijk: dat dreigement was ontroerend, want wie gold het? Die jongen zou immers altijd kiezen voor de vijandschap tegenover de wreedheid. Daarvoor zou hij als het nodig was de kathedralen opofferen. De goddeloze priester zou zijn eigen kathedralen bouwen om zich te verzetten tegen de platvloersheid van de wereld, ook al waren het slechts kathedralen van gouden woorden. Zijn vijandschap tegenover wreedheid zou alleen maar des te verbitterder worden.

Maar was het dreigement misschien toch niet zo loos? Had Amadeu, toen hij daar aan het katheder stond, zonder het te weten voorspeld wat hij vijfendertig jaar later zou doen: zich verzetten tegen de plannen van de verzetsbeweging, ook tegen de plannen van Jorge, en Estefânia Espinhosa redden?

Gregorius wenste dat hij zijn stem kon horen en de gloeiende lava van zijn woorden voelen. Hij haalde Prado's aantekeningen te voorschijn en richtte het licht van de zaklantaarn op de foto. Misdienaar was hij geweest, een kind wiens eerste hartstocht de kaarsen op het altaar gold en de bijbelse woorden, die in hun schijnsel onaantastbaar hadden geleken. Maar toen waren er woorden uit andere boeken tussengekomen, woorden die in hem hadden gewoekerd tot van hem een jongen was geworden die alle vreemde woorden op een goudschaaltje woog en zijn eigen woorden smeedde.

Gregorius knoopte zijn jas dicht, stopte zijn handen in zijn mouwen en ging op de bank liggen. Hij was doodmoe. Doodmoe door de inspanning van het luisteren en de koorts van het willen begrijpen. Doodmoe ook van de innerlijke wakkerheid die gepaard ging met de koorts en waarvan hij soms het idee had dat die niets anders was dan de koorts zelf. Voor het eerst miste hij zijn bed in zijn woning in Bern, waar hij gewend was al lezend op het moment te wachten waarop hij eindelijk zou kunnen inslapen. Hij dacht aan de Kirchenfeldbrücke voordat de Portugese die had betreden en veranderd. Hij dacht aan de Latijnse leerboeken op de lessenaar in het klaslokaal. Tien dagen was het nu geleden. Wie had in zijn plaats de *ablativus absolutus* uitgelegd? De opbouw van de *Ilias* verduidelijkt? In de les Hebreeuws hadden ze als laatste de woordkeus van Luther besproken toen die ervoor koos God een *naijverige* God te laten zijn. Hij had de leerlingen het enorme verschil uitgelegd tussen de Duitse en de Hebreeuwse tekst, een verschil dat je de adem kon benemen. Wie zou dit gesprek nu voortzetten?

Gregorius had het koud. De laatste metro was allang vertrokken. Er was geen telefoon en er waren geen taxi's en het zou uren kosten om te voet het hotel te bereiken. Voor de deur van de aula hoorde hij het zachte ruisende geluid van de vleermuizen. Af en toe piepte een rat. Tussendoor doodse stilte.

Hij had dorst en was blij in zijn jaszak een snoepje te vinden. Toen hij het in zijn mond stopte zag hij de hand van Natalie Rubin voor zich, die hem een keer een vuurrood snoepje had toegestoken. Een fractie van een seconde lang had het eruitgezien alsof ze het snoepje in zijn mond wilde stoppen. Of had hij zich dat alleen maar verbeeld?

Ze rekte zich uit en lachte toen hij vroeg hoe hij Maria João kon vinden ondanks dat niemand haar achternaam scheen te kennen. Al dagen stonden ze bij een kraam met gebraden kippen in de buurt van het kerkhof van Prazeres, hij en Natalie, want dat was de plek geweest waar Mélodie Maria voor het laatst had gezien. Het werd winter en het begon te sneeuwen. De trein naar Genève zette zich op het station van Bern in beweging. Waarom hij eigenlijk was ingestapt, vroeg de conducteur, en dan ook nog in de eerste klas. Bibberend van de kou zocht Gregorius in al zijn zakken naar het treinkaartje. Toen hij wakker werd en met stijve ledematen rechtop ging zitten, begon het buiten te schemeren.

20 In de eerste metro was hij een tijdlang de enige passagier en hij had een gevoel alsof de trein een volgende episode was in de stille, imaginaire wereld van het liceu, waarin hij zich thuis begon te voelen. Toen stapten er Portugezen in, mensen die naar hun werk gingen en niets met Amadeu de Prado te maken hadden. Gregorius was hen dankbaar voor hun nuchtere, norse gezichten die leken op de gezichten van de mensen die altijd in de Länggasse in Bern vroeg in de ochtend de bus in stapten. Zou hij hier kunnen leven? Leven en werken, wat voor werk dat ook mocht zijn?

De portier van het hotel keek hem bezorgd aan. Of het wel goed met hem was? Of hem niets was overkomen? Toen overhandigde hij hem een envelop van dik papier, die met rood zegellak was gesloten. Hij was gistermiddag afgegeven door een oude vrouw die tot laat in de avond op hem had gewacht.

Adriana, dacht Gregorius. Van de mensen die hij hier had leren kennen zou alleen zij een brief verzegelen. Maar de beschrijving van de portier paste niet bij haar. En ze zou ook niet zelf zijn gekomen, een vrouw als zij zeker niet. Het moest de huishoudster zijn geweest, de vrouw tot wier taak het ongetwijfeld behoorde de kamer van Amadeu op de zolderverdieping stofvrij te houden opdat niets op het verstrijken van de tijd zou duiden. Alles in orde, verzekerde Gregorius nog een keer, en hij ging naar boven.

Queria vê-lo! Ik wil u zien. Adriana Soledade de Almeida Prado. Dat was alles wat op het dure briefpapier stond. Geschreven met dezelfde zwarte inkt die hij van Amadeu kende, met letters die zowel een onbeholpen als een arrogante indruk maakten. Alsof de schrijfster zich elke letter moeizaam voor de geest had moeten halen om hem vervolgens met aangeboren grandezza op papier te zetten. Was ze vergeten dat hij geen Portugees kende en dat ze met elkaar Frans hadden gesproken?

Heel even schrok Gregorius van de laconieke woorden die als een bevel klonken dat hem naar het blauwe huis ontbood. Maar toen zag hij het bleke gezicht en de zwarte ogen met de verbitterde blik voor zich, hij zag de vrouw, hoe ze aan de rand van de afgrond door de kamer van haar broer liep, wiens dood ze ontkende, en nu klonken de woorden niet meer gebiedend maar eerder als een noodkreet uit een schorre keel waaromheen een zwarte, geheimzinnige, fluwelen band zat.

Hij bekeek de zwarte leeuw, ongetwijfeld het wapen van de Prado's dat boven aan het briefpapier, precies in het midden, was gestanst. De leeuw paste bij de strengheid van de vader en bij de moeilijke omstandigheden van zijn dood, hij paste bij Adriana's zwarte gestalte en hij paste ook bij de onverbiddelijke vermetelheid van Amadeu's karakter. Met Mélodie daarentegen, het dartele, onstuimige meisje, voortgekomen uit een ongewoon lichtzinnige daad aan de oever van de Amazone, had het niets te maken. En met de moeder, met Maria Piedade Reis? Waarom sprak niemand over haar?

Gregorius nam een douche en sliep tot het middaguur. Hij genoot ervan dat het hem lukte eerst aan zichzelf te denken en Adriana te laten wachten. Zou hij dat in Bern ook hebben gekund?

Later, op weg naar het blauwe huis, kwam hij langs het antiquariaat van Júlio Simões en vroeg hem waar hij een Perzische grammatica zou kunnen vinden. En wat het beste taleninstituut was als hij zou besluiten Portugees te leren.

Simões lachte. 'Alles tegelijk, Portugees en Perzisch?'

Gregorius' irritatie duurde maar heel even. De man kon niet weten dat er op dit punt in zijn leven geen verschil was tussen Portugees en Perzisch; dat het in zekere zin een en dezelfde taal was. Simões vroeg nog of hij was opgeschoten met zijn speurtocht naar Prado en of Coutinho hem verder had kunnen helpen. Een uur later, het liep al tegen vieren, belde Gregorius aan bij het blauwe huis.

De vrouw die opendeed zou midden vijftig kunnen zijn.

'Sou Clotilde, a criada,' zei ze, ik ben het dienstmeisje.

Met een hand die getekend was door levenslang huishoudelijk werk streek ze door haar grijzende haar en voelde of de knot goed zat.

'A Senhora está no salão,' zei ze en ze ging hem voor.

Zoals bij de eerste keer was Gregorius diep onder de indruk van de omvang en de elegantie van de salon. Zijn blik viel op de staande klok. De wijzers stonden nog steeds op zes uur drieëntwintig. Adriana zat aan de tafel in de hoek. Ook nu hing er weer een sterke geur van medicijnen of parfum.

'U bent laat,' zei ze.

De brief had Gregorius erop voorbereid dat ze hem niet zou verwelkomen en dat ze streng zou zijn. Terwijl hij aan de tafel ging zitten merkte hij tot zijn verbazing hoe goed hij bestand was tegen de onvriendelijke manier van doen van de oude vrouw. Hoe gemakkelijk het hem viel haar hele gedrag te zien als de uitdrukking van haar verdriet en eenzaamheid.

'Nu ben ik er toch,' zei hij.

'Ja,' zei ze. En toen, na een lange stilte, opnieuw: 'Ja.'

Geruisloos en onopgemerkt door Gregorius was het dienstmeisje bij de tafel komen staan.

'Clotilde,' zei Adriana, 'liga o aparelho, zet het apparaat aan.'

Pas toen merkte Gregorius het ding op. Het was een oeroude bandrecorder, een onding met spoelen zo groot als borden. Clotilde trok de band door de gleuf bij de geluidskop en bevestigde hem aan de lege spoel. Toen drukte ze op een toets en de spoelen begonnen te draaien. Ze verliet de kamer.

Een tijdlang was er alleen gekraak en geruis te horen. Toen zei een vrouwenstem: 'Porque não dizem nada? Waarom zeggen jullie niets?'

Meer kon Gregorius niet verstaan want wat er nu uit het apparaat kwam was in zijn oren een geroezemoes van stemmen, overstemd door veel geruis en gebrom, waarschijnlijk veroorzaakt door een onhandige omgang met de microfoon.

'Amadeu,' zei Adriana, toen alleen een mannenstem te horen was. Haar permanente heesheid klonk bij het uitspreken van die naam erger. Ze bracht haar hand naar haar hals en omsloot de zwartfluwelen band alsof ze hem nog strakker tegen haar keel wilde drukken.

Gregorius hield zijn oor vlak bij de luidspreker. De stem was anders dan hij zich had voorgesteld. Een zachte bariton had pater Bartolomeu die genoemd. De hoogte van de stem klopte, maar het timbre was hard, je merkte dat de man een scherpe toon aan kon slaan. Had het er ook mee te maken dat de enige woorden die Gregorius verstond *não quero* waren, 'ik wil niet'?

'Fátima,' zei Adriana toen uit het geroezemoes een nieuwe stem klonk. De minachtende manier waarop ze de naam uitsprak, zei alles. Ze had zich aan Fátima gestoord. Niet alleen tijdens dit gesprek. Tijdens elk gesprek. Fátima was Amadeu niet waard geweest. Ze had zich de dierbare broer wederrechtelijk toegeëigend. Ze had beter nooit in zijn leven kunnen komen.

Fátima had een zachte, donkere stem waaraan je kon merken dat het niet gemakkelijk voor haar was zich te handhaven. Was in die zachte stem ook te horen dat ze graag wilde dat er met bijzondere aandacht en toewijding naar haar werd geluisterd? Of was het alleen maar de storende ruis die die indruk maakte? Niemand onderbrak haar en toen ze klaar was, lieten de anderen na-echoën wat ze had gezegd.

'Iedereen is altijd zo attent voor haar, zo verdomde attent,' zei Adriana terwijl Fátima nog sprak. 'Alsof haar gelispel een verschrikkelijk lot is dat alles verontschuldigt, alle religieuze kitsch, domweg alles.'

Gregorius had geen gelispel gehoord, het was verloren gegaan in de ruis die het apparaat veroorzaakte.

De volgende stem was van Mélodie. Ze praatte in een razend tempo, scheen opzettelijk in de microfoon te blazen en begon toen hard te lachen. Vol walging draaide Adriana haar hoofd af en keek uit het raam. Toen ze haar eigen stem hoorde, stak ze snel haar hand uit en drukte op de stoptoets.

Minutenlang bleef Adriana's blik op het apparaat rusten dat het verleden naar het heden had gehaald. Het was dezelfde blik als op de zondag toen ze naar beneden had gekeken, naar de boeken van Amadeu, en tegen haar dode broer had gesproken. Ze had de band honderden, misschien duizenden keren afgeluisterd. Ze kende elk woord, elke knisper, elk gekraak en geruis. Alles was alsof ze ook nu nog met de anderen samen was, ginds in het huis van de familie waar nu Mélodie woonde. Dus waarom zou ze er anders dan in de tegenwoordige tijd over praten, of in een verleden tijd die deed alsof het gisteren was?

'We wisten niet wat we zagen toen mamã dat ding meebracht. Ze kan niet overweg met apparaten, absoluut niet. Ze is er bang voor. Ze denkt altijd dat ze alles kapot maakt. En dan komt uitgerekend zij met een bandrecorder thuis, een van de eerste die te koop waren.

"Nee, nee," zei Amadeu, toen we er later over spraken, "het is haar er niet om te doen onze stemmen te vereeuwigen. Het gaat om iets heel anders. Het gaat er bij haar om dat we weer eens aandacht aan haar besteden."

Hij heeft gelijk. Nu papá dood is en wij hier de praktijk uitoefenen, moet ze het gevoel hebben dat haar leven leeg is. Rita is altijd de hort op en komt zelden op bezoek. Wel komt Fátima elke week langs. Maar daar schiet mamã niet veel mee op.

"Ze ziet liever jou," zegt ze tegen Amadeu, als ze terugkomt.

Amadeu wil niet meer. Hij zegt het niet, maar ik weet het. Hij is laf als het mamã betreft. De enige lafheid waarop je hem kunt betrappen. Hij, die anders nooit een onaangename zaak uit de weg gaat, geen enkele.'

Adriana greep naar haar hals. Heel even leek het alsof ze over het geheim wilde beginnen dat door haar nekband werd verborgen, en Gregorius hield zijn adem in. Maar het moment ging voorbij en Adriana's blik keerde terug naar het heden.

Of hij nog een keer mocht horen wat Amadeu op de band zei, vroeg Gregorius.

'Não me admira nada, dat verbaast me niet,' begon Adriana te citeren en toen herhaalde ze uit haar hoofd elk woord dat Amadeu had gezegd. Het was meer dan citeren. Ook meer dan het nabootsen van een stem zoals een goede toneelspeler kan als het hem meezit. De nabijheid was veel groter. Die was volmaakt. Adriana wás Amadeu.

Opnieuw verstond Gregorius *não quero*, en nog iets anders kon hij verstaan: *ouvir a minha voz de fora*, mijn stem van buiten horen.

Toen ze klaar was met citeren, begon Adriana te vertalen. Dat het allemaal mogelijk was, nee, dat verbaasde hem niet, zei Prado. Het technische principe kende hij uit de geneeskunde. 'Maar ik hou niet van wat het met de woorden doet.' Hij wilde zijn stem niet van buiten horen, dat wilde hij zichzelf niet aandoen, hij vond zichzelf zo al onsympathiek genoeg. En dan ook nog het invriezen van het gesproken woord: je sprak meestal toch met het bevrijdende bewustzijn dat het meeste van wat je zei vergeten zou worden. Hij vond het vreselijk te moeten denken dat alles zou worden bewaard, elk onoverdacht woord, elke smakeloze opmerking. Het deed hem denken aan de indiscretie van God.

'Dat mompelt hij alleen maar,' zei Adriana, 'mamã wil zoiets liever niet horen en Fátima voelt zich er hulpeloos bij.'

Het apparaat verstoort de vrijheid van het vergeten, zei Prado verder. 'Maar ik neem je het echt niet kwalijk, mamã, het is ook erg grappig. Je moet niet alles zo serieus nemen wat je o zo slimme zoon zegt.'

'Waarom in godsnaam denk je altijd dat je haar moet troosten en alles terug moet nemen?' viel Adriana uit. 'Terwijl ze je zoveel ellende heeft berokkend op haar poeslieve manier? Waarom kun je niet gewoon vasthouden aan wat je denkt? Terwijl je dat anders wel altijd doet! Altijd!'

Of hij de band nu toch nog een keer mocht horen, om de stem, vroeg Gregorius. Het verzoek ontroerde haar. Toen ze de band terugspoelde, had ze het gezicht van een klein meisje dat verbaasd en blij is dat de volwassenen ook belangrijk vinden wat voor haar belangrijk is.

Gregorius luisterde steeds opnieuw naar de woorden van Prado. Hij legde het boek met het portret op de tafel en projecteerde de stem in het gezicht totdat die werkelijk bij het gezicht hoorde. Toen keek hij Adriana aan en schrok. Ze moest voortdurend naar hem hebben gekeken en in de tussentijd was haar gezicht opengegaan, alle strengheid en verbittering was eruit geweken en gebleven was een uitdrukking waarmee ze hem welkom heette in de wereld van haar liefde en bewondering voor Amadeu. 'Wees voorzichtig. Met Adriana, bedoel ik,' hoorde hij Mariana Eça zeggen.

'Komt u eens mee,' zei Adriana, 'ik wil u laten zien waar wij werken.'

Ze liep zekerder en sneller dan zo-even toen ze hem voorging naar de benedenverdieping. Ze ging naar haar broer die in de praktijk was, hij had haar nodig, het had haast, wie pijn heeft of bang is, kan niet wachten, zei Amadeu altijd. Vaardig stak ze de sleutel in het slot, deed alle deuren open en maakte overal licht.

Eenendertig jaar geleden had Prado hier zijn laatste patiënten behandeld. Op de onderzoektafel was een nieuw stuk papier gelegd. Op de instrumententafel lagen injectienaalden zoals ze tegenwoordig niet meer werden gebruikt. Midden op het bureau de openstaande kaartenbak met patiëntengegevens, waar een van de kaarten schuin in was gestoken. Daarnaast de stethoscoop. In de prullenmand proppen watten met bloed van langgeleden. Aan de deur hingen twee witte jassen. Geen stofje te bekennen.

Adriana pakte een van de witte jassen van de haak en trok hem aan. 'Zijn jas hangt altijd links, hij is linkshandig,' zei ze terwijl ze de knopen dichtdeed.

Gregorius keek bevreesd uit naar het moment waarop ze in het allang voorbije heden, waarin ze als een slaapwandelaarster ronddwaalde, niet meer zou weten hoe het verder ging. Maar zover was het nog niet. Met een blij gezicht dat begon te gloeien van voortvarendheid deed ze de kast met medicijnen open en keek wat er in voorraad was.

'We hebben bijna geen morfine meer,' mompelde ze, 'ik moet Jorge bellen.'

Ze deed de kast dicht, streek met haar hand over het papier op de onderzoektafel, duwde met de punt van haar schoen de weeg-schaal recht, keek of de wastafel schoon was en bleef toen voor het bureau met de kaartenbak staan. Zonder de kaart die er scheef in stond aan te raken of te bekijken, begon ze over de patiënte te praten.

'Waarom is ze ook naar die vrouw in dat achterkamertje gegaan, naar die heks met de breinaalden. Goed, ze weet niet hoe erg het bij mij was. Maar iedereen weet immers dat je met zoiets heel goed bij Amadeu terecht kunt. Dat hij de wet aan zijn laars lapt als een vrouw in nood is. Etelvina en nóg een kind, dat is echt onmogelijk. Volgende week, zegt Amadeu, moeten we beslissen of ze naar het ziekenhuis moet voor de nabehandeling.'

'Zijn zuster, de oudste, heeft abortus laten plegen en is daarbij bijna gestorven,' hoorde Gregorius João Eça zeggen. Hij voelde zich niet erg op zijn gemak. Hier op de benedenverdieping zonk Adriana nog veel dieper weg in het verleden dan op de zolder, in Amadeu's kamer. De zolder, dat was een verleden waarin ze alleen vanaf de buitenkant deelgenoot had kunnen zijn. Met het boek had ze later een monument opgericht voor dat verleden. Maar toen hij daar nog rokend en koffie drinkend aan zijn bureau had gezeten, de ouderwetse vulpen in zijn hand, had ze hem niet kunnen bereiken, en Gregorius wist zeker dat ze toen gloeiend jaloers was geweest op de eenzaamheid van zijn gedachten. Hier, in de praktijkruimten, was het anders geweest. Ze had alles gehoord wat hij zei, had met hem over de patiënten gesproken en hem geassisteerd. Hier had hij haar helemaal toebehoord. Vele jaren lang was hier het centrum van haar leven geweest, het domein van haar meest levende heden. Haar gezicht, dat ondanks de tekenen van ouderdom – in zekere zin achter die tekenen – op dit moment jong en mooi was, getuigde van die wens voor altijd in dát heden te mogen blijven, die eeuwigheid van de gelukkige jaren niet te hoeven verlaten.

Het moment van ontwaken was bijna aangebroken. Adriana's vingers gingen met onzekere bewegingen na of alle knopen van haar witte jas dichtzaten. De glans in haar ogen begon te doven, de huid van haar oude gezicht verslapte, de zaligheid van het verleden verdween uit de vertrekken.

Gregorius wilde niet dat ze ontwaakte en naar de koude een-zaamheid van haar leven terugkeerde, waarin ze Clotilde de band-recorder aan liet zetten. Niet nu al; het zou te wreed zijn. En dus nam hij het risico.

'Rui Luís Mendes. Heeft Amadeu hem hier in deze kamer be-handeld?'

Het was alsof hij een injectienaald van het tafeltje had gepakt en haar een middel had ingespoten dat in razende vaart door haar donkere aderen schoot. Een hevige ontdaanheid golfde door haar heen, haar magere lijf trilde even alsof ze een aanval van koorts kreeg, haar adem ging zwaar. Gregorius schrok en vervloekte wat hij had gedaan. Maar toen hielden de spastische bewegingen op, Adriana's lichaam herstelde zich, haar flakkerende blik werd weer vast en nu liep ze naar de andere kamer, waar de behandeltafel stond. Gregorius verwachtte dat ze zou vragen hoe hij de kwestie met Mendes te weten was gekomen. Maar Adriana was allang weer in het verleden.

Ze legde haar vlakke hand op het papier van de behandeltafel. 'Hier was het. Exact hier. Ik zie hem liggen alsof er sindsdien hoog-uit een paar minuten zijn verstreken.'

En toen begon ze te vertellen. De museale vertrekken kwamen door de kracht en de hartstocht van haar woorden tot leven, de hitte en het onheil van die lang vervlogen dagen keerden terug in de praktijk waar Amadeu Inácio de Almeido Prado, liefhebber van kathedralen en onverbiddelijk vijand van alle wreedheid, iets had gedaan wat hem nooit meer zou loslaten, iets wat hij ook met de onverbiddelijke helderheid van zijn verstand niet in zijn macht had kunnen krijgen en tot een goed einde had kunnen brengen. Iets wat als een slagschaduw over de laatste jaren van zijn uitdovende leven had gelegen.

Het was gebeurd op een hete, klamme dag in augustus van het jaar 1965, kort na de vijfenveertigste verjaardag van Prado. In fe-bruari was Humberto Delgado vermoord, de voormalige kandi-daat van de centrumlinkse oppositie bij de presidentsverkiezingen van 1958, toen hij probeerde uit Algerijnse ballingschap terug te keren en over de Spaanse grens het land in te komen. De verant-woordelijkheid voor de moord werd aan de Spaanse en Portugese politie toegeschreven, maar iedereen was ervan overtuigd dat het het werk van de geheime politie was geweest, de Policia Internacional de Defesa do Estado, de PIDE, die de macht in handen had sinds bekend was geworden dat António de Salazar aan het dementeren was. In Lissabon gingen illegaal gedrukte pamfletten van hand tot hand die Rui Luís Mendes, een gevreesde officier van de geheime politie, verantwoordelijk stelden voor de bloedige moord.

'Bij ons zat ook zo'n pamflet in de brievenbus,' zei Adriana. 'Amadeu keek naar de foto van Mendes alsof hij hem met zijn blik wilde vernietigen. Toen scheurde hij het pamflet in kleine stukjes en spoelde die door de wc.'

Het was op een vroege namiddag en in de stad hing een stille, broeierige hitte. Prado was gaan liggen om zijn middagslaapje te doen, hij deed dat elke dag en het duurde op de minuut af een halfuur. Het was het enige moment in de cyclus van dag en nacht waarop hij zonder enige moeite in slaap kon komen. Tijdens die minuten sliep hij altijd diep en droomloos, doof voor geluiden, en als iets hem ruw uit zijn slaap haalde was hij een tijdlang geïrriteerd en verward. Adriana waakte over die slaap als over een heiligdom.

Amadeu was juist in slaap gevallen toen Adriana hoorde hoe op straat luid geschreeuw de stilte verscheurde. Ze rende naar het raam. Voor de ingang van het huis van de buren lag een man op het trottoir. De mensen die om de man heen stonden en die Adriana half het zicht benamen, schreeuwden tegen elkaar en maakten woeste gebaren. Adriana meende te zien dat een van de vrouwen met de punt van haar schoen tegen het op de grond liggende lichaam schopte. Twee grote mannen slaagden er ten slotte in de mensen terug te dringen. Ze tilden de man op en droegen hem naar de ingang van Prado's praktijk. Nu pas herkende Adriana hem en haar hart stond stil: het was Mendes, de man op het pamflet, onder wiens foto had gestaan: *O carniceiro de Lisboa*, De slager van Lissabon.

'Op dat moment wist ik precies wat er zou gaan gebeuren. Ik wist het tot in de kleinste details, het was alsof de toekomst al was geschied – alsof die al als een bestaand gegeven deel uitmaakte van mijn ontzetting en dat het er alleen nog maar om zou gaan de toekomst in tijd om te zetten. Dat het volgende uur een diepe cesuur zou betekenen en de zwaarste beproeving zou zijn die hij tot dusver had moeten doorstaan: zelfs dát zag ik met beangstigende helderheid voor me.'

De mannen die Mendes droegen, drukten als gekken op de bel en het kwam Adriana voor alsof met het schelle geluid dat steeds opnieuw begon en tot iets ondraaglijks aanzwol, het geweld en de bruutheid van de dictatuur, die ze tot nu toe – niet zonder een slecht geweten – buiten de deur hadden weten te houden, nu dan toch de weg had gevonden naar de voorname, welbehoede stilte van hun huis. Twee, drie seconden lang overwoog ze helemaal niets te doen en geen sjoege te geven. Maar ze wist dat Amadeu haar dat nooit zou vergeven. En dus deed ze de deur open en ging hem wekken.

'Hij zei geen woord, hij wist dat ik hem niet had gewekt als het niet om een kwestie van leven of dood ging. "In de praktijk," zei ik. Op blote voeten rende hij halsoverkop de trap af en rende naar de wastafel, waar hij met zijn handen koud water in zijn gezicht plensde. Toen liep hij naar deze behandeltafel hier, waar Mendes op lag.

Hij verstijfde, en twee, drie seconden lang staarde hij vol ongeloof naar het bleke, verslapte gezicht met de fijne zweetpareltjes op het voorhoofd. Hij draaide zich om en keek of ik zijn vermoeden bevestigde. Ik knikte. Heel even sloeg hij zijn handen voor zijn gezicht. Toen kwam mijn broer plotseling in actie. Met beide handen rukte hij het overhemd van Mendes open zodat de knopen alle kanten op vlogen. Hij legde zijn oor op de behaarde borst, toen beluisterde hij hem met de stethoscoop die ik hem had aangereikt.

"Digitalis!"

Hij zei alleen dat ene woord, en in de gesmoorde klank van zijn stem lag alle haat waartegen hij vocht, een haat die als van blikkerend staal was. Terwijl ik de injectiespuit vulde, masseerde hij het hart van Mendes, ik hoorde het doffe gekraak toen de ribben braken.

Toen ik hem de spuit overhandigde, ontmoetten onze blikken elkaar gedurende een fractie van een seconde. Wat hield ik op dat moment veel van hem, van mijn broer! Met de ongehoorde macht van zijn ijzeren, onbuigzame wil streed hij tegen de impuls om de man die op de tafel lag, die hoogstwaarschijnlijk foltering en moord op zijn geweten had en de hele meedogenloze onderdrukking van de staat meedroeg in zijn vette, zwetende lichaam, gewoon te laten doodgaan. Hoe gemakkelijk zou het zijn geweest, hoe ongelooflijk gemakkelijk! Een paar seconden lang niets doen zou voldoende zijn geweest. Gewoon niets doen. Niets!

En werkelijk: nadat Amadeu de bewuste plek op de borst van Mendes had gedesinfecteerd, aarzelde hij en sloot zijn ogen. Nooit, daarvóór noch daarna, heb ik een mens gadegeslagen die zichzelf op die manier overwon. Toen deed Amadeu zijn ogen open en duwde Mendes de naald rechtstreeks in het hart. Het zag eruit alsof hij hem daarmee doodde, en ik huiverde. Hij deed het met de adembenemende zekerheid waarmee hij elke injectie gaf, je had het gevoel dat menselijke lichamen voor hem op zulke momenten van glas waren. Zonder te beven, ongelooflijk gelijkmatig, drukte hij nu het middel in Mendes' hartspier om die weer aan de gang te krijgen. Toen hij de naald eruittrok, was de heftigheid uit hem verdwenen. Hij plakte een pleister op de prikwond en beluisterde Mendes met de stethoscoop. Toen keek hij me aan en knikte. "De ambulance," zei hij.

Ze kwamen en droegen Mendes op een brancard naar buiten. Vlak voordat hij bij de deur was kwam hij bij, deed zijn ogen open en ontmoette Amadeu's blik. Ik was verbaasd te zien hoe rustig, bijna zakelijk mijn broer hem aankeek. Misschien kwam het door de uitputting, in elk geval leunde hij tegen de deur in de houding van iemand die juist een ernstige crisis had doorstaan en er nu op kon rekenen tot rust te komen.

Maar het tegendeel gebeurde. Amadeu wist niets van de mensen die eerder rond de in elkaar gestorte Mendes hadden gestaan en die ik was vergeten. Daarom waren we er helemaal niet op voorbereid toen we plotseling hysterische stemmen hoorden, die riepen: "Traidor! Traidor!" Ze moesten hebben gezien dat Mendes op de brancard van de ziekenbroeders nog leefde, en nu uitten ze schreeuwend hun woede op degenen die hem aan de dood, die hij had verdiend, hadden ontrukt, en die ze nu als verraders beschouwden.

Net als even daarvoor, toen hij Mendes had herkend, sloeg Amadeu zijn handen voor zijn gezicht. Maar nu gebeurde het langzaam, en als hij zonet nog zijn hoofd recht had gedragen als altijd, boog hij het nu en er was niets wat beter de vermoeidheid en het verdriet tot uitdrukking had kunnen brengen waarmee hij tegemoet zag wat hem nu te wachten stond, dan dat gebogen hoofd.

Maar noch vermoeidheid noch verdriet was in staat zijn geest te vertroebelen. Met een vaste greep pakte hij de witte jas, die hij eerder in de haast niet had kunnen aantrekken, daar van die haak en trok hem aan. De somnambule zekerheid die in die handeling lag heb ik pas veel later begrepen: hij wist, zonder erover na te denken, dat hij de mensen buiten als arts tegemoet moest treden en dat hij dat het beste kon doen door dat kledingstuk te dragen.

Toen hij in de deuropening verscheen, verstomde het geschreeuw. Heel even stond hij daar alleen maar, zijn hoofd gebogen, zijn handen in de zakken van zijn doktersjas. Iedereen verwachtte dat hij iets ter verdediging van zichzelf zou zeggen. Amadeu hief zijn hoofd en keek de mensen een voor een aan. Het kwam me voor alsof zijn blote voeten niet gewoon op de stenen vloer stonden maar alsof hij ze erin drukte.

"Sou médico," zei hij, en nog een keer, bezwerend: "Sou médico."

Ik herkende drie, vier van onze patiënten uit de buurt, die verlegen naar de grond keken.

"É um assassino!" riep nu iemand.

"Carniceiro!" riep een ander.

Ik zag hoe de schouders van Amadeu op en neer bewogen door de moeite die hij had met ademhalen.

"É um ser humano, uma pessoa, hij is een menselijk wezen, een persoon," zei hij luid en helder, en vermoedelijk hoorde alleen ik, die elke nuance van zijn stem kende, het zachte trillen toen hij herhaalde: "Pessoa."

Meteen daarna spatte een tomaat uiteen op de witte jas. Het was voor zover ik weet de eerste en enige keer dat iemand Amadeu lichamelijk belaagde. Ik kan niet zeggen hoe groot het aandeel van die aanval was in wat er nadien met hem gebeurde – hoeveel die bijdroeg aan de enorme schok die dat incident in de deuropening bij hem veroorzaakte. Maar ik vermoed dat het gering was verge-leken met wat er vervolgens gebeurde: een vrouw maakte zich los uit de menigte, liep naar hem toe en spuugde hem in zijn gezicht.

Als ze maar één keer had gespuugd dan had hij het misschien als een ondoordachte handeling kunnen beschouwen, vergelijk-baar met een woedende, onbeheerste uitval. Maar die vrouw spuugde een paar keer en bleef maar spugen, het was alsof ze de ziel uit haar lijf spuugde en Amadeu droop van het slijm van haar walging, dat in trage stromen over zijn gezicht liep.

Hij liet die tweede aanval met gesloten ogen over zich heen gaan. Maar hij moest net als ik die vrouw hebben herkend: het was de vrouw van een patiënt die hij jarenlang bij talloze visites, waarvoor hij geen centavo in rekening had gebracht, had begeleid op zijn doodsbed, tot de man overleed aan kanker. Wat ondankbaar! dacht ik eerst. Maar toen zag ik in haar ogen de pijn en de wanhoop die achter haar woede zaten en toen begreep ik: ze bespuugde hem *omdat* ze dankbaar was voor alles wat hij had gedaan. Hij was voor haar een held geweest, een beschermengel, een bode van God die haar door de ellende van de ziekte heen had geholpen die, als ze in de steek zou zijn gelaten, haar ondergang zou hebben betekend. En hij, uitgerekend hij, had de gerechtigheid in de weg gestaan die eruit had bestaan dat Mendes nu dood was geweest. Die gedachte had in de ziel van die slonzige, een beetje beperkte vrouw zo'n op-roer veroorzaakt dat ze niets anders wist te doen dan tot deze uit-barsting te komen die, naarmate ze langer duurde, iets mystieks kreeg, een betekenis die ver boven Amadeu uitsteeg.

Alsof de menigte voelde dat daarmee een grens was overschre-den, ging ze uiteen, de mensen liepen weg met neergeslagen blik. Amadeu keerde zich om en kwam naar me toe. Ik veegde met een zakdoek het ergste spuug uit zijn gezicht. Bij die wastafel daar hield hij zijn gezicht onder de waterstraal en draaide de kraan zo ver open dat het water over de wastafel heen alle kanten op spatte. Zijn gezicht was bleek toen hij het afdroogde. Ik geloof dat hij er op dat moment alles voor over had gehad te kunnen huilen. Hij stond daar maar en wachtte op de tranen, maar die kwamen niet. Sinds de dood van Fátima, vier jaar daarvóór, had hij niet meer gehuild. Hij deed een paar stijve stappen in mijn richting, het was alsof hij opnieuw moest leren lopen. Toen stond hij tegenover me, in zijn ogen tranen die niet wilden stromen, hij pakte me met beide handen bij mijn schouders en legde zijn nog vochtige voorhoofd tegen het mijne. Het waren misschien drie of vier minuten dat we zo stonden, en ze behoren tot de kostbaarste minuten van mijn leven.'

Adriana zweeg. Ze doorleefde ze opnieuw, die minuten. Haar gezicht vertrok, maar er welden geen tranen op. Ze liep naar de wastafel, liet water in de kom van haar handen lopen en duwde haar gezicht in het water. Langzaam veegde ze met de handdoek over haar ogen, wangen en mond. Alsof het verhaal om een vaste positie van de vertelster vroeg, ging ze terug naar de plek waar ze had gestaan voordat ze doorging met vertellen. Ook haar hand legde ze weer op de behandeltafel.

Amadeu, vertelde ze, stond heel lang onder de douche. Toen ging hij aan zijn bureau zitten, nam een schoon vel papier en schroefde de dop van zijn vulpen.

Er gebeurde niets. Hij kreeg geen woord op papier.

'Dat was het ergste van alles,' zei Adriana, 'te moeten toekijken hoe hetgeen er was gebeurd hem met stomheid had geslagen, zodat hij erin dreigde te stikken.'

Op de vraag of hij iets wilde eten, knikte hij afwezig. Toen ging hij naar de badkamer en spoelde de tomatenvlekken uit zijn jas. Bij het eten verscheen hij – dat was nog nooit voorgekomen – in zijn witte jas en hij streek met zijn hand voortdurend over de natte plekken. Adriana voelde dat die van heel diep kwamen, die strijkende bewegingen, en ze leken Amadeu meer te overkomen dan dat hij ze bewust uitvoerde. Ze was bang dat hij onder haar ogen zijn verstand zou verliezen en voor altijd zo zou blijven zitten, een voor zich uit starende man die in gedachten telkens weer het vuil van zich af probeerde te vegen waarmee mensen hem hadden besmeurd aan wie hij al zijn kunnen en al zijn energie had geschonken, dag en nacht.

Plotseling, midden onder het eten, rende hij naar de wc en braakte alles weer uit in een reeks verstikkende, krampachtige aanvallen. Hij wilde even wat gaan rusten, zei hij daarna met toonloze stem.

'Ik had hem graag in mijn armen genomen,' zei Adriana, 'maar het was onmogelijk, het was alsof hij brandde en alsof iedereen zich aan hem zou branden die hem te na zou komen.'

De beide daaropvolgende dagen was het alsof er niets was gebeurd. Prado was alleen iets gespannener dan normaal en zijn vriendelijkheid tegenover de patiënten had iets etherisch en onwerkelijks. Af en toe verstarde hij midden in een beweging en keek met een lege en vage blik voor zich uit, als een epilepticus tijdens een absence. En als hij naar de deur van de wachtkamer liep deed hij dat aarzelend, alsof hij bang was dat daar iemand uit de menigte zat die hem van verraad had beticht.

De derde dag werd hij ziek. Adriana trof hem op de vroege ochtend bibberend aan op een stoel in de keuken. Hij leek wel jaren ouder en wilde niemand zien. Dankbaar liet hij het aan haar over alles te regelen en verzonk daarna in een diepe, angstaanjagende vorm van apathie. Hij schoor zich niet en kleedde zich niet aan. De enige bezoeker die hij liet komen was Jorge, de apotheker. Maar ook tegen hem sprak hij geen woord en Jorge kende hem te goed om er bij hem op aan te dringen toch iets te zeggen. Adriana had hem verteld hoe het was gekomen en hij had niets gezegd en alleen maar geknikt.

'Na een week kwam er een brief van Mendes. Amadeu legde hem ongeopend op zijn nachtkastje. Daar bleef hij twee dagen liggen. Vroeg in de ochtend van de derde dag stopte hij hem, nog steeds ongeopend, in een envelop en adresseerde die aan de afzender. Hij stond erop hem eigenhandig naar het postkantoor te brengen. Dat zou pas om negen uur opengaan, waarschuwde ik hem. Toch ging hij de nog stille straat op, de grote envelop in zijn hand. Ik keek hem na en bleef vervolgens voor het raam staan wachten tot hij uren later thuiskwam. Hij liep rechter dan toen hij was vertrokken. In de keuken probeerde hij of hij weer koffie kon verdragen. Het ging. Toen schoor hij zich, kleedde zich aan en ging achter zijn bureau zitten.'

Adriana zweeg en haar gezicht doofde. Wezenloos keek ze naar de behandeltafel waar Amadeu voor had gestaan toen hij Mendes, met een beweging die op een genadestoot leek, de levensreddende naald in het hart had gestoten. Nu het verhaal helemaal was verteld, was voor haar ook de tijd ten einde.

Aanvankelijk had ook Gregorius het gevoel alsof de tijd voor zijn neus was weggemaaid en hij had de indruk heel even een blik te hebben opgevangen van de ellendige toestand waarmee Adriana nu al dertig jaar leefde: de ellende in een tijd te moeten leven die allang voorbij was.

Nu trok ze haar hand terug van de behandeltafel en door de aanraking te beëindigen leek ze ook het contact met het verleden te verliezen, de tijd die haar enige heden was. Eerst wist ze niet wat ze met haar hand moest doen, toen stopte ze hem in de zak van haar witte jas. De beweging maakte iets bijzonders van de jas, Gregorius had nu de indruk dat het een magisch omhulsel was waarin Adriana zich had verstopt om uit haar stille, saaie heden te verdwijnen en wederop te staan in het verre, laaiende verleden. Nu dat verleden was gedoofd, zag de jas er net zo wezenloos uit als een kostuum uit de rekwisietenkamer van een opgeheven theater.

Gregorius kon de aanblik van haar levenloosheid niet langer verdragen. Het liefst was hij weggelopen, naar buiten, de stad in, naar een café met veel geroezemoes, gelach en muziek. Naar een plek die hij normaal gesproken meed.

'Amadeu gaat aan zijn bureau zitten,' zei hij. 'Wat schrijft hij?'

De gloed van het voorbije leven keerde terug in Adriana's gezicht. Maar de vreugde nog langer over hem te kunnen spreken was nu gemengd met iets anders, iets wat Gregorius pas na enige tijd kon thuisbrengen. Het was irritatie. Niet een kortstondige irritatie die door een futiliteit wordt opgewekt, opvlamt en weer snel verdwijnt, maar een diepe, onderhuidse irritatie die op een smeulend vuur leek.

'Het zou mij liever zijn als hij het niet had geschreven. Of zelfs niet had gedacht. Het was zoiets als een langzaam werkend gif dat vanaf die dag door zijn aderen stroomde. Het veranderde hem. Het maakte hem kapot. Hij wilde het mij niet laten lezen. Maar hij was daarna zo anders. Toen heb ik het uit zijn bureaulade gehaald en het gelezen terwijl hij sliep. Het was de eerste keer dat ik zoiets deed, en de laatste keer. Want nu zat het gif ook in mij. Het gif van het gekwetste respect, het beschaamde vertrouwen. Het was daarna ook tussen ons niet meer als ervóór.

Als hij maar niet zo onverbiddelijk eerlijk was geweest tegenover zichzelf! "De waarheid over zichzelf mag van de mens worden gevergd," zei hij altijd. Het leek wel een geloofsovertuiging. Een gelofte die hem met Jorge verbond. Een credo dat uiteindelijk zelfs die heilige vriendschap verving, die vervloekte heilige vriendschap. Ik weet niet meer in detail hoe het kwam, maar het had te maken met het fanatieke ideaal van zelfkennis, waarmee die twee priesters van de waarachtigheid al als leerling liepen te zwaaien als het banier van kruisridders.'

Adriana liep naar de muur naast de deur en legde haar voorhoofd ertegen, haar handen gekruist op haar rug, alsof iemand haar in de boeien had geslagen. Zwijgend voerde ze een strijd met Amadeu, met Jorge en met zichzelf. Ze verzette zich tegen het onherroepelijke feit dat het drama van Mendes redding, dat haar kostbare momenten van intimiteit met haar broer had geschonken, kort daarna iets in gang had gezet dat alles veranderde. Ze leunde met het hele gewicht van haar lichaam tegen de muur, de druk op haar voorhoofd moest pijn doen. En toen, totaal onverwachts, haalde ze haar handen van haar rug, stak ze in de lucht en sloeg met beide vuisten tegen de muur, telkens weer, een bejaarde vrouw die het rad van de tijd terug wil draaien, het was een vertwijfeld trommelvuur van doffe slagen, een eruptie van machteloze woede, een wanhopige stormloop tegen het verlies van een gelukkige tijd.

De slagen werden zwakker en langzamer, de opwinding ebde weg. Uitgeput leunde Adriana nog even tegen de muur. Toen liep ze rugwaarts de kamer weer in en ging op een stoel zitten. Haar voorhoofd zat vol met witte korrels poeder van het stucwerk, af en toe maakte zich een korreltje los en rolde over haar gezicht. Haar blik ging terug naar de muur, Gregorius zag die blik en nu zag hij het: waar ze zojuist nog had gestaan zat een grote rechthoek, die lichter was dan de rest van de muur. Op die plaats moest vroeger iets hebben gehangen.

'Ik heb heel lang niet begrepen waarom hij die afbeelding van de muur had gehaald,' zei Adriana. 'Een afbeelding van de hersenen. Die had daar elf jaar lang gehangen, al die tijd dat we hier de praktijk uitoefenden. Vol met Latijnse namen. Ik heb niet naar de reden durven vragen, hij wordt woedend als je hem de verkeerde dingen vraagt. Ik wist immers niets van dat aneurysma, dat heeft hij tegenover mij verzwegen. Met een tijdbom in je hoofd kun je de aanblik van zo'n afbeelding niet verdragen.'

Gregorius was verrast door wat hij nu deed. Hij liep naar de wastafel, pakte de handdoek en ging voor Adriana staan om haar voorhoofd af te vegen. Eerst bleef ze stijf zitten in een afwerende houding, maar toen liet ze haar hoofd doodmoe en dankbaar tegen de handdoek vallen.

'Wilt u wat hij destijds heeft geschreven meenemen?' vroeg ze, toen ze zich oprichtte. 'Ik wil het hier niet meer in huis hebben.'

Terwijl ze naar boven ging om de papieren te halen die voor haar van zoveel dingen de schuld waren, stond Gregorius voor het raam en keek naar de straat, naar de plaats waar Mendes ineen was gezakt. Hij stelde zich voor in de deuropening te staan met tegenover zich een opgewonden menigte. Een menigte waaruit zich een vrouw losmaakte die hem bespuugde, niet één keer maar telkens weer. Een vrouw die hem, hij die altijd zoveel van zichzelf had gevergd, van verraad beschuldigde.

Adriana had de papieren in een envelop gedaan.

'Ik heb er vaak over gedacht ze te verbranden,' zei ze en overhandigde hem het couvert.

Zwijgend bracht ze hem naar de deur, nog steeds in haar witte jas gekleed. En toen, heel plotseling, hij stond al half buiten, hoorde hij de angstige stem van het kleine meisje dat ze ook was: 'Komt u die papieren wel terugbrengen? Alstublieft, ze zijn immers van hem.'

Toen Gregorius de straat uit liep stelde hij zich voor hoe ze op een bepaald moment de witte jasschort zou uittrekken en naast die van Amadeu zou hangen. Dan zou ze het licht uitdoen en de deur op het slot. Boven zou Clotilde op haar wachten.

21 Ademloos las Gregorius wat Prado had geschreven. Eerst ging hij er vluchtig doorheen om zo snel mogelijk vast te kunnen stellen waarom Adriana zijn gedachten als een vloek had ervaren, die de jaren die volgden had overschaduwd. Daarna zocht hij elk woord in het woordenboek op. Ten slotte schreef hij de tekst over om beter te begrijpen hoe het voor Prado was geweest die te bedenken.

Heb ik het voor hem gedaan? Was het zo dat ik in zijn belang wilde dat hij bleef leven? Kan ik in alle oprechtheid zeggen dat het mijn wil was? Bij mijn patiënten is dat zo, ook bij degenen die ik niet mag. Op z'n minst hoop ik het, en ik wil niet graag gedwongen zijn te denken dat mijn handelen achter mijn rug om door heel andere motieven wordt ingegeven dan door de motieven die ik meen te kennen. Maar bij hem?

Mijn hand schijnt zijn eigen geheugen te hebben en ik heb wel eens de indruk dat dat geheugen veel betrouwbaarder is dan elke andere bron van zelfonderzoek. En het geheugen van de hand die de naald in het hart van Mendes stak zegt: het was de hand van een tirannenmoordenaar die de reeds dode tiran in een paradoxale daad terughaalde naar het leven.

(Ook hiermee wordt bevestigd wat de ervaring me telkens weer heeft geleerd, geheel in tegenspraak met het oorspronkelijke temperament van mijn denken: dat het lichaam minder corrumpeerbaar is dan de geest. De geest is een charmante plaats waar zich het zelfbedrog afspeelt, samengesteld uit mooie, bezwerende woorden die ons een ongeschokt vertrouwen in onszelf voorspiegelen, een inzicht in onszelf dat ons ervoor behoedt door onszelf te worden verrast. Wat zou het toch weinig opwindend zijn met die vanzelfsprekende zelfverzekerdheid te leven!)

Heb ik het dus in werkelijkheid voor mijzelf gedaan? Om mijzelf als een goede arts en een dapper mens te kunnen zien die ertoe in staat is zijn haatgevoelens aan de kant te zetten? Om me te verlustigen in de triomf van de zelfbeheersing en te kunnen zwelgen in de overwinningsroes van de zege over mijzelf? Uit morele ijdelheid dus en erger nog: uit heel gewone ijdelheid? De ervaring tijdens die luttele seconden – het was niet de ervaring van zelfingenomen ijdelheid, dat weet ik zeker; integendeel, het was de ervaring dat ik tegen mijzelf in handelde en mijzelf de voor de hand liggende gevoelens van genoegdoening en leedvermaak niet gunde. Maar misschien is dat geen bewijs. Misschien bestaat er een ijdelheid die je niet voelt en die zich verstopt achter gevoelens van tegenovergestelde aard?

Ik ben arts – dat is wat ik tegen de verontwaardigde menigte in-bracht. Ik had ook kunnen zeggen: ik heb de eed van Hippocrates af-gelegd, dat is een heilige eed en ik zal die nooit schenden, nooit, hoe de zaken er ook voor mogen staan. Ik merk dat ik ervan houd dat te zeggen, ik houd ervan, het zijn woorden die me enthousiasmeren, die mijn hoofd op hol brengen. Is dat zo omdat ze lijken op de woorden van een priesterlijke gelofte? Was het dus eigenlijk een religieuze han-deling toen ik hem, de slager, het leven teruggaf dat hij al had verlo-ren? De handeling van iemand die heimelijk betreurt dat hij zich niet langer geborgen kan voelen in dogma en liturgie? Die nog steeds treurt om het onaardse licht van de kaarsen op het altaar? Dus geen door de ratio ingegeven handeling? Was er, door mij niet opgemerkt, in mijn ziel een korte maar hevige verbitterde strijd gaande tussen de voormalige priester in opleiding en de tirannenmoordenaar die al-leen nog niet tot de daad was overgegaan? De naald met het levens-reddende gif in zijn hart stoten: was dat een daad waarbij de pries-ter en de moordenaar elkaar de hand reikten? Een geste waarmee ze beiden kregen waarnaar ze verlangden?

Als niet Inês Salomão maar ik zelf het was geweest die mij had be-spuugd: wat had ik dan tegen mijzelf kunnen zeggen?

'Het was immers geen moord die we van je verlangden,' had ik kunnen zeggen, 'geen misdaad dus, noch in de zin van de wet noch in morele zin. Als je hem zijn dood had gelaten dan had geen rech-ter je kunnen veroordelen en niemand had naar de stenen tafel van Mozes kunnen wijzen waarop geschreven staat: Gij zult niet doden. Nee, wat wij van je konden verwachten was heel eenvoudig, heel sim-pel, heel erg voor de hand liggend: dat je een man die onheil, folte-ring en dood over ons bracht en van wie de barmhartige natuur ons eindelijk wilde verlossen, niet met alle geweld in leven zou houden waardoor hij door kon gaan met het bloedige regime dat hij over ons uitoefende.'

Hoe had ik me kunnen verdedigen?

'Eenieder verdient het dat hij wordt geholpen in leven te blijven, ongeacht wat hij heeft gedaan. Hij verdient het als persoon, hij ver-dient het als mens. Wij hebben niet het recht te beslissen over leven en dood.'

'En als dat de dood van anderen betekent? Schieten we niet op iemand die we op iemand zien schieten? Zou je, als je er ooggetuige van was, niet proberen te verhinderen dat Mendes iemand vermoordt, zo nodig door middel van een moord? En gaat dat niet veel verder dan wat jij had kunnen doen, namelijk niets?'

Hoe zou het nu met me gaan als ik hem had laten sterven? Als de anderen me, in plaats van me te bespugen, op handen hadden gedragen wegens mijn fatale nietsdoen? Als me op straat uitgelaten opluchting tegemoet was geslagen in plaats van door woede vergiftigde teleurstelling? Ik ben er zeker van: het had me achtervolgd tot in mijn dromen. Maar waarom? Omdat ik niet kan bestaan zonder het onvoorwaardelijke, zonder het absolute? Of gewoon omdat ik van mijzelf vervreemd was geraakt als ik hem koelbloedig had laten sterven? Maar wat ik ben, ben ik toevallig.

Ik stel me voor: ik ga naar het huis van Inês, ik bel aan en zeg: 'Ik kon niet anders, ik ben zo. Het had ook anders kunnen zijn, maar in werkelijkheid was het niet anders, en nu ben ik zoals ik ben, en zo kon ik niet anders.'

'Het komt er niet op aan hoe het je met jezelf vergaat,' zou ze kunnen zeggen, 'dat is van geen enkel belang. Stel je domweg voor: Mendes wordt weer beter, hij trekt zijn uniform aan en geeft zijn misdadige bevelen. Stel het je voor. Stel het je heel precies voor. En oordeel dan zelf.'

Wat zou ik kunnen antwoorden? Wat? WAT?

Ik wil iets doen, had Prado tegen João Eça gezegd, begrijp je: dóén. Zeg me wat ik kan doen. Wat was het precies dat hij goed had willen maken? Je hebt niets misdaan, had Eça tegen hem gezegd, je bent arts. Hij had dat zelf ingebracht tegen de hem beschimpende menigte, en ook tegen zichzelf had hij het gezegd, honderden keren ongetwijfeld. Het had hem niet gerust kunnen stellen. Het had hem te simpel geleken, te gemakkelijk. Prado was een man met een diep wantrouwen tegenover alles wat te gemakkelijk en oppervlakkig was, iemand die zinnen als: 'Ik ben arts' verachtte en verfoeide. Hij was naar het strand gegaan en had naar een ijskoude wind verlangd die alles zou wegvagen wat naar een tot gewoonte geworden manier van spreken klonk, die verraderlijke gewoonte die het nadenken in de weg staat door de illusie te wekken dat het allemaal al heeft plaatsgevonden en met uitgeholde woorden zijn beslag krijgt.

Toen Mendes voor hem lag had hij hem als een bijzonder, uniek mens gezien wiens leven moest worden gered. Uitsluitend als de unieke mens die hij was. Hij had dat leven niet als iets kunnen zien waarmee je in samenhang met anderen om moet gaan, als slechts een factor binnen een grotere rekensom. En precies dat was het wat de vrouw hem in zijn zelfgesprek had verweten: dat hij niet aan de consequenties had gedacht die immers levens betroffen die net zo goed uniek waren, heel veel unieke levens. Het verwijt dat hij niet bereid was geweest die ene unieke mens op te offeren omwille van vele andere unieke mensen.

Toen Prado zich aansloot bij het verzet, dacht Gregorius, was dat ook geweest om die manier van denken te leren kennen. Het was hem niet gelukt. Eén leven in ruil voor vele levens. Zo kun je toch niet rekenen. Of wel? had hij jaren later tegen pater Bartolomeu gezegd. Hij was naar zijn voormalige mentor gegaan om zijn gevoelens te laten bevestigen. Maar hij had hoe dan ook niet anders gekund. En toen had hij Estefânia Espinhosa over de grens gebracht, buiten bereik van degenen die meenden haar te moeten opofferen om ergere dingen te voorkomen.

Zijn innerlijke zwaartekracht, die van hem de mens maakte die hij was, had geen ander handelen toegelaten. Maar de twijfel was gebleven omdat hij de verdenking van morele zelfgenoegzaamheid niet zomaar aan de kant kon schuiven, een verdenking die zwaar genoeg woog voor een man die ijdelheid haatte als de pest.

Die twijfel had Adriana vervloekt. Ze had haar broer helemaal voor zichzelf willen hebben en had ervaren dat je niet iemand voor jezelf kunt hebben die niet met zichzelf in het reine is.

22 'Ik kan het niet geloven!' zei Natalie Rubin aan de telefoon. 'Ik kan het gewoon niet geloven! Waar bent u?'

Gregorius zei dat hij in Lissabon was en boeken nodig had, Duitstalige boeken.

'Boeken,' lachte ze, 'wat anders!'

Hij gaf een heel lijstje op: het grootste woordenboek Duits-Portugees dat er bestaat; een uitvoerige Portugese grammatica, droog als een leerboek Latijn, zonder al die toeters en bellen die het leren zogenaamd gemakkelijk maken; een boek over de geschiedenis van Portugal.

'En dan nog iets wat misschien helemaal niet bestaat: iets over de geschiedenis van het Portugese verzet onder Salazar.'

'Dat klinkt naar avontuur,' zei Natalie.

'Dat is het ook,' zei Gregorius. 'Op een bepaalde manier.'

'Faço o que posso,' zei ze. Ik doe wat ik kan.

Eerst begreep Gregorius het niet, toen schrok hij. Dat een leerlinge van hem Portugees sprak, dat kon niet. Het deed de afstand tussen Bern en Lissabon teniet. Het hief de betovering op, de hele krankzinnige betovering van zijn reis. Hij vervloekte zichzelf dat hij had gebeld.

'Bent u er nog? Mijn moeder is Portugese, voor het geval het u verbaast.'

Hij had bovendien een grammatica nodig van modern Perzisch, zei Gregorius en hij noemde de titel van het boek dat veertig jaar geleden dertien frank dertig had gekost. Als dat boek nog te krijgen was, anders iets anders. Hij zei het als een koppige jongen die zich zijn dromen niet uit zijn hoofd laat praten.

Toen liet hij zich haar adres geven en gaf haar de naam en het adres van het hotel waar hij verbleef. Het geld zou hij vandaag nog op de post doen, zei hij. Als er iets overbleef – nou ja, misschien had hij later nog een keer iets nodig.

'U opent zelfs een rekening courant bij mij? Dat bevalt me.'

Gregorius vond het leuk zoals ze het zei. Maar hij vond het niet leuk dat ze Portugees kende.

'U hebt hier wel voor een ongelooflijke toestand gezorgd,' zei ze toen er een stilte viel.

Gregorius wilde er niets over horen. Hij had behoefte aan een muur van onwetendheid tussen Bern en Lissabon.

Wat er dan wel was gebeurd, vroeg hij desondanks.

'Die komt niet meer terug,' had Lucien von Graffenried de verblufte stilte doorbroken nadat Gregorius de deur van het lokaal achter zich had dichtgedaan.

'Je bent gek,' hadden andere leerlingen gezegd, 'Mundus loopt toch zeker niet zomaar weg, Mundus toch niet, geen sprake van.'

'Jullie kunnen gewoon geen gezichten lezen,' had von Graffenried gezegd.

Zoiets had Gregorius nooit van von Graffenried verwacht.

'We zijn naar uw huis gegaan en hebben aangebeld,' zei Natalie. 'Ik had er iets onder durven verwedden dat u thuis was.'

Zijn brief aan Kägi was pas woensdag aangekomen. De hele dinsdag lang had Kägi bij de politie geïnformeerd of er ergens een ongeval had plaatsgevonden. De lessen Latijn en Grieks waren uitgevallen, de leerlingen hadden buiten radeloos op de stoeptreden gezeten. Alles had op z'n kop gestaan.

Natalie aarzelde. 'Die vrouw... ik bedoel... dat vonden we spannend, ergens. Sorry,' voegde ze eraan toe toen hij zweeg.

En op die woensdag?

'In de grote pauze hing er een mededeling op het bord. Dat u tot nader order geen les meer zou geven, stond erop. Kägi zelf zou de lessen overnemen. Een paar van ons gingen naar Kägi toe en wilden méér weten. Hij zat achter zijn bureau en had uw brief voor zich liggen. Hij was heel anders dan anders, veel bescheidener, zachter, geen spoor meer van rector of zo. "Ik weet niet of ik het mag doen," zei hij, maar toen las hij de passage uit Marcus Aurelius voor die u had geciteerd. Of hij dacht dat u ziek was, vroegen we. Hij zweeg heel lang en keek uit het raam. "Ik weet daar niets van," zei hij ten slotte, "maar eigenlijk geloof ik van niet. Ik geloof eerder dat hij plotseling iets heeft gevoeld, iets nieuws. Iets geruisloos en toch revolutionairs. Het moet op een enorme explosie hebben geleken die alles veranderde." We vertelden over... over die vrouw. "Ja," zei Kägi daarop, "jaa." Ik had het gevoel dat hij op een bepaalde manier jaloers was. "Kägi is een toffe vent," zei Lucien later, "dat had ik niet van hem verwacht." Klopt. Maar hij geeft zo vreselijk saai les. We... we willen u graag terug hebben.'

Gregorius voelde iets prikken in zijn ogen en zette zijn bril af. Hij slikte. 'Ik kan... ik kan daar nu niets over zeggen,' zei hij.

'Maar u bent... U bent niet ziek? Ik bedoel…'

Nee, hij was niet ziek, zei hij. 'Een beetje gek, maar niet ziek.'

Ze lachte zoals hij haar nog nooit had horen lachen, geen spoor van het deftige dametje dat ze was. Het was een aanstekelijke lach en hij lachte mee, verbaasd over de ongelooflijke, ongekende lichtheid van zijn lach. Een tijdlang lachten ze samen, hij stak haar aan en zij hem, ze bleven lachen, de aanleiding was niet meer van belang, alleen nog het lachen, het was als in een trein zitten, als het verlangen dat het ritme van de trein, dat geluid vol geborgenheid en toekomst, nooit meer zou ophouden.

'Het is vandaag zaterdag,' zei Natalie vlug toen het lachen ophield, 'de boekhandels zijn maar tot vier uur open. Ik ga meteen op pad.'

'Natalie? Ik wil graag dat dit gesprek onder ons blijft. Alsof het nooit heeft plaatsgehad.'

Ze lachte. 'Welk gesprek dan? Até logo.'

Gregorius bekeek de wikkel van het snoepje dat hij tijdens de nacht in het liceu weer in zijn jaszak had gestopt en vanochtend had teruggevonden toen hij zijn hand in zijn zak stak. Hij nam de hoorn van de haak en legde hem er weer op de correcte manier op. Drie telefoonnummers had Inlichtingen hem gegeven voor de naam Rubin. Het tweede nummer was het juiste geweest. Hij had het gevoel gehad van een hoge rots in de diepte te springen toen hij het nummer draaide. Je kon niet zeggen dat hij het ondoordacht had gedaan of vanuit een blinde impuls. Verscheidene keren had hij de hoorn in zijn hand gehad, had hem weer neergelegd en was voor het raam gaan staan. Maandag zou het 1 maart zijn en het licht was vanochtend anders, voor de eerste keer was het het licht dat hij zich had voorgesteld toen de trein in de neerdwarrelende sneeuw het station van Bern had verlaten.

Het had absoluut niet voor de hand gelegen het meisje te bellen. Snoepjespapier in je jaszak is geen reden om zomaar een leerlinge te bellen met wie je nog nooit een persoonlijk gesprek hebt gevoerd. En al helemaal niet als je bent weggelopen en een telefoontje opschudding veroorzaakt. Was dat het geweest wat de zaak had beslist: dat het allerminst voor de hand lag en eigenlijk absurd was?

En nu hadden ze samen gelachen, minutenlang. Het had iets gehad van een aanraking. Een lichte, bijna onmerkbare aanraking zonder weerstand, iets wat elke lichamelijke aanraking op een plompe, bijna belachelijke manoeuvre deed lijken. In de krant had hij een keer een bericht gelezen over een politieagent die een op heterdaad betrapte dief had laten ontsnappen. We hebben samen gelachen, had de politieagent ter verdediging gezegd, toen kon ik hem niet meer opsluiten. Het ging gewoon niet meer.

Gregorius belde Mariana Eça en Mélodie. Niemand nam op. Hij ging op weg naar de Baixa, naar de Rua dos Sapateiros, waar Jorge O'Kelly, zoals pater Bartolomeu had gezegd, nog steeds achter de toonbank van zijn apotheek stond. Het was de eerste keer sinds zijn aankomst in Lissabon dat hij zijn jas open kon laten. Hij voelde de zachte lucht op zijn gezicht en merkte hoe blij hij was dat hij de beide vrouwen niet per telefoon had kunnen bereiken. Hij had geen idee wat hij tegen hen had moeten zeggen.

In het hotel hadden ze hem gevraagd hoe lang hij nog dacht te blijven. 'Não faço ideia, ik heb geen idee,' had hij gezegd, en toen had hij de lopende rekening betaald. De vrouw van de receptie had hem nagekeken tot aan de uitgang, hij had het in de spiegel op een zuil gezien. Nu liep hij langzaam naar de Praça do Rossio. Hij zag Natalie Rubin voor zich, hoe ze naar boekhandel Stauffacher liep. Wist ze dat je voor de Perzische grammatica eigenlijk bij Haupt op de Falkenplatz moest zijn?

In een kiosk lag een plattegrond van Lissabon waarop alle kerken met hun silhouetten waren ingetekend. Gregorius kocht de plattegrond. Prado – had pater Bartolomeu verteld – had alle kerken gekend en er alles over geweten. Een paar ervan had hij samen met de pater bezocht. 'Die zou je moeten afbreken!' had hij gezegd toen ze langs de biechtstoelen kwamen. 'Wat een vernedering!'

O'Kelly's apotheek had een deur en raamkozijnen die donkergroen en goud waren geverfd. Boven de deur een esculaap, in de etalage een ouderwetse weegschaal. Toen Gregorius de winkel betrad, rinkelden verscheidene belletjes die samen een zachte, rammelig klinkende melodie vormden. Hij was blij dat hij zich achter de vele klanten kon verstoppen. En nu zag hij wat hij niet voor mogelijk had gehouden: een apotheker die achter de toonbank stond te roken. In de winkel hing de geur van rook en medicijnen en nu stak O'Kelly een nieuwe sigaret aan met de gloeiende punt van de vorige. Toen nam hij een slok koffie uit een kopje op de toonbank. Niemand leek zich erover te verbazen. Met zijn doorrookte stem legde hij iets uit aan een klant of hij maakte een grapje. Gregorius had de indruk dat hij iedereen tutoyeerde.

Dat was dus Jorge, de verstokte atheïst en illusieloze romanticus, de man die Amadeu nodig had gehad om heel te zijn. De man wiens superioriteit bij het schaken voor hem, de superieur, zo belangrijk was geweest. De man die als eerste in lachen was uitgebarsten toen een blaffende hond een eind had gemaakt aan de bevangen stilte na Prado's godslasterlijke toespraak. De man die op een contrabas kon zagen tot er een snaar brak omdat hij voelde dat hij hopeloos ongetalenteerd was. En ten slotte de man tegen wie Prado zich had verzet toen het tot hem doordrong dat die Estefânia Espinhosa ter dood had veroordeeld, de vrouw op wie deze man – als pater Bartolomeu's vermoeden juist was – jaren later op het kerkhof was toegelopen zonder haar in de ogen te kijken.

Gregorius verliet de apotheek en ging in het café aan de overkant zitten. Hij wist dat er in Prado's boek een aantekening stond die met een telefoontje van Jorge begon. Toen hij, te midden van het straatrumoer en omringd door mensen die met elkaar praatten of die met gesloten ogen van de voorjaarszon genoten, in het woordenboek begon te bladeren en de tekst wilde vertalen, merkte hij dat er iets groots en eigenlijk ongehoords met hem gebeurde: hij hield zich bezig met het geschreven woord te midden van geroezemoes, van straatmuziek en de geur van koffie. 'Maar je leest toch soms ook de krant in een café,' had Florence ertegen ingebracht als hij haar uitlegde dat teksten om de bescherming van muren vroegen die het lawaai van de wereld verre van hem hielden, het liefst de dikke stevige muren van een onderaards archief. 'Nou ja, de krant,' had hij geantwoord, 'ik heb het over teksten.' En nu, opeens, miste hij die muren niet meer, de Portugese woorden die voor hem lagen versmolten met de Portugese woorden om hem heen, hij kon zich voorstellen dat Prado en O'Kelly aan het tafeltje naast het zijne zaten en door de ober werden onderbroken zonder dat het iets uitmaakte voor de woorden.

AS SOMBRAS DESCONCERTANTES DA MORTE. DE VERWARRENDE SCHADUWEN VAN DE DOOD.

'Ik ben opgeschrikt uit mijn slaap en was bang voor de dood,' zei

Jorge aan de telefoon, 'en ook nu nog ben ik in grote paniek.' Het was even voor drieën in de nacht. Zijn stem klonk anders dan ik van hem kende als hij met klanten in de apotheek sprak, mij iets te drinken aanbood of zei: 'Jij bent aan zet.' Je kon niet zeggen dat zijn stem trilde, maar hij was hees als een stem waarachter hevige gevoelens tot uitbarsting dreigden te komen die ternauwernood konden worden beheerst.

Hij had gedroomd dat hij op een toneel achter een nieuwe Steinway-vleugel zat en niet kon spelen. Het was nog niet zo lang geleden dat hij, de bezeten rationalist, iets onbegrijpelijk idioots had gedaan: hij had met het geld dat zijn verongelukte broer hem had nagelaten een Steinway gekocht, hoewel hij nog nooit één akkoord had aangeslagen op een piano. De verkoper was verbaasd geweest dat hij domweg een glanzende vleugel had aangewezen zonder zelfs de klep te openen. Sindsdien stond de vleugel pontificaal te glanzen in zijn eenzaam geworden woning en zag eruit als een monumentale grafsteen. 'Ik werd wakker en wist plotseling: op die vleugel spelen zoals die het verdient, ligt niet meer in de reikwijdte van mijn leven.' Hij zat tegenover me in zijn ochtendjas en scheen steeds dieper weg te zinken in zijn stoel. Verlegen wreef hij zijn eeuwig koude handen. 'Jij denkt nu zeker: dat had je meteen kunnen weten. En ergens wist ik dat ook. Maar weet je: toen ik wakker werd wist ik het opeens werkelijk. En nu ben ik zo verschrikkelijk bang.'

'Bang waarvoor?' vroeg ik en ik wachtte tot hij, een meester in de onverschrokken rechte blik, me zou aankijken. 'Waarvoor precies?'

Even verscheen er een glimlach op Jorge's gezicht: anders is het altijd hij die er bij mij op aandringt precies te zijn en die zijn analytische verstand, zijn chemische deskundigheid tegenover mijn neiging stelt om belangrijke dingen vaag te laten.

Vrees voor pijn en doodsangst kon het onmogelijk zijn bij een apotheker, zei ik, en wat de vernederende ervaring van het lichamelijke en geestelijke verval betrof – welnu, we hadden toch vaak genoeg over mogelijkheden en middelen gesproken voor het geval die de grens van het draaglijke zouden overschrijden. Wat was het dan waarvoor hij zo bang was?

'De vleugel – sinds vannacht herinnert die me eraan dat er dingen zijn die ik niet meer op tijd zal kunnen doen.' Hij sloot zijn ogen

zoals altijd als hij een tegenwerping van mij wilde voorkomen. 'Het
gaat niet om oppervlakkige pleziertjes en vluchtige geneugten, om
zoiets als een glas water achteroverslaan in de stoffige hitte. Het gaat
om dingen die je wilt doen en beleven omdat die het zijn die je eigen
heel bijzondere en unieke leven heel *zouden maken en omdat zon-*
der die dingen je leven onvolledig zou blijven, een torso, niet meer
dan een fragment.'

Maar vanaf het moment van overlijden zou hij er immers toch niet
meer zijn om die onvoltooidheid nog te ervaren en te betreuren, zei
ik.

Ja, zeker, zei Jorge – het klonk geïrriteerd als altijd als hij iets hoor-
de wat hij niet terzake vond – maar het ging immers om het huidi-
ge, levende bewustzijn dat het leven onvoltooid zou blijven, fragmen-
tarisch en zonder de samenhang waarop je had gehoopt. Om dat
bewustzijn – om de angst voor de dood dus.

Maar het ongeluk bestond er toch zeker niet uit dat zijn leven op
dit moment, *nu ze dit gesprek voerden, die innerlijke voltooiing nog*
niet bezat?

Jorge schudde zijn hoofd. Hij doelde er niet op dat hij het betreur-
de op dit moment nog niet alle ervaringen te hebben die bij zijn le-
ven zouden moeten behoren om het tot één geheel te maken. Als het
bewustzijn van de huidige onvoltooidheid van zijn eigen leven op zich
al ongeluk zou betekenen, dan zou logischerwijs iedereen altijd on-
gelukkig moeten zijn. Het besef van de openheid was integendeel juist
een voorwaarde voor het besef dat het om een levend en niet om een
al dood leven ging. Het moest dus iets anders zijn wat het ongeluk
bepaalde: het besef dat het ook in de toekomst *niet meer mogelijk*
zou zijn die afrondende, vervolmakende ervaring te hebben.

Maar, zei ik, als voor geen enkel ogenblik geldt dat de onvoltooid-
heid die erin besloten ligt het tot een ongelukkig moment maakt –
waarom zou dat dan niet ook voor alle ogenblikken gelden die zijn
doordrongen van het bewustzijn dat het heel zijn niet meer bereik-
baar is? Het leek er immers op, ging ik verder, dat het zo vurig ver-
langde heel zijn alleen wenselijk is als een toekomstig *heel zijn, als*
iets waar je naar op weg bent en niet als iets waar je aankomt. 'Ik
wil het nog anders uitdrukken,' voegde ik eraan toe. 'Wat is eigenlijk
het standpunt van waaruit die onbereikbaarheid van het heel zijn tot

treurnis leidt en een mogelijke reden is voor angst? Als dat tenmin-
ste niet het standpunt van de vervloeiende ogenblikken is waarvoor
het ontbrekende heel zijn geen probleem is, maar juist een stimule-
rend teken van leven?'

Hij moest toegeven, zei Jorge, dat je, om die vorm van angst waar-
mee hij was ontwaakt te kunnen beleven, een ander standpunt moest
innemen dan dat van de normale, naar voren gerichte open ogen-
blikken: je moest, om het ontbrekende heel zijn als ongeluk te kun-
nen ervaren, het leven als geheel in ogenschouw nemen, het zogezegd
vanaf het einde bezien – precies zoals je doet wanneer je aan de dood
denkt.

'Maar waarom zou die manier van kijken aanleiding geven tot pa-
niek?' vroeg ik. 'Als ervaring betekent de huidige onvolledigheid van
je leven geen ongeluk, daar waren we het al over eens. Het lijkt een
beetje alsof het alleen maar ongeluk betekent als een onvolledigheid
die je niet meer zult beleven, omdat die pas vanaf de andere zijde van
het graf kan worden vastgesteld. Want als mens die de dingen beleeft,
kun je nu eenmaal niet vooruitlopen op een toekomst, teneinde van-
af een zich nog niet voordoend einde wanhopig te zijn over een te-
kortkoming van je leven, die nog naar het geanticipeerde eindpunt
toe moet kruipen. En zo schijnt jouw doodsangst dus uit iets heel
merkwaardigs te bestaan: uit een onvolmaaktheid van je leven die je
nooit zult kunnen beleven.'

'Ik zou graag nog iemand zijn geworden die de vleugel tot klinken
kan brengen,' zei Jorge. 'Iemand die – laten we zeggen – de Goldberg-
variaties van Bach kan spelen. Estefânia – zij kan het, zij heeft ze he-
lemaal voor mij alleen gespeeld, en sindsdien loop ik met het verlan-
gen rond het ook te kunnen. Het lijkt wel alsof ik tot een halfuur
geleden met het onbestemde, nooit tot vol bewustzijn geraakte gevoel
heb geleefd dat ik nog tijd heb om het te leren. Pas toen ik over dat
toneel droomde, werd ik wakker in de overtuiging dat mijn leven zon-
der die gespeelde variaties zal eindigen.'

Goed, zei ik, maar waarom die angst? Waarom niet gewoon ver-
driet, teleurstelling, spijt? Of woede? 'Bang is de mens voor iets wat
nog moet komen, wat hem te wachten staat; maar jouw besef van de
voor altijd zwijgende vleugel is er immers al, we spreken erover als
over iets wat al een feit is. Die ongelukkige toestand kan voortduren,

maar kan niet groter worden en logischerwijs hoef je geen angst te
koesteren voor dat groter worden. Daarom kun je nu misschien wel
bedroefd en wanhopig zijn door je nieuwe besef, maar er is geen re-
den voor paniek.'

  Dat was een misverstand, bracht Jorge ertegenin: de angst betrof
niet die nieuwe zekerheid maar dat waaruit die zekerheid bestond:
de weliswaar pas toekomstige maar toch nu al vaststaande onvolle-
digheid van zijn leven die nu al voelbaar was als een gebrek dat, door
zijn omvang, de zekerheid van binnenuit in angst veranderde.

  De heelheid van het leven waarvan het bewustzijn, dat het zal ont-
breken, bij iemand het zweet op het voorhoofd drijft – wat kan dat
zijn? Waaruit kan die heelheid bestaan als je bedenkt hoe fragmenta-
risch, wisselvallig en grillig ons leven is, het uiterlijke leven niet min-
der dan het innerlijke? We zijn niet uit één stuk gegoten, absoluut niet.
Hebben we het dan gewoon over ons verlangen naar een verzadiging
van onze belevenissen? Was datgene waaraan Jorge leed het onvervul-
baar geworden verlangen achter een glanzende Steinway te zitten en
je de muziek van Bach zo eigen te maken als alleen mogelijk is wan-
neer die muziek door je eigen handen wordt voortgebracht? Of gaat
het ons om de behoefte voldoende dingen te hebben beleefd om over
je leven te kunnen vertellen alsof het een afgerond geheel is?

  Is het uiteindelijk een kwestie van het zelfbeeld, van een dwingen-
de voorstelling die je je langgeleden hebt gemaakt van wat je gepres-
teerd en beleefd zou moeten hebben om van je leven iets te maken
waarmee je tevreden kunt zijn? De angst voor de dood als de angst
voor het onvervulde, schijnt het, heb ik dan helemaal zelf in de hand,
want ik ben het immers zelf die het beeld van mijn leven, van een
vervuld leven, ontwerpt. Wat zou er dan meer voor de hand liggen
dan de gedachte dat ik het beeld aanpas, zodat mijn leven er nu al
aan beantwoordt – daarmee zou de angst voor de dood meteen ver-
dwijnen. Als die angst toch blijft, dan alleen omdat het beeld, alhoe-
wel door niemand anders dan mijzelf gemaakt, niet is ontstaan uit
grillige willekeur en niet op willekeurige wijze kan worden veranderd,
maar in mijzelf is verankerd en voortkomt uit het krachtenspel van
voelen en denken dat ik ben. En zo zou je de angst voor de dood kun-
nen beschrijven als de angst niet de mens te kunnen worden naar wie
je hebt gestreefd.

Het glasheldere bewustzijn van eindigheid dat Jorge midden in de nacht overviel en dat ik in menig patiënt ontketen door de woorden waarmee ik hun de dodelijke diagnose mededeel, brengt ons zo sterk in verwarring omdat we, vaak zonder het te weten, toeleven naar een zekere heelheid en omdat elk ogenblik dat wij als levend mens als geslaagd ervaren, zijn bestaan ontleent aan het feit dat het een stukje is van de puzzel waaruit die onbekende heelheid bestaat. Zodra het besef ons overvalt dat die heelheid niet meer bereikt kan worden, weten we plotseling niet meer wat we verder moeten beginnen met de tijd, die dan niet meer met het oogmerk van die heelheid kan worden doorgemaakt. Dat is de reden voor de merkwaardige, schokkende ervaring die sommigen van mijn ten dode opgeschreven patiënten hebben: dat ze met hun tijd, hoewel die zo beperkt is geworden, niets meer weten te beginnen.

Toen ik na het gesprek met Jorge door de straten liep, kwam juist de zon op en de paar mensen die ik tegenkwam zagen er in het tegenlicht uit als silhouetten, stervelingen zonder gezicht. Ik ging op een vensterbank zitten en wachtte tot hun gezicht zich bij het naderen aan mij zouden openbaren. De eerste die eraan kwam was een vrouw met een wiegende gang. Haar gezicht, zag ik, stond nog heel slaperig, maar het was gemakkelijk je voor te stellen hoe het zich in het zonlicht zou openen en vol hoop en verwachting de gebeurtenissen van de dag tegemoet zou zien met ogen vol toekomst. Een oude man met een hond was de tweede mens die me passeerde. Nu bleef hij staan, stak een sigaret op en maakte de hond los van de riem, zodat hij het park in kon lopen. Hij hield van de hond en van zijn leven met de hond, daar liet de uitdrukking op zijn gezicht geen twijfel over bestaan. Ook de oude vrouw met de gehaakte hoofddoek die even later langsliep, hing aan haar leven, hoewel lopen moeizaam ging met haar gezwollen benen. Stevig hield ze de hand van de jongen met het schoolransel vast, een kleinzoon wellicht die ze – het was de eerste schooldag – vroeg naar school bracht zodat hij dit belangrijke begin van zijn nieuwe toekomst in geen geval zou mislopen.

Allemaal zouden ze sterven en allemaal waren ze daar bang voor als ze eraan dachten. Op een dag sterven – alleen niet nu. Ik probeerde me het labyrint van vragen en argumenten te herinneren waar ik die nacht urenlang met Jorge had rondgedwaald, en aan de duide-

lijkheid, die voor het grijpen had gelegen tot die op het laatste mo-
ment door onze vingers was geglipt. Ik keek de jonge vrouw na die
zich juist uitrekte, de oude man die overmoedig met de hondenriem
speelde, en de voortsjokkende grootmoeder die het kind even over zijn
haar aaide. Was niet zonder meer duidelijk, heel eenvoudig en sim-
pel, waaruit hun ontzetting zou bestaan als ze op ditzelfde moment
het bericht kregen dat ze spoedig zouden sterven? Ik hield mijn do-
delijk vermoeide gezicht in de ochtendzon en dacht: ze willen gewoon
nog meer van de dingen waaruit hun leven bestaat, hoe gemakkelijk
of lastig, hoe armelijk of overdadig dat leven ook moge zijn. Ze wil-
len niet dat het ten einde is, ook als ze het ontbrekende leven na het
einde niet meer kunnen missen – en dat weten.

Ik ging naar huis. Wat is de samenhang tussen gecompliceerd, ana-
lytisch nadenken en aanschouwelijke zekerheid? Welk van beide moet
je meer vertrouwen?

In de spreekkamer deed ik het raam open en keek naar de vaal-
blauwe hemel boven de daken, de schoorstenen en het wasgoed aan
de lijnen: hoe zou het na deze nacht tussen Jorge en mij zijn? Zou-
den we bij het schaken tegenover elkaar zitten als altijd, of anders?
Wat doet de intimiteit van de dood met ons?

Het was laat in de middag toen Jorge de apotheek verliet en op slot
deed. Al een uur had Gregorius het koud en dronk hij de ene kop
koffie na de andere. Nu legde hij geld onder het kopje en volgde
O'Kelly. Toen hij langs de apotheek kwam, viel hem op dat er binnen nog licht brandde. Hij keek door het raam: er was niemand
meer, de ouderwetse kassa was bedekt met een smoezelige doek.

De apotheker sloeg de hoek om, Gregorius moest zich haasten.
Ze volgden de Rua da Conceição dwars door de Baixa en verder
door Alfama, langs drie kerken die één voor één het hele uur sloegen. In de Rua da Saudade trapte Jorge de derde sigaret uit voordat hij achter een huisdeur verdween.

Gregorius stond aan de overkant van de straat. In geen van de
woningen ging licht aan. Aarzelend stak hij opnieuw de straat over
en betrad de donkere entree. Het moest ginds door die zware houten deur zijn dat Jorge was verdwenen. Het zag er niet uit als de
deur van een woning, meer als de deur van een bar, maar niets

wees erop dat daar een café was. Een gokhal? Kon hij zich dat bij Jorge voorstellen na alles wat hij van hem wist? Gregorius bleef voor de deur staan, zijn handen in zijn jaszakken. Nu klopte hij op de deur. Er gebeurde niets. Toen hij ten slotte de deurklink naar beneden drukte, was het net als die ochtend toen hij het nummer van Natalie Rubin had gekozen: als een sprong in de leegte.

Het was een schaakclub. In een laag, rokerig vertrek waar schemerig licht hing, werd aan een tiental tafeltjes gespeeld, allemaal mannen. In een hoek was een kleine bar met drankjes. Verwarming was er niet, de mannen hadden jassen en warme jacks aan, enkelen droegen een baret. Ze hadden O'Kelly verwacht, en toen Gregorius hem achter een gordijn van rook herkende, stak zijn tegenspeler hem juist zijn vuisten met de schaakstukken toe om een keuze te maken. Aan het tafeltje ernaast zat een man alleen die op zijn horloge keek en toen met zijn vingers op de tafel trommelde.

Gregorius schrok. De man zag eruit als de man destijds in de Jura, tegen wie hij tien uur lang had gespeeld om uiteindelijk toch van hem te verliezen. Dat was op een toernooi in Moutier geweest, tijdens een koud weekend in december toen het nooit licht werd en de bergen boven het dorp uit leken te torenen als een vesting. De man, een autochtoon die Frans sprak als een debiel, had hetzelfde vierkante gezicht gehad als de Portugees ginds aan het tafeltje, hetzelfde stoppelige kapsel dat door een grasmaaimachine behandeld leek, hetzelfde wijkende voorhoofd, dezelfde afstaande oren. Alleen de neus van de Portugees was anders. En ook de blik. Zwarte, pikzwarte ogen onder borstelige wenkbrauwen, een blik als een kerkhofmuur.

Met die blik keek hij Gregorius nu aan. Niet tegen die man, dacht Gregorius, in geen geval tegen die man. De man maakte met een gebaar duidelijk dat hij naar hem toe moest komen. Gregorius deed een paar stappen naar voren. Zo kon hij O'Kelly aan het tafeltje ernaast zien spelen. Hij kon hem onopvallend gadeslaan. Daar moest hij iets voor over hebben. Die vervloekte heilige vriendschap, hoorde hij Adriana zeggen. Hij ging zitten.

'Novato?' vroeg de man.

Gregorius wist niet of dat gewoon 'nieuw hier?' betekende of 'beginner?' Hij koos voor het eerste en knikte.

'Pedro,' zei de Portugees.

'Raimundo,' zei Gregorius.

De man speelde nog langzamer dan de man uit de Jura destijds. En de traagheid begon bij de eerste zet, een loodzware, verlammende traagheid. Gregorius keek om zich heen. Niemand speelde met een klok. Klokken hoorden hier niet thuis. Behalve schaakborden hoorde hier niets thuis. Ook praten niet.

Pedro legde zijn onderarmen plat op de tafel, liet zijn kin op zijn handen rusten en keek van onderaf naar het bord. Gregorius wist niet wat hem meer irriteerde: die gespannen, epileptische blik met de naar boven gegleden iris op de gelige oogbal, of de manische manier waarop de man op zijn lippen kauwde. Bij die man uit de Jura had hem dat helemaal gek gemaakt. Het zou een gevecht tegen het ongeduld worden. Tegen de man uit de Jura had hij dat gevecht verloren. Hij vervloekte de vele koppen koffie die hij had gedronken.

Nu wisselde hij de eerste blik met Jorge naast hem, de man die uit de doodsangst was ontwaakt en die Prado inmiddels eenendertig jaar had overleefd.

'Atenção!' zei O'Kelly en wees met zijn kin naar Pedro. 'Adversário desagradável. Onaangename tegenstander.'

Pedro trok een grijns zonder zijn hoofd op te tillen, en nu zag hij eruit als een debiel. 'Justo, muito justo, heel juist,' mompelde hij, en in zijn mondhoeken verschenen kleine spuugblaasjes.

Zolang het om het gewone bedenken van zetten ging, zou Pedro geen fouten maken, dat wist Gregorius na een uur. Je moest je niet van de wijs laten brengen door dat wijkende voorhoofd en die epileptische blik. Hij rekende alles helemaal uit, tien keer als het nodig was, en hij rekende minstens tien zetten uit. De vraag was wat er zou gebeuren als je een onverwachte zet zou doen. Een zet die niet alleen geen zin leek te hebben, maar feitelijk ook geen zin had. Al vaak had Gregorius sterke tegenstanders daarmee van hun apropos gebracht. Alleen bij Doxiades sloeg die strategie niet aan. 'Onzin,' zei de Griek gewoon en gaf het voordeel dat was ontstaan niet meer uit handen.

Er was nog een uur voorbijgegaan toen Gregorius besloot verwarring te stichten door een pion op te offeren zonder daarmee enig voordeel te behalen.

Pedro krulde een paar keer zijn lippen, toen tilde hij zijn hoofd op en keek Gregorius aan. Gregorius wou dat hij nog zijn oude bril op had, die een bolwerk was tegen zulke blikken. Pedro knipperde met zijn ogen, wreef zijn slapen, streek met zijn korte, plompe vingers over zijn haarstoppels. Toen liet hij de pion staan. 'Novato,' mompelde hij, 'diz novato.' Nu wist Gregorius wat het betekende: beginner.

Dat Pedro de pion niet had geslagen omdat hij het offer als een val beschouwde, had Gregorius in een positie gebracht van waaruit hij kon aanvallen. Zet voor zet rukte zijn leger op en sneed Pedro alle mogelijkheden om zich te verdedigen af. De Portugees begon om de paar minuten met veel lawaai zijn neus op te halen, Gregorius wist niet of dat opzet was of slonzigheid. Jorge grijnsde toen hij zag hoe vervelend Gregorius dat weerzinwekkende geluid vond, de anderen schenen die slechte gewoonte van Pedro te kennen. Elke keer als Gregorius een veld veroverde op Pedro, al voordat het zichtbaar was geworden, werd diens blik een graadje harder, zijn ogen leken nu glimmend leisteen. Gregorius leunde achterover en wierp een rustige blik op de partij: het kon nog uren duren; gebeuren kon er niets meer.

Zijn blik schijnbaar op het raam gericht waarvoor een straatlantaarn aan een loszittende kabel zachtjes heen en weer slingerde, begon hij O'Kelly's gezicht te bestuderen. In het verhaal van pater Bartolomeu was de man aanvankelijk een lichtgestalte geweest, weliswaar een lichtgestalte zonder glans, allesbehalve een verblindende verschijning, maar wel een goudeerlijke, onversaagde jongen die zei waar het op stond. Maar toen, aan het einde van zijn verhaal, had hij over Prado's nachtelijke bezoek bij de pater verteld. 'Zij. Ze is een gevaar geworden. Ze zal niet standhouden. Ze zal doorslaan. Dat denken de anderen. Jorge ook? Daar wil ik niet over praten.'

O'Kelly nam een trek van zijn sigaret voordat hij met de loper dwars over het bord ging en de vijandige toren sloeg. Zijn vingers waren geel van de nicotine en onder zijn nagels zat vuil. Zijn grote, vlezige neus met de open poriën stootte Gregorius af, die kwam hem voor als een uitwas van lompheid. De neus paste bij de grijns vol leedvermaak van zonet. Maar alles wat aan O'Kelly afstotelijk was, werd tenietgedaan door de vermoeide, goeiige blik uit zijn bruine ogen.

Estefânia. Gregorius schrok toen hij voelde hoe hij warm werd. De naam had in Prado's tekst gestaan die hij die middag had gelezen maar hij had toen geen relatie gelegd... de Goldberg-variaties... *Estefânia – zij kan het, zij heeft ze helemaal voor mij alleen gespeeld en sindsdien loop ik met het verlangen rond het ook te kunnen.* Kon dat dé Estefânia zijn geweest? De vrouw die Prado uit de handen van O'Kelly had moeten redden? De vrouw die aan de vriendschap tussen de beide mannen, die vervloekte heilige vriendschap, kapot was gegaan?

Gregorius begon koortsachtig te rekenen. Ja, dat was mogelijk. Dan was dat het wreedste wat je je kon voorstellen: dat iemand bereid was de vrouw aan de verzetsbeweging op te offeren die hem met de klanken van Bach had gesterkt in zijn prachtige, betoverende Steinway-illusie die al op het liceu bezit van hem had genomen.

Wat was er destijds op het kerkhof tussen hen beiden voorgevallen nadat de pater was weggegaan? Was Estefânia Espinhosa teruggegaan naar Spanje? Ze moest jonger zijn dan O'Kelly, zoveel jonger dat Prado destijds verliefd op haar had kunnen worden, tien jaar na de dood van Fátima. Als dat klopte dan was het drama tussen Prado en O'Kelly niet alleen een drama van verschillende moraal geweest, maar ook een liefdesdrama.

Wat wist Adriana over dat drama? Had ze dat eigenlijk wel tot haar gedachten kunnen laten doordringen? Of had ze haar geest ervoor moeten afsluiten, zoals voor zoveel andere dingen? Stond die onbespeelde, idiote Steinway nog steeds in de woning van O'Kelly?

De laatste zetten had Gregorius met de geroutineerde, vluchtige concentratie gezet waarmee hij in Bern op het simultaantoernooi altijd tegen de leerlingen had gespeeld. Nu zag hij Pedro venijnig grijnzen en na een zorgvuldige blik op het bord schrok hij. Het voordeel was weg en de Portugees was net aan een gevaarlijke aanval begonnen.

Gregorius sloot zijn ogen. Een dodelijke vermoeidheid overviel hem. Waarom stond hij niet gewoon op en ging hij niet weg? Hoe had hij het in vredesnaam zover laten komen dat hij in Lissabon in een ondraaglijk lage ruimte in de verstikkende rook zat en tegen een afstotelijke man speelde met wie hij niets te maken had en met wie hij geen woord kon wisselen?

Hij offerde de laatste pion en leidde daarmee het eindspel in. Winnen kon hij niet meer, maar remise moest er nog uit te halen zijn. Pedro ging naar de wc. Gregorius keek om zich heen. Het vertrek was nu halfleeg. De paar mannen die nog waren gebleven, zaten aan één tafel. Pedro kwam terug, ging zitten en haalde zijn neus op. Jorge's tegenstander was weggegaan, hijzelf was zo gaan zitten dat hij het eindspel aan het andere tafeltje kon volgen. Gregorius hoorde zijn reutelende adem. Als hij niet wilde verliezen, moest hij de man vergeten.

Aljechin had een keer een eindspel gewonnen ondanks dat hij drie stukken minder had. Ongelovig had Gregorius, destijds nog scholier, het einde van de partij nagespeeld. En daarna had hij maandenlang elk eindspel nagespeeld dat hij beschreven kon vinden. Sindsdien zag hij in één oogopslag hoe je het moest doen. Hij zag het ook nu.

Pedro dacht een halfuur na en liep toen toch nog in de val. Hij zag het meteen nadat hij had gezet. Hij kon niet meer winnen. Hij krulde een paar keer zijn lippen. Hij keek Gregorius met zijn versteende blik strak aan. 'Novato,' zei hij, 'novato.' Toen stond hij haastig op en ging weg.

'Donde és?' vroeg een van de omstanders, waar kom je vandaan?

'De Berna, na Suíça,' zei Gregorius en voegde eraan toe: 'Gente lenta, langzame mensen.'

Ze lachten en boden hem een biertje aan. En hij moest beloven dat hij terug zou komen.

Op straat kwam O'Kelly naar hem toe.

'Waarom bent u mij gevolgd?' vroeg hij in het Engels.

Toen hij de stomme verwondering zag op Gregorius' gezicht, lachte hij hees.

'Er zijn tijden geweest waarin mijn leven ervan afhing of ik in de gaten had dat iemand mij volgde.'

Gregorius aarzelde. Wat zou er gebeuren als de man plotseling het portret van Prado zag? Dertig jaar nadat hij aan het graf afscheid van hem had genomen? Langzaam haalde hij het boek uit zijn jaszak, sloeg het open en wees O'Kelly op het portret. Jorge knipperde met zijn ogen, nam Gregorius het boek uit zijn handen, ging onder de lantaarn staan en hield de foto vlak voor zijn ogen. Gregorius zou dat beeld nooit vergeten: O'Kelly, die in het licht van de heen en weer zwaaiende straatlantaarn de foto van zijn verloren vriend bekeek, ongelovig, geschrokken, een gezicht dat dreigde te vervallen.

'Kom mee,' zei Jorge met een hese stem die alleen bevelend klonk omdat die probeerde te verbergen hoe aangedaan hij was. 'Ik woon niet ver hiervandaan.'

Zijn passen, nu hij voor Gregorius uit liep, waren stijver en onzekerder dan eerder die avond, alsof hij nu een oude man was.

Zijn woning was een hol, een verrookt hol met muren die met foto's van pianisten waren behangen: Rubinstein, Richter, Horowitz. Dinu Lipati. Murray Perahia. Een reusachtig portret van Maria João Pires, João's lievelingspianiste.

O'Kelly liep door de woonkamer en deed een ontelbaar aantal lampen aan, steeds een ander spotje voor wéér een foto, die dan oplichtte in het donker. Eén hoek van het vertrek bleef onverlicht. Daar stond de vleugel waarvan het zwijgend zwart het schijnsel van de vele lampen in zich opnam en bleek terugkaatste. *Ik zou graag nog iemand zijn geworden die de vleugel tot klinken kan brengen... Mijn leven zal zonder de gespeelde variaties ten einde gaan...* Al die jaren stond de vleugel daar nu al, een donker fata morgana van gepolijste elegantie, een zwart monument voor de onvervulbare droom van een afgerond leven. Gregorius dacht aan de onaanraakbare dingen in Prado's kamer, want ook op de vleugel van O'Kelly scheen geen stofje te liggen.

Het leven is niet het leven dat we leven; het is het leven dat we ons voorstellen te leven, luidde een aantekening in Prado's boek.

O'Kelly zat in de fauteuil waarin hij altijd leek te zitten. Hij bekeek de foto van Amadeu. Zijn blik, slechts zelden onderbroken door een wimperslag, bracht de planeten tot rust. Het zwarte zwijgen van de vleugel vulde de kamer. Het geluid van brullende motorfietsen buiten ketste tegen de stilte af. *De mensen verdragen de stilte niet,* stond in een van Prado's korte aantekeningen, *dat zou betekenen dat ze zichzelf konden verdragen.*

Hoe hij aan dat boek kwam, vroeg Jorge nu, en Gregorius vertelde. Cedros vermelhos, las Jorge toen hardop.

'Dat klinkt naar Adriana, naar haar melodramatische instelling. Amadeu had daar niet tegen gekund maar hij had alles gedaan om het Adriana niet te laten merken. "Ze is mijn zuster en ze helpt me mijn leven te leiden," zei hij.'

Of Gregorius wist wat dat was, met die rode ceders? Mélodie, zei Gregorius; hij had de indruk gehad dat zij het wist. Waarvan hij Mélodie kende en waarom hem dat alles interesseerde, vroeg O'Kelly. De toon waarop hij het vroeg was niet scherp maar Gregorius meende de echo van een scherpte te horen die vroeger ooit in die stem had gelegen, in een tijd toen het erom ging op je hoede te zijn en klaarwakker te worden als zich iets vreemds voordeed.

'Ik wil graag weten hoe het was hem te zijn,' zei hij.

Jorge keek hem verbluft aan, keek weer naar het portret op zijn schoot en sloot toen zijn ogen.

'Is dat mogelijk? Weten hoe het is een ander te zijn? Zonder die ander te zijn?'

'Je kunt er op z'n minst achter proberen te komen hoe het is als je je voorstelt de ander te zijn,' zei Gregorius.

Jorge lachte. Zo moet het hebben geklonken toen hij om de hond had gelachen bij het eindexamenfeest op het liceu.

'En daarom bent u weggelopen? Knap idioot. Bevalt me wel. "*A imaginação é o nosso último santuário,* onze verbeeldingskracht is ons laatste heiligdom," zei Amadeu vaak.'

Met het uitspreken van Prado's naam vond er een verandering plaats in O'Kelly. Hij heeft die naam tientallen jaren lang niet meer uitgesproken, dacht Gregorius. Jorge's vingers trilden toen hij een sigaret opstak. Hij hoestte, toen sloeg hij Prado's boek open op de plaats waar Gregorius 's middags de bon van het café tussen de bladzijden had gestoken. Zijn magere borstkas ging op en neer, zijn adem reutelde zachtjes. Gregorius had hem het liefst alleen gelaten.

'En ik leef nog steeds,' zei hij en legde het boek terzijde. 'Ook de angst, die onbegrijpelijke angst van destijds, is er nog. En de vleugel staat er ook nog steeds. Die is nu geen gedenkteken meer, die is er nu gewoon, helemaal zichzelf, zonder boodschap, een zwijgende metgezel. Het gesprek waar Amadeu over schrijft, vond eind 1970 plaats. In die tijd had ik, ja, had ik durven zweren dat we elkaar nooit zouden kwijtraken, hij en ik. We waren als broers. Meer dan broers.

Ik herinner me hoe ik hem voor het eerst zag. Het was een van de eerste schooldagen, hij kwam een dag te laat, ik weet niet meer waarom. En hij kwam ook nog te laat in de les. Hij droeg toen al een geklede jas, wat van hem een jongen van welgestelden huize maakte, want zo'n jas kon je alleen op maat laten maken. Hij had als enige geen schooltas, alsof hij wilde zeggen: Ik heb alles in mijn hoofd. De manier waarop hij op zijn plaats ging zitten, paste bij zijn onnavolgbare zelfverzekerdheid. Geen spoor van arrogantie of geblaseerdheid. Hij bezat gewoon de zekerheid dat er niets was wat hij niet moeiteloos zou kunnen leren. En ik geloof niet dat hij iets wist van die zekerheid – dan zou hij die zekerheid voor een deel hebben opgegeven –, nee, hij wás die zekerheid. Als hij opstond, zijn naam zei en weer ging zitten, was dat een perfecte voorstelling, nee, geen perfecte voorstelling, die jongen wilde helemaal niet op een toneel staan en had het ook niet nodig, het was elegantie, pure gratie, wat uit zijn bewegingen sprak. Pater Bartolomeu hield op met praten toen hij dat voor de eerste keer zag, en wist een tijdlang niet meer wat hij moest zeggen.'

Toen O'Kelly in zwijgzaamheid verzonk, vertelde Gregorius dat hij Amadeu's afscheidsrede had gelezen. Jorge stond op, liep naar de keuken en kwam met een fles rode wijn terug. Hij schonk in en dronk twee glazen, niet haastig, maar als iemand die het nodig heeft.

'We hebben er nachtenlang aan gewerkt. Tussendoor verloor hij de moed. Toen hielp de woede hem verder. "God straft Egypte met plagen omdat door zijn toedoen het hart van de farao verstokt is geraakt," riep hij dan uit, "het was dus God zelf die hem zo heeft gemaakt! En hij heeft hem zo gemaakt om vervolgens zijn macht te kunnen demonstreren! Wat een ijdele, zelfingenomen God! Wat een opschepper!" Ik hield van hem als hij zo woedend was en God het hoofd bood, zijn mooie hoofd.

Hij wilde dat de titel zou luiden: *Eerbied en afschuw voor Gods stervende woord*. Dat klonk pathetisch, zei ik, pathetische metafysica, en uiteindelijk zag hij ervan af. Hij neigde naar pathos, hij wilde er niets van weten, maar hij wist het, en daarom trok hij ten strijde tegen kitsch zodra de gelegenheid zich voordeed, en dan kon hij erg onredelijk worden, verschrikkelijk onredelijk.

De enige over wie hij zijn banvloek niet uitsprak, was Fátima. Zij mocht alles. Hij droeg haar op handen, alle acht jaar van hun huwelijk. Hij had iemand nodig die hij op handen kon dragen, zo was hij. Het heeft haar niet gelukkig gemaakt. Ik heb er nooit met haar over gesproken, ze was niet erg op me gesteld, misschien was ze ook wel jaloers op het vertrouwen dat hij en ik in elkaar hadden. Maar één keer kwam ik haar tegen in de stad, in een café, ze zat personeelsadvertenties te lezen in de krant en had er een paar omcirkeld. Ze stopte de krant weg toen ze me zag, maar ik was van achteren gekomen en had het al gezien. "Ik zou willen dat hij hogere verwachtingen van mij had," zei ze tijdens dat gesprek. Maar de enige vrouw van wie hij werkelijk hoge verwachtingen had, was Maria João. Maria, mijn god, ja, Maria.'

O'Kelly haalde een nieuwe fles wijn. Hij begon wat minder gearticuleerd te praten. Hij dronk en zweeg.

Wat de achternaam was van Maria João, vroeg Gregorius.

'Ávila. Net als de heilige Theresia. Op school noemden ze haar daarom *a santa*, de heilige. Ze begon met spullen te gooien als ze dat hoorde. Later, toen ze trouwde, nam ze een heel gewone, onopvallende naam aan, maar die ben ik vergeten.'

O'Kelly dronk en zweeg.

'Ik dacht werkelijk dat we elkaar nooit kwijt zouden raken,' doorbrak hij één keer de stilte. 'Ik dacht dat dat onmogelijk was. Ooit las ik ergens de zin: Vriendschappen hebben hun tijd en eindigen. Niet bij ons, dacht ik destijds, niet bij ons.'

Hij begon steeds sneller te drinken en zijn mond gehoorzaamde hem niet meer. Moeizaam stond hij op en liep op wankele benen de kamer uit. Na een poosje kwam hij met een vel papier terug.

'Hier. Dat hebben we een keer samen opgeschreven. In Coimbra, toen de hele wereld van ons leek te zijn.'

Het was een lijst, en erboven stond: LEALDADE POR. Onder die titel hadden Prado en O'Kelly alle redenen opgeschreven die tot loyaliteit kunnen leiden.

De ander iets verschuldigd zijn; gemeenschappelijke ontwikkelings-fases; gedeeld verdriet; gedeelde vreugde; solidariteit van stervelingen; gemeenschappelijke overtuigingen; gezamenlijke strijd tegen de buitenwereld; gemeenschappelijke sterke en zwakke kanten; gemeenschappelijke behoefte aan intimiteit; overeenkomstige smaak; gemeenschappelijke haat; gedeelde geheimen; gedeelde fantasieën en dromen; gedeeld enthousiasme; gedeelde humor; gemeenschappelijke helden; gezamenlijk genomen beslissingen; gemeenschappelijke successen, tegenslagen, overwinningen, nederlagen; gedeelde teleurstellingen; gemeenschappelijke fouten

Hij miste de liefde op het lijstje, zei Gregorius. O'Kelly's lichaam verstrakte en heel even was hij achter zijn roes weer helemaal wakker.

'Daar geloofde hij niet in. Hij vermeed zelfs het woord. Hij beschouwde het als kitsch. Er zijn deze drie dingen, en alleen deze, zei hij bij herhaling, *begeerte, welgevallen* en *geborgenheid*. En alle drie, zei hij, waren vergankelijk. Het meest vluchtig was de begeerte, daarna kwam het welgevallen, en helaas was het zo dat geborgenheid, het gevoel bij iemand thuis te zijn, op een bepaald moment ook teloorging. De onaangename kanten van het leven, alle dingen waarmee we te kampen hebben, waren gewoonweg te talrijk en te heftig dan dat onze gevoelens ze ongeschonden konden doorstaan. Daarom kwam het op loyaliteit aan. Dat was geen gevoel, zei hij, maar een wil, een beslissing, het partij kiezen door de ziel. Het was iets wat het toeval van ontmoetingen en de toevalligheid der gevoelens in een noodzaak veranderde. Een vleugje eeuwigheid, zei hij, niet meer dan een vleugje, maar toch.

Hij vergiste zich. We hebben ons allebei vergist.

Later, toen we weer in Lissabon waren, hield hij zich vaak bezig met de vraag of er ook sprake kan zijn van zoiets als loyaliteit tegenover jezelf. De verplichting ook niet voor jezelf op de loop te gaan. Noch in je voorstelling noch als daad. De bereidheid jezelf trouw te blijven, ook als je jezelf niet meer mag. Het liefst had hij zichzelf van een ander levensverhaal voorzien en er vervolgens voor gezorgd dat zijn verbeelding in waarheid veranderde. "Ik verdraag mezelf alleen nog maar als ik aan het werk ben," zei hij.'

O'Kelly zweeg, zijn lijf ontspande een beetje, zijn blik werd omfloerst, zijn adem ging langzaam als van iemand die slaapt. Het was onmogelijk nu zomaar weg te gaan.

Gregorius stond op en bekeek de boekenkasten. Een hele kast vol boeken over anarchisme, het Russische, het Andalusische, het Catalaanse anarchisme. Veel boeken met *justiça* in de titel. Dostojevski en nog veel meer Dostojevski. Eça de Queirós, *O Crime do Padre Amaro*, het boek dat hij zelf bij zijn eerste bezoek aan het antiquariaat van Júlio Simões had gekocht. Sigmund Freud. Biografieën van pianisten. Vakliteratuur. En ten slotte, in een nis, een kleine plank met de schoolboeken van het liceu, sommige bijna zeventig jaar oud. Gregorius haalde de Latijnse en Griekse boeken van de plank en bladerde door de broze pagina's, die bezaaid waren met inktvlekken. De woordenboeken, de teksten ter vertaling. Cicero, Livius, Xenophon, Sophocles. De bijbel, stukgelezen en met heel veel notities.

O'Kelly werd wakker, maar toen hij begon te praten was het alsof hij de droom voortzette die hij zo-even had doorgemaakt.

'Hij heeft de apotheek voor me gekocht. Een hele apotheek op een prima locatie. Zomaar. We ontmoeten elkaar in een café en praten over van alles. Geen woord over de apotheek. Hij deed graag geheimzinnig, hij was een vervloekte, sympathieke stiekemerd, ik heb niemand gekend die de kunst van het geheim zo goed beheerste als hij. Het was zijn vorm van ijdelheid – ook als hij daar niets van wilde weten. Op de terugweg blijft hij opeens staan. "Zie je die apotheek?" vraagt hij. "Natuurlijk zie ik die," zeg ik, "wat is ermee?" "Die is van jou," zegt hij en houdt een bos sleutels voor mijn neus. "Je wilde toch altijd al een eigen apotheek hebben, nu heb je hem." En toen heeft hij ook nog de hele inrichting betaald. En zal ik u eens iets zeggen? Ik geneerde me er helemaal niet voor. Ik was overdonderd en moest in het begin elke ochtend mijn ogen uitwrijven. Soms belde ik hem en zei: "Stel je voor, ik sta in mijn eigen apotheek." Dan lachte hij, het was zijn ontspannen, gelukkige lach, die elk jaar zeldzamer werd.

Hij had een getroebleerde, gecompliceerde verhouding met het vele geld in zijn familie. Het gebeurde wel eens dat hij met een groot gebaar geld over de balk smeet, heel anders dan de rechter, zijn vader, die zichzelf niets gunde. Maar dan zag hij een bedelaar en was hij geïrriteerd, het was elke keer hetzelfde. "Waarom geef ik die man maar een paar munten?" zei hij. "Waarom niet een stapel bankbiljetten? Waarom niet álles? En waarom uitgerekend aan hem en niet ook aan alle andere bedelaars? Het is toch puur toeval dat wij langs hém komen en niet langs een andere bedelaar. En trouwens: hoe kun je voor jezelf een ijsje kopen terwijl een paar stappen verderop iemand die vernedering moet ondergaan? Dat kan toch niet! Hoor je, dat kán niet!" Op een keer was hij zo woedend over die onduidelijkheid – *die verdomde, kleffe onduidelijkheid*, zoals hij het noemde – dat hij op de grond stampte, terugliep en een paar bankbiljetten in de hoed van de bedelaar gooide.'

O'Kelly's gezicht, dat zich door de herinnering had ontspannen als bij iemand die verlost is van een hardnekkige pijn, werd weer somber en oud.

'Toen we elkaar kwijt waren geraakt wilde ik de apotheek aanvankelijk verkopen en hem het geld teruggeven. Maar toen zag ik in dat het zou zijn alsof ik alles uitwiste wat er was geweest, de lange, gelukkige tijd van onze vriendschap. Alsof ik met terugwerkende kracht onze voorbije intimiteit en het vroegere vertrouwen vergiftigde. Ik behield de apotheek. En een paar dagen na dat besluit gebeurde er iets merkwaardigs: het was plotseling veel meer mijn eigen apotheek dan daarvoor. Ik heb dat nooit begrepen. Ik begrijp het nog steeds niet.'

Het licht was blijven branden in de apotheek, zei Gregorius bij het afscheid.

O'Kelly lachte. 'Dat is met opzet. Het licht brandt altijd. Altijd. Pure verkwisting. Om me te wreken voor de armoede waarin ik ben opgegroeid. Er was maar één kamer waar licht brandde, naar bed ging je in het donker. De paar centavos zakgeld besteedde ik aan batterijen voor de zaklantaarn waarmee ik 's nachts boeken las. Die boeken had ik gestolen. Boeken zouden niets mogen kosten, dacht ik destijds en dat denk ik nog steeds. Voortdurend werd bij ons de stroom afgesloten wegens wanbetaling. *Cortar a luz*, ik zal dat dreigement nooit vergeten. Het zijn de gewone dingen waar je nooit overheen komt. Hoe iets rook; het tintelen van een oorvijg; hoe het was als het huis plotseling in het donker lag; hoe grof het gevloek van mijn vader klonk. In het begin kwam de politie wel eens in de apotheek in verband met het licht. Nu weet iedereen het en laten ze me met rust.'

23 Natalie Rubin had drie keer gebeld. Gregorius belde terug. Het woordenboek en de Portugese grammatica waren geen enkel probleem geweest, zei ze. 'Die grammatica zult u fantastisch vinden! Net een wetboek, en allemaal rijtjes met uitzonderingen, de auteur ervan is helemaal gek op uitzonderingen. Net als u, met uw permissie.'

Lastiger was het geweest met de geschiedenis van Portugal, er bestonden verschillende van die geschiedenissen en ze had toen maar de meest compacte uitgekozen. De boeken waren al onderweg. De Perzische grammatica die hij haar had genoemd was nog leverbaar, boekhandel Haupt kon die halverwege de week binnen hebben. De geschiedenis van het Portugese verzet daarentegen – dat was echt een groot probleem. De bibliotheken waren al dicht geweest toen ze daar kwam. Daar kon ze maandag pas weer naartoe. Bij boekhandel Haupt hadden ze haar aangeraden bij het Romaans instituut te informeren en ze wist ook al met wie ze daar maandag contact moest opnemen.

Gregorius schrok van haar voortvarendheid, hoewel hij die had zien aankomen. Ze zou het liefst naar Lissabon komen om hem te helpen bij zijn onderzoek, hoorde hij haar zeggen.

Midden in de nacht werd Gregorius wakker en wist niet meer zeker of ze het alleen in zijn droom of ook in werkelijkheid had gezegd. Cool, hadden Kägi en von Graffenried de hele tijd gezegd toen hij tegen Pedro, de man uit de Jura, speelde, die zijn stukken met zijn voorhoofd over het bord verplaatste en van woede zijn hoofd tegen de tafel sloeg toen Gregorius hem te slim af was. Tegen Natalie schaken was heel vreemd en beangstigend geweest omdat zij zonder stukken en zonder licht hadden gespeeld. 'Ik ken

Portugees en kan je helpen!' zei ze. Hij probeerde in het Portugees te antwoorden maar toen hij de juiste woorden niet kon vinden had hij het gevoel gehad alsof hij een examen moest doen. Minha senhora, begon hij telkens opnieuw, Minha senhora, en dan wist hij niet meer verder.

Hij belde Doxiades. Nee, zei de Griek, hij had hem niet wakker gemaakt, slapen was weer eens een groot probleem. En niet alleen slapen.

Zo'n uitspraak had Gregorius nog nooit van hem gehoord en hij schrok. Wat er dan wel aan de hand was, vroeg hij.

'Ach, niets,' zei de Griek, 'ik ben gewoon moe, ik maak fouten in de praktijk, ik wil ermee stoppen.'

Stoppen? Hij en stóppen? En wat dan?

'Naar Lissabon gaan, bijvoorbeeld,' lachte hij.

Gregorius vertelde over Pedro, zijn wijkende voorhoofd en zijn epileptische blik. Doxiades herinnerde zich de man uit de Jura.

'Daarna hebt u een hele tijd heel slecht gespeeld,' zei hij. 'Voor uw doen.'

Het werd al licht toen Gregorius weer in slaap viel. Toen hij twee uur later wakker werd stond er een wolkeloze hemel boven Lissabon en de mensen liepen buiten zonder jas. Hij nam de veerboot en voer naar de overkant, naar João Eça.

'Ik dacht al dat u vandaag zou komen,' zei die, en uit zijn kleine mond klonken die paar woorden als uitbundig vuurwerk.

Ze dronken thee en schaakten. Eça's hand beefde als hij een stuk oppakte en er klonk een klikkend geluid als hij een stuk neerzette. Bij elke zet schrok Gregorius opnieuw van de brandwonden op de handrug.

'Niet de pijn en de verwondingen zijn het ergste,' zei Eça. 'Het erge is de vernedering als je merkt dat je het in je broek doet. Toen ik eruit kwam, zon ik op wraak. Ik was er helemaal vol van. Ik wachtte heimelijk tot de beulsknechten na diensttijd naar buiten kwamen. In een keurig nette jas en met een aktetas, net als mensen die naar kantoor gaan. Ik volgde hen naar hun huis. Met gelijke munt betalen. Wat me heeft gered was mijn afkeer ze aan te raken. En dat had ik wel moeten doen, een pistoolschot zou veel te genadig zijn geweest. Mariana dacht dat ik een proces van morele rijping had doorlopen. Geen sprake van. Ik heb me er altijd tegen verzet rijper te worden, zoals ze het noemen. Ik houd niet van rijpe mensen. Ik beschouw die zogenaamde rijpheid als opportunisme of pure oververmoeidheid.'

Gregorius verloor. Al na een paar zetten merkte hij dat hij niet van deze man wílde winnen. Het was de kunst hem dat niet te laten merken en hij koos voor een erg riskante manoeuvre die een speler als Eça zou doorzien, maar alleen een speler als hij.

'De volgende keer moet u me niet laten winnen,' zei Eça, toen de bel voor het eten ging. 'Anders word ik boos.'

Ze aten het doorgekookte eten van het tehuis dat nergens naar smaakte. Ja, zo is het altijd, zei Eça, en toen hij het gezicht van Gregorius zag, moest hij voor het eerst echt lachen. Gregorius vernam het een en ander over João's broer, de vader van Mariana, die met een rijke vrouw was getrouwd, en over het gebroken huwelijk van Mariana.

Hij vroeg deze keer helemaal niet naar Amadeu, zei Eça.

'Ik ben voor u gekomen, niet voor hem,' zei Gregorius.

'Ook al bent u dan niet voor hem gekomen,' zei Eça toen het tegen de avond liep, 'toch heb ik iets wat ik u wil laten zien. Hij heeft het aan mij gegeven nadat ik hem op een dag had gevraagd wat hij schreef. Ik heb het zo vaak gelezen dat ik het bijna uit mijn hoofd ken.' En hij vertaalde de twee bladzijden voor Gregorius.

O BÁLSAMO DO DESILUSÃO. HET BALSEM VAN DE TELEURSTELLING.

Teleurstelling wordt als iets kwalijks gezien. Een ondoordacht vooroordeel. Waardoor anders dan door teleurstelling, komen we er achter wat we hebben verwacht en gehoopt? En waardoor anders dan door die ontdekking zouden we tot zelfkennis moeten komen? Hoe zou iemand dus zonder teleurstelling helderheid over zichzelf kunnen verkrijgen?

We moeten teleurstellingen niet zuchtend ondergaan als iets zonder dewelke ons leven beter zou zijn. We moeten teleurstellingen opzoeken, er achteraan gaan, ze verzamelen. Waarom ben ik teleurgesteld dat de acteurs die ik in mijn jeugd aanbad nu allen tekenen van ouderdom en verval vertonen? Wat anders dan de teleurstelling leert me dat succes maar heel weinig waarde heeft? Menigeen heeft er een

heel leven voor nodig om zichzelf de teleurstelling over zijn ouders te
bekennen. Wat was het eigenlijk wat we van hen verwachtten? Men-
sen die hun hele leven lang genadeloze pijn hebben moeten lijden,
zijn vaak teleurgesteld over hoe de anderen zich gedragen, ook dege-
nen die hen bijstaan en hun de medicijnen laten drinken. Wat ze doen
en zeggen is te weinig en ook wat ze voelen is te weinig. 'Wat ver-
wacht u dan?' vraag ik. Ze kunnen het niet zeggen en zijn ontdaan
dat ze jarenlang een verwachting hebben gekoesterd die teleurgesteld
kon worden zonder dat ze iets meer over die verwachting kunnen zeg-
gen.

Iemand die werkelijk wil weten wie hij is, zou een kalme, fanatie-
ke verzamelaar van teleurstellingen moeten zijn, en het op zoek gaan
naar teleurstellende ervaringen zou voor hem een verslaving moeten
zijn, de allesbepalende verslaving in zijn leven, want zo iemand zou
met grote helderheid onder ogen zien dat de teleurstelling niet een
brandend, verwoestend gif is maar een koele, verzachtende balsem
die ons de ogen opent voor de ware contouren van onszelf.

En het zou goed zijn als hij zich niet alleen zou richten op teleur-
stellingen die toegeschreven kunnen worden aan de anderen of aan
omstandigheden. Wanneer je eenmaal hebt ontdekt dat teleurstelling
een leidraad kan zijn voor je eigen leven, zul je begerig zijn te erva-
ren hoezeer je teleurgesteld bent over jezelf: bijvoorbeeld over de moed
die je ontbreekt en over je gebrek aan waarachtigheid, of over de ver-
schrikkelijk nauwe grenzen die zijn gesteld aan je eigen voelen, doen
en zeggen. Wat was het ook alweer wat we van onszelf hadden ver-
wacht en gehoopt? Dat we onbegrensd zouden zijn, of in elk geval
heel anders dan we nu zijn?

Iemand zou de hoop kunnen koesteren dat hij door zijn verwach-
tingen te reduceren werkelijker zou kunnen worden, dat hij zichzelf
zou kunnen beperken tot een harde, betrouwbare kern en daarmee
immuun zou worden voor de pijn van de teleurstelling. Maar hoe zou
het zijn om een leven te leiden dat zich verre houdt van grootse, on-
bescheiden verwachtingen, een leven waarin alleen nog banale ver-
wachtingen bestaan, zoals de verwachting dat de bus komt?

'Ik heb niemand gekend die zich zo totaal kon overleveren aan zijn
dagdromen als hij,' zei Eça. 'En niemand die het zo haatte teleur-

gesteld te worden. Wat hij hier beschrijft – dat schreef hij *tegen zichzelf.* Zoals hij ook vaak tegen zichzelf leefde. Jorge zou het bestrijden. Hebt u Jorge leren kennen? Jorge O'Kelly, de apotheker, in wiens zaak het licht dag en nacht brandt? Hij heeft Amadeu veel langer gekend dan ik, veel langer. Maar toch.

Jorge en ik... nou ja. Eén keer hebben we een partij gespeeld. Eén keer maar. Remise. Maar als het om het voorbereiden van acties ging en vooral om geraffineerde misleidingen, dan waren we een team dat niet te verslaan was, als tweelingen die elkaar blindelings begrijpen.

Amadeu was jaloers op dat woordeloze begrip, hij merkte dat hij geen pas kon houden met ons raffinement en gebrek aan scrupules. Jullie falanx, noemde hij ons verbond, dat soms ook een verbond van zwijgen was, zelfs tegen hem. En dan voelde je dat hij die falanx graag had doorbroken. Dan uitte hij allerlei vermoedens. Soms was het ook raak. En soms zat hij er volkomen naast. Vooral als het om iets ging dat hem... ja, dat hemzelf betrof.'

Gregorius hield zijn adem in. Zou hij nu iets te horen krijgen over Estefânia Espinhosa? Hij kon er Eça noch O'Kelly naar vragen, dat was uitgesloten. Had Prado zich uiteindelijk vergist? Had hij de vrouw in veiligheid gebracht voor een gevaar dat helemaal niet bestond? Of had de aarzeling van Eça betrekking op een heel andere herinnering?

'Ik heb altijd een hekel gehad aan de zondagen hier,' zei Eça bij het afscheid. 'Gebak zonder smaak, slagroom zonder smaak, cadeautjes zonder smaak, loos geklets zonder smaak. De hel van de conventie. Maar nu... de middagen met u... Daar zou ik graag aan gewend raken.'

Hij haalde zijn hand uit zijn zak en stak die Gregorius toe. Het was de hand waaraan de nagels ontbraken. Toen hij op de veerboot zat kon Gregorius de stevige druk nog steeds voelen.

DEEL 3

Het experiment

24 Maandagochtend vloog Gregorius naar Zürich. Hij was vroeg wakker geworden en had gedacht: ik sta op het punt mijzelf te verliezen. Het was niet zo dat hij eerst was ontwaakt en vervolgens die gedachte uit een soort neutraal wakker zijn had ontwikkeld, een wakkerheid die er ook zonder die gedachte zou zijn geweest. Het omgekeerde was het geval geweest: eerst was er de gedachte en toen de wakkerheid. Zodat die merkwaardige, glasheldere wakkerheid, die nieuw voor hem was en zich ook onderscheidde van de wakkerheid die hem op de treinreis naar Parijs als iets nieuws was overkomen, in zekere zin niets anders was geweest dan die bepaalde gedachte. Hij was er niet zeker van of hij wist wat die gedachte met hem voorhad en wat ze betekende, maar ondanks alle onduidelijkheid was ze dwingend en onontkoombaar geweest. Paniek had hem overvallen en hij was met bevende handen begonnen zijn koffer te pakken, boeken en kleren ordeloos door elkaar. Toen de koffer gepakt was, dwong hij zichzelf tot kalmte en stond een poosje voor het raam.

Het zou een stralende dag worden. In de salon van Adriana's huis zou de zon het parket laten glanzen. In het ochtendlicht zou de werktafel van Prado er nog eenzamer uitzien dan anders. Aan de muur boven het bureau hingen notities met verbleekte, nauwelijks nog leesbare woorden, waarvan je op afstand alleen een paar punten kon zien op plaatsen waar de pen krachtiger was neergezet. Hij had graag willen weten waar de woorden de arts aan hadden moeten herinneren.

Morgen of overmorgen, misschien vandaag al, zou Clotilde met een nieuwe uitnodiging van Adriana naar het hotel komen. João Eça ging ervan uit dat hij zondag zou komen schaken. O'Kelly en Mélodie zouden verbaasd zijn dat ze nooit meer iets van hem hoorden, van de man die uit het niets was opgedoken en naar Amadeu had gevraagd alsof zijn ziel en zaligheid ervan af had gehangen te begrijpen wie die man was geweest. Pater Bartolomeu zou het vreemd vinden dat hij hem het afschrift van de afscheidstoespraak van Prado per post deed toekomen. Ook Mariana Eça zou niet begrijpen waarom hij als van de aardbodem was verdwenen. En Silveira. En Coutinho.

Ze hoopte maar dat het niet iets ernstigs was wat hem zo plotseling deed vertrekken, zei de vrouw van de receptie toen hij de rekening betaalde. Van het Portugees van de taxichauffeur begreep hij geen woord. Toen hij op de luchthaven betaalde, vond hij in zijn jaszak een papiertje waarop Júlio Simões, de antiquaar, het adres van het taleninstituut had geschreven. Hij keek er even naar en gooide het toen in de afvalbak voor de deur van de vertrekhal. Het vliegtuig van tien uur was halfleeg, zeiden ze hem bij de incheckbalie en ze gaven hem een plaats aan het raam.

In de wachtruimte bij de gate hoorde hij alleen Portugees. Eén keer hoorde hij ook het woord português. Nu was het een woord dat hem bang maakte, zonder dat hij kon zeggen waarvoor. Hij wilde in zijn bed in de Länggasse slapen, hij wilde over de Bundesterrasse lopen en over de Kirchenfeldbrücke, hij wilde over de ablativus absolutus praten en over de *Ilias*, hij wilde op de Bubenbergplatz staan, waar hij de weg kende. Hij wilde naar huis.

Toen ze de landing inzetten op luchthaven Kloten werd hij wakker door de vraag van een stewardess. Het was een lange vraag, hij verstond hem zonder enige moeite en antwoordde in het Portugees. Hij zag onder zich het meer van Zürich. Hele delen van het landschap lagen onder groezelig geworden sneeuw. Op de vleugels van het vliegtuig kletterde de regen neer.

Maar het was niet Zürich waar hij heen wilde, het was Bern, dacht hij. Hij was blij dat hij Prado's boek bij zich had. Toen het vliegtuig de grond raakte en alle passagiers boeken en kranten weglegden, haalde hij het te voorschijn en begon te lezen.

JUVENTUDE IMORTAL. ONSTERFELIJKE JEUGD.

In onze jeugd leven we alsof we onsterfelijk zijn. Het besef van de onsterfelijkheid hangt om ons heen als een dun lint van papier dat onze huid nauwelijks beroert. Op welk moment in het leven verandert dat? Wanneer begint dat papieren lint strakker om ons heen te liggen, tot het ons uiteindelijk wurgt? Waardoor krijg je die zachte, maar onverbiddelijke druk te bespeuren die ons laat weten dat die

nooit meer minder zal worden? Waaraan kun je die druk bij ande-
ren herkennen? En waaraan bij jezelf?

Gregorius had het liefst gehad dat het vliegtuig een bus was waarin je bij de eindhalte gewoon kon blijven zitten om verder te lezen
en om te keren. Hij was de laatste die uitstapte.

Bij het loket aarzelde hij, zodat de loketbediende ongeduldig aan
haar armband begon te draaien.

'Tweede klas,' zei hij ten slotte.

Toen de trein het station van Zürich verliet en op topsnelheid
kwam, schoot hem te binnen dat Natalie Rubin vandaag in de bibliotheken naar een boek over het Portugese verzet zocht en dat
de andere boeken onderweg waren naar Lissabon. Halverwege de
week, als hij allang weer in de Länggasse woonde, zou ze, slechts
een paar huizen verderop, naar boekhandel Haupt gaan en dan de
Perzische grammatica op de post gaan doen. Wat moest hij tegen
haar zeggen als hij haar tegenkwam? Wat moest hij tegen de anderen zeggen? Kägi en de andere collega's? De leerlingen? Doxiades
zou nog het minst een probleem zijn, en toch: wat waren de juiste woorden, de woorden die pasten? Toen de kathedraal van Bern
in zicht kwam, had hij het gevoel over enkele minuten een verboden stad te betreden.

In zijn woning was het ijskoud. Gregorius trok in de keuken de
jaloezie op die hij twee weken geleden had neergelaten om zichzelf te verstoppen. De plaat van de taalcursus lag nog op de pla-
tenspeler, de hoes op de tafel. De hoorn lag verkeerd op de haak
en herinnerde hem aan het nachtelijke gesprek met Doxiades.
Waarom maken sporen van het verleden me bedroefd, ook als het spo-
ren van iets vrolijks zijn? had Prado zich in een van zijn laconieke
notities afgevraagd.

Gregorius pakte zijn koffer uit en legde de boeken op de tafel.
O grande terramoto. A morte negra. Hij draaide in alle kamers de
radiatoren open, zette de wasmachine aan en begon toen over de
Portugese pestepidemie in de veertiende en vijftiende eeuw te lezen. Het was geen moeilijk Portugees en hij schoot flink op. Na een
poosje stak hij de laatste sigaret op uit het pakje dat hij in het café in de buurt van Mélodies huis had gekocht. In de vijftien jaar

die hij hier woonde was het de eerste keer dat er sigarettenrook in de kamer hing. Af en toe, als hij klaar was met een passage in het boek, dacht hij aan zijn eerste bezoek aan João Eça, en dan leek het alsof hij de brandende thee in zijn keel voelde die hij naar binnen had gegoten om het de bevende handen van Eça gemakkelijker te maken.

Toen hij naar de kast liep om een dikkere trui te pakken, moest hij aan de trui denken waarin hij in het verlaten liceu de Hebreeuwse bijbel had gewikkeld. Het was goed geweest in de kamer van senhor Cortês te zitten en het boek Job te lezen terwijl de kegel zonlicht door het vertrek gleed. Gregorius dacht aan Elifaz de Temaniet, aan Bildad de Soehiet en aan Zofar de Naämathiet. Hij zag het stationsbord van Salamanca voor zich en voelde hoe hij in zijn jongenskamer ter voorbereiding op Isfahan de eerste Perzische woorden op het bord schreef, een paar honderd meter hiervandaan. Hij haalde een vel papier en ging op zoek naar het geheugen van zijn hand. Er kwamen een paar strepen en halen, een paar puntjes voor de klinkers. Verder kwam hij niet.

Hij schrok toen hij de deurbel hoorde. Het was mevrouw Loosli, zijn buurvrouw. Ze had gezien dat de deurmat anders lag, dat hij dus weer thuis moest zijn, zei ze en ze gaf hem de post en de sleutel van de brievenbus. Of hij een fijne vakantie had gehad? En of de schoolvakanties voortaan altijd zo vroeg in het jaar begonnen?

Het enige wat Gregorius interesseerde aan de post was een brief van Kägi. Tegen zijn gewoonte in gebruikte hij niet een briefopener maar scheurde de brief haastig open.

Beste Gregorius,

Ik wil de brief die je me hebt geschreven niet zomaar met zwijgen beantwoorden. Daarvoor heeft hij me te diep geraakt. En ik neem aan dat je, waarheen de reis je ook moge voeren, de post na laat sturen.

Het belangrijkste wat ik je wil zeggen is dit: het is op ons gymnasium merkwaardig leeg zonder jou. Hoe groot die leegte is kan het voorval illustreren waarbij Virginie Ledoyen vandaag in de leraarskamer plotseling zei: 'Ik heb hem soms gehaat om zijn onverbloemde, botte manier van optreden; en het had echt geen kwaad gekund als hij zich soms een beetje beter had gekleed. Altijd maar die sjofele, slobberige spullen. Maar ik moet eerlijk zeggen, ik móét het zeggen: op de een of andere manier mis ik hem. Étonnant.' En wat de gewaardeerde collega Frans zei, is niets vergeleken met wat ik van de kant van de leerlingen heb gehoord. En, zoals ik eraan mag toevoegen, van een paar vrouwelijke leerlingen. Als ik nu voor je klas sta, voel ik je afwezigheid als een grote, donkere schaduw. En wat moeten we nu met het schaaktoernooi?

Marcus Aurelius: inderdaad. Wij, mijn vrouw en ik, hebben, als ik je dat mag bekennen, de afgelopen tijd steeds meer het gevoel onze beide kinderen te verliezen. Het is niet een verlies ten gevolge van ziekte of een ongeluk, het is erger: ze wijzen onze hele manier van leven af en de manier waarop ze zich uitdrukken liegt er niet om. Er zijn momenten dat mijn vrouw eruitziet alsof ze aftakelt. Toen kwam jouw herinnering aan de wijze keizer als geroepen. En laat me er nog iets aan toevoegen wat je hopelijk niet als opdringerig zult ervaren: telkens als ik de envelop met je brief zie die hardnekkig blijft liggen op mijn bureau, voel ik een steek van afgunst. Gewoon opstaan en weggaan: wat een moed! 'Hij is gewoon opgestaan en weggegaan,' zeggen de leerlingen telkens. 'Gewoon opgestaan en weggegaan.'

Je plaats blijft voorlopig open, dat moet je weten. Een deel van de lessen heb ik zelf overgenomen, voor de rest hebben we studenten gevonden als invallers, ook voor Hebreeuws. Wat de financiële kant betreft krijg je de noodzakelijke papieren toegestuurd door het bestuur van de school.

Wat moet ik ten slotte nog meer zeggen, beste Gregorius? Het beste gewoon dit: we wensen je allemaal toe dat je reis je ook werkelijk brengt naar waar je heen wilde, zowel uiterlijk als innerlijk.

Je Werner Kägi

P.S. Je boeken staan bij mij in de kast. Er kan niets mee gebeuren. Wat het praktische betreft heb ik nog een verzoek: zou je me een keer – het heeft geen haast – je sleutels willen doen toekomen?

Met de hand had Kägi eraan toegevoegd: Of wil je ze houden? Voor het geval dat?

Gregorius bleef lang zitten. Buiten werd het donker. Dat had hij niet gedacht, dat Kägi hem zo'n brief zou schrijven. Langgeleden had hij hem een keer met zijn twee kinderen in de stad gezien, ze hadden gelachen, het leek allemaal in orde te zijn. Wat Virginie Ledoyen over zijn kleren had gezegd, beviel hem, en hij was bijna een beetje ongelukkig toen hij naar de broek van zijn nieuwe pak keek dat hij op reis had gedragen. Onverbloemd, ja. Maar bot? En wie waren, behalve Natalie Rubin en misschien ook een beetje Ruth Gautschi, de vrouwelijke leerlingen die hem misten?

Hij was teruggekeerd omdat hij weer op de plaats wilde zijn waar hij de weg kende. Waar hij geen Portugees hoefde te praten, of Frans of Engels. Waarom liet de brief van Kägi dat plan, het simpelste plan dat er bestond, opeens zo moeilijk lijken? Waarom was het voor hem nu nog belangrijker dan zo-even in de trein, dat het al donker was toen hij naar de Bubenbergplatz wandelde?

Toen hij een uur later op het plein stond, had hij het gevoel het niet meer te kunnen aanraken. Ja, dat was, hoe raar het ook klonk, het juiste woord: hij kon de Bubenbergplatz niet meer aanraken. Hij was er al drie keer omheen gelopen, had voor het voetgangerslicht staan wachten en had het hele plein rongekeken: de bioscoop, het postkantoor, het monument, de Spaanse boekhandel waar hij Prado's boek had ontdekt, verderop de tramhalte, de Heiliggeistkirche en warenhuis Loeb. Hij was op een stille plek gaan staan, had zijn ogen dichtgedaan en zich geconcentreerd op de druk die zijn lichaam op het plein uitoefende. Zijn voetzolen waren warm geworden, de straat leek hem tegemoet te komen, maar het was zo gebleven: het lukte hem niet meer om het plein aan te raken. Niet alleen de straat, het hele plein met zijn door de decennia heen gegroeide vertrouwdheid was hem tegemoet gegroeid, maar de straten en gebouwen, de lichten en de geluiden waren er niet meer in geslaagd hem helemaal te bereiken, de laatste, flinterdunne leemte te overbruggen om ten slotte bij hem aan te komen en zich als iets in zijn herinnering te nestelen dat hij niet alleen kende, diepgaand kende, maar als een plein dat er was, zoals het vroeger altijd geweest was op een manier die hem nu pas, nu het mislukte, bewust werd.

De hardnekkige, onverklaarbare leemte beschermde hem niet,

die fungeerde niet als een buffer die afstand en berusting had kunnen betekenen. De leemte zorgde juist voor paniek bij Gregorius, de angst met de vertrouwde dingen die hij had willen aanroepen om zichzelf terug te vinden, ook zichzelf te verliezen en hier hetzelfde te beleven als in de ochtendschemering van Lissabon, alleen verraderlijker en veel, heel veel gevaarlijker, want terwijl achter Lissabon Bern had gezeten, was er achter het verloren gegane Bern geen ander Bern meer. Toen hij, zijn blik op de vaste en toch terugwijkende grond gericht, tegen een andere voetganger opbotste, voelde hij zich duizelig worden, heel even draaide alles om hem heen, hij greep met beide handen naar zijn hoofd als om het vast te houden, en toen het in hem weer veilig en rustig was geworden, zag hij dat een vrouw hem nakeek met in haar blik de vraag of hij misschien hulp nodig had.

De klok van de Heiliggeistkirche gaf even voor achten aan, het verkeer werd minder druk. Het wolkendek was opengebroken, je kon de sterren zien. Het was koud. Gregorius liep over de Kleine Schanze en verder naar de Bundesterrasse. Opgewonden keek hij uit naar het moment waarop hij zou kunnen afslaan naar de Kirchenfeldbrücke, zoals hij dat tientallen jaren lang om kwart voor acht in de ochtend had gedaan.

De brug was afgesloten. De hele nacht, tot de volgende ochtend, werden de tramrails gerepareerd. 'Een vreselijk ongeluk,' zei iemand toen hij zag hoe totaal verbijsterd Gregorius naar het bord staarde.

Met het gevoel dat hij er een gewoonte op na begon te houden die hem vreemd was, ging hij hotel Bellevue binnen en liep naar het restaurant. De gedempte muziek, het lichtbeige jasje van de obers, het zilver. Hij bestelde iets te eten. De balsem van de teleurstelling. 'Het amuseerde hem,' had João Eça over Prado gezegd, 'dat wij, mensen, de wereld als een toneel beschouwen waarop het om ons en onze behoeftes gaat. Hij beschouwde die misvatting als de oorsprong van alle religies. "Terwijl er helemaal niets van klopt," zei hij altijd. "Het universum is er gewoon en het maakt het universum helemaal niets uit, echt helemaal niets, wat er met ons gebeurt."'

Gregorius haalde Prado's boek te voorschijn en zocht naar een titel met *cena* erin. Toen het eten werd geserveerd, had hij gevonden wat hij zocht:

CENA CARICATA. LACHWEKKEND TONEEL.
De wereld als een toneel dat wacht tot wij het gewichtige en droevige, komische en onbetekenende drama van onze voorstellingen opvoeren. Wat een ontroerend en charmant idee is dat toch! En hoe onvermijdelijk!

Langzaam liep Gregorius het Monbijou in en daarvandaan over de brug naar het gymnasium. Het was jaren en jaren geleden dat hij het gebouw vanuit deze hoek had gezien en het kwam heel erg vreemd op hem over. Hij had altijd de achteringang genomen, nu stond hij tegenover de hoofdingang. Alles was donker. Een kerktoren sloeg halftien.

De man die nu zijn fiets neerzette, naar de ingang liep, de deur opendeed en in het gebouw verdween, was Burri, de majoor. Hij kwam wel vaker 's avonds naar school om een natuurkundige of scheikundige proef voor de volgende dag voor te bereiden. Achter in het laboratorium ging het licht aan. Zachtjes glipte Gregorius het gebouw binnen. Hij had geen idee wat hij hier zocht. Op zijn tenen sloop hij naar de eerste verdieping. De deuren naar de lokalen zaten op slot en ook de hoge deur naar de aula kreeg hij niet open. Hij voelde zich buitengesloten, ook al sloeg dat natuurlijk nergens op. Zijn rubberzolen maakten zacht piepende geluiden op het linoleum. De maan scheen door de ramen. In het bleke licht bekeek hij alles zoals hij het nooit eerder had bekeken, niet als leraar en niet als leerling. De deurklinken, het trappenhuis, de kluisjes voor de scholieren. De duizenden blikken waarmee hij ze vroeger had bekeken werden nu naar hem teruggeworpen en deden zich aan hem voor als voorwerpen die hij nog nooit had gezien. Hij legde zijn hand op de deurklinken, voelde hun koele weerstand en gleed verder door de gangen als een grote, trage schaduw. Beneden, aan de andere kant van het gebouw, liet Burri iets vallen, het geluid van brekend glas vulde de gang.

Een van de deuren gaf mee. Gregorius ging het lokaal binnen waarin hij als leerling op het schoolbord de eerste Griekse woorden had gezien. Dat was drieënveertig jaar geleden. Hij had in de klas altijd links gezeten en ook nu ging hij op die plaats zitten. Destijds droeg Eva, de Ongelooflijke, die twee rijen vóór hem zat, haar rode haar in een paardenstaart en hij kon urenlang kijken naar hoe die staart van schouder naar schouder over bloes en truitje heen en weer zwaaide. Beat Zurbriggen, die al die jaren naast hem had gezeten, was vaak in slaap gevallen tijdens de les en werd daarom gepest. Later kwamen ze er achter dat het te maken had met een stofwisselingsstoornis, waaraan hij op jonge leeftijd overleed.

Toen Gregorius het lokaal verliet, wist hij waarom het zo vreemd was hier te zijn: hij liep door de gangen en dwaalde rond in zichzelf als de voormalige leerling en vergat dat hij tientallen jaren lang als docent door de gangen had gelopen. Kon je als de vroegere leerling de latere docent vergeten, hoewel de latere het toneel was waarop zich de drama's van de vroegere afspeelden? En als het geen vergeten was, wat was het dan?

Beneden liep Burri vloekend door de gang. De deur die hij dichtsmeet moest de deur van de leraarskamer zijn. Nu hoorde Gregorius hoe ook de voordeur in het slot viel. De sleutel werd omgedraaid. Hij zat gevangen.

Het was alsof hij ontwaakte. Maar het was geen ontwaken als docent, geen terugkeer naar Mundus, die zijn leven had doorgebracht in dit gebouw. Het was de wakkerheid van de stiekeme bezoeker die er eerder die avond niet in was geslaagd de Bubenbergplatz aan te raken. Gregorius ging naar beneden naar de leraarskamer, die Burri in zijn woede vergeten was op slot te doen. Hij keek naar de stoel waarop Virginie Ledoyen altijd zat. 'Ik moet eerlijk zeggen, ik moet het zeggen: op een bepaalde manier mis ik hem.'

Hij stond een poosje voor het raam en staarde in het donker. Hij zag O'Kelly's apotheek voor zich. Op het glas van de groengouden deur stond IRISH GATE. Hij ging naar de telefoon, belde Inlichtingen en liet zich doorverbinden met de apotheek. Hij voelde de behoefte de telefoon in de lege, felverlichte apotheek de hele nacht over te laten gaan tot Jorge zijn roes had uitgeslapen, de apotheek binnenkwam en achter de toonbank zijn eerste sigaret opstak. Maar algauw kwam het bezetteken en Gregorius hing op. Toen hij opnieuw Inlichtingen belde, vroeg hij om het telefoonnummer van de Zwitserse ambassade in Isfahan. Een buitenlandse, hese mannenstem meldde zich. Gregorius legde de hoorn weer op de haak. Hans Gmür, dacht hij, Hans Gmür.

Naast de achteringang klom hij door het raam en liet zich het laatste stuk vallen. Toen het hem zwart voor de ogen werd, hield hij zich vast aan het fietsenrek. Daarna liep hij naar de barak en ging aan de buitenkant voor het raam staan waardoorheen hij ooit tijdens de Griekse les naar buiten was geklommen. Hij zag hoe de Ongelooflijke zich omdraaide naar haar buurvrouw om haar attent te maken op zijn ongelooflijke daad. Haar adem bracht het haar van haar buurvrouw in beweging. De zomersproeten leken haar verbazing nog groter te maken en haar ogen met de zilveren blik leken groter te worden. Gregorius keerde zich af en liep in de richting van de Kirchenfeldbrücke.

Hij was vergeten dat de brug was afgesloten. Geïrriteerd nam hij de route door het Monbijou. Toen hij op de Bärenplatz kwam, sloeg de klok middernacht. Morgenochtend was er markt, markt met marktvrouwen en kassa's met geld. Die boeken heb ik gestolen. Boeken zouden niets mogen kosten, dat dacht ik destijds en dat denk ik nu nog, hoorde hij O'Kelly zeggen. Hij liep verder in de richting van de Gerechtigkeitsgasse.

In de woning van Florence brandde geen licht. Voor een uur of één ging ze nooit naar bed. Was ze nooit naar bed gegaan. Gregorius ging aan de overkant van de straat achter een zuil staan wachten. De laatste keer dat hij dat had gedaan was meer dan tien jaar geleden. Ze was alleen thuisgekomen en ze liep alsof ze moe was, zonder zwier. Nu zag hij haar aankomen in het gezelschap van een man. Je zou best eens iets nieuws kunnen kopen om aan te trekken. Tenslotte leef je niet alleen. En met Grieks kun je dat niet compenseren... Gregorius keek naar het nieuwe pak dat hij aanhad: hij was beter gekleed dan de andere man. Toen Florence een stap de straat op zette en het licht van een lantaarn op haar haar viel, schrok hij: ze was grijs geworden in die tien jaar. En hoewel ze midden veertig was, ging ze gekleed alsof ze de vijftig al was gepasseerd. Gregorius merkte dat het hem irriteerde. Ging ze nooit meer naar Parijs? Had die slordig geklede snuiter aan haar zijde, die eruitzag als een verwaarloosde belastinginspecteur, haar beroofd van haar gevoel voor elegantie? Toen Florence later boven het raam opendeed en naar buiten leunde, moest hij de verleiding weerstaan vanachter de zuil te voorschijn te komen en naar haar te zwaaien.

Later liep hij naar de voordeur en keek naar de naambordjes. Florence de l'Aronge had ze als meisje geheten. Als hij de ordening van de naambordjes juist inschatte, heette ze nu Meier. Zelfs een y kwam in de naam niet voor. Wat had de academica van destijds er elegant uitgezien toen ze in de La Coupole zat! En wat een braaf burgerlijke en uitgebluste indruk had de vrouw van zonet gemaakt! Op weg naar het station en verder naar de Länggasse worstelde hij met een almaar heviger wordende woede waar hij steeds minder van begreep. De woede ebde een beetje weg toen hij voor het schamele huis stond waarin hij was opgegroeid.

De huisdeur zat op slot, maar in het mat geworden glas in de voordeur ontbrak een stuk. Gregorius hield zijn neus bij de opening: binnen rook het ook nu nog naar kool. Hij zocht het raam van het kamertje waar hij de Perzische woorden op het bord had geschreven. Het raam was groter gemaakt en had een ander kozijn gekregen. Hij had vaak gekookt van woede als hij geboeid in de Perzische grammatica zat te lezen en zijn moeder hem op bevelende toon riep om te komen eten. Hij zag de streekromans van Ludwig Ganghofer op haar nachtkastje liggen. *Kitsch is de meest verraderlijke van alle gevangenissen*, had Prado genoteerd. *De tralies zijn met het goud van versimpelde, onechte gevoelens bekleed, zodat je ze voor de zuilen van een paleis houdt.*

Die nacht sliep Gregorius weinig en als hij wakker werd wist hij het eerste moment niet waar hij was. Hij was voortdurend bezig aan allemaal deuren van het gymnasium te rammelen en klom almaar door ramen. Toen de stad tegen de ochtend ontwaakte en hij voor het raam stond, wist hij niet meer helemaal zeker of hij werkelijk in het Kirchenfeld was geweest.

Op de redactie van de grote Bernse krant deden ze niet erg vriendelijk tegen hem en Gregorius miste Agostinha van de *Diario de notícias* in Lissabon. Een advertentie van april 1966? Met tegenzin lieten ze hem in het archief alleen en tegen de middag had hij de naam van de ondernemer gevonden die destijds voor zijn kinderen een privé-leraar had gezocht. In het telefoonboek stonden drie Hannes Schnyders, maar slechts één ingenieur Schnyder. Een adres in de Elfenau.

Gregorius nam de tram erheen en belde aan met het gevoel iets volkomen idioots te doen. Het echtpaar Schnyder in de onberispelijke villa vond het kennelijk een welkome afwisseling thee te drinken met de man die destijds bijna de leraar van hun kinderen was geworden. Ze liepen beiden tegen de tachtig en spraken over de fantastische tijd onder de sjah, de tijd waarin ze rijk waren geworden. Waarom hij destijds zijn sollicitatie had ingetrokken? Een jongeman die afgestudeerd was in de oude talen – dat was precies wat ze hadden gezocht. Gregorius vertelde over de ziekte van zijn moeder en gooide het gesprek toen over een andere boeg.

Wat voor klimaat er heerste in Isfahan, vroeg hij ten slotte. Hitte? Zandstormen? Niets waar je bang voor hoeft te zijn, lachten ze, in elk geval niet als je woont zoals zij destijds hadden gewoond. En toen haalden ze foto's te voorschijn. Gregorius bleef tot de avond en het echtpaar Schnyder was blij verrast met zijn belangstelling voor hun herinneringen. Ze deden hem een fotoboek van Isfahan cadeau.

Voordat hij naar bed ging bekeek Gregorius de moskeeën van Isfahan en luisterde tegelijkertijd naar de plaat met de Portugese taalcursus. Hij viel in slaap met het gevoel dat zowel Lissabon als Bern voor hem een mislukking was. En dat hij niet meer wist hoe het was als er ergens iets níét mislukte.

Toen hij tegen vieren wakker werd, had hij de behoefte Doxiades te bellen. Maar wat had hij tegen hem moeten zeggen? Dat hij hier was en toch ook weer niet? Dat hij de leraarskamer van het gymnasium als telefooncentrale voor zijn verwarde verlangens had misbruikt? En dat hij niet eens zeker wist of dat allemaal werkelijk had plaatsgevonden?

Aan wie anders dan de Griek had hij het kunnen vertellen? Gregorius dacht aan de merkwaardige avond waarop ze hadden willen ervaren hoe het was als ze elkaar tutoyeerden.

'Ik heet Konstantin,' had de Griek opeens gezegd tijdens het schaken.

'Raimund,' had hij geantwoord.

Er was geen sprake geweest van een rituele bezegeling, geen glas, geen handdruk, ze hadden elkaar niet eens aangekeken.

'Dat vind ik erg gemeen van je,' zei de Griek, toen Gregorius hem in een val had gelokt.

Het klonk niet erg goed en Gregorius had de indruk dat ze dat allebei zo voelden.

'Je moet mijn gemeenheid niet onderschatten,' zei hij.

De rest van de avond vermeden ze het elkaar aan te spreken.

'Welterusten, Gregorius,' zei de Griek bij het afscheid. 'Ik hoop dat u goed slaapt.'

'Dat wens ik u ook, doctor,' zei Gregorius.

En zo was het gebleven.

Was dat de reden dat hij de Griek niets wilde vertellen over de wazige en verwarde toestand waarin hij door Bern had gedwaald? Of was de afstandelijke intimiteit tussen hen precies wat hij nodig had voor z'n verhaal? Gregorius draaide het nummer en hing op nadat de telefoon twee keer was overgegaan. Soms kon de Griek ruw uit de hoek komen, op een manier die waarschijnlijk gebruikelijk was bij de taxichauffeurs in Thessaloniki.

Hij haalde Prado's boek te voorschijn. Terwijl hij, net als twee weken geleden, met neergelaten jaloezie aan de keukentafel zat te lezen, had hij het gevoel dat de zinnen die de adellijke Portugees op de zolderkamer van het blauwe huis had geschreven, hem hielpen op de juiste plek te zijn: niet in Bern maar ook niet in Lissabon.

AMPLIDÃO INTERIOR. INNERLIJKE RUIMTE.
We leven hier en nu, alles wat eerder was en op andere plaatsen, is verleden tijd, voor het grootste deel vergeten en alleen als kleine rest nog toegankelijk in de vorm van willekeurige flarden van de herinnering die in onsamenhangende toevalligheid oplichten en weer doven. Zo zijn we gewend over onszelf te denken. En dat is ook de natuurlijke manier waarop wij denken wanneer het de anderen zijn op wie wij onze blik richten: ze staan immers werkelijk hier en nu voor ons, nergens en nooit anders, en hoe moet je je hun relatie tot het verleden anders voorstellen dan in de vorm van innerlijke episoden van

de herinnering, waarvan de exclusieve werkelijkheid in de tegenwoordigheid van hun gebeuren ligt?

Maar vanuit het gezichtspunt van het eigen innerlijk is het iets heel anders. Dan zijn we niet beperkt tot onze tegenwoordige tijd maar strekken we ons tot ver in het verleden uit. Dat komt door onze gevoelens, met name de diepe gevoelens, degene dus die bepalen wie wij zijn en hoe het is wij te zijn. Want die gevoelens kennen geen tijd, ze kennen die niet en erkennen die niet. Het zou vanzelfsprekend onjuist zijn als ik zou zeggen: ik ben nog steeds de jongen op de traptreden voor de school, de jongen met de pet in zijn hand wiens blik naar de meisjesschool dwaalt, in de hoop Maria João te zien. Natuurlijk is dat onjuist, intussen zijn meer dan dertig jaar verstreken. En toch is het ook wáár. De hartkloppingen die je voelt als je voor een moeilijke opgave staat zijn dezelfde hartkloppingen die je voelde op het moment dat senhor Lanções, de wiskundeleraar, de klas binnenkwam; in mijn bevangenheid tegenover alle autoriteiten klinken de machtspreuken mee van mijn kromgegroeide vader; en valt de stralende blik van een vrouw op mij dan stokt mijn adem zoals elke keer als tussen de ramen van de school mijn blik die van Maria João scheen te kruisen. Ik ben nog steeds daar, op die verre plek in de tijd, ik ben daar nooit weggegaan maar leef terwijl ik me uitstrek naar het verleden, of vanuit het verleden. Het is aanwezig, dat verleden, en niet alleen in de vorm van de korte episoden van het opflakkerende geheugen. De duizenden veranderingen die de tijd hebben opgejaagd zijn - vergeleken met de tijdloze tegenwoordigheid van het voelen – vluchtig en onwerkelijk als een droom en ook even bedrieglijk als droombeelden: ze suggereren me dat ik iemand ben die als arts, naar wie de mensen met hun pijn en zorgen toe komen, een fabelachtige zelfverzekerdheid en onversaagdheid bezit. En het angstige vertrouwen in de blikken van de mensen die hulp zoeken dwingt me daaraan te geloven zolang ze tegenover me staan. Maar ze zijn nog niet weggegaan of ik zou hen het liefst naroepen: ik ben nog steeds die bangelijke jongen op de traptreden van de school, het is totaal irrelevant, het is zelfs eigenlijk een leugen dat ik in een witte jas achter een reusachtig bureau zit en consulten geef, laat je niet voor de gek houden door wat we uit ridicule oppervlakkigheid het heden noemen.

En niet alleen in de tijd strekken we ons uit. Ook in de ruimte strekken we ons uit tot ver over de grens van wat zichtbaar is. We laten iets van onszelf achter wanneer we een plek verlaten, we blijven daar, ondanks dat we zijn weggegaan. En er zijn dingen in ons die we alleen terug kunnen vinden door naar de plek terug te keren. We naderen onszelf, we reizen naar onszelf toe wanneer het monotone gedreun van de wielen ons naar een plaats voert waar we een traject van ons leven hebben afgelegd, hoe kort dat ook is geweest. Als we voor de tweede keer het perron van het onbekende station betreden, de stemmen uit de luidsprekers horen, de typische geuren opsnuiven, dan zijn we niet alleen maar op een verre plaats aangekomen, maar ook bij het verre domein van ons eigen innerlijk, in een misschien heel ver van ons verwijderde uithoek van onszelf die, als we ergens anders zijn, geheel in het donker ligt en onzichtbaar is. Waarom anders zijn we zo opgewonden, zo buiten onszelf, wanneer de conducteur de naam van de plaats omroept, wanneer we het piepen van de remmen horen en door de plots beginnende schaduw van de stationsoverkapping worden opgeslokt? Waarom anders is het zo'n magisch moment, een moment van geruisloze dramatiek, wanneer de trein met een laatste ruk volledig tot stilstand komt? Het is omdat we vanaf de eerste stappen die we op het vreemde en toch ook niet meer vreemde perron zetten, opnieuw een leven opnemen dat we hadden onderbroken en verlaten toen we destijds de eerste ruk van de vertrekkende trein voelden. Wat zou opwindender kunnen zijn dan een onderbroken leven met al zijn beloften weer op te pakken?

Het is onjuist, een onzinnige gewelddaad als we ons op het hier en nu concentreren in de overtuiging daarmee het wezenlijke te pakken te hebben. Waar het eigenlijk op aankomt is je zelfverzekerd en kalm, met de bijpassende humor en de bijpassende melancholie, in het qua tijd en ruimte uitgestrekte innerlijke landschap te bewegen dat wij zijn. Waarom hebben we medelijden met mensen die niet kunnen reizen? Omdat ze zich, doordat ze zich uiterlijk niet kunnen uitstrekken, ook innerlijk niet kunnen uitstrekken, ze kunnen zichzelf niet vermenigvuldigen, en daardoor zijn ze beroofd van de mogelijkheid in zichzelf verre uitstapjes te ondernemen en te ontdekken wie en wat anders ze ook hadden kunnen worden.

Toen het licht werd ging Gregorius naar het station en nam de eerste trein naar Moutier in de Jura. Er reisden werkelijk mensen naar Moutier. Werkelijk. Moutier was niet alleen de stad waar hij van de man met het vierkante gezicht, het wijkende voorhoofd en het stekelhaar had verloren omdat hij er niet tegen kon dat de man zoveel tijd nam om een stuk te verzetten. Moutier was een werkelijke stad met een raadhuis, met supermarkten en theesalons. Gregorius zocht twee uur lang tevergeefs naar de plek waar destijds het toernooi had plaatsgevonden. Je kon niet zoeken naar iets waarvan je niets meer wist. De serveerster in de theesalon was verbaasd over zijn verwarde, onsamenhangende vragen en fluisterde later iets tegen haar collega.

Vroeg in de middag was hij weer in Bern en nam de lift naar de hooggelegen universiteit. Er was een collegevrije periode. Hij ging in een lege collegezaal zitten en dacht aan de jonge Prado in de collegezalen in Coimbra. Volgens pater Bartolomeu kon hij genadeloos zijn als hij met ijdelheid te maken kreeg. Genadeloos. Het mes ging open in zijn zak. En hij had altijd een krijtje bij zich als iemand hem vroeg voor het bord te komen om hem iets te laten uitleggen. Het was jaren en jaren geleden dat Gregorius, gadegeslagen door de verbaasde studenten, in deze collegezaal bij een college over Euripides was gaan zitten. Hij was verbaasd geweest over het academische jargon dat werd gebezigd. 'Waarom leest u niet eerst eens de tekst?' had Gregorius de jongeman graag toegeroepen. 'Lezen! Gewoon alleen maar lezen!' Toen de man steeds vaker Franse begrippen door zijn betoog vlocht die er alleen maar toe leken te dienen bij zijn roze overhemd te passen, was hij weggegaan. Het was jammer, dacht hij nu, dat hij die snotneus toen niet werkelijk iets had toegeroepen.

Buiten bleef hij na een paar passen staan en hield zijn adem in. Verderop, bij de boekhandel, kwam Natalie Rubin naar buiten. In de plastic tas, dacht hij, zat de Perzische grammatica en Natalie liep nu in de richting van het postkantoor om die naar Lissabon te verzenden.

Alleen dat was misschien nog niet voldoende geweest, dacht Gregorius later. Misschien had hij toch moeten blijven en had hij dan lang op de Bubenbergplatz gestaan, tot hij die weer had kunnen aanraken. Maar toen ging in de vroege schemering van de sombere dag in alle apotheken het licht aan. *Cortar a luz*, hoorde hij O'Kelly zeggen, en toen hij die woorden niet uit zijn hoofd kreeg, ging Gregorius naar zijn bank en liet een groot bedrag overmaken naar zijn rekening courant. 'Nou, eindelijk geeft u eens iets uit van uw geld!' zei de vrouw die zijn spaargeld beheerde.

Tegen mevrouw Loosli, zijn buurvrouw, zei hij dat hij een lange reis ging maken. Of ze hem zijn post wilde nasturen als hij haar telefonisch liet weten waar hij was? De vrouw had graag meer geweten maar durfde geen vragen te stellen. 'Het is allemaal in orde,' zei Gregorius, en gaf haar een hand.

Hij belde het hotel in Lissabon en vroeg of ze hem voor onbepaalde tijd dezelfde kamer wilden geven die hij had gehad. Het was goed dat hij belde, zeiden ze, er was namelijk een pakje voor hem aangekomen en de oude vrouw van onlangs had weer een briefje laten bezorgen. Ook telefonisch had iemand naar hem gevraagd, het nummer hadden ze genoteerd. Overigens hadden ze in de kast een schaakspel gevonden. Of dat van hem was?

's Avonds ging Gregorius in hotel Bellevue eten, dat was de veiligste plek om niemand tegen het lijf te lopen. De ober was voorkomend alsof hij een oude bekende was. Later liep Gregorius over de Kirchenfeldbrücke, die weer vrij was. Hij liep naar de plaats waar de Portugese de brief had gelezen. Toen hij naar beneden keek werd hij duizelig. Thuis las hij tot diep in de nacht het boek over de Portugese pestepidemie. Hij sloeg de pagina's om met het gevoel iemand te zijn die Portugees kende.

De volgende ochtend nam hij de trein naar Zürich. Het vliegtuig naar Lissabon ging even voor elven. Toen ze vroeg in de middag landden, scheen de zon uit een onbewolkte hemel. De taxi reed met open raam. De hotelbediende die zijn koffer en het pakje met de boeken van Natalie Rubin naar zijn kamer bracht, praatte honderduit. Gregorius begreep er geen woord van.

25 'Quer tomar alguma coisa? Wilt u iets met mij drinken?' stond in het briefje dat Clotilde die dinsdag had bezorgd. En deze keer was de ondertekening simpeler en vertrouwelijker: Adriana.

Gregorius bekeek de drie briefjes met de telefoonnotities. Op maandagavond had Natalie Rubin gebeld en was in verwarring gebracht toen ze te horen had gekregen dat hij was vertrokken. Had ze de Perzische grammatica, waarmee hij haar gisteren had gezien, dan misschien toch niet op de post gedaan?

Hij belde haar. Een misverstand, zei hij, hij had alleen maar een reisje gemaakt en was nu weer in het hotel. Ze vertelde over haar vergeefse speurtocht naar boeken over de Resistência.

'Als ik in Lissabon was – ik wed dat ik daar iets zou vinden,' zei ze.

Gregorius zei niets.

Hij had haar veel te veel geld gestuurd, doorbrak ze de stilte. En ook: de Perzische grammatica zou ze vandaag nog op de post doen.

Gregorius zweeg.

'U hebt er toch zeker niets tegen als ik die taal ook leer?' vroeg ze, en opeens klonk haar stem bang, wat helemaal niet paste bij de voorname jongedame die ze was, nog veel minder dan haar lachen waarmee hij onlangs had ingestemd.

Nee, nee, zei hij en deed zijn best opgewekt te klinken, waarom zou hij.

'Até logo,' zei ze.

'Até logo,' zei ook hij.

Dinsdagnacht Doxiades, en nu dit meisje: waarom leek hij plotseling op een analfabeet als het om intimiteit en afstandelijkheid ging? Of was hij dat altijd geweest, zonder het te merken? En waarom had hij nooit een vriend gehad, zoals Jorge O'Kelly voor Prado een vriend was geweest? Een vriend met wie hij over zaken als loyaliteit en liefde had kunnen praten, en over de dood?

Mariana Eça had gebeld zonder een bericht achter te laten. José António da Silveira liet daarentegen aan hem doorgeven dat hij hem graag wilde uitnodigen voor het avondeten als hij weer terug zou keren naar Lissabon.

Gregorius maakte het pakje met de boeken open. De Portugese

grammatica leek zozeer op een leerboek Latijn dat hij moest lachen, en hij verdiepte zich in het boek tot het donker werd. Toen
sloeg hij de geschiedenis van Portugal open en constateerde dat de
tijd die Prado had geleefd tamelijk nauwkeurig samenviel met de
duur van de *Estado Novo*. Hij las over het Portugese fascisme en
de PIDE, waarvan Rui Luís Mendes de baas was geweest, de slager
van Lissabon. Tarrafal, las hij, was het ergste strafkamp geweest
voor politieke gevangenen. Het lag op het Kaapverdische eiland
Santiago en de naam ervan was voor de mensen het symbool van
de genadeloze politieke vervolging geweest. Maar het meest interesseerde Gregorius wat hij over de *Mocidade Portuguesa* las, een
paramilitaire organisatie naar Italiaans en Duits model die van het
fascistische voorbeeld de Romeinse groet had overgenomen. Alle
jongeren, van de basisschool tot de universiteit, moesten er lid van
worden. Het was begonnen in 1936, ten tijde van de burgeroorlog,
toen Amadeu de Prado zestien was. Had ook hij het voorgeschre-
ven groene overhemd gedragen? Zijn arm opgestoken zoals dat in
Duitsland gebeurde? Gregorius bekeek het portret: ondenkbaar.
Maar hoe was het hem gelukt zich eraan te onttrekken? Had zijn
vader zijn invloed aangewend? De rechter, die zich ondanks Tarrafal nog steeds om tien voor zes in de ochtend liet afhalen om de
eerste te zijn in het paleis van Justitie?

Laat op de avond stond Gregorius op de Praça do Rossio. Zou
hij het plein ooit zo kunnen aanraken als hij vroeger de Bubenbergplatz had aangeraakt?

Voordat hij terugkeerde naar het hotel liep hij naar de Rua dos
Sapateiros. In de apotheek van O'Kelly brandde licht en hij zag op
de toonbank de ouderwetse telefoon staan die hij maandagavond
vanaf Kägi's bureau had laten overgaan.

26 Vrijdagochtend telefoneerde Gregorius met Júlio Simões, de antiquaar, en liet zich nog een keer het adres van het aanbevolen taleninstituut geven dat hij voor zijn vertrek naar Zürich
had weggegooid. De directeur van het instituut was verbaasd over
zijn ongeduld toen hij zei dat hij niet tot maandag kon wachten

en dat hij, als dat mogelijk was, meteen wilde beginnen.

De vrouw die kort daarop het vertrek binnenkwam waarin privé-les werd gegeven, was helemaal in het groen gekleed en ook haar oogschaduw paste erbij. Ze ging in de goedverwarmde kamer achter het bureau zitten en trok huiverend haar stola om haar schouders. Ze heette Cecília, zei ze met een heldere, melodieuze stem die niet paste bij haar norse, slaperige gezicht. Of hij zo vriendelijk wilde zijn haar te vertellen waarom hij de taal wilde leren. In het Portugees natuurlijk, voegde ze eraan toe op een toon die haar peilloze verveling leek uit te drukken.

Pas toen Gregorius drie uur later, tollend van vermoeidheid, weer buiten stond, besefte hij wat er op dat moment met hem was gebeurd: hij had de schaamteloze uitdaging van de vrouw geaccepteerd alsof het om een verrassende openingszet op het schaakbord was gegaan. Waarom lever je in je leven nooit een gevecht, terwijl je dat bij het schaken zo goed kunt! had Florence vaak gezegd. Omdat ik in het leven vechten belachelijk vind, had hij geantwoord, je moet met jezelf immers al genoeg strijd leveren. En nu was hij werkelijk ingegaan op het gevecht met de groene vrouw. Had ze met een bijna onwaarschijnlijke helderziendheid gevoeld dat ze op dit moment in zijn leven op die manier met hem om moest gaan? Soms had hij dat gevoel gehad, vooral als achter de norse façade van haar gezicht een triomfantelijk glimlachje verscheen waarmee ze uitdrukte dat ze blij was met zijn vorderingen. 'Não, não,' had ze geprotesteerd toen hij het grammaticaboek te voorschijn haalde. 'Tem que aprender falando, u moet het leren door te spreken.'

In het hotel ging Gregorius op bed liggen. Cecília had hem verboden het grammaticaboek te raadplegen. Ze had het hem, Mundus, verboden. Ze had het boek zelfs van hem afgepakt. Haar lippen bewogen voortdurend en ook zijn lippen bewogen, en hij had geen idee waar de woorden vandaan kwamen, *mais doce, mais suave,* zei ze constant, en als ze de heel dunne, groene halsdoek over haar lippen trok zodat die opbolde als ze sprak, wachtte hij gespannen op het moment waarop hij haar lippen weer kon zien.

Toen hij wakker werd begon het te schemeren en toen hij bij Adriana aanbelde, was het donker. Clotilde bracht hem naar de salon.

'Waar bleef u toch?' vroeg Adriana toen hij de kamer binnenging.

'Ik kom u de aantekeningen van uw broer terugbrengen,' zei Gregorius en hij wilde haar de map met de papieren overhandigen.

Haar gezichtsuitdrukking verhardde, haar handen bleven in haar schoot liggen.

'Wat had u dan verwacht?' vroeg Gregorius, en hij kwam zichzelf voor als iemand die op een schaakbord een gewaagde zet doet waarvan hij de gevolgen niet kan overzien. 'Dat een man als hij zich niet zou afvragen wat juist was? Na zo'n schokkende gebeurtenis? Na een verwijt dat alles waar hij voor stond in twijfel trok? Dat hij gewoon zou overgaan tot de orde van de dag? Dat kunt u toch niet menen!'

Hij schrok van de heftigheid van zijn laatste woorden. Hij verwachtte niet anders dan dat ze hem eruit zou gooien.

Adriana's gezicht ontspande en er verscheen een uitdrukking van bijna blijde verbazing op. Ze stak haar handen uit en Gregorius overhandigde haar de map. Een paar keer streek ze er met de rug van haar hand overheen, precies zoals ze, bij zijn eerste bezoek, met de meubels in Amadeu's kamer had gedaan.

'Hij gaat sindsdien naar de man die hij langgeleden heeft ontmoet, in Engeland, tijdens zijn reis met Fátima. Hij heeft me over hem verteld toen hij... voortijdig terugkwam, wegens mij. João heet hij, João nog wat. Hij gaat nu vaak naar hem toe. Komt 's nachts vaak niet thuis zodat ik patiënten moet wegsturen. Hij ligt boven languit op de vloer van zijn kamer en bestudeert het spoorwegnet. Hij is altijd gek geweest op treinen, maar niet zo. Het doet hem geen goed, dat is hem aan te zien, zijn wangen zijn ingevallen, hij is vermagerd, hij scheert zich niet, het zal nog zijn dood betekenen, ik voel het.'

Aan het eind had haar stem weer klagerig geklonken, een hoorbare weigering het verleden te erkennen als iets wat onherroepelijk voorbij is. Maar toen ze was begonnen met praten was er iets in haar gezicht verschenen dat te duiden was als de bereidheid of zelfs als het vurige verlangen de tirannie van de herinnering van zich af te schudden en bevrijd te worden uit de kerker van het verleden. En daarom riskeerde hij het.

'Hij bestudeert het spoorwegnet al heel lang niet meer, Adriana. Hij gaat al heel lang niet meer naar João. Hij oefent al heel lang zijn praktijk niet meer uit. Amadeu is dood, Adriana. En u weet dat. Hij is gestorven aan het aneurysma. Eenendertig jaar geleden al, een half mensenleven geleden. Op de vroege ochtend. In de Rua Augusta. Iemand heeft u toen gebeld.' Gregorius wees naar de staande klok. 'Om zes uur drieëntwintig. Zo was het toch, nietwaar?'

Een duizeling overviel Gregorius en hij hield zich vast aan de stoelleuning. Hij zou het niet kunnen verdragen als de vrouw nog een keer tegen hem zou uitvallen, zoals hij een week geleden had beleefd in de praktijk. Zodra de duizeling voorbij was zou hij weggaan en nooit meer terugkomen. Waarom in godsnaam, dacht hij, waarom zou het zijn taak zijn om die vrouw, met wie hij eigenlijk helemaal niets te maken had, uit het verstarde verleden te bevrijden en terug te halen naar een normaal verlopend leven in het heden? Waarom had hij zichzelf beschouwd als de persoon die tot taak had het zegel van haar geest te verbreken? Hoe was hij ooit op dat krankzinnige idee gekomen?

Het bleef stil in de kamer. Het duizelige gevoel trok weg, Gregorius deed zijn ogen open. Adriana zat diep ineengedoken op de sofa, had haar handen voor haar gezicht geslagen en huilde, haar magere lijf schokte, haar handen met de donkere aderen trilden. Gregorius ging naast haar zitten en legde zijn arm om haar schouders. Weer begonnen bij haar de tranen hevig te stromen en nu klampte ze zich aan hem vast. Langzaam werd het snikken minder en de rust van de uitputting trad in.

Toen ze zich oprichtte en haar zakdoek pakte, stond Gregorius op en liep naar de klok. Langzaam, als in een vertraagde film, deed hij het glas voor de wijzerplaat open en zette de klok op de actuele tijd. Hij durfde zich niet om te draaien, één verkeerde beweging, één verkeerde blik kon alles tenietdoen. Met een zachte klik sloot het glas voor de wijzerplaat. Gregorius deed de pendelkast open en bracht de pendel in beweging. Het tikken klonk luider dan hij had verwacht. De eerste seconden leek het alsof alleen nog het tikken de hele salon vulde. Een nieuwe tijdrekening was begonnen.

Adriana's ogen waren op de klok gericht en haar blik leek op die van een ongelovig kind. Haar hand met de zakdoek was midden in de beweging blijven steken en leek als uit de tijd uitgeknipt. En toen gebeurde er iets wat op Gregorius de indruk maakte van een geluidloze aardbeving: Adriana's blik flakkerde, de gloed verdween eruit, doofde, kwam terug en kreeg opeens de vastigheid en helderheid van een blik die helemaal op het heden is gericht. Hun blikken ontmoetten elkaar en Gregorius legde in de zijne alle zekerheid waarover hij beschikte teneinde haar blik te kunnen vasthouden als die weer zou beginnen te flakkeren.

Clotilde verscheen en bleef met de thee in de deuropening staan, haar blik op de tikkende klok gericht. 'Graças a Deus!' zei ze zachtjes. Ze keek naar Adriana en toen ze de thee op de tafel zette, glinsterden haar ogen.

Naar wat voor muziek Amadeu had geluisterd, vroeg Gregorius na een poosje. Eerst leek het alsof Adriana de vraag niet had begrepen. Haar aandacht moest blijkbaar een lange afstand afleggen voordat die in de tegenwoordige tijd kon aankomen. De klok tikte en leek met elke tik de boodschap te verkondigen dat alles anders was geworden. Opeens stond Adriana zonder iets te zeggen op en legde een plaat van Hector Berlioz op. *Les Nuits d'Été, La Belle Voyageuse, La Captive, La Mort d'Ophélie.*

'Hij kon er urenlang naar luisteren,' zei ze. 'Wat zeg ik, dagenlang.' Ze ging weer op de sofa zitten.

Gregorius was er zeker van dat ze er nog iets aan wilde toevoegen. Ze hield de hoes van de plaat zo stevig vast dat haar knokkels wit werden. Ze slikte. In haar mondhoek verschenen kleine blaasjes. Ze streek met haar tong langs haar lippen. Nu legde ze haar hoofd tegen de leuning van de sofa als iemand die overmand wordt door totale uitputting. Het zwarte bandje om haar hals schoof naar boven en liet een klein stukje van een litteken zien.

'Het was de lievelingsmuziek van Fátima,' zei ze.

Toen de plaat was afgelopen en het tikken van de klok weer hoorbaar werd in de stilte, ging Adriana rechtop zitten en trok het halsbandje recht. Haar stem had de verbazingwekkende rust en ontspannen zekerheid van iemand die zojuist een innerlijke barrière heeft overwonnen die lang als onoverwinnelijk had gegolden.

'Een hartinfarct. Ze was nog maar net vijfendertig. Hij was verbijsterd. Mijn broer, die zich op alles wat nieuw was met een enorme, bijna onmenselijke snelheid kon instellen en die juist op onverwachte uitdagingen met een tegenwoordigheid van geest kon reageren die aan het ongelooflijke grensde, zodat hij pas echt leek te leven als hij werd geconfronteerd met een alles met zich mee sleurende lawine van onverwachte gebeurtenissen – die man, die nooit genoeg kon krijgen van de werkelijkheid, kon het niet geloven, wilde niet accepteren dat de witte stilte in haar gezicht niet gewoon de rust van slaap was die weer voorbij zou gaan. Hij verbood obductie, de gedachte aan messen was voor hem ondraaglijk, hij stelde de begrafenis telkens uit, viel uit tegen de mensen die hem op de realiteit wezen. Hij raakte het overzicht helemaal kwijt, regelde een dodenmis, zegde die weer af, vergat dat hij de mis had afgezegd en bruuskeerde de priester toen er niets gebeurde. "Ik had het kunnen weten, Adriana," zei hij, "ze had hartritmestoringen, ik heb die niet serieus genomen, ik ben arts en heb die niet serieus genomen, bij elke andere patiënt had ik die wel serieus genomen, maar bij haar heb ik ze toegeschreven aan haar nervositeit, ze had problemen met de andere vrouwen in het kindertehuis, die zeiden dat ze geen opleiding had genoten als kleuterleidster maar een dochter van goeden huize was en de vrouw van een rijke arts, dat ze niet wist wat ze anders met haar vrije tijd moest beginnen, ze was erdoor gekrenkt, dat krenkte haar heel erg, want ze kon het zo goed, ze was een natuurtalent, de kinderen waren bij haar heel zoet, de andere vrouwen waren jaloers op haar, ze slaagde er ook in over het verdriet heen te komen dat zij zelf geen kinderen had, dat lukte haar echt, en daarom voelde ze zich gekrenkt, ze kon zich niet verdedigen, het vrat haar op vanbinnen, en toen begon haar hart te haperen, soms leek het op tachycardie, ik had het serieus moeten nemen, Adriana, waarom heb ik haar niet naar een specialist gestuurd, ik ken er een met wie ik in Coimbra heb gestudeerd, hij is een kei geworden in zijn vak, ik had hem alleen maar hoeven bellen, waarom heb ik het niet gedaan, ik heb haar hart zelfs nooit beluisterd, stel je voor, niet eens beluisterd."

Een jaar na mama's overlijden maakten we dus alweer een dodenmis mee, "zij had het zo gewild," zei hij, "en bovendien moet je de dood toch een vorm geven, in elk geval beweren de religies dat, ik weet het niet", plotseling had hij zelfs geen vertrouwen meer in zijn eigen overtuigingen, *não sei, não sei,* zei hij voortdurend. Bij de mis voor mama was hij destijds in een donker hoekje gaan zitten zodat het niet zo zou opvallen dat hij niet meedeed met de liturgie, Rita begreep dat niet, "het zijn toch alleen maar handelingen, een vaststaand ritueel," zei ze, "je bent misdienaar geweest, en bij papá ging het immers ook." Nu, bij Fátima, was hij zo uit zijn evenwicht gebracht dat hij op het ene moment meedeed en even later verstijfd bleef zitten in plaats van te knielen, en het ergste was: hij maakte fouten in de Latijnse tekst. Hij! Fouten!

Hij huilde nooit in het openbaar, en dus ook niet aan het graf. Het was op drie februari, een ongewoon zachte dag, maar hij wreef voortdurend in zijn handen, hij had gauw last van koude handen, en toen, toen de kist begon neer te dalen in het graf, stopte hij zijn handen in zijn jaszakken en volgde de kist met een blik die ik eerder noch later bij hem heb gezien, het was de blik van iemand die alles moet begraven wat hij heeft, domweg alles. Heel anders dan aan het graf van papá en mama, toen stond hij erbij als iemand die zich lang op het afscheid heeft voorbereid en die weet dat het ook een stap betekent naar zijn eigen leven.

Iedereen voelde dat hij nog alleen bij het graf wilde blijven, en dus zijn we weggegaan. Toen ik achterom keek, stond hij naast de vader van Fátima, Amadeu had Fátima in diens huis leren kennen en was als gehypnotiseerd thuisgekomen. Amadeu omhelsde de grote man, die met zijn mouw langs zijn ogen wreef en toen met overdreven grote stappen wegliep. Mijn broer stond met gebogen hoofd, gesloten ogen en gevouwen handen alleen voor het open graf, minstens een kwartier lang. Ik had kunnen zweren dat hij bad, ik wil dat hij dat heeft gedaan.'

Ik houd van biddende mensen. Ik heb hun aanblik nodig. Ik heb die nodig als verzet tegen het verraderlijke gif van de oppervlakkigheid en de stompzinnigheid. Gregorius zag de scholier Prado voor zich, hoe hij in de aula van het liceu over zijn liefde voor kathedralen sprak. *O sacerdote ateu,* hoorde hij João Eça zeggen.

Gregorius had verwacht dat ze elkaar bij het afscheid een hand zouden geven, zoals bij de eerste keer. Maar toen kwam de oude vrouw, bij wie nu een lok haar over haar voorhoofd viel, langzaam naar hem toe tot ze heel dicht voor hem stond en hij de bijzondere mix van parfum en medicijnen kon ruiken. Hij voelde de impuls een stap achteruit te doen, maar de manier waarop ze haar ogen sloot en haar handen naar zijn gezicht bracht, had iets gebiedends. Als een blinde gleed ze met koude, trillende vingers, die alleen een heel zachte aanraking zochten, over zijn gezicht. Toen ze zijn bril aanraakte, stokte ze. Prado had een bril met ronde glazen gedragen, met een gouden montuur. Hij, Gregorius, was de vreemdeling die een einde had gemaakt aan de stilstand van de tijd en die de dood van haar broer had bezegeld. En hij was ook de broer zelf, die in het verhaal weer levend was geworden. De broer – daarvan was Gregorius op dit moment overtuigd – die ook iets met het litteken onder de fluwelen band en met de rode ceders te maken had.

Adriana stond verlegen voor hem, haar armen in haar zij, haar blik naar de grond gericht. Gregorius legde zijn beide handen op haar schouders. 'Ik kom terug,' zei hij.

27 Hij lag nog geen halfuur op bed toen de portier hem liet weten dat er bezoek was. Hij wist niet wat hij zag: het was Adriana die, steunend op een stok, midden in de hotellounge stond, gehuld in een lange, zwarte jas, om haar hoofd de gehaakte doek. Ze bood de ontroerende en tegelijkertijd pathetische aanblik van een vrouw die haar huis sinds vele jaren voor het eerst weer heeft verlaten en in een wereld terecht is gekomen die ze niet meer kent en waar ze niet eens meer durft te gaan zitten.

Nu knoopte ze haar jas open en haalde twee enveloppen te voorschijn.

'Ik… ik wil graag dat u dit leest,' zei ze stijf en onzeker alsof spreken buitenshuis, in de wereld, voor haar veel lastiger was of in elk geval iets heel anders was dan thuis. 'De ene brief heb ik gevonden toen we na de dood van mamã het huis ontruimden. Het had een haar gescheeld of Amadeu had hem te zien gekregen, maar ik had er een voorgevoel van en verstopte hem in het geheime vak van mijn vaders bureau. De andere brief vond ik na de dood van Amadeu in zijn bureau, verborgen onder een hele stapel andere papieren.' Ze keek Gregorius verlegen aan, sloeg haar ogen neer, keek hem opnieuw aan. 'Ik... ik wil niet de enige blijven die die brieven kent. Rita, nou ja, Rita zou het niet begrijpen. En verder heb ik niemand.'

Gregorius nam de enveloppen aan. Hij zocht naar woorden en vond ze niet. 'Hoe bent u hier naartoe gekomen?' vroeg hij ten slotte.

Buiten in de taxi wachtte Clotilde. Toen Adriana op de achterbank neerzeeg leek het alsof dit uitstapje naar de werkelijke wereld haar al haar energie had gekost. 'Adeus,' had ze tegen hem gezegd voordat ze instapte. Ze had hem een hand gegeven, hij had de knokkels gevoeld en de aderen op de rug van haar hand die onder de druk meegaven. Verbaasd had hij gemerkt hoe stevig en zelfverzekerd haar handdruk was, bijna zo stevig als van iemand die van 's ochtends vroeg tot 's avonds laat midden in het leven staat en dagelijks tientallen handen moet schudden.

Die verrassend stevige, bijna geroutineerde handdruk bleef Gregorius bij toen hij de taxi nakeek. In gedachten maakte hij van Adriana de vrouw van veertig die de oude Coutinho hem had beschreven toen hij het over de norse manier had waarop ze de patiënten bejegende. Als de schok van de abortus er niet was geweest en ze daarna haar eigen leven had geleid, in plaats van het leven van haar broer: wat zou ze dan nu een ander mens zijn!

In zijn kamer maakte hij eerst de dikste envelop open. Het was een brief van Amadeu aan zijn vader, de rechter. Een brief die nooit was verstuurd, die vele jaren lang telkens weer ten dele herschreven was, je kon het zien aan de vele correcties met verschillende tinten inkt. Je kon er ook de ontwikkeling van het handschrift uit aflezen.

'Geachte vader', had de aanhef oorspronkelijk geluid, dat was later 'Geachte, gevreesde vader' geworden, nog later had Amadeu er 'geliefde papá' aan toegevoegd, en de laatste verandering had 'heimelijk geliefde papá' opgeleverd.

Toen uw chauffeur me vanochtend naar het station bracht en ik op de kussens zat waarop anders u elke ochtend zit, wist ik dat ik alle tegenstrijdige gevoelens die me dreigen te verscheuren onder woorden zou moeten brengen om niet langer hun slachtoffer te zijn. Ik geloof dat een zaak onder woorden brengen betekent dat de kracht ervan wordt bewaard en de verschrikking ervan wordt weggenomen, schrijft Pessoa. Aan het eind van deze brief zal ik weten of hij gelijk heeft. Intussen zal ik lang moeten wachten voordat ik daar zeker van kan zijn want nu al, nu ik nog maar net ben begonnen, voel ik dat het een lange en hobbelige weg zal zijn tot ik de helderheid heb bereikt waarnaar ik schrijvend streef. En het beangstigt me als ik denk aan wat Pessoa heeft verzuimd te vermelden: de mogelijkheid dat het onder woorden brengen van de zaak mislukt. Wat gebeurt er dan met de kracht en met de verschrikking?

Ik wens je een succesvol semester, zei u net als altijd als ik naar Coimbra vertrok. Nooit heeft u – noch bij die gelegenheden noch op andere momenten – woorden gebruikt die de wens uitdrukten dat het komende semester me bevrediging zou brengen of me zelfs maar plezier zou doen. Toen ik in de auto over de voorname stof van de achterbank streek dacht ik: kent hij dat woord eigenlijk wel? Is hij ooit jong geweest? Op een bepaald moment is hij mamã toch tegengekomen. Ooit.

Maar hoewel het was zoals altijd, was het deze keer toch ook anders, papá. 'Een jaar nog, dan kom je hopelijk terug,' zei je toen ik al buiten stond. Die zin vloog me naar de keel en ik had het gevoel te struikelen. Het was een zin die uit de mond van de geteisterde man met de kromgegroeide rug kwam en niet een zin uit de mond van de rechter. Toen ik in de auto zat, probeerde ik die zin te beluisteren als een uitdrukking van simpele, pure genegenheid. Maar de toon paste er niet bij want ik wist: hij wil vooral dat zijn zoon, de arts, dicht bij hem is en hem helpt bij zijn strijd tegen de pijn. 'Heeft hij het wel eens over mij?' vroeg ik aan Enrique achter het stuur. Hij antwoordde heel lang niet en deed alsof het verkeer zijn aandacht opeiste. 'Ik geloof dat hij erg trots op u is,' zei hij ten slotte.

Dat Portugese kinderen hun ouders tot in de jaren vijftig zelden met u of je en meestal in de indirecte vorm met *o pai, a mãe* aanspraken wist Gregorius van Cecília, die eerst *você* had gezegd om zichzelf na enige tijd te onderbreken en hem voor te stellen *tu* tegen elkaar te zeggen, het klonk anders zo stijf, zei ze, tenslotte was você de verkorte vorm van *Vossa Mercê*, Uwe Genade. Met tu en você was de jonge Prado zowel wat het vertrouwelijke als wat het formele betrof een stap verder gegaan dan gebruikelijk en hij had er daarna voor gekozen die twee extremen af te wisselen. Of was het helemaal geen keuze geweest maar de natuurlijke, spontane uitdrukking van zijn onbestendige gevoelens?

Met de vraag aan de chauffeur eindigde het blad. Prado had de vellen papier niet genummerd. Het volgende vel begon abrupt en was met andere inkt geschreven. Was dat de door Prado gekozen volgorde of had Adriana die bepaald?

U bent rechter, vader – een mens dus die beoordeelt, veroordeelt en bestraft. 'Ik weet niet meer hoe het is gekomen,' zei oom Ernesto een keer tegen mij, 'ik heb wel eens gedacht dat het al bij zijn geboorte vaststond.' Ja, dacht ik toen, precies.

Ik moet toegeven: thuis hebt u zich nooit als een rechter gedragen; u hebt niet vaker dan andere vaders een oordeel uitgesproken, eerder minder vaak. En toch, vader, heb ik uw zwijgzaamheid, uw woordeloze aanwezigheid vaak als rechtsprekend ervaren, als rechterlijk en zelfs als gerechtelijk.

U bent – stel ik me voor – een rechtvaardige rechter, vervuld van welwillendheid, geen rechter wiens harde, onverzoenlijke vonnissen gebaseerd zijn op wraakgevoelens vanwege ontberingen en mislukkingen in het eigen leven, en ook niet op een geloochend slecht geweten in verband met eigen heimelijke misstappen. U maakt ruimschoots gebruik van de speelruimte die de wet u biedt voor begrip en mildheid. Toch heb ik er steeds onder geleden dat je iemand bent die over anderen rechtspreekt. 'Zijn rechters mensen die anderen naar de gevangenis sturen?' vroeg ik je na de eerste schooldag, toen ik in het openbaar op de vraag antwoord had moeten geven welk beroep mijn vader had. Daar hoorde ik de andere jongens namelijk over praten in het speelkwartier. Wat ze zeiden klonk niet verachtelijk of beschuldigend; eerder getuigde het van nieuwsgierigheid en belustheid op sensatie, die zich overigens nauwelijks onderscheidde van de nieuwsgierigheid die ze aan de dag legden toen een andere leerling vertelde

dat zijn vader in een slachthuis werkte. Vanaf dat moment heb ik al-
tijd enorme omwegen gemaakt om maar niet langs de gevangenis te
hoeven komen.

   Ik was twaalf toen ik een keer langs de bewakers heen het gerechts-
gebouw binnensloop en u in uw toga achter de op een verhoging ge-
plaatste rechterstafel zag zitten. In die tijd was u nog een gewone rech-
ter en nog geen lid van de Hoge Raad. Wat ik voelde was trots, en
tegelijkertijd was ik heel erg geschrokken. Er moest vonnis worden ge-
wezen, het betrof een recidive dievegge, het vonnis luidde gevange-
nisstraf, en vanwege de recidive was het een onvoorwaardelijke ge-
vangenisstraf. De vrouw was van middelbare leeftijd, verbitterd en
lelijk, ze had niet een gezicht dat mensen voor haar innam. Toch ver-
stijfde ik, elke vezel in mijn lijf, had ik het gevoel; ik verkrampte en
verstarde toen ze werd weggevoerd en in de kerkers van het gerechts-
gebouw verdween, die ik me donker, koud en vochtig voorstelde.

   Ik vond dat de verdediger het niet goed deed, een pro-Deo advo-
caat vermoedelijk, die zijn pleidooi lusteloos afwerkte, je hoorde niets
over de motieven van de vrouw, zij kon die zelf niet uitleggen, het had
me niet verbaasd als ze een analfabete was. Later lag ik in het don-
ker wakker en verdedigde haar en het was niet zozeer een verdedi-
ging tegenover de officier van justitie als wel een verdediging tegen-
over u. Ik praatte me schor tot mijn stem het begaf en ik niets meer
wist te zeggen. Uiteindelijk stond ik met een leeg hoofd tegenover u,
verlamd door een sprakeloosheid die naar mijn gevoel hetzelfde was
als wakkere bewusteloosheid. Toen ik ontwaakte werd me duidelijk
dat ik mijzelf tegen een aanklacht had verdedigd die u nooit had uit-
gesproken. U hebt mij, uw verafgode zoon, nooit iets zwaarwegends
voor de voeten geworpen, geen enkele keer, en soms denk ik dat ik al-
les wat ik deed om slechts een enkele reden deed: namelijk een mo-
gelijke aanklacht, die ik leek te kennen zonder er iets van te weten,
voorkomen. Is dat uiteindelijk ook de reden waarom ik arts ben ge-
worden? Om alles wat in mijn vermogen lag te doen om de duivelse
aandoening van de wervels in je rug te bestrijden? Om beschermd te
zijn tegen het verwijt niet voldoende mededogen te hebben met je lijd-
zaam gedragen leed? Tegen het verwijt dus waarmee je Adriana en
Rita van je hebt vervreemd, met als gevolg dat het zichzelf bevestig-
de?

Maar terug naar de rechtbank. Nooit zal ik het ongeloof en de ont-
zetting vergeten die me overkwamen toen ik zag hoe officier van jus-
titie en verdediger na het vonnis naar elkaar toe gingen en samen
lachten. Ik had gedacht dat zoiets onmogelijk *was en ik kan het tot*
op de dag van vandaag niet begrijpen. Ik moet u ten goede houden:
toen u, de boeken onder uw arm, de zaal verliet, stond uw gezicht
ernstig, er stond deernis op te lezen. Hoezeer hoopte ik niet dat die
werkelijk in u omging, de deernis over het feit dat de zware celdeur
nu achter de dievegge zou worden dichtgedaan en er reusachtige, on-
draaglijk lawaaiige sleutels in het slot werden omgedraaid!

Ik heb haar nooit kunnen vergeten, die dievegge. Vele jaren later
zag ik in een warenhuis een andere dievegge, een jonge vrouw van
een fascinerende schoonheid die louter glimmende spullen met onge-
looflijke behendigheid in haar jaszakken liet verdwijnen. Verward
over het opgewekte gevoel dat door mijn observatie werd opgeroepen,
volgde ik haar op haar vermetele rooftocht over alle verdiepingen.
Heel langzaam begon ik te beseffen dat de vrouw in mijn voorstelling
wraak nam voor die andere dievegge, die door u naar de gevangenis
was gestuurd. Toen ik een man op een loerende manier op haar af
zag lopen, ging ik snel naar haar toe en fluisterde: 'Cuidado!' Haar
tegenwoordigheid van geest verblufte me. 'Vem, amor,' zei ze en gaf
me een arm, liet haar hoofd tegen mijn schouder rusten. Op straat
keek ze me aan en ik las in haar ogen een angst die een verrassend
contrast vormde met haar nonchalante, koelbloedige optreden.

'Waarom?' De wind waaide een weelderige haarlok in haar gezicht
en verborg heel even haar blik. Ik streek de lok van haar voorhoofd.

'Het is een lang verhaal,' zei ik, 'maar om het kort te zeggen: ik
houd van dievegges. Vooropgesteld dat ik hun naam ken.'

Ze spitste haar lippen en dacht heel even na. 'Diamantina Esme-
ralda Ermelinda.'

Ze glimlachte, drukte een kus op mijn lippen en was om de hoek
van de straat verdwenen. Aan tafel zat ik later met een triomfante-
lijk gevoel en met de mildheid van de gelauwerde overwinnaar te-
genover u. Op dat moment dreven alle dievegges de spot met alle wet-
boeken van de wereld.

Uw wetboeken: zolang ik me kan herinneren hebben de gelijkvor-
mige, in zwart leer gebonden boeken me ontzag ingeboezemd, een

mozaïsch ontzag. Het waren geen boeken als andere en wat erin stond had een bijzondere betekenis en een unieke waardigheid. Ze waren zo anders dan normale boeken dat het me verraste er Portugese woorden in aan te treffen – ook al waren het erg moeilijk te begrijpen, barokke en nogal opgeblazen woorden, bedacht, kwam het me voor, door bewoners van een andere, koude planeet. Hun vreemdheid en ongrijpbaarheid werden nog versterkt door de scherpe geur van stof die uit de kast kwam en me op de vage gedachte bracht dat het bij de aard van die boeken hoorde dat niemand ze ooit van de plank nam en dat ze hun verheven inhoud helemaal voor zichzelf behielden.

Veel later, toen ik begon te begrijpen waaruit de willekeur van een dictatuur bestond, zag ik soms de ongebruikte wetboeken uit mijn jeugd voor me en dan verweet ik u in mijn kinderlijke voorstellingswereld dat u ze niet uit de kast had gehaald om Salazar ermee te bekogelen.

U hebt me nooit verboden ze van de plank te halen, nee, niet u hebt me dat verboden, het waren de zware, voorname boekdelen zelf die me draconisch streng verboden ze ook maar een millimeter te verplaatsen. Hoe vaak ben ik niet als kleine jongen naar je studeerkamer geslopen en heb me met kloppend hart verzet tegen het verlangen een boek in mijn hand te nemen en een blik op de heilige inhoud te werpen! Ik was tien toen ik het eindelijk deed, met trillende vingers en nadat ik verscheidene keren een blik in de hal had geworpen om te verhoeden dat ik werd betrapt. Ik wilde het mysterie van uw beroep leren kennen en begrijpen wie je was buiten ons gezin, in de buitenwereld. Het was een enorme teleurstelling toen ik ontdekte dat de gemaakte, formele taal in de boeken helemaal niets van de openbaring had waarvan ik had gehoopt en gevreesd dat die me zou doen huiveren.

Voordat u destijds, na de zaak tegen de dievegge, opstond, ontmoetten onze blikken elkaar. Dat dacht ik tenminste. Ik hoopte – en die hoop hield wekenlang aan – dat je er zelf over zou beginnen. Ten slotte veranderde die hoop in teleurstelling, die vervolgens ook weer veranderde en in de buurt kwam van opstandigheid en woede: vond je me er te jong voor, te onnozel? Maar daarbij past niet dat je verder wel heel veel van me verwachtte en dat vanzelfsprekend vond.

Vond u het gênant dat uw zoon u in toga had gezien? Maar ik heb
nooit het gevoel gehad dat u zich geneerde voor uw beroep. Was u
dan misschien bang voor mijn twijfels? Die zou ik koesteren, ook al
was ik nog maar een kind, dat wist u, daarvoor kende u me te goed,
in elk geval hoop ik dat. Was het dus lafheid – een soort zwakte die
ik anders nooit met u in verband bracht?

En ik? Waarom ben ik er niet zelf over begonnen? Het antwoord
is simpel en helder: u ter verantwoording roepen – dat was iets wat
ik domweg niet kon doen. *Het zou de hele samenhang en de hele ar-*
chitectuur van ons gezin hebben verwoest. En het was niet alleen iets
wat ik niet kon doen*; het was iets wat ik niet eens kon* denken. *In*
plaats van het te denken en te doen legde ik in mijn voorstelling de
beelden over elkaar: de vertrouwde, familiaire vader, de meester in
het zwijgen, en de man in toga die met afgemeten woorden en een
sonore, onaantastbare stem die was gezwollen door formele eloquen-
tie, zijn stem verhief in de rechtszaal, een zaal waarin stemmen een
galm veroorzaakten die me deed huiveren. En telkens wanneer ik in
mijn verbeelding die beelden opriep, schrok ik, want er sprak geen te-
genstelling uit die me had kunnen troosten maar ik zag slechts één
gestalte, een gestalte uit één stuk. Het was heel moeilijk voor mij, va-
der, dat alles zich op zo'n onwrikbare manier aaneenvoegde, en als
ik het helemaal niet meer kon verdragen dat ik u in mij meedroeg als
een monument van steen, riep ik een gedachte te hulp die ik mijzelf
anders verbood omdat die het heiligdom van de intimiteit schond:
dat jij af en toe mamã moet hebben omarmd.

Waarom ben je rechter geworden, papá, en niet raadsman? Waar-
om heb je de kant gekozen van degenen die straffen? 'Rechters zijn
nu eenmaal nodig,' zou je waarschijnlijk hebben gezegd, en natuur-
lijk weet ik dat er weinig in te brengen is tegen die woorden. Maar
waarom moest uitgerekend mijn vader een van die rechters worden?

Tot hier was het een brief aan de nog levende vader, een brief die
de student Prado in Coimbra had geschreven, je kon je voorstellen dat hij er meteen aan was begonnen nadat hij daar was teruggekeerd. Met het volgende blad veranderden inkt en handschrift.
De penstreken waren nu zelfbewuster, losser en geroutineerd als
het handschrift van een arts die gewend is recepten uit te schrij-

ven. En de werkwoordsvormen verraadden dat de tekst was geschreven ná de dood van de rechter.

Gregorius rekende na: tussen het einde van Prado's studie en de dood van de vader lag tien jaar. Was het zwijgende gesprek met de vader zo lang onderbroken geweest? In de diepste diepte van de gevoelens was tien jaar als een seconde, niemand wist dat beter dan Prado.

Had de zoon tot de dood van de vader moeten wachten om verder te kunnen gaan met de brief? Na zijn studie was Prado teruggekeerd naar Lissabon en had daar op de afdeling neurologie gewerkt, dat wist Gregorius van Mélodie.

'Ik was negen en blij dat hij er weer was; nu zou ik zeggen dat het een vergissing was,' had ze gezegd. 'Maar hij had heimwee naar Lissabon, altijd had hij heimwee, hij was nog niet weg of hij wilde alweer terug, hij had zowel die krankzinnige liefde voor treinen als ook dat heimwee, hij zat vol tegenstellingen, mijn grote, stralende broer, in hem zat de reiziger, de man die naar de verte verlangde, hij was gefascineerd door de Trans-Siberische spoorlijn, Vladivostok klonk uit zijn mond als een heilige naam, en er zat ook die ander in hem, de man met heimwee, "het lijkt op dorst," zei hij wel eens, "als het me overvalt, het heimwee, dan lijkt het op een ondraaglijke dorst, misschien moet ik van mezelf wel alle treinverbindingen kennen omdat ik elk moment naar huis wil kunnen terugkeren, ik zou het niet uithouden in Siberië, stel je voor: het geratel van de wielen al die dagen en nachten lang, dat zou me steeds verder van Lissabon wegvoeren, steeds verder."'

Het werd al licht toen Gregorius het woordenboek weglegde en in zijn brandende ogen wreef. Hij trok de gordijnen dicht en ging met zijn kleren aan onder de deken liggen. Ik sta op het punt mijzelf te verliezen, was de gedachte geweest die hem naar de Bubenbergplatz had doen reizen, een plein dat hij vervolgens niet had kunnen aanraken. Wanneer was dat geweest?

En als ik mijzelf wíl verliezen?

Gregorius gleed in een lichte slaap waar een wervelstorm van fragmentarische gedachten doorheen woei. De groene Cecília sprak de rechter voortdurend aan met Uwe Genade, ze stal kostbare, glimmende dingen, diamanten en edelstenen, maar vooral stal ze namen, namen en kussen die door ratelende wielen dwars door Siberië naar Vladivostok werden gedragen, waarvandaan het veel te ver was naar Lissabon, naar de stad van de rechtbanken en de pijn.

Er woei een warme wind toen Gregorius tegen de middag de gordijnen opentrok en het raam openzette. Minutenlang bleef hij staan en voelde hoe zijn gezicht door de stormachtige woestijnlucht droog en warm werd. Voor de tweede keer in zijn leven bestelde hij iets te eten op zijn kamer en toen hij het dienblad voor zich zag staan dacht hij aan de eerste keer, in Parijs, aan die idiote reis die Florence had voorgesteld na hun eerste ontbijt in zijn keuken. Begeerte, welbehagen en geborgenheid. Het meest vluchtig was de begeerte, had Prado gezegd, daarna kwam het welbehagen, en uiteindelijk ging de geborgenheid teloor. Daarom, had hij gezegd, kwam het aan op loyaliteit, op het partij kiezen van de ziel aan de gevoelens voorbij. Een vleugje eeuwigheid. Je hebt nooit werkelijk mij bedoeld, had hij, Gregorius, aan het eind tegen Florence gezegd, en ze had het niet weersproken.

Gregorius belde Silveira, die hem uitnodigde voor het avondeten. Toen stak hij het fotoboek van Isfahan in zijn tas dat het echtpaar Schnyder in de Elfenau hem cadeau had gedaan en liet zich door de kelner uitleggen waar hij een schaar, punaises en plakband kon kopen. Hij wilde juist weggaan toen Natalie Rubin belde. Ze was teleurgesteld dat de Perzische grammatica, ondanks dat ze er een spoedzending van had gemaakt, nog niet was aangekomen.

'Ik had u het boek gewoon zelf moeten brengen!' zei ze, en toen, geschrokken en een beetje beschaamd over haar eigen woorden, vroeg ze wat hij het komende weekend ging doen.

Gregorius kon het niet laten. 'Ik zit zonder elektriciteit in een school met ratten en lees over de problematische liefde van een zoon voor zijn vader die vanwege pijn of vanwege schuld zelfmoord heeft gepleegd, niemand die het weet.'

'U houdt me…' zei Natalie.

'Nee, nee,' zei Gregorius, 'ik houd je niet voor de gek. Het is precies zoals ik zeg. Alleen: het is onmogelijk uit te leggen, domweg onmogelijk, en dan waait er ook nog die wind uit de woestijn…'

'U bent nauwelijks… nauwelijks te herkennen. Als ik dat…'

'Zeg het maar gerust, Natalie, ik kan het soms zelf niet geloven.'

Ja, zei hij, hij zou bellen zodra de grammatica was gearriveerd.

'Gaat u ook Perzisch leren in die legendarische rattenschool?' Ze lachte om haar eigen formulering.

'Natuurlijk. Daar ís Perzië immers.'

'Ik geef het op.'

Ze lachten.

28 *Waarom, papá, heb je met mij nooit gesproken over je twijfel, je innerlijke strijd? Waarom heb je me je brieven aan de minister van Justitie, de brieven waarin je je ontslag aanbiedt, nooit laten zien? Waarom heb je ze allemaal vernietigd zodat het nu is alsof je ze nooit hebt geschreven? Waarom moest ik over je pogingen je te bevrijden van mamá horen, die het me beschaamd vertelde, hoewel het een reden is om trots op te zijn?*

Als het de pijn was die jou ten slotte de dood heeft ingedreven: goed, daartegen had ook ik niets kunnen doen. Bij pijn is de kracht van woorden snel uitgeput. En als het niet de pijn was die de doorslag heeft gegeven maar je gevoel van schuld en mislukking omdat je uiteindelijk toch niet de kracht hebt gehad je los te maken van Salazar en je ogen niet langer kon sluiten voor bloed en martelingen: waarom heb je er dan niet met mij over gesproken? Met je zoon, die ooit priester wilde worden?

Gregorius keek op. De hete lucht uit Afrika stroomde door de open ramen het kantoor van senhor Cortês binnen. De bewegende lichtkegel op de halfvergane plankenvloer was vandaag feller geel dan onlangs. Aan de muren hingen de foto's van Isfahan die hij uit het boek had geknipt. Ultramarijn en goud, goud en ultramarijn, en almaar meer daarvan, koepels, minaretten, markten, bazaars, gesluierde vrouwengezichten met diepzwarte, begerig fonkelende ogen. Elifaz de Temanier, Bildad de Soehiet en Zofar de Naämathiet.

Het eerste wat hij had gedaan was naar de bijbel kijken op zijn trui, die al naar verrotting en schimmel rook. 'God straft Egypte met plagen omdat door zijn toedoen het hart van de farao is verstokt,' had Prado tegen O'Kelly gezegd, 'het was dus God zelf die hem zo heeft gemaakt! En hij heeft hem zo gemaakt om vervolgens zijn macht te kunnen demonstreren! Wat een ijdele, zelfingenomen God! Wat een opschepper!' Gregorius las het bijbelse verhaal: het klopte.

Een halve dag lang, had O'Kelly verteld, hadden ze er ruzie over gemaakt of Prado in zijn toespraak werkelijk over God als een opschepper, als een *gabarola* of *fanfarrão* zou spreken. Of het niet toch te ver ging de HERE GOD – al was het maar voor de korte duur van slechts een enkel gewaagd woord – op hetzelfde niveau te plaatsen als een straatjongen met een grote mond. Jorge had het gewonnen van Amadeu, en die had ervan afgezien. Heel even was Gregorius teleurgesteld door O'Kelly.

Gregorius liep door het huis, week uit voor de ratten, ging op de plek zitten waar hij zich Prado onlangs als scholier had voorgesteld, met uitzicht op Maria João, en vond in het souterrain uiteindelijk de voormalige bibliotheek waar de jonge Amadeu zich volgens het verhaal van pater Bartolomeu had laten opsluiten om de hele nacht door te kunnen lezen. 'Als Amadeu een boek leest, dan heeft het daarna geen letters meer.' De kasten waren leeg, stoffig en vies. Het enige boek dat was achtergebleven lag als steun onder een kast om te voorkomen dat die omviel. Gregorius trok een stuk van een verrotte plank uit de vloer en legde dat in plaats van het boek onder de kast. Toen klopte hij het stof van het boek en bladerde het door. Het was een biografie van Juana la Loca. Hij nam het boek mee naar het kantoor van senhor Cortês.

Je door António de Oliveira Salazar, de professor van adellijken huize, te laten inpalmen was immers veel gemakkelijker dan je door Hitler, Stalin of Franco laten verleiden. Met dergelijke schoften zou jij je nooit hebben ingelaten, je zou er door je intelligentie en je onwankelbaar gevoel voor stijl tegen beschermd zijn geweest en je zou je arm nooit hebben opgestoken, daar steek ik mijn hand voor in het vuur. Maar de man in het zwart met het intelligente, strenge gezicht onder de bolhoed: ik heb wel eens gedacht dat je misschien verwantschap met hem hebt gevoeld. Niet wat zijn genadeloze eerzucht betrof en zijn ideologische verblinding, maar wel in de strengheid tegenover uzelf. Maar vader: hij heeft toch gemene zaak gemaakt met die anderen! En hij heeft toegekeken bij misdaden waarvoor, zolang de mensheid bestaat, nooit adequate woorden gevonden zullen worden! En bij ons hadden we toch ook Tarrafal! Wij hadden Tarrafal, vader! TARRAFAL! *Waar was uw verbeeldingskracht? Slechts één keer had u handen moeten zien zoals ik ze bij João heb gezien: verbrand, vol littekens, verminkt, handen die ooit Schubert hadden gespeeld. Waarom hebt u zulke handen nooit gezien, vader?*

Was het de angst van een zieke die op grond van zijn psychische zwakte bang is om het tegen de macht van de staat op te nemen? En die daarom zijn gezicht afwendde? Was het je gebogen rug die het je verbood om ruggengraat te tonen? Maar nee, ik verzet me tegen die interpretatie, die zou onrechtvaardig zijn, want die zou je juist nu, nu het erop aankomt je de waardigheid te betwisten waarop je je altijd liet voorstaan, verontschuldigen: de kracht je in gedachten en daden nooit te onderwerpen aan je lijden.

Eén keer, vader, een enkele keer, dat moet ik bekennen, was ik blij dat u in kringen van de goedgeklede, hoge hoeden dragende misdadigers aan de touwtjes kon trekken: toen u het voor elkaar kreeg mij te verlossen van de Mocedade. *U hebt aan me gezien hoe ontsteld ik was toen ik me voorstelde het groene hemd te moeten aantrekken en mijn arm op te moeten steken. 'Dat zal niet gebeuren,' zei je simpelweg, en ik was gelukkig met de liefdevolle onverbiddelijkheid die in je blik lag, ik was niet graag uw tegenstander geweest. Zeker, zelf wilde je je eigen zoon ook niet graag moeten voorstellen als een kitscherige kampvuurproleet. Desondanks heb ik jouw tussenkomst – waaruit die heeft bestaan wil ik niet eens weten – als teken gezien van een diepe genegenheid jegens mij, en in de nacht na de bevrijding heb ik hevige gevoelens voor je gekoesterd.*

Gecompliceerder was het dat je hebt voorkomen dat ik wegens het lichamelijke letsel dat ik Adriana heb toegebracht, voor de rechter moest verschijnen. De zoon van de rechter: ik weet niet aan welke touwtjes u hebt getrokken, welke gesprekken u hebt gevoerd. Ik zeg het vandaag de dag nog steeds: ik zou liever voor de rechter zijn verschenen en had dan voor het morele recht gestreden, het leven boven de wet te stellen. Toch heeft wat je gedaan hebt me diep ontroerd, wat het ook is geweest. Ik zou het niet kunnen verklaren, maar ik was er zeker van dat jouw tussenkomst niet werd ingegeven door een van de beide dingen die ik niet had kunnen accepteren: de angst voor de schande of de vreugde over het feit dat jij je invloed kon aanwenden. Je deed het gewoon om mij te beschermen. 'Ik ben trots op je,' zei je, toen ik je de medische situatie uitlegde en je de passage in het leerboek had laten lezen. Daarna omhelsde je me, de enige keer nadat ik mijn prille jeugd achter me had gelaten. Ik rook de tabak in je kleren en de zeep op je gezicht. Die kan ik nu nog ruiken, en nog steeds kan ik de druk van je armen voelen, die langer aanhield dan ik had verwacht. Ik droomde van die armen en in mijn droom waren het smekend uitgestrekte armen, uitgestrekt met het hartstochtelijke verzoek aan de zoon als een goedmoedige tovenaar de vader te verlossen van zijn pijn.

In die droom kwamen ook de hevige verwachting en de hoop voor die altijd op je gezicht te lezen waren als ik je het mechanisme van je ziekte uitlegde, het onomkeerbare kromgroeien van de ruggengraat dat vernoemd is naar Vladimir Bechterev, en als we over het mysterie van de pijn spraken. Het waren ogenblikken van grote en diepe intimiteit als je dan aan mijn lippen hing en elk woord van de arts in opleiding als een openbaring in je opnam. Dan was ik de alwetende vader en jij de hulpbehoevende zoon. Hoe jouw vader was en hoe die tegen jou is geweest, vroeg ik mamã na een van die gesprekken. 'Een trotse, eenzame, onverdraaglijke tiran die uit mijn hand at,' zei ze. Een fanatiek voorstander van het kolonialisme moet hij zijn geweest. 'Hij zou zich in zijn graf omdraaien als hij wist hoe jij over die dingen denkt.'

Gregorius ging naar zijn hotel en verkleedde zich voor het eten bij Silveira. Die woonde in een villa in Belém. Een dienstmeisje deed open en Silveira kwam hem tegemoet in de enorme hal die er met de kroonluchter uitzag als de entree van een ambassade. Hij zag Gregorius bewonderend om zich heen kijken.

'Na mijn scheiding en nadat mijn kinderen het huis uit waren, was alles plotseling veel te groot. Maar ergens anders gaan wonen wil ik niet,' zei Silveira, wiens gezicht er even vermoeid uitzag als

Gregorius bij hun eerste ontmoeting in de nachttrein was opge-vallen.

Gregorius wist later niet meer hoe het was gekomen. Ze zaten aan het dessert en hij vertelde over Florence, over Isfahan en over zijn idiote bezoeken aan het liceu. Het was een beetje zoals in de slaapwagon, toen hij deze man had verteld hoe hij in de klas was opgestaan en weggegaan. 'Uw jas was vochtig toen u hem van de haak nam, ik herinner het me precies,' had Silveira gezegd toen ze aan de soep zaten, 'en ik weet ook nog wat licht is in het Hebreeuws: ōr.' Daarna had Gregorius over de naamloze Portugese verteld, het verhaal dat hij destijds in de slaapwagon achterwege had gelaten.

'Kom mee,' zei Silveira na de koffie en ging hem voor naar de kelder. 'Hier, dat waren de kampeerspullen van de kinderen. Alle-maal het beste van het beste. Maar wat heb ik er verder aan, op een dag lieten ze die spullen gewoon liggen, geen belangstelling meer, geen dank, niets. Een kacheltje, een lamp, een koffiemachine, alles werkt op een accu. Waarom neemt u dat niet allemaal mee? Voor het liceu? Ik zal het tegen mijn chauffeur zeggen, die laadt de ac-cu's op en brengt de spullen erheen.'

Het was niet alleen het royale gebaar. Het was het liceu. Eerder al had Silveira zich de verlaten school laten beschrijven en had steeds meer willen weten; maar toen had het nog gewoon nieuws-gierigheid kunnen zijn, nieuwsgierigheid naar een betoverd sprookjeskasteel. Het aanbieden van de kampeerspullen was daar-entegen een teken van zijn begrip voor het zonderlinge gedoe van Gregorius – en als het geen begrip was, dan in elk geval respect –, iets wat hij van niemand had verwacht, al helemaal niet van een zakenman in wiens leven alles om geld draaide.

Silveira zag hoe verrast hij was. 'Dat gedoe met het liceu en die ratten bevalt me gewoon,' zei hij met een glimlach. 'Iets zo anders, iets wat geen geld opbrengt. Ik heb het idee dat het iets met Mar-cus Aurelius te maken heeft.'

Toen hij een tijdje alleen in de woonkamer was, bekeek Grego-rius de boeken die er stonden. Rijen boeken over porselein. Han-delsrecht, reisboeken. Woordenboeken Engelse en Franse handels-taal. Een encyclopedie over kinderpsychologie. Een kast met een ratjetoe aan romans.

Op een tafeltje in de hoek stond een foto van de beide kinderen, een jongen en een meisje. Gregorius dacht aan de brief van Kägi. In het telefoongesprek van die ochtend had Natalie Rubin gezegd dat de rector uren liet uitvallen, dat zijn vrouw in het ziekenhuis lag, in de Waldau. Er zijn momenten dat mijn vrouw eruitziet alsof ze instort, stond in de brief.

'Ik heb met mijn zakenvriend getelefoneerd, die vaak in Iran is,' zei Silveira, toen hij terugkwam. 'Je hebt een visum nodig, maar verder is het geen probleem naar Isfahan te gaan.'

Hij hield op met praten toen hij de uitdrukking zag die op Gregorius' gezicht verscheen.

'Natuurlijk,' zei hij toen langzaam, 'natuurlijk. Vanzelfsprekend. Het gaat niet om dit Isfahan. En niet om Iran, maar om Perzië.'

Gregorius knikte. Mariana Eça had zich voor zijn ogen geïnteresseerd en had aan hem gezien dat hij aan slapeloosheid leed. Maar verder was Silveira hier de enige mens die interesse voor hem had getoond. Voor hém. De enige voor wie hij niet alleen iemand was met een luisterend oor, zoals hij dat voor de bewoners van Prado's wereld was.

Toen ze bij het afscheid weer in de hal stonden en het meisje Gregorius' jas bracht, keek Silveira omhoog naar de overloop, waar de gangen naar de andere kamers op uit kwamen. Hij keek naar de grond, toen weer omhoog.

'De vleugel van de kinderen. Vroeger dan. Zal ik u die laten zien?'

Twee grote, lichte vertrekken met een eigen badkamer. Meters Simenon op de boekenplanken.

Ze stonden op de overloop. Silveira leek plotseling niet te weten waar hij zijn handen moest laten.

'Als u wilt, kunt u hier komen logeren. Gratis natuurlijk. Voor onbepaalde tijd.' Hij lachte. 'Als u niet in Perzië bent. Beter dan een hotel. U wordt niet gestoord, ik ben veel weg. Ook morgenochtend moet ik weer weg. Julieta, het dienstmeisje, zal zich om u bekommeren. En er komt een tijd dat ik een partij schaak win.'

'Chamo-me José,' zei hij toen ze de afspraak bezegelden met een handdruk. 'E tu?'

29 Gregorius pakte zijn koffer in. Hij was opgewonden alsof hij aan een wereldreis begon. In gedachten haalde hij in de kamer van de jongen een paar Simenons van de planken en zette zijn eigen boeken erop: de twee boeken over de pest en de aardbeving, het Nieuwe Testament dat Coutinho hem een eeuwigheid geleden cadeau had gedaan, Pessoa, Eça de Queirós, de geïllustreerde biografie over Salazar, de boeken van Natalie Rubin. In Bern had hij Marcus Aurelius, zijn oude Horatius, de Griekse tragedies en Sappho ingepakt. Op het allerlaatste moment ook nog Augustinus, *Belijdenissen*. De boeken voor het volgende traject.

De koffer was zwaar en toen hij hem van het bed tilde en naar de deur bracht, werd hij duizelig. Hij ging even liggen. Na een paar minuten was het voorbij en kon hij verder gaan met de brief van Prado.

Ik beef alleen al bij de gedachte aan de ongeplande en onbekende maar onontkoombare en niet te stuiten kracht waarmee ouders in hun kinderen sporen achterlaten, die, net als sporen van een brand, niet meer kunnen worden uitgewist. De contouren van de wil en de angsten van de ouders worden met gloeiende griffels in de ziel van de kleine kinderen geschreven, die volstrekt onmachtig zijn en die er geen idee van hebben wat er met hen gebeurt. Wij hebben er een leven lang voor nodig om de ingebrande tekst te vinden en te ontcijferen en we kunnen er nooit zeker van zijn die helemaal te begrijpen.

En zie je, papá, zo is het me ook met jou vergaan. Het is nog niet zo lang geleden dat het eindelijk tot me doordrong dat er in mij een machtige tekst is die over alles heeft geheerst wat ik tot de dag van vandaag heb gevoeld en gedacht, een verborgen, gloeiende tekst waarvan de verraderlijke macht eruit bestaat dat ik ondanks al mijn geleerdheid nooit op de gedachte ben gekomen dat die tekst misschien niet de geldigheid bezat die ik, zonder er ook maar iets van te weten, ervan verwachtte. De tekst is kort en van een oudtestamentische absoluutheid: DE ANDEREN ZIJN JE GERECHTSHOF.

Ik kan het niet bewijzen en het zou dus door een rechtbank niet worden geaccepteerd, maar ik weet dat ik die tekst van mijn prille jeugd af aan in uw blik las, vader, in de blik die vol ontbering, pijn en strengheid vanachter je brillenglazen op mij was gericht en die mij leek te volgen waarheen ik me ook begaf. De enige plek waarheen hij mij niet kon volgen was de grote fauteuil in de bibliotheek van het liceu, waarachter ik me 's avonds verschool om door te kunnen gaan met lezen. Die tastbare aanwezigheid van de fauteuil, samen met de duisternis, leverden een ondoordringbare muur op die mij beschermde tegen opdringerigheid. Tot die plek drong uw blik niet door en er was daar dus ook geen gerechtshof waarvoor ik me had moeten verantwoorden als ik over vrouwen las met blanke ledematen en over al die andere dingen die je alleen in het verborgene mocht doen.

Kunt u zich mijn woede voorstellen toen ik bij de profeet Jeremia las: 'Bedoel je dat iemand zich zo heimelijk zou kunnen verbergen dat ik hem niet zie? spreekt de HERE. Ben ik het niet, die de hemel en aarde vervult? spreekt de HERE'?

'Wat wil je,' zei pater Bartolomeu, 'hij is God.'

'Ja, en precies dat spreekt tegen God: dat hij God is,' antwoordde ik.

De pater lachte. Hij nam me nooit iets kwalijk. Hij hield van me.

Hoe graag, papá, had ik een vader gehad met wie ik over die dingen kon praten! Over God en zijn zelfgenoegzame wreedheid, over kruis, guillotine en wurgstok. Over de waanzin van die andere wang. Over gerechtigheid en wraak.

Je rug verdroeg geen kerkbanken meer zodat ik je maar een enkele keer heb zien knielen, het was bij de dodenmis voor oom Ernesto. Het silhouet van jouw gemartelde lijf is me altijd bijgebleven, het heeft iets met Dante en het vagevuur te maken, dat ik me altijd als een vlammende zee van vernedering heb voorgesteld, want wat is erger dan vernedering, de ergste pijn is daarmee vergeleken niets. En zo is het er nooit van gekomen dat we over die dingen spraken. Ik bedoel, ik heb het woord Deus uit jouw mond alleen in cliché geworden zegswijzen gehoord, nooit echt, nooit op een manier dat er zoiets als een geloof uit sprak. En toch heb je niets tegen de indruk gedaan dat jij niet alleen de wereldlijke wetboeken met je meedroeg maar ook de kerkelijke, waaruit de inquisitie is voortgekomen. Tarrafal, vader, TARRAFAL!

30 De chauffeur van Silveira kwam Gregorius laat in de ochtend afhalen. Hij had de accu's van de kampeerspullen opgeladen en twee dekens ingepakt waarop pakken koffie, suiker en biscuit lagen. In het hotel lieten ze hem niet van harte vertrekken. *Foi um grande prazer,* zeiden ze.

Het had die nacht geregend en op de auto's lag fijn stof van de woestijnwind. Filipe, de chauffeur, opende voor Gregorius het achterportier van de glanzende wagen. *Toen ik in de auto over de voorname kussens streek* – op dat moment was Prado's plan geboren een brief aan zijn vader te schrijven.

Gregorius had met zijn ouders één keer in een taxi gezeten, op de terugreis van een vakantie aan de Thunersee, waar zijn vader zijn voet had verstuikt zodat het vanwege de bagage niet anders kon. Hij had aan het achterhoofd van zijn vader gezien hoe onbehaaglijk hij zich voelde. Voor zijn moeder had het een sprookje geleken, haar ogen straalden en ze was het liefst nooit meer uitgestapt.

Filipe reed naar de villa en daarna naar het liceu. De oprit, die vroeger was gebruikt door de bestelauto's die spullen bezorgden voor de schoolkeuken, was helemaal dichtgegroeid. Filipe stopte. 'Hier?' vroeg hij ontzet. De zwaargebouwde man met schouders als een paard week angstig uit voor de ratten. In het kantoor van de rector liep hij langzaam langs de muren, zijn pet in zijn hand, en bekeek de foto's van Isfahan.

'En wat doet u hier binnen?' vroeg hij. 'Ik bedoel, het past me niet om…'

'Moeilijk te zeggen,' zei Gregorius. 'Heel moeilijk. U weet wat dagdromen zijn. Daar lijkt het een beetje op. Maar toch is het ook heel anders. Ernstiger. En gekker. Als de tijd van een leven beperkt wordt, gelden er geen regels meer. En dan lijkt het erop alsof je een beetje vreemd wordt en rijp voor het gekkenhuis. Maar goedbeschouwd is het het tegendeel: in het gekkenhuis komen mensen terecht die niet willen aanvaarden dat de tijd beperkt is. Mensen die doorgaan met de dingen alsof er niets aan de hand is. Begrijpt u?'

'Twee jaar geleden heb ik een hartinfarct gehad,' zei Filipe. 'Ik vond het vreemd daarna weer aan het werk te gaan. Nu schiet het me weer te binnen, ik was het helemaal vergeten.'

'Ja,' zei Gregorius.

Toen Filipe weg was, betrok de hemel, het werd koud en donker. Gregorius deed het kacheltje aan, maakte licht en zette koffie. Sigaretten. Hij haalde ze uit zijn zak. Welk merk sigaretten het eigenlijk was geweest toen hij voor het eerst in zijn leven had gerookt, had Silveira hem gevraagd. Toen was hij opgestaan en was teruggekomen met een pakje van dit merk. 'Hier. Het was het merk van mijn vrouw. Het pakje ligt al jaren in de lade van het nachtkastje. Aan haar kant van het bed. Ik kon het niet weggooien. De tabak zal wel heel erg droog zijn.' Gregorius maakte het pakje open en stak een sigaret op. Intussen had hij geleerd hoe hij moest inhaleren zonder te hoesten. De rook was scherp en smaakte naar verbrand hout. Een duizeling overviel hem en zijn hart leek een paar slagen over te slaan.

Hij las de passage bij Jeremia waarover Prado had geschreven en bladerde terug naar Jesaja. 'Want mijn gedachten zijn niet uw gedachten en uw wegen zijn niet mijn wegen, spreekt de HERE, maar zoveel hoger als de hemel is dan de aarde, zo zijn ook mijn wegen hoger dan uw wegen en mijn gedachten dan uw gedachten.'

Prado had het serieus genomen dat God een persoon was die denken, willen en voelen kon. Toen had hij, zoals bij elke andere persoon, geluisterd naar wat die God te zeggen had en was tot de conclusie gekomen: met een dergelijk zelfingenomen karakter wil ik niets te maken hebben. Had God een *karakter*? Gregorius dacht aan Ruth Gautschi en David Lehmann en aan zijn eigen woorden over de poëtische ernst, waarbuiten geen grotere ernst kon bestaan. Bern was ver weg.

Uw ongenaakbaarheid, vader. Mamã als de tolk die uw zwijgzaamheid voor ons moest vertalen. Waarom hebt u niet zelf over uzelf en uw gevoelens leren spreken? Ik zal het u vertellen: het kwam u goed uit, u vond het wel gemakkelijk u achter de mediterrane rol van adellijk hoofd van het gezin te verschuilen. En daar kwam dan nog de rol bij van de zwijgzame lijdende voor wie het een deugd is te zwijgen, de grootsheid namelijk niet te klagen over de pijn die je lijdt. En zo was uw ziekte de absolutie voor de wil die u ontbrak u te leren uitdrukken. Uw arrogantie: de anderen moesten ernaar gissen wie u was achter uw lijden.

Hebt u niet gemerkt wat u verspeelde aan autonomie, een auto-
nomie die iemand immers alleen in de mate bezit waarin hij de kunst
verstaat zichzelf ter sprake te brengen?

Heb je er nooit aan gedacht, papá, dat het voor ons allemaal ook
een last kon zijn dat jij níét over je pijn en over de vernedering van
je kromme rug sprak? Dat jouw zwijgend, heldhaftig dulden, dat niet
gespeend was van ijdelheid, voor ons moeilijker te verteren was dan
wanneer je ook eens had gevloekt en tranen van zelfbeklag had ge-
stort, die we dan uit je ogen hadden kunnen vegen? Het betekende
immers: wij, de kinderen, en vooral ik, de zoon, wij hadden, gevan-
gengezet in de magische cirkel van jouw dapperheid, er geen recht op
ons te beklagen, het recht op klagen was, nog voordat de klacht was
geuit – zelfs voordat een van ons er ook maar aan dacht die te uiten
– geabsorbeerd, opgeslokt, vernietigd door jouw dapperheid en jouw
dapper gedragen leed.

Je wilde geen pijnstillers, je wilde de helderheid in je hoofd niet
kwijtraken, daarin was je heel strikt. Maar één keer, toen je jezelf on-
bespied waande, heb ik je door de kier van de deur gadegeslagen. Je
nam een pilletje, en na een aarzeling stak je een tweede pilletje in je
mond. Toen ik na een poosje weer naar je keek, leunde je achterover
in je stoel, je hoofd in de kussens, je bril in je schoot, je mond half-
open. Natuurlijk was het ondenkbaar: maar ik was heel graag de ka-
mer binnengegaan om je te strelen!

Niet een enkele keer heb ik je zien huilen, met een strak gezicht
stond je erbij toen we Carlos, onze geliefde – ook door jou geliefde –
hond begroeven. Je was geen gevoelloze man, zeker niet. Maar waar-
om heb je je hele leven lang gedaan alsof gevoel iets was waarvoor je
je diende te schamen, iets ongepasts, een teken van zwakte die je ver-
borgen moest houden, bijna tot elke prijs?

Door jou hebben we allemaal van kind af aan geleerd dat we in
de allereerste plaats lichaam zijn en dat er niets in onze gedachten is
wat niet al eerder in het lijf was. En zo – wat een paradox! – heb je
ons elk blijk van tederheid onthouden, zodat wij absoluut niet kon-
den geloven dat je mamã ooit dicht genoeg had benaderd om ons te
kunnen verwekken. 'Hij is het niet geweest,' zei Mélodie een keer, 'het
is de Amazone geweest.' Slechts één keer heb ik gemerkt dat je wist
wat een vrouw is: toen Fátima de kamer binnenkwam. Niets aan jou

veranderde en toch veranderde alles. *Wat een magnetisch veld is –*
dat heb ik toen voor het eerst begrepen.

Hier eindigde de brief. Gregorius deed de vellen beschreven papier terug in de envelop. Daarbij viel zijn oog op een met potlood geschreven notitie op de achterzijde van een van de vellen. *Wat heb ik geweten van je verbeeldingskracht? Waarom weten we zo weinig over de fantasie van onze ouders? Wat weten we van iemand als we niets over de beelden weten die zijn inbeeldingsvermogen hem toespeelt?* Gregorius borg de envelop weg en ging naar João Eça.

31 Eça had wit, maar hij begon niet. Gregorius had thee gezet en voor allebei een kopje ingeschonken. Hij rookte een van de sigaretten die de vrouw van Silveira in de slaapkamer had achtergelaten. Ook Eça rookte. Hij rookte en dronk en zei niets. De schemering daalde neer over de stad, straks zou de bel gaan voor het avondeten.

'Nee,' zei Eça, toen Gregorius naar het lichtknopje liep. 'Maar doe wel de deur op slot.'

Het werd snel donker. De gloed van Eça's sigaret gloeide op en doofde. Toen hij eindelijk begon te praten was het alsof hij, net als bij een instrument, een demper op zijn stem had gezet, een demper die de woorden niet alleen zachter en dieper maakte maar ze ook schor deed klinken.

'Dat meisje. Estefânia Espinhosa. Ik weet niet wat u over haar weet. Maar ik weet zeker dat u over haar hebt gehoord. U wilt me al heel lang naar haar vragen. Dat voel ik. Maar u durft niet. Ik heb er sinds vorige week zondag over nagedacht. Het is beter dat ik u mijn versie van het verhaal vertel. Die is, denk ik, slechts een deel van de waarheid. Als er op dit punt al zoiets als een waarheid bestaat. Maar dat deel moet u kennen. Wat anderen er ook over mogen zeggen.'

Gregorius schonk nog eens thee in. Eça's handen beefden toen hij dronk.

'Ze werkte op het postkantoor. Post was belangrijk voor het verzet. De post en de spoorwegen. Ze was jong toen O'Kelly haar leerde kennen. Drieëntwintig of vierentwintig. Dat was in 1970, in het voorjaar. Ze had een ongelooflijk goed geheugen. Ze vergat niets, noch wat ze had gezien, noch wat ze had gehoord. Adressen, telefoonnummers, gezichten. Er werden grapjes gemaakt dat ze het hele telefoonboek uit haar hoofd kende. Ze liet zich er niet op voorstaan. "Hoezo kunnen jullie dat niet?" zei ze. "Ik begrijp niet hoe iemand zo vergeetachtig kan zijn." Haar moeder was weggelopen, of jong gestorven, ik weet het niet meer, en haar vader was op een ochtend gearresteerd en gedeporteerd, hij werkte bij de Spoorwegen en werd verdacht van sabotage.

Zij werd de geliefde van Jorge. Hij lag aan haar voeten, we zagen het en waren bezorgd, zoiets is altijd gevaarlijk. Ze mocht hem, maar hij was niet haar grote liefde. Dat vrat aan hem, maakte hem prikkelbaar en ziekelijk jaloers. "Wees maar niet bang," zei hij als ik hem bedachtzaam aankeek. "Jij bent heus niet de enige die geen beginneling is."

De school voor analfabeten was haar idee. Briljant! Salazar was een campagne begonnen tegen het analfabetisme, leren lezen als patriottische plicht. We regelden een ruimte, zetten er een paar oude banken in en een lessenaar. Een enorm schoolbord. Het meisje zorgde voor de benodigde leermiddelen, letters met plaatjes erbij, dat soort dingen. In een klas met analfabeten kan iedereen zitten, elke leeftijd. Dat was de truc: niemand hoefde zijn aanwezigheid voor de buitenwereld te verantwoorden en bovendien kon je van eventuele verraders discretie eisen omdat het een schande is niet te kunnen lezen. Estefânia verstuurde de uitnodigingen, lette goed op dat die niet werden geopend, hoewel er alleen in stond: "Zien we elkaar vrijdag? Kus, Noëlia", de fantasienaam als herkenningsteken.

We kwamen bijeen. Bespraken acties. Voor het geval iemand van de PIDE zou binnenkomen of iemand anders die we niet kenden: het meisje zou dan snel een krijtje pakken, er stond altijd wel iets op het bord geschreven zodat het eruitzag alsof we met de les bezig waren. Ook dat hoorde bij het trucje: we konden elkaar openlijk ontmoeten, hoefden ons niet te verstoppen. We speelden kat en muis met die schoften. Het verzet is niet iets om te lachen. Maar soms lachten we.

Estefânia's geheugen werd steeds belangrijker. We hoefden niets op te schrijven, lieten geen schriftelijke sporen achter. Het hele netwerk zat in haar hoofd. Soms dacht ik wel eens: hoe moet het verder als zij een ongeluk krijgt? Maar ze was zo jong en zo mooi, in de bloei van haar leven, ik schoof die gedachte aan de kant, we gingen door en sloegen de ene slag na de andere.

Op een avond, het was in de herfst van 1971, kwam Amadeu het vertrek binnen. Hij zag haar en was betoverd. Toen de groep uit elkaar ging, liep hij naar haar toe en sprak met haar. Jorge stond in de deuropening te wachten. Ze keek Amadeu nauwelijks aan, keek meteen naar de grond. Ik zag het aankomen.

Er gebeurde niets. Jorge en Estefânia bleven bij elkaar. Amadeu kwam niet meer naar de bijeenkomsten. Later hoorde ik dat ze hem in zijn praktijk bezocht. Ze was gek op hem. Amadeu wees haar af. Hij was loyaal tegenover O'Kelly. Loyaal tot aan zelfverloochening toe. De hele winter door bleef die gespannen rust voortduren. Soms zag je Jorge met Amadeu. Er was iets veranderd, maar wat dat was, viel moeilijk te zeggen. Als je ze naast elkaar zag lopen was het net alsof ze niet meer zoals vroeger met elkaar in de pas liepen. Alsof hun samenzijn nu inspanning kostte. Ook tussen O'Kelly en het meisje was iets veranderd. Hij hield zich in, maar af en toe zag je ergernis opvlammen, hij corrigeerde haar, werd op zijn beurt door haar geheugen gecorrigeerd en liep dan weg. Het zou misschien ook zo wel een drama zijn geworden, alleen zou dat onschuldig zijn geweest vergeleken met wat er vervolgens gebeurde.

Eind februari verscheen plotseling een van Mendes' handlangers op de bijeenkomst. Hij had zachtjes de deur geopend en stond in het vertrek, een intelligente, gevaarlijke man, we kenden hem. Estefânia was ongelooflijk. Meteen toen ze hem zag onderbrak ze de zin waarin het over een gevaarlijke operatie ging, pakte het krijtje en de aanwijsstok en doceerde over de ç, ik weet nog precies dat het de ç was. Badajoz – zo heette de man, net als de Spaanse stad – ging zitten, ik kan het kraken van de bank in de ademloze stilte nog horen. Estefânia trok haar jasje uit, hoewel het koud was in het vertrek. Omdat het van nut zou kunnen zijn kleedde ze zich altijd heel verleidelijk als we een bijeenkomst hadden. Met haar blote armen en haar doorzichtige bloes was ze… Je had helemaal gek van haar kunnen worden. Op stel en sprong. O'Kelly zou er de pest over in hebben gehad. Badajoz sloeg zijn benen over elkaar.

Met een uitdagende beweging van haar lichaam beëindigde Estefânia de zogenaamde les. "Tot de volgende keer," zei ze. De mensen stonden op, de zelfbeheersing die ze met moeite opbrachten, was voelbaar. De professor in de muziek, van wie Estefânia les kreeg en die naast me zat, stond op. Badajoz liep naar hem toe.

Ik wist het. Ik wist dat het een ramp betekende.

"Een analfabeet die hoogleraar is," zei Badajoz, en zijn gezicht vertrok tot een gemene, afstotelijke grijns, "dat is weer eens iets nieuws, gefeliciteerd met de nieuwe leerervaring."

De professor werd bleek en gleed met zijn tong langs zijn droge lippen. Maar naar omstandigheden hield hij zich goed.

"Ik heb onlangs iemand leren kennen die nooit heeft leren lezen. Ik had van de cursussen vernomen die senhora Espinhosa geeft, ze is een leerlinge van me en nu wilde ik eens kijken hoe het er hier aan toe gaat voordat ik die kennis van me voorstel zich hierbij aan te sluiten," zei hij.

"Aha," zei Badajoz. "Hoe heet die man?"

Ik was blij dat de anderen waren weggegaan. Ik had mijn mes niet bij me. Ik vervloekte mezelf.

"João Pinto," zei de professor.

"Wat origineel," grijnsde Badajoz. "En het adres?"

Het adres dat de professor noemde, bestond niet. Ze lieten hem voorkomen en hielden hem vast. Estefânia durfde niet meer naar huis. Ik verbood haar bij O'Kelly de nacht door te brengen. "Wees verstandig," zei ik tegen hem, "het is veel te gevaarlijk, als zij gepakt wordt, word jij ook gepakt." Ik bracht haar onder bij een oude tante van mij.

Amadeu verzocht me naar zijn praktijk te komen. Hij had met Jorge gesproken. Hij was diep ontdaan. Totaal ontredderd. Op de stille, ingehouden manier die typerend voor hem was.

"Hij wil haar doden," zei hij met toonloze stem. "Hij heeft het niet met zoveel woorden gezegd, maar het is duidelijk: hij wil Estefânia doden. Om haar geheugen te laten verdwijnen voordat ze haar oppakken. Stel je voor: Jorge, mijn oude vriend Jorge, mijn beste vriend, mijn enige echte vriend. Hij is gek geworden, hij wil zijn geliefde opofferen. Het gaat om veel levens, zei hij telkens weer. Eén leven in ruil voor vele levens, dat is zijn rekensommetje. Help me, je moet me helpen, het mag niet gebeuren."

Als ik het niet altijd al had geweten dan was het me door dit gesprek duidelijk geworden: Amadeu hield van haar. Ik kon natuurlijk niet weten hoe het met Fátima was geweest, ik had hen beiden immers maar één keer gezien, in Brighton, en toch wist ik het zeker: dit was iets heel anders, iets wat veel wilder was, gloeiende lava kort voor de uitbarsting. Amadeu was immers een wandelende paradox: zelfbewust en moedig als het erom ging iets te ondernemen, maar daaronder een man die voortdurend de blik van de anderen op zich voelde rusten en die daaronder leed. Daarom was hij ook naar ons toe gekomen, hij wilde zich verdedigen tegen de aanklacht dat hij het leven van Mendes had gered. Estefânia was, geloof ik, zijn kans om eindelijk het gerechtshof te verlaten en naar buiten te gaan, naar waar het vrije, warme leven was, en deze ene keer geheel volgens zijn eigen wensen te leven, zijn hartstocht een kans te geven; de anderen konden naar de duivel lopen.

Hij wist dat die kans er was, dat weet ik zeker, hij kende zichzelf tamelijk goed, beter dan de meeste anderen, maar er was een barrière, de onneembare barrière van zijn loyaliteit tegenover Jorge. Amadeu was de meest loyale mens van de wereld, loyaliteit was zijn religie. Het ging om loyaliteit tegenover vrijheid en een beetje geluk, niet minder dan dat. Hij had de innerlijke lawine van de begeerte tegengehouden en zijn hongerige ogen afgewend als hij het meisje zag. Hij wilde Jorge recht in de ogen kunnen blijven kijken, hij wilde niet dat een vriendschap die al veertig jaar duurde wegens een dagdroom werd verbroken, ook al was die dagdroom nog zo allesverzengend.

En nu wilde Jorge het meisje van hem afpakken dat hem nooit had toebehoord. Wilde het labiele evenwicht verstoren dat tussen loyaliteit en allesverzengende hoop had geheerst. Dat was te veel.

Ik praatte met O'Kelly. Hij ontkende iets van dien aard te hebben gezegd of ook maar gesuggereerd. Hij had rode vlekken op zijn ongeschoren gezicht en het was moeilijk te zeggen of die met Estefânia dan wel met Amadeu te maken hadden.

Hij loog. Ik wist het en hij wist dat ik het wist.

Hij was gaan drinken, hij voelde dat Estefânia hem ontglipte, met of zonder Amadeu, en hij hield het niet langer uit.

"We kunnen haar het land uit brengen," zei ik.

"Ze pakken haar op," zei hij. "Die professor is van goeden wil, maar niet sterk genoeg, ze zetten hem onder druk en dan weten ze dat alles in haar hoofd zit en dan maken ze jacht op haar, ze halen alles van stal wat ze hebben, het is gewoon té belangrijk, stel je voor, de hele verzetsorganisatie van Lissabon, niemand van die lui doet nog een oog dicht tot ze haar hebben, en ze zijn een heel leger.'"

De verzorgsters hadden in verband met het eten op de deur geklopt en geroepen, Eça had ze genegeerd en verder verteld. Het was donker in de kamer en Eça's stem klonk voor Gregorius als uit een andere wereld.

'U zult geschokt zijn door wat ik nu zeg: ik begreep O'Kelly. Ik begreep zowel hem als zijn argumenten, want dat waren twee verschillende dingen. Als ze haar ergens mee in zouden spuiten en haar geheugen zouden openbreken, dan gingen we er allemaal aan, ongeveer tweehonderd mensen, en het konden er veel meer worden als ze ieder van hen ook onder druk zouden zetten. De ellende zou niet te overzien zijn. Je hoefde je maar iets ervan voor te stellen om te denken: ze moet weg.

In die zin begreep ik O'Kelly. Ik geloof ook nu nog dat die moord te verdedigen zou zijn geweest. Wie het tegendeel beweert maakt het zichzelf te gemakkelijk. Gebrek aan fantasie, zou ik zeggen. De wens je handen schoon te houden als hoogste gebod. Ik vind dat walgelijk.

Ik bedoel, Amadeu kon niet helder denken over deze zaak, hij zag haar stralende ogen voor zich, haar ongebruikelijke, bijna Aziatische teint, haar aanstekelijke lach, haar wiegende gang, en hij wilde domweg niet dat dat allemaal zou verdwijnen, hij kon het niet willen, en ik ben blij dat hij het niet kon, want al het andere zou van hem een monster hebben gemaakt, een monster van de zelfverloochening.

O'Kelly daarentegen – ik verdacht hem ervan dat hij er ook een oplossing in zag, een verlossing van het verdriet haar niet langer vast te kunnen houden en een verlossing van het besef dat de hartstocht haar naar Amadeu trok. En ook dat kon ik begrijpen, maar in een heel andere zin, zonder ermee in te stemmen namelijk. Ik begreep hem omdat ik mijzelf in zijn gevoel herkende. Het was langgeleden, maar ook ik had een vrouw aan een ander verloren en ook zij had muziek in mijn leven gebracht, niet Bach, zoals bij O'Kelly, maar Schubert. Ik wist wat het betekende van zo'n verlossing te dromen en ik wist hoe intens je kon zoeken naar een excuus om zo'n plan uit te voeren.

En juist om die reden zette ik O'Kelly de voet dwars. Ik haalde het meisje op uit haar schuilplaats en bracht haar naar de blauwe praktijk. Adriana haatte me erom, maar ze haatte me daarvóór ook al, ik was voor haar de man die haar broer naar het verzet had ontvoerd.

Ik sprak met mensen die de weg kenden in de bergen langs de grens, en gaf Amadeu instructies. Hij bleef een week weg. Toen hij terugkwam, werd hij ziek. Estefânia heb ik nooit meer gezien.

Mij pakten ze kort daarna op, maar dat had niets meer met haar te maken. Men zegt dat ze aanwezig was op de begrafenis van Amadeu. Veel later hoorde ik dat ze in Salamanca werkte, als docente geschiedenis.

Met O'Kelly heb ik toen tien jaar lang geen woord meer gesproken. Nu gaat het weer, maar we zoeken elkaar niet op. Hij weet wat ik destijds dacht, dat maakt het er niet eenvoudiger op.'

Eça trok hevig aan zijn sigaret, de gloed vrat het papier op dat in het donker oplichtte. Hij kuchte.

'Elke keer als Amadeu me kwam bezoeken in de gevangenis, had ik de neiging naar O'Kelly te informeren, naar hun vriendschap. Maar ik heb het nooit gedurfd. Amadeu bedreigde nooit iemand, dat hoorde bij zijn credo. Maar zonder het zelf te beseffen kon hij een bedreiging zíjn. De dreiging dat hij zou exploderen waar je bij was. Aan Jorge kon ik natuurlijk ook niets vragen. Misschien nu wel, na meer dan dertig jaar, ik weet het niet. Kan een vriendschap zoiets overleven?

Toen ik uit de gevangenis kwam, ging ik op zoek naar de professor. Sinds de dag van de arrestatie had niemand meer iets van hem gehoord. De schoften. Tarrafal. Hebt u wel eens van Tarrafal gehoord? Ik had erop gerekend dat ze me daarheen zouden bren-

275

gen. Salazar was seniel en de PIDE deed wat ze wilde. Ik geloof dat het toeval was dat ik niet dáár terechtkwam, het toeval is de broer van de willekeur. Ik had me voorgenomen dat als ik in Tarrafal terecht zou komen, ik net zolang met mijn hoofd tegen de muur van de cel zou beuken tot mijn schedel brak.'

Ze zwegen. Gregorius wist niet wat hij moest zeggen.

Ten slotte stond Eça op en deed het licht aan. Hij wreef in zijn ogen en deed de openingszet waarmee hij altijd begon. Ze speelden tot de vierde zet, toen duwde Eça het bord opzij. De twee mannen stonden op. Eça haalde zijn handen uit de zakken van zijn gebreide vest. Ze deden een stap naar elkaar toe en omhelsden elkaar. Eça's lichaam trilde. Een rauw geluid van dierlijke kracht en machteloosheid steeg op uit zijn keel. Toen verslapte hij en hield zich aan Gregorius vast. Gregorius streelde hem over het hoofd. Toen hij later zachtjes de deur opendeed, stond Eça voor het raam en staarde in het donker.

32 Gregorius stond in de salon van Silveira's huis en bekeek een reeks foto's, kiekjes van een groot feest. De meeste heren droegen een smoking, de dames een lange avondjapon waarvan de sleep over het glanzende parket streek. José António da Silveira stond ook op de foto's, jaren jonger, in gezelschap van zijn vrouw, een wulpse blondine die Gregorius aan Anita Ekberg in de Trevifontein deed denken. De kinderen, zeven of acht waren het er, zaten elkaar achterna onder een van de eindeloos lange tafels met het buffet. Boven een van de tafels het familiewapen, een zilveren beer met een rode sjerp. Op een andere foto zaten ze allemaal in een salon en luisterden naar een jonge vrouw aan de vleugel, een albasten schoonheid die heel in de verte op de naamloze Portugese op de Kirchenfeldbrücke leek.

Gregorius had na zijn thuiskomst in de villa lang op het bed gezeten en gewacht tot hij langzaam over de schok van het afscheid van João Eça heen zou komen. De rauwe kreet uit diens keel, de droge snik, de schreeuw om hulp, de herinnering aan de martelingen, alles tegelijk – het zou voor altijd in zijn geheugen gegrift staan.

Hij wilde dat hij zoveel hete thee bij zichzelf naar binnen kon gieten dat de pijn in Eça's borst zou worden weggespoeld.

Heel langzaam had hij zich daarna de details herinnerd van het verhaal over Estefânia Espinhosa. Salamanca, ze was in Salamanca docente geschiedenis geworden. Het stationsbord met de middeleeuws duistere naam dook voor hem op. Toen verdween het bord en hij dacht aan het voorval dat pater Bartolomeu had geschilderd: hoe O'Kelly en de vrouw, zonder elkaar aan te kijken, op elkaar toe waren gelopen en toen samen aan het graf van Prado hadden gestaan. Dat ze het hadden vermeden elkaar aan te kijken schiep een grotere nabijheid tussen hen dan waartoe een ontmoeting van hun blikken in staat zou zijn geweest.

Ten slotte had Gregorius zijn koffer uitgepakt en de boeken op de plank gezet. Het was stil in huis. Julieta, het dienstmeisje, was weggegaan en had op een briefje dat op de keukentafel lag, geschreven waar hij iets te eten kon vinden. Gregorius was nog nooit in zo'n huis als dit geweest en alles kwam hem voor alsof het iets verbodens was, ook het geluid van zijn voetstappen. Hij had overal het licht aangedaan. In de eetkamer, waar ze samen hadden gegeten. In de badkamer. Ook in de werkkamer van Silveira had hij een blik geworpen, alleen om de deur meteen weer te sluiten.

En nu stond hij in de salon, waar ze koffie hadden gedronken, en hij zei hardop het woord *nobreza*, het beviel hem, het beviel hem ongelooflijk goed en hij herhaalde het woord telkens weer. Ook het woord adel, dat werd hij zich nu bewust, had hem altijd bevallen, het was een woord waarin de betekenis gevat was, of omgekeerd. De l'Arronge – de meisjesnaam van Florence had hij nooit met adel geassocieerd en zij liep er ook niet mee te koop. Lucien von Graffenried: dat was anders, dat was oude Bernse adel, hij moest bij die naam aan voorname, onberispelijke structuren van zandsteen denken, aan de bocht in de Gerechtigkeitsgasse en ook aan een zekere Graffenried die ooit een onduidelijke rol had gespeeld in Beiroet.

En natuurlijk Eva von Muralt, de Ongelooflijke. Het was gewoon een schoolfeest geweest bij haar thuis, op geen enkele manier te vergelijken met de foto's van Silveira, en toch had hij van opwinding zwetend rondgelopen in de hoge vertrekken. 'Ongelooflijk!'

had Eva gezegd toen een jongen haar vroeg of je een adellijke titel kon kopen. 'Ongelooflijk!' had ze uitgeroepen toen Gregorius had aangeboden de afwas te doen.

Silveira's verzameling grammofoonplaten zag er wat stoffig uit. Alsof de periode in zijn leven waarin muziek een rol had gespeeld, allang voorbij was. Gregorius vond Berlioz, *Les Nuits d'Été, La Belle Voyageuse* en *La Mort d'Ophélie*, de muziek waarvan Prado had gehouden omdat die hem aan Fátima had herinnerd. 'Estefânia was zijn kans om eindelijk het gerechtshof te verlaten en naar buiten te gaan, naar waar het vrije, warme leven was.'

Maria João. Hij moest eindelijk Maria João zien te vinden. Als er iemand was die wist wat er destijds was gebeurd op die vlucht en waarom Prado na zijn terugkeer ziek was geworden, was zij het.

Hij had een onrustige nacht waarin hij allemaal geluiden hoorde waaraan hij niet was gewend. Flarden droombeelden leken allemaal op elkaar: het wemelde van adellijke vrouwen, van limousines en chauffeurs. En ze joegen op Estefânia. Ze joegen op haar zonder dat hij een beeld van haar kreeg. Hij werd met hevige hartkloppingen wakker, voelde zich duizelig en ging om vijf uur met de andere brief die Adriana hem had gebracht aan de keukentafel zitten.

Mijn gewaardeerde, geliefde zoon,

Ik ben in de loop der jaren aan zoveel brieven aan jou begonnen die ik heb weggegooid, dat ik niet weet de hoeveelste brief deze is. Waarom is het zo moeilijk?

Kun je je voorstellen hoe het is een zoon te hebben die met zoveel wakkerheid en met zoveel talenten is gezegend? Een welbespraakte zoon die de vader het gevoel geeft dat hij geen andere keuze heeft dan te zwijgen als hij niet als een stumper wil overkomen? Als student in de rechten had ik de reputatie goed met woorden om te kunnen gaan. En bij de familie Reis, de familie van je moeder, werd ik als een eloquente advocaat verwelkomd. Mijn toespraken tegen Sidónio Pais, de galante opschepper in uniform, en voor Teófilo Braga, de man met de paraplu in de tram, maakten indruk. Hoe is het dan gekomen dat ik ben verstomd?

Jij was vier toen je met je eerste boek naar mij toe kwam om me twee zinnen voor te lezen: Lissabon is onze hoofdstad. Het is een prachtige stad. *Het was op een zondagmiddag na een regenbui, door het open raam stroomde warme, zwoele lucht naar binnen die doordrenkt was van de geur van vochtige bloemen. Je had op de deur geklopt, je hoofd om de hoek van de deur gestoken en gevraagd: 'Heb je heel even?' Als de volwassen zoon van adellijken huize die vol respect op het hoofd van het gezin toe stapt en hem om audiëntie vraagt. Je eigenwijze gedrag beviel me, maar tegelijkertijd schrok ik ook een beetje. Wat hadden we verkeerd gedaan dat je niet binnen kwam stormen zoals andere kinderen zouden doen? Je moeder had me niets verteld over het boek en ik was stomverbaasd toen je me de zinnen voorlas zonder ook maar even te haperen en met de heldere stem van een voordrachtskunstenaar. En je stem was niet alleen helder maar ook vol liefde voor de woorden, zodat die twee eenvoudige zinnen klonken alsof ze poëzie waren.(Het is raar, maar ik heb wel eens gedacht dat jouw heimwee in die zinnen zijn oorsprong had, je legendarische heimwee waarin je graag zwolg zonder dat het om die reden onecht was; je was weliswaar nog nooit buiten Lissabon geweest en je kon dus onmogelijk weten wat heimwee was, maar wie weet, van jou kon je alles verwachten, zelfs iets wat je je niet kon voorstellen.)*

Een fonkelende intelligentie vulde de kamer en ik weet nog dat ik dacht: wat past de eenvoud van die zinnen toch slecht bij zijn slimheid! Later, toen ik weer alleen was, maakte mijn trots plaats voor een andere gedachte: zijn geest zal van nu af een felle schijnwerper zijn die al mijn zwakheden genadeloos uitlicht. Ik geloof dat dat het begin was van mijn angst voor jou. Want ja, ik ben bang voor je geweest.

Wat is het toch moeilijk voor een vader zich tegenover zijn kinderen te handhaven! En hoe moeilijk is de gedachte te verdragen dat je met al je zwakheden, met je blindheid, je fouten en je lafheid een stempel drukt op hun ziel! Aanvankelijk dacht ik dat in verband met de mogelijke erfelijkheid van de ziekte van Bechterev, die jullie godzijdank bespaard is gebleven. Later moest ik steeds meer aan de ziel denken, aan onze binnenkant, die even gevoelig is voor indrukken als een wastablet en die alles met seismografische precisie optekent. Ik heb voor de spiegel gestaan en gedacht: wat zal dat strenge gezicht niet allemaal in hen aanrichten!

Maar wat kan iemand doen aan zijn gezicht! Niet niets, want ik bedoel immers niet de simpele uitdrukking van het gelaat. Maar veel is het niet. We zijn niet de beeldhouwers van onze gelaatstrekken en niet de regisseurs van onze ernst, ons lachen en huilen.

Die beide eerste zinnen werden er honderden, duizenden, miljoenen. Soms leek het wel alsof boeken net zo bij je hoorden als de handen die ze vasthielden. Eén keer, toen je buiten op de stoep zat te lezen, kwam per ongeluk de bal van spelende kinderen naar je toe rollen. Je hand liet het boek los en gooide de bal terug. Wat was dat een vreemde beweging van die hand!

Ik heb van je gehouden als lezend kind, ik heb veel van je gehouden. Ook toen ik me wat minder op mijn gemak begon te voelen door je enorme leeswoede.

Nog minder op mijn gemak voelde ik me als ik zag met welke diepe overtuiging je kaarsen naar het altaar droeg. Anders dan je moeder heb ik er geen moment in geloofd dat je priester zou worden. Je had het karakter van een rebel, en rebellen worden geen priester. Op welk doel zou die diepe overtuiging zich ten slotte richten, welk object zou die uitkiezen? Dat die overtuiging explosief was, was overduidelijk. Ik was bang voor de explosies die ze zou veroorzaken.

Ik voelde die angst toen ik je in het gerechtsgebouw zag. Ik móést de dievegge berechten en in de gevangenis stoppen, de wet schreef dat voor. Waarom heb je me later aan tafel aangekeken alsof ik een beulsknecht was? Je blik verlamde me, ik kon er niet over praten. Heb jij misschien een beter idee wat we met dieven moeten doen? Heb je dat?

Ik zag je groot worden, ik verbaasde me erover hoe sprankelend je geest was, ik beluisterde je gescheld op God. Je vriend Jorge mocht ik niet, voor anarchisten ben ik bang, maar ik was blij dat je een vriend had, een jongen als jijzelf, het had ook heel anders kunnen gaan, je moeder zag je in haar dromen bleek en stil in een klooster zitten. Ze was diep geschokt over de tekst van je toespraak op het afscheidsfeest. 'Een godlasterende zoon, waar heb ik dat aan verdiend!' zei ze.

Ook ik las de tekst. En ik was trots! Afgunstig was ik op de zelfstandigheid van je denken en de grote oprechtheid die uit elke zin spraken. Die leken op een stralende horizon, die ik ook graag had bereikt, maar die ik nooit zou kunnen bereiken, daarvoor woog de lo-

den last van mijn opvoeding te zwaar. Hoe had ik je mijn trotse af-
gunst moeten verklaren? Zonder me klein te maken, kleiner en nog
dieper gebogen dan ik toch al was?

Het was gek, dacht Gregorius: beide mannen, vader en zoon, hadden op tegenover elkaar gelegen heuvels van de stad gewoond als
tegenstanders in een Grieks drama, verbonden door een archaï-
sche angst voor elkaar en een genegenheid waarvoor ze geen woorden konden vinden, en ze hadden elkaar brieven geschreven die ze
niet durfden te verzenden. Verstokt in een zwijgen dat ze niet van
elkaar begrepen en blind tegenover het gegeven dat de ene zwijgzaamheid de andere voortbracht.

'Mevrouw heeft hier ook vaak gezeten,' zei Julieta toen ze laat in
de ochtend thuiskwam en hem aan de keukentafel aantrof, 'maar
ze las geen boeken, alleen tijdschriften.'

Ze nam hem op. Of hij niet goed had geslapen? Of er iets met
het bed was?

Het ging goed met hem, zei Gregorius, het was al heel lang niet
zo goed met hem gegaan.

Ze was blij dat er nu nog iemand anders in huis was, zei ze, senhor da Silveira was zo stil en gesloten geworden. 'Ik haat hotels,'
had hij laatst gezegd, toen ze hem had geholpen met koffers pakken. 'Waarom ga ik maar door met mijn werk? Kun je me dat zeggen, Julieta?'

33 Hij was een van de merkwaardigste leerlingen die ze
ooit had gehad, zei Cecília.

'U kent meer literaire woorden dan de meeste mensen in de
tram, maar als u moppert, boodschappen doet of een boek wilt
bestellen, hebt u geen idee. Om van flirten maar helemaal niet te
spreken. Of weet je wat je tegen me zou moeten zeggen?'

Ze trok huiverend de groene stola over haar schouders.

'En dan heeft die man ook nog de langzaamste slagvaardigheid
die ik ooit heb meegemaakt. Langzaam en toch slagvaardig – ik
had nooit gedacht dat dat kon. Maar bij u…'

Onder haar bestraffende blik haalde Gregorius de grammatica te voorschijn en wees haar een fout aan.

'Ja,' zei ze, en het groene dunne doek wapperde voor haar lippen, 'maar soms is iets slordigs toch juist. Dat was bij de Grieken ongetwijfeld ook zo.'

Op weg naar het huis van Silveira dronk Gregorius tegenover de apotheek van O'Kelly een kop koffie. Af en toe zag hij achter het etalageraam de rokende apotheker. Hij lag aan haar voeten, hoorde hij João Eça zeggen. Zij mocht hem, maar hij was niet haar grote liefde. Dat maakte hem prikkelbaar en ziekelijk jaloers… Amadeu kwam het vertrek binnen, zag haar en was betoverd. Gregorius haalde Prado's aantekeningen te voorschijn en zocht iets op.

Maar als we ons opmaken iemands innerlijk te begrijpen? Is dat een reis waar ooit een einde aan komt? Is de ziel het domein van feitelijkheden? Of zijn de vermeende feitelijkheden niet meer dan de bedrieglijke schaduwen van onze verhalen?

In de tram naar Belém merkte hij opeens dat zijn gevoelens voor de stad aan verandering onderhevig waren. Tot dusver was de stad uitsluitend de plaats geweest waar hij naspeuringen deed, en de tijd die intussen was verstreken had vorm gekregen door zijn behoefte steeds meer over Prado te weten te komen. Als hij nu door het raam van de tram naar buiten keek, behoorde de tijd waarin de tramwagon piepend en krakend voortsukkelde helemaal toe aan hemzelf, het was gewoon de tijd waarin Raimund Gregorius zijn nieuwe leven leefde. Hij zag zichzelf weer op het tramdepot in Bern staan en naar de oude tramwagons informeren. Drie weken geleden had hij het gevoel gehad hier in deze stad door zijn jeugd in Bern te rijden. Nu reed hij door Lissabon en alleen maar door Lissabon. Hij voelde hoe diep in hem iets totaal veranderde.

In het huis van Silveira belde hij mevrouw Loosli en gaf haar zijn nieuwe adres. Toen telefoneerde hij met het hotel en kreeg te horen dat de Perzische grammatica was aangekomen. Het balkon baadde in het licht van de warme voorjaarszon. Hij luisterde naar de stemmen van voorbijgangers en verbaasde zich erover hoeveel hij kon verstaan. Ergens vandaan kwam etenslucht. Hij dacht aan het kleine balkon van zijn jeugd, waar afschuwelijke wolken keukenluchtjes overheen waren getrokken. Toen hij later in de kamer van Silveira's zoon onder de deken kroop, viel hij al na een paar minuten in slaap en trof zichzelf aan bij een wedstrijd in slagvaardigheid, waarbij de traagheid won. Hij stond met Eva von Muralt, de Ongelooflijke, voor het aanrecht en waste de spullen van het feest af. Ten slotte zat hij in het kantoor van Kägi en belde urenlang met verre landen waar niemand de telefoon opnam.

Ook in het huis van Silveira begon de tijd hem toe te behoren. Voor het eerst sinds hij in Lissabon was deed hij de televisie aan en keek naar het nieuws. Hij ging vlak voor het toestel zitten om een zo klein mogelijke afstand te creëren tussen hem en de woorden. Hij was verbaasd over wat er intussen allemaal was gebeurd en hoe anders het segment van de wereld was dat in dit land als belangrijk werd beschouwd. Aan de andere kant kon hij zich er ook over verbazen dat alles wat hem bekend was, hier hetzelfde was als thuis. Hij dacht: ik woon hier. *Vivo aqui.* De speelfilm die daarna kwam, kon hij niet volgen. Hij legde in de salon de plaat op met de muziek van Berlioz, die Prado na de dood van Fátima dagenlang had beluisterd. De muziek schalde door het huis. Na een poosje ging hij in de keuken aan de tafel zitten en las de brief uit die de rechter aan zijn gevreesde zoon had geschreven.

Soms, mijn zoon, en steeds vaker, kom je me voor als een zelfgenoegzame rechter die mij verwijt dat ik nog steeds de toga draag. Dat ik mijn ogen lijk te sluiten voor de wreedheden van het regime. Dan voel ik je blik op me rusten als een verschroeiend licht. En dan zou ik God willen smeken jou met meer begrip te vervullen en de scherprechterlijke glinstering uit je ogen te nemen. Waarom hebt Gij hem waar het om mij gaat niet wat meer inlevingsvermogen gegeven? zou ik Hem willen toeroepen, en het zou een uiting zijn van grote woede.

Want zie je: hoe groot, hoe uitzinnig jouw verbeeldingskracht ook moge zijn: je hebt er geen idee van wat pijn en een kromme rug van een mens maken. Maar goed, niemand schijnt daar een idee van te hebben, behalve de slachtoffers. Niemand. Je kunt me op een fantastische manier uitleggen wat Vladimir Bechterev allemaal heeft ontdekt. En ik wil niet één van die gesprekken missen, het zijn kostbare uren waarin ik me bij jou geborgen voel. Maar dan is het weer voorbij en keer ik terug naar de hel van het gebukt gaan en het lijdzaam dulden. En er is één ding dat jij nooit schijnt te bedenken: dat je van de slaven van de vernederende verkromming en van de permanente pijn niet hetzelfde kunt verwachten als van degenen die hun lichaam af en toe gewoon achter zich kunnen laten om er later, als ze ernaar terugkeren, intens van genieten. Dat je van hen niet hetzelfde kunt verwachten! En dat ze gedwongen zijn dat niet zelf te zeggen, want dat zou immers opnieuw een vernedering betekenen!

De waarheid – ja, de waarheid – is heel simpel: ik zou niet weten hoe ik het leven zou moeten verdragen als niet Enrique me elke ochtend om tien voor zes zou komen halen. De zondagen – je hebt geen idee wat voor marteling die zijn. Soms kan ik de voorafgaande nacht niet slapen omdat ik voorzie hoe het zal zijn. Dat ik ook elke zaterdag om kwart over zes het verlaten gerechtsgebouw betreed, daar worden grappen over verteld. Soms denk ik dat door onnadenkendheid meer wreedheden worden gepleegd dan door andere tekortkomingen van de mens. Ik heb herhaaldelijk het verzoek ingediend mij ook voor de zondagen een sleutel te geven. Ze hebben het verzoek niet ingewilligd. Soms wens ik dat ze één dag, één enkele dag slechts, mijn pijn zouden voelen: opdat ze zouden begrijpen.

Als ik mijn kantoor binnenga, wordt de pijn een beetje minder, alsof het vertrek verandert in een de pijn verzachtend steunpunt binnen in mijn lijf. Tot even voor achten is het stil in het gebouw. Meestal bestudeer ik de dossiers voor die dag, ik moet er zeker van kunnen zijn dat zich geen onverwachte situaties voordoen, daarvoor is een man als ik bang. Het komt ook voor dat ik een literair werk lees, mijn ademhaling wordt rustiger, het is alsof ik naar de zee kijk, en soms helpt het tegen de pijn. Begrijp je het nu?

Maar Tarrafal, zul je zeggen. Ja, Tarrafal, ik weet het, ik weet het. Moet ik om die reden de sleutel inleveren? Ik heb het wel eens geprobeerd, en niet slechts één keer. Ik heb de sleutel van de sleutelbos gehaald en op mijn bureau gelegd. Daarna heb ik het gebouw verlaten en ben door de straten gaan lopen alsof ik het werkelijk had gedaan. Ik heb mijn adem naar mijn rug gestuurd zoals de dokter heeft aanbevolen, ik begon steeds luider te ademen, hijgend ben ik door de stad gelopen, zwetend van angst dat de imaginaire handeling op een dag werkelijkheid zou kunnen worden. Met een natgezweet overhemd zat ik later de rechtszitting voor. Begrijp je het nu?

Ik heb niet alleen jou ontelbare brieven geschreven die ik heb weggegooid. Ook de minister heb ik geschreven, telkens weer. En een van die brieven heb ik in het bakje voor de uitgaande post gelegd. De bode, die de brief naar de minister moest brengen, heb ik later op straat staande gehouden. Hij was boos dat hij in de postzak moest graaien om de brief te vinden, hij keek me aan op de minachtend nieuwsgierige manier waarmee mensen naar gekken plegen te kijken. De brief is dezelfde weg gegaan als de andere: ik heb hem in de rivier gegooid. Opdat de verraderlijke inkt zou worden uitgewist. Begrijp je het nú?

Maria João Flores, je trouwe vriendin uit je schooltijd, begreep het. Op een dag, toen ik de manier waarop je naar me keek niet langer verdroeg, had ik een ontmoeting met haar.

'Hij wil u kunnen bewonderen,' zei ze en legde haar hand op de mijne, 'bewonderen en liefhebben, zoals je van een voorbeeld houdt. "Ik wil hem niet zien als een zieke man wie je alles vergeeft," zei hij. "Dan is het net alsof ik geen vader meer heb." Hij kent in zijn ziel de anderen een heel speciale rol toe en is genadeloos als ze zich niet aan die rol houden. Een hogere vorm van zelfdiscipline.'

Ze keek me aan en schonk me een glimlach die uit de uitgestrekte steppe van een wakker geleefd leven kwam.

'Waarom probeert u het niet eens met woede?'

Gregorius nam de laatste bladzijde in zijn hand. De paar zinnen die daarop stonden waren met een andere kleur inkt geschreven en de rechter had ze gedateerd: 8 juni 1954, een dag voor zijn dood.

De worsteling is ten einde. Wat, mijn zoon, kan ik ten afscheid tegen je zeggen?

Je bent om mij arts geworden. Hoe zou het zijn geweest als de schaduw van mijn kwaal waarin jij bent opgegroeid er niet was geweest? Ik voel me schuldig tegenover jou. Jij bent er niet verantwoordelijk voor dat de pijn is gebleven en dat die mijn verzet nu heeft gebroken.

Ik heb de sleutel achtergelaten in mijn kantoor. Ze zullen alles toeschrijven aan de pijn. Dat ook tekortschieten kan doden – die gedachte is hun vreemd.

Zal mijn dood voor jou voldoende zijn?

Gregorius had het koud en zette de verwarming hoger. Het scheelde een haar of Amadeu had hem te zien gekregen, maar ik had een voorgevoel en verstopte hem, hoorde hij Adriana zeggen. De verwarming deed niets. Hij zette de televisie aan en bleef naar een soap kijken waarvan hij geen woord begreep, ze hadden net zo goed Chinees kunnen praten. In de badkamer vond hij een slaapmiddel. Toen de pil eindelijk begon te werken, werd het buiten al licht.

34 Er waren twee Maria João Flores die in Campo de Ourique woonden. De dag nadat hij op het taleninstituut was geweest, ging Gregorius erheen. Achter de eerste deur waar hij aanbelde woonde een jonge vrouw met twee kinderen, die aan haar rok hingen. Bij het andere huis kreeg hij te horen dat senhora Flores twee dagen op reis was.

Hij ging naar het hotel om de Perzische grammatica op te halen en daarna naar het liceu. Trekvogels vlogen in zwermen boven het verlaten gebouw. Hij had gehoopt dat de warme Afrikaanse wind terug zou komen, maar het bleef bij de zachte maartlucht waarin je nog iets kon bespeuren van winterse kou.

In de grammatica lag een briefje van Natalie Rubin. *Tot hier ben ik al gekomen!* Het Perzische schrift was heel bijzonder, had ze gezegd toen hij haar belde om te zeggen dat het boek was aangekomen. Ze deed al dagen niets anders, haar ouders waren verbaasd over haar ijver. Wanneer hij naar Iran zou vertrekken? Of het daar momenteel niet een beetje gevaarlijk was?

Een jaar geleden had Gregorius in de krant een artikel over een man gelezen die op zijn negentigste was begonnen Chinees te leren. De schrijver van het artikel had een beetje de draak gestoken met de man. U hebt geen idee – met die woorden was Gregorius begonnen aan het concept van een ingezonden brief. 'Waarom verpest u uw dagen met zoiets?' had Doxiades gezegd toen hij zag hoe mateloos geïrriteerd Gregorius was. Hij had de brief niet verstuurd. Maar de botte opmerking van Doxiades had hem geërgerd.

Toen hij een paar dagen geleden in Bern had getest hoeveel hij zich nog van de Perzische schrifttekens herinnerde, had hij niet veel kunnen opdiepen uit zijn geheugen. Maar nu, met het boek erbij, ging het snel. *Ik ben daar nog steeds, op die verre plek in de tijd, ik ben daar nooit weggegaan maar leef alsof ik me uitstrek in het verleden of vanuit het verleden,* had Prado geschreven. *De duizenden veranderingen die de tijd hebben doen verstrijken – ze zijn, vergeleken met de tijdloze tegenwoordigheid van het voelen, vluchtig en onwerkelijk als een droom.*

De lichtkegel in het kantoor van senhor Cortês schoof vooruit. Gregorius dacht aan het onherroepelijk stille gezicht van zijn dode vader. Hij was destijds graag naar hem toe gegaan met zijn angst voor de Perzische zandstorm. Maar zo'n vader was hij niet geweest.

De lange weg naar Belém legde hij te voet af en hij koos zijn route zo dat hij langs het huis kwam waar de rechter had geleefd met zijn zwijgzaamheid, zijn pijn en zijn angst voor het oordeel van zijn zoon. De ceders rezen op in de zwarte, nachtelijke hemel. Gregorius dacht aan het litteken onder de fluwelen band om de hals van Adriana. Achter de verlichte ramen liep Mélodie van kamer naar kamer. Zij wist of dit de rode ceders waren. En ze wist ook wat die met de daad hadden te maken waarvoor Amadeu door een rechtbank veroordeeld had kunnen worden wegens het toebrengen van lichamelijk letsel.

Het was al de derde avond in het huis van Silveira. *Vivo aqui.* Gregorius liep door het huis, door de donkere tuin, ging de straat op. Hij maakte een wandeling door de buurt en zag de mensen die bezig waren met koken, eten en televisiekijken. Toen hij weer op zijn uitgangspunt was, bekeek hij de lichtgele gevel en de verlichte entree met de zuilen. Een statig huis in een welgestelde buurt. *Hier woon ik nu.* In de salon ging hij in een fauteuil zitten. Wat had dat te betekenen? De Bubenbergplatz had hij niet meer kunnen aanraken. Zou hij op den duur de grond van Lissabon kunnen aanraken? Wat voor aanraking zou dat zijn? En hoe zouden de stappen eruitzien die hij op deze grond zou zetten?

Op het moment zelf leven: dat klinkt zo juist en ook zo mooi, had Prado in een van zijn korte notities geschreven, *maar hoe meer ik ernaar verlang des te minder begrijp ik wat het betekent.*

Gregorius had zich nog nooit verveeld in zijn leven. Dat iemand niet wist wat hij moest beginnen met zijn tijd: er was weinig wat hem zo onbegrijpelijk voorkwam als dat. Ook nu verveelde hij zich niet. Wat hij in het stille, veel te grote huis ervoer, was iets anders: de tijd stond stil, of nee, die stond niet stil maar trok hem niet met zich mee, die behelsde geen toekomst maar stroomde onaangedaan en zonder hem aan te raken langs hem heen.

Hij ging naar de kamer van de zoon des huizes en bekeek de titels van de romans van Simenon. *L'homme qui regardait passer les trains.* Dat was de roman waarvan filmfoto's hadden gehangen bij bioscoop Bubenberg, zwart-witfoto's met Jeanne Moreau. Gisteren was dat drie weken geleden geweest, op de maandag waarop hij de benen had genomen. De film was waarschijnlijk uit de jaren zestig. Veertig jaar geleden. Hoe lang was dat?

Gregorius pakte aarzelend Prado's boek. De lectuur van de brief had iets veranderd. De brief van de vader nog meer dan de brief van de zoon. Uiteindelijk begon hij er toch in te bladeren. Erg veel bladzijden die hij nog niet kende, waren er niet meer. Hoe zou het zijn na de laatste zin? Hij was altijd bang geweest voor laatste zinnen en vanaf het midden van een boek werd hij altijd gekweld door de gedachte dat het onvermijdelijk was dat er een laatste zin zou komen. Maar deze keer zou het met de laatste zin nog veel moeilijker zijn dan anders. Het zou zijn alsof de onzichtbare draad brak die hem tot nu toe had verbonden met de Spaanse boekhandel op de Hirschengraben. Hij zou het omslaan van de laatste bladzijde uitstellen en langzamer gaan lezen, voor zover dat mogelijk was. Zijn laatste blik in het woordenboek, uitvoeriger dan nodig. Het laatste woord. De laatste punt. Dan zou hij in Lissabon aankomen. In Lissabon, Portugal.

TEMPO ENIGMÁTICO. RAADSELACHTIGE TIJD.

Ik heb er een jaar voor nodig gehad om er achter te komen hoe lang een maand is. Het was in oktober van het vorige jaar, de laatste dag van de maand. Er gebeurde wat elk jaar gebeurt en wat me desondanks elk jaar weer van mijn stuk brengt alsof ik het nooit eerder heb beleefd: het nieuwe, bleke licht van de ochtend kondigde de winter aan. Geen gloedvol stralen meer, geen verblindend licht, geen zweem meer van de hitte waarvoor je toevlucht zoekt in de schaduw.

Een zacht, mild licht dat het korter worden van de dagen al in zich droeg. Niet dat ik het nieuwe licht als een vijand beschouwde, ik ben niet iemand die zich belachelijk maakt door het af te wijzen en te bestrijden. Het is beter voor je energie wanneer de zomer zijn scherpe kantjes verliest en ons trakteert op vagere contouren die je dwingen minder absoluut te zijn.

Nee, het was niet de bleke, nevelige sluier van het nieuwe licht dat me zo liet schrikken. Het was het feit dat het gebroken, minder krachtige licht opnieuw en onherroepelijk het einde van een periode in de natuur en van een fase in mijn leven aangaf. Wat had ik sinds eind maart gedaan, sinds de dag dat het kopje op het tafeltje van een café weer zo warm was geworden in de zon, dat ik bijna mijn vingers brandde aan het oortje? Was er sindsdien veel tijd verstreken of weinig? Zeven maanden – hoe lang was dat?

Gewoonlijk mijd ik de keuken, die is het domein van Ana, en er is iets in de energieke manier waarop ze met pannen jongleert dat mij tegenstaat. Maar die dag had ik iemand nodig tegenover wie ik mijn stille ontsteltenis kon uitdrukken, ook al moest ik dat doen zonder die te benoemen.

'Hoe lang is een maand?' viel ik met de deur in huis.

Ana, die juist het gas wilde aansteken, blies de lucifer weer uit.

'U bedoelt?'

Ze fronste haar voorhoofd alsof ze voor een onoplosbaar raadsel stond.

'Wat ik zeg: hoe lang is een maand?'

Met neergeslagen ogen wreef ze verlegen in haar handen.

'Nou, soms heeft een maand dertig dagen, soms...'

'Dat weet ik heus wel,' zei ik boos, 'maar de vraag is: hoe lang is dat?'

Ana pakte een pollepel om iets te doen te hebben met haar handen.

'Een keer heb ik mijn dochter bijna een maandlang verpleegd,' zei ze aarzelend en met de behoedzaamheid van een psychiater die vreest dat zijn woorden in de patiënt een verwoesting zullen aanrichten die later niet meer hersteld kan worden. 'De hele dag door de trap op en af met soep die ik niet mocht morsen – dat was lang.'

'En hoe was het later, toen je ernaar terugkeek?'

Nu kwam er een aarzelend glimlachje op Ana's gezicht waaruit bleek hoe opgelucht ze was dat ze er niet helemaal naast had gezeten met haar antwoord. 'Nog steeds lang. Maar op de een of andere manier werd het later steeds korter, hoe weet ik ook niet.'

'Die tijd met al die soep – mis je die nu?'

Ana stond met de pollepel te draaien, haalde toen een zakdoek uit haar schortzak en snoot haar neus. 'Ik heb natuurlijk graag voor het kind gezorgd, het was in die tijd helemaal niet tegendraads. Toch zou ik het liever niet nog een keer willen meemaken, ik zat constant in angst omdat we niet wisten wat het was en of het gevaarlijk was.'

'Ik bedoel iets anders: of het je spijt dat die maand voorbij is; dat de tijd voorbij is; dat je er niets meer mee kunt doen.'

'Nou ja, die tijd is voorbij,' zei Ana, en nu zag ze er niet meer uit als een arts die bedenkelijk kijkt maar als een examenkandidaat die zich geïntimideerd voelt.

'Laat maar,' zei ik en draaide me om naar de deur. Toen ik de keuken uit liep hoorde ik haar een nieuwe lucifer afstrijken. Waarom ben ik altijd zo kortaangebonden, zo bruut, zo ondankbaar geweest voor de woorden van de anderen als het om iets ging wat werkelijk belangrijk voor me was?

De volgende dag, de eerste dag van november, liep ik in de ochtendschemering naar de bocht aan het einde van de Rua Augusta, de mooiste straat van de wereld. De zee zag er in het vale licht van de prille dag uit als een glad vlak van mat zilver. Heel wakker beleven hoe lang een maand is – dat was de idee die me uit mijn bed had gejaagd. In het café was ik de eerste klant. Toen er nog maar een paar slokjes in mijn kopje zaten, vertraagde ik het gebruikelijke ritme van drinken. Ik wist niet zo goed wat ik zou moeten doen als het kopje leeg was. Deze dag zou heel lang zijn als ik gewoon bleef zitten. En wat ik wilde weten was niet hoe een maand is voor mensen die totaal dadeloos zijn. Maar wat was het dan wat ik wilde weten?

Soms ben ik zo traag. Pas vandaag, nu het licht van de vroege novembermaand weer breekt, merk ik dat de vraag die ik aan Ana had gesteld – naar de onherroepelijkheid, de vergankelijkheid, de spijt, de treurnis – helemaal niet de vraag was die me had beziggehouden. De vraag die ik had willen stellen, luidde heel anders: waarvan hangt

het af als we een maand als een gevulde tijd, als ónze tijd hebben be-
leefd, in plaats van als een tijd die langs ons heen is gegleden, die we
alleen maar hebben ondergaan, die ons door de vingers is geglipt zo-
dat we het idee hebben dat het een verloren, gemiste tijd was waar
we niet om treuren omdat die voorbij is maar omdat wij van die tijd
niets hebben kunnen maken? De vraag was dus niet: hoe lang is een
maand? maar: hoe kun je voor jezelf iets maken van de tijd van een
maand? Wanneer is het zo dat ik de indruk heb dat deze maand he-
lemaal van mij is geweest?

Het is dus verkeerd als ik zeg: ik heb een jaar nodig gehad om er
achter te komen hoe lang een maand is. Het was heel anders: ik heb
een jaar nodig gehad om er achter te komen wat ik wilde weten toen
ik de nergens op slaande vraag stelde naar de lengte van een maand.

In de vroege namiddag van de volgende dag, toen hij uit het taleninstituut kwam, liep Gregorius Mariana Eça tegen het lijf. Toen
hij haar de hoek om zag komen en recht op hem af zag lopen, wist
hij opeens waarom hij had geaarzeld haar te bellen: hij zou haar
vertellen over de duizelingen waarvan hij last had, ze zou er hardop over nadenken wat het zou kunnen zijn, en dat wilde hij niet
horen.

Ze stelde voor ergens koffie te drinken en vertelde toen over
João. 'Ik zit de hele zondag op hem te wachten,' had hij over Gregorius gezegd. 'Ik weet niet hoe het komt, maar ik kan mijn hart
bij hem luchten. Niet dat ik dan geen problemen meer heb, maar
een paar uur lang is het dan gemakkelijker.' Gregorius vertelde over
Adriana en de klok, over Jorge en de schaakclub, en over het huis
van Silveira. Hij stond op het punt ook zijn reis naar Bern te vermelden maar merkte toen dat zoiets zich er niet toe leent verteld
te worden.

Toen hij klaar was informeerde ze naar zijn nieuwe bril en toen
vernauwden haar ogen zich en namen hem onderzoekend op. 'U
slaapt te weinig,' lachte ze. Hij dacht aan de ochtend waarop ze hem
had onderzocht en hij niet meer had willen opstaan uit de stoel
voor haar bureau. Aan het uitgebreide onderzoek. Aan de boot-
tocht die ze samen hadden gemaakt naar Cacilhas en aan de roodgouden Assam die hij later bij haar had gedronken.

'Ik word de laatste tijd soms duizelig,' zei hij. En na een korte stilte: 'Ik ben bang.'

Een uur later verliet hij haar praktijk. Ze had nog een keer zijn ogen onderzocht en zijn bloeddruk gemeten, hij had kniebuigingen en evenwichtsoefeningen moeten doen en ze had hem de duizelingen heel precies laten beschrijven. Toen had ze het adres van een neuroloog voor hem opgeschreven.

'Ik heb niet de indruk dat het iets gevaarlijks is,' had ze gezegd, 'en erg verwonderlijk is het ook niet als je bedenkt hoeveel er in korte tijd is veranderd in uw leven. Maar een routineonderzoek kan nooit kwaad.'

Hij had de lege rechthoek voor zich gezien aan de muur van de praktijk van Prado, waar de kaart van de hersenen had gehangen. Ze zag aan hem hoezeer hij in paniek was.

'Een tumor zou met een heel ander soort aanvallen gepaard gaan,' zei ze en streek over zijn arm.

Naar het huis van Mélodie was het niet ver.

'Ik wist dat u nog een keer langs zou komen,' zei ze toen ze de deur opendeed. 'Na uw bezoek heb ik me een paar dagen heel intens beziggehouden met Amadeu.'

Gregorius liet haar de brieven aan vader en zoon lezen.

'Dat is niet eerlijk,' zei ze, toen ze de laatste woorden in de brief van haar vader had gelezen. 'Onrechtvaardig. Unfair. Alsof het Amadeu was die hem de dood heeft ingedreven. Vaders arts was een man met een vooruitziende blik. Hij schreef hem de slaaptabletten alleen in heel lage aantallen voor. Maar papá kon wachten. Geduld was zijn sterke kant. Geduld als een stomme steen. Mamã zag het aankomen. Ze zag altijd alles aankomen. Ze heeft niets gedaan om het te verhinderen. "Nu heeft hij geen pijn meer," zei ze, toen we bij de open kist stonden. Ik hield van haar om die woorden. "En hij hoeft zichzelf niet meer af te martelen," zei ik. "Ja," zei ze, "ook dat."'

Gregorius vertelde over zijn bezoeken aan Adriana. Ze was sinds de dood van Amadeu niet meer in het blauwe huis geweest, zei Mélodie, maar het verbaasde haar niets dat Adriana er een museum en een tempel van had gemaakt waarin de tijd tot stilstand was gekomen.

'Ze bewonderde hem al toen ze een klein meisje was. Hij was haar grote broer die alles kon. Die het waagde papá te weerspreken. Papá! Een jaar nadat hij voor zijn studie naar Coimbra was gegaan, ging zij naar de meisjesschool tegenover het liceu. Naar dezelfde school als waarop Maria João had gezeten. Daar was Amadeu de held van vergane tijden en ze genoot ervan de zuster van die held te zijn. Maar toch: de dingen zouden zich anders, normaler hebben ontwikkeld als die toestand er niet was geweest waarbij hij haar leven redde.'

Het was gebeurd toen Adriana negentien was. Amadeu, die kort voor zijn afstuderen stond, was thuis en zat dag en nacht over de boeken gebogen. Alleen voor het eten kwam hij naar beneden. Het was tijdens het eten dat Adriana zich verslikte.

'We hadden allemaal een bord met eten voor ons staan en merkten aanvankelijk niets. Plotseling begon Adriana rare geluiden te maken, vreselijk te rochelen, ze hield met beide handen haar hals omklemd en trappelde in een razend tempo met haar voeten. Amadeu zat naast mij, in gedachten helemaal bezig met het examen, we waren eraan gewend dat hij stommetje zat te spelen en het eten gedachteloos naar binnen lepelde. Ik stootte hem aan met mijn elleboog en wees naar Adriana. Verward keek hij op. Adriana's gezicht was paars aangelopen, ze kreeg geen lucht meer en haar hulpeloze blik was op Amadeu gericht. De uitdrukking die op zijn gezicht verscheen kenden we allemaal, het was de uitdrukking van een verwoede concentratie die hij altijd had als hij met iets werd geconfronteerd wat hij niet meteen begreep, hij was gewend alles meteen te begrijpen.

Nu sprong hij op, zijn stoel kiepte achterover, met een paar stappen was hij bij Adriana, greep haar onder haar armen, trok haar overeind, draaide haar zo dat ze met haar rug naar hem toe stond, toen pakte hij haar schouders, haalde diep adem en trok haar bovenlichaam met een geweldige ruk naar achteren. Uit Adriana's keel kwam een verstikt gerochel. Verder veranderde er niets. Amadeu herhaalde twee keer de beweging, maar het stuk vlees dat in haar luchtpijp terecht was gekomen, bleef zitten waar het zat.

Wat er daarna gebeurde is in ons geheugen gegrift, elke seconde, elke handeling. Amadeu zette Adriana terug op haar stoel en beval me bij hem te komen. Hij trok haar hoofd naar achteren.

"Vasthouden," beval hij, "heel stevig vasthouden!"

Toen pakte hij het scherpe mes waarmee het vlees werd gesneden en veegde het af aan een servet. We hielden onze adem in.

"Nee!" riep mamā. "Nee!"

Ik geloof dat hij het niet hoorde. Hij ging schrijlings op Adriana's schoot zitten en keek haar aan.

"Ik moet dit doen," zei hij, en ik verbaas me zelfs nu nog over de rust in zijn stem. "Anders ga je dood. Haal je handen weg. Vertrouw me."

Adriana deed haar handen weg van haar hals. Hij tastte met zijn wijsvinger naar de ruimte tussen het schildkraakbeen en het ringkraakbeen. Toen zette hij de punt van het mes midden in die spleet. Opnieuw haalde hij diep adem, sloot even zijn ogen en stootte toe.

Ik concentreerde me op het vasthouden van Adriana's hoofd, ik hield het vast als in een bankschroef. Ik zag het bloed niet spatten, pas later zag ik het bloed op zijn overhemd. Het lichaam van Adriana verzette zich. Dat Amadeu de weg had gevonden naar de luchtpijp kon je horen aan het gierende geluid waarmee Adriana de lucht door de nieuwe opening opzoog. Ik deed mijn ogen open en zag tot mijn ontzetting dat Amadeu het mes omdraaide in de wond, het zag eruit als een ongelooflijk brute daad, ik heb pas later begrepen dat hij op die manier de luchtpijp openhield. Amadeu haalde vervolgens uit het zakje van zijn overhemd een balpen, stak die tussen zijn tanden, schroefde met zijn vrije hand de dop eraf, trok de vulling eruit en stak het onderste deel daarvan als een canule in de wond. Langzaam trok hij het mes eruit en hield de balpen vast. Adriana's adem ging hortend en stotend, maar ze leefde en de paarse kleur verdween langzaam uit haar gezicht.

"Een ambulance!" beval Amadeu.

Papá schudde zijn verstarring af en liep naar de telefoon. We droegen Adriana, met in haar keel de balpen, naar de sofa. Amadeu aaide haar over het haar.

"Het kon niet anders," zei hij.

De arts die een paar minuten later verscheen, legde zijn hand op Amadeu's schouder. "Dat scheelde niets," zei hij. "Wat een tegenwoordigheid van geest. Wat een moed. Op uw leeftijd."

Toen de ambulance met Adriana was vertrokken, ging Amadeu in zijn met bloed bevlekte overhemd op zijn plaats aan de tafel zitten. Niemand sprak een woord. Ik geloof dat dat het ergste voor hem was: dat niemand iets zei. De arts had met een paar woorden vastgesteld dat Amadeu het juiste had gedaan en Adriana's leven had gered. En toch zei niemand iets, en de stilte die in de eetkamer hing was vol ontzette verbazing over zijn koelbloedigheid. "Die stilte maakte van mij een slager," zei hij jaren later bij de enige keer dat we erover spraken.

Dat we hem op dat moment zo volkomen alleen lieten heeft hij nooit kunnen verwerken, en zijn verhouding tot de familie is er voor altijd door veranderd. Hij kwam nog maar zelden thuis en gedroeg zich dan als een beleefde gast.

Plotseling brak de stilte en Amadeu begon te trillen. Hij sloeg zijn handen voor zijn gezicht en tot op de dag van vandaag hoor ik nog de droge snikken die zijn lijf deden schokken. En alweer lieten we hem met z'n allen alleen. Ik aaide hem over zijn arm, maar dat was veel te weinig, ik was zijn zusje van acht maar, hij had behoefte aan iets heel anders.

Dat dat niet gebeurde was de druppel die de emmer deed overlopen. Opeens sprong hij op, rende naar boven naar zijn kamer, kwam met een medisch handboek naar beneden en gooide het boek met een klap op de tafel, het bestek stootte tegen de borden, de glazen rinkelden. "Hier," schreeuwde hij, "hier staat het. Tracheotomie heet die ingreep. Wat zitten jullie me toch aan te staren? Jullie zaten er allemaal bij als lappenpoppen! Als ik er niet was geweest hadden we haar in een kist het huis uit moeten dragen!"

Adriana werd geopereerd en daarna bleef ze twee weken in het ziekenhuis. Amadeu ging elke dag naar haar toe, altijd alleen, hij wilde er niet samen met ons naartoe. Adriana was vervuld van een dankbaarheid jegens hem die bijna religieuze trekjes had. Met verbonden keel lag ze bleek in de kussens en doorleefde de dramatische gebeurtenis telkens opnieuw. Als ik alleen bij haar was, sprak ze erover.

"Vlak voordat hij het mes in mijn keel stak, werden de ceders voor het raam rood, bloedrood," zei ze. "Meteen daarna viel ik flauw."'

Adriana, vertelde Mélodie, was met de overtuiging uit het ziekenhuis gekomen dat ze, omdat hij haar leven had gered, haar leven aan haar broer moest wijden. Amadeu vond dat beangstigend en probeerde alles om haar dat uit het hoofd te praten. Voor heel even leek hij erin te slagen, ze ontmoette een Fransman op wie ze verliefd werd en de dramatische gebeurtenis scheen te verbleken. Maar aan die liefde kwam een eind toen Adriana zwanger werd. En weer kwam Amadeu om een ingreep in haar lichaam te begeleiden. Hij offerde er zijn reis met Fátima voor op en keerde terug uit Engeland. Zij had na haar schooltijd een opleiding voor doktersassistente gevolgd en toen hij drie jaar later met de blauwe praktijk begon, was het vanzelfsprekend dat zij zijn assistente werd. Fátima wilde niet dat zij ook in hun huis kwam wonen. Er deden zich dramatische toestanden voor toen ze weg moest. Na de dood van Fátima duurde het nog geen week of Adriana nam haar intrek. Amadeu was gebroken door het verlies en niet in staat zich ertegen te verzetten. Adriana had gewonnen.

35 'Vaak heb ik gedacht dat Amadeu's geest vooral taal was,' had Mélodie aan het einde van het gesprek gezegd. 'Dat zijn ziel uit woorden bestond zoals ik nog nooit bij iemand anders heb meegemaakt.'

Gregorius had haar de aantekening over het aneurysma laten lezen. Ook zij had er nooit iets van geweten. Maar er was wel iets anders dat zij zich plots herinnerde.

'Hij schrok er altijd erg van als iemand woorden gebruikte die met voorbijgaan, verstrijken, vergaan te maken hadden, ik herinner me vooral de woorden *correr* en *passar*. Hij was überhaupt iemand die op woorden zo heftig kon reageren, alsof woorden veel belangrijker waren dan dingen. Als je mijn broer wilde begrijpen, was dat het belangrijkste dat je moest weten. Hij had het over de dictatuur van de verkeerde en de vrijheid van de juiste woorden, over de onzichtbare kerkers van de taalkitsch en over het licht van de poëzie. Hij was bezeten van taal, een door taal behekste man voor wie een verkeerd woord erger was dan een dolkstoot. En dan

die heftige reacties op woorden die met vluchtigheid en vergankelijkheid te maken hadden. Nadat hij hier een keer op bezoek was
geweest en van die nieuwe schrikachtigheid blijk had gegeven,
spraken mijn man en ik er nog uren over. "Niet zulke woorden,
zulke woorden alsjeblieft niet!" had hij gezegd. We durfden niet te
vragen waarom. Mijn broer kon een vulkaan zijn.'

Gregorius ging in de salon van Silveira in een gemakkelijke stoel
zitten en begon de tekst van Prado te lezen die Mélodie hem had
meegegeven.

'Hij was als de dood dat het in verkeerde handen zou raken,' had
ze gezegd. '"Misschien kan ik de tekst maar beter vernietigen," zei
hij. Maar toen gaf hij hem aan mij in bewaring. Ik mocht de envelop pas na zijn dood openen. De schellen vielen van mijn ogen.'

Prado had de tekst in de wintermaanden na de dood van zijn
moeder geschreven en hem in de lente, kort voor de dood van Fátima, aan Mélodie gegeven. Het waren drie fragmenten die op verschillende vellen papier waren begonnen en die ook wat de kleur
inkt betrof van elkaar verschilden. Hoewel ze samen een afscheids-
brief aan zijn moeder vormden, was er geen aanhef. In plaats daarvan had de tekst een titel, zoals bij veel aantekeningen in het boek.

DESPEDIDA FALHADA À MAMÃ. MISLUKT AFSCHEID VAN MAMÃ.

*Mijn afscheid van jou moet wel mislukken, mamã. Je bent er niet
meer en een echt afscheid zou een ontmoeting moeten zijn. Ik heb te
lang gewacht en dat is natuurlijk geen toeval. Wat onderscheidt een
eerlijk van een lafhartig afscheid? Een eerlijk afscheid van jou – dat
zou de poging zijn geweest het met jou eens te worden over hoe het
met ons, met jou en met mij, was. Want dat is de zin van een afscheid
in de volle, doorslaggevende betekenis van het woord: dat twee mensen, voordat ze uit elkaar gaan, zich tegenover elkaar uitspreken hoe
ze elkaar hebben gezien en beleefd. Over wat er tussen hen is gelukt
en wat er is mislukt. Daar is moed voor nodig: je moet de pijn over
de dissonanties kunnen verdragen. Het gaat erom ook de dingen te
erkennen die onmogelijk waren. Afscheid nemen is ook iets wat je met
jezelf doet: trouw aan jezelf betuigen terwijl de ander toekijkt. De laf-
hartigheid van een afscheid ligt daarentegen in de ophemeling: in de
verleiding de dingen die geweest zijn in een gouden licht te dompe-*

len en al wat donker was weg te liegen. Wat je daarbij verspeelt is niets minder dan de erkenning van de eigenschappen van jezelf die dat donker hebben voortgebracht.

Met mij heb je een meesterwerk tot stand gebracht, mamã, en ik schrijf nu op wat ik al heel lang geleden tegen je had moeten zeggen: het was een perfide meesterwerk dat mijn leven meer heeft belast dan wat ook. Je hebt me namelijk laten weten – en er was geen twijfel mogelijk over de inhoud van die boodschap – dat je van mij, jouw zoon – jouw zoon – niets minder verwachtte dan dat hij de beste zou zijn. De beste in wat, was niet zo belangrijk, maar de prestaties die hij diende te leveren moesten de prestaties van alle anderen overtreffen, en niet alleen zomaar overtreffen, maar er torenhoog boven uitsteken. Het perfide daaraan was dat je het me nooit hebt verteld. Je verwachting kreeg daardoor nooit de nadrukkelijkheid die mij de mogelijkheid had geboden mijn plaats ertegenover te bepalen, erover na te denken en mijn gevoelens eraan te scherpen. En toch wist ik het, want zoiets bestaat: kennis die een kind krijgt ingegoten, druppel na druppel, dag in dag uit, zonder dat het ook maar iets merkt van die geruisloos almaar toenemende kennis. Die zo onschuldig lijkende kennis breidt zich in het kind uit als een verraderlijk gif, sijpelt naar binnen in het weefsel van lijf en ziel en bepaalt uiteindelijk de kleur en de nuances van zijn leven. Die kennis, die onbewust zijn werk deed en welks macht in het verborgene lag, ontwikkelde zich in mij tot een onzichtbaar web van absolute, genadeloze verwachtingen die ik aan mijzelf stelde, een web dat was gesponnen door de wrede spinnen van een op angst berustende eerzucht. Hoe vaak, hoe wanhopig en op wat voor grotesk komische wijze heb ik later om mij heen geslagen om mijzelf te bevrijden – met als resultaat dat ik nog meer verstrikt raakte! Het was onmogelijk mij te verweren tegen jouw aanwezigheid in mij: te volmaakt was jouw meesterwerk, te hecht, een meesterwerk van overweldigende, adembenemende perfectie.

Bij de volmaaktheid ervan hoorde ook dat je jouw verstikkende verwachtingen niet alleen onuitgesproken liet maar ze bovendien onder woorden en gebaren verstopte die het tegendeel uitdrukten. Ik zeg niet dat het bewuste, verraderlijke, gniepige opzet was. Nee, je geloofde zelf in je bedrieglijke woorden en werd zelf het slachtoffer van een maskerade waarvan de intelligentie ver uitsteeg boven de jouwe.

Sindsdien weet ik hoe mensen tot in hun diepste diepten met elkaar verweven en in elkaar aanwezig kunnen zijn zonder dat ze er ook maar het flauwste vermoeden van hebben.

En nog iets anders hoorde bij de meesterlijke wijze waarop je – als schandelijke beeldhouwster van een vreemde ziel – mij naar jouw wil hebt geschapen: de voornamen die je me hebt gegeven. Amadeu Inácio. De meeste mensen denken er niets bij, af en toe zegt iemand iets over de melodie van die naam. Maar ik weet wel beter want ik heb bij die naam de klank van je stem in mijn oor, een klank vol ijdele devotie. Ik moest en zou een genie zijn. Ik moest en zou goddelijk licht uitstralen. En tegelijkertijd – tegelijkertijd! – moest ik de verstikkende strengheid van de heilige Ignacius belichamen en zijn vaardigheden als priesterlijk veldheer bezitten.

Het is een lelijk woord maar het benoemt de zaak als geen ander: mijn leven werd bepaald door een moedervergiftiging.

Was er ook in hemzelf een verborgen, zijn leven bepalende aanwezigheid van zijn ouders, onherkenbaar gemaakt misschien en omgeslagen in het tegendeel? vroeg Gregorius zich af toen hij door de stille straten van Belém liep. Hij zag het dunne boekje voor zich waarin zijn moeder optekende wat ze als werkster verdiende. Haar lelijke ziekenfondsbril met de altijd smerige glazen waaroverheen ze hem vermoeid aankeek. 'Kon ik nog maar één keer de zee zien, maar dat kunnen we ons niet permitteren.' Ze beschikte over iets, iets moois, zelfs iets stralends, waaraan hij al heel lang niet meer had gedacht: de waardigheid waarmee ze de mensen voor wie ze het vuile werk opknapte, op straat tegemoet trad. Geen spoor van onderworpenheid, haar blik op gelijke hoogte met de mensen die haar ervoor betaalden op haar knieën de vloer te dweilen. Mag ze dat? had hij zich als klein jongetje afgevraagd, om later toch trots op haar te zijn als hij er weer eens getuige van was. Waren het maar niet alleen de streekromans van Ludwig Ganghofer geweest waarnaar ze had gegrepen in de schaarse uurtjes waarin ze tijd had om te lezen. 'Nu vlucht jij ook al in de boeken.' Ze was geen echte lezer geweest. Het deed pijn, maar ze was geen lezer geweest.

Welke bank zou me al een lening verstrekken, hoorde Gregorius zijn vader zeggen, en dan voor zoiets. Hij zag zijn grote hand met de kortgeknipte nagels voor zich toen hij hem de dertien frank dertig voor de Perzische grammatica munt voor munt in zijn hand had gelegd. Weet je zeker dat je erheen wilt? had hij gezegd, Perzië is toch zo ver weg, zo ver van wat wij gewend zijn. Alleen al het schrift, de letters zijn zo anders, die lijken niet eens op letters. We zullen dan helemaal niets weten over je. Toen Gregorius hem het geld had teruggegeven, had zijn vader met zijn grote hand over zijn hoofd gestreeld, een hand die zich zo'n teder gebaar veel te zelden had gepermitteerd.

De vader van Eva, de Ongelooflijke, de oude von Muralt, was rechter geweest, bij het schoolfeest in zijn huis had hij even zijn neus om de hoek gestoken, een reus van een man. Hoe zou het zijn geweest, dacht Gregorius, als hij was opgegroeid als de zoon van een strenge, door pijn gekwelde rechter en een eerzuchtige moeder die haar leven leefde in het leven van de verafgode zoon? Had hij dan toch Mundus kunnen worden, Mundus de Papyrus? Kon je zoiets weten?

Toen Gregorius uit de koude avondlucht het verwarmde huis betrad, werd hij duizelig. Hij ging weer in zijn stoel zitten en wachtte tot het voorbij was. Verwonderlijk is het niet als je bedenkt hoeveel er in korte tijd is veranderd in uw leven, had Mariana Eça gezegd. Een tumor zou met een heel ander soort aanvallen gepaard gaan. Hij verdreef de stem van Mariana uit zijn hoofd en ging door met lezen.

Mijn eerste grote teleurstelling met jou was, dat je niets wilde weten van de vragen die mij bezighielden in verband met het beroep van papá. Ik vroeg me af: had jij – als op de achtergrond blijvende vrouw in het achterlijke Portugal van die tijd – jezelf onbevoegd verklaard erover na te denken? Omdat recht en rechtspraak zaken waren die alleen mannen aangingen? Of was het erger: dat je je domweg geen vragen stelde in verband met papá's werk en geen twijfel toeliet? Dat je je domweg niets aantrok van het lot van de mensen van Tarrafal?

Waarom heb jij papá niet gedwongen met ons te praten in plaats van een zwijgend monument te zijn? Was je gelukkig met de macht die je daardoor had? Je was een virtuoos in de zwijgende, alles ont-

kennende medeplichtigheid met je kinderen. En virtuoos was je ook als diplomatieke bemiddelaarster tussen papá en ons. Je hield van die rol en die was niet gespeend van ijdelheid. Was dat je wraak voor de kleine speelruimte die het huwelijk je bood? De schadeloosstelling voor het ontbreken van maatschappelijke erkenning en voor de last van de pijn die vader leed?

Waarom gaf je bij elke tegenspraak van mij ogenblikkelijk toe? Waarom bood je me geen weerwoord, waardoor ik had kunnen leren hoe ik met conflicten om moest gaan? Nu kon ik dat niet op een speelse manier en met een knipoog leren, maar moest het moeizaam verwerven als uit een leerboek, met een verbitterde grondigheid die er vaak genoeg toe heeft geleid dat ik geen maat hield en aan mijn doel voorbijschoot.

Waarom heb je mij met de hypotheek van mijn uitverkorenheid opgezadeld? Papá en jij: waarom hebben jullie zo weinig verwachtingen gehad van Adriana en Mélodie? Waarom hebben jullie niets gemerkt van de vernedering waartoe dat gebrek aan vertrouwen leidde?

Maar het zou onrechtvaardig zijn, mamá, als dat alles zou zijn wat ik je ten afscheid had mee te delen. In de zes jaar na papá's dood ben ik nieuwe gevoelens voor je gaan koesteren en ik was er gelukkig mee dat die er waren. De verlatenheid waarmee je aan zijn graf stond heeft me diep geraakt en ik was blij dat er religieuze rituelen waren die een troost voor je betekenden. Echt gelukkig werd ik pas toen de eerste tekenen van je bevrijding zichtbaar werden, veel sneller dan ik had verwacht. Het was alsof je voor het eerst tot een eigen leven ontwaakte. In het eerste jaar kwam je vaak naar het blauwe huis en Fátima was al bang dat je je aan mij, aan ons zou vastklampen. Maar nee: toen het bouwsel van het leven dat je tot dusver had geleid was ingestort, een bouwsel dat ook je innerlijke krachtenspel had bepaald, toen pas scheen je te ontdekken wat door je veel te vroege huwelijk voor je versperd was geweest: een eigen leven te leiden, buiten je rol in het gezin om. Je begon je voor boeken te interesseren en bladerde erin als een nieuwsgierige leerlinge, onhandig, onervaren, maar met stralende ogen. Eén keer heb ik je, zonder dat je het merkte, in de boekhandel voor een kast met boeken zien staan met een opengeslagen boek in je hand. Op dat moment

hield ik van je, mamã, en ik had de neiging naar je toe te gaan. Maar
dat zou precies het verkeerde zijn geweest: dat zou je naar je oude
leven hebben teruggehaald.

36 Gregorius liep in de kamer van senhor Cortês heen en
weer en noemde alle dingen bij hun naam in het dialect van zijn
geboortestad. Daarna liep hij door de donkere, kale gangen van
het liceu en deed hetzelfde met alles wat hij daar zag. Hij sprak de
woorden luid en woedend uit, de gutturale klanken schalden door
het gebouw en een verbaasde waarnemer zou hebben gemeend dat
er iemand in het verlaten gebouw verdwaald was geraakt die niet
helemaal bij zijn verstand was.

Het was 's ochtends begonnen in het taleninstituut. Plotseling
had hij in het Portugees de eenvoudigste dingen niet meer geweten, dingen die hij al tijdens de eerste les op de eerste grammofoonplaat van de taalcursus had geleerd die hij kort voor zijn vertrek had beluisterd. Cecília, die wegens een migraineaanval te laat
was gekomen, wilde een ironische opmerking maken, stokte, kneep
haar ogen samen en maakte een geruststellend gebaar.

'*Sossega*, wees maar rustig,' zei ze. 'Dat overkomt iedereen die
een vreemde taal leert. Plotseling gaat het niet meer. Maar dat gaat
weer over. Morgen bent u weer helemaal bij.'

Later had zijn geheugen hem bij het Perzisch in de steek gelaten, een geheugen voor talen waar hij altijd van op aan had gekund. Uit pure paniek had hij hele passages en gedichten van Horatius en Sappho uit zijn hoofd opgezegd, had geprobeerd zich
zeldzame woorden bij Homerus te herinneren en hectisch in het
Hooglied van Salomo gebladerd. Alles lukte, er ontbrak niets, er
was geen sprake van kennis die plotseling in een afgrond was verdwenen. En toch voelde hij zich als na een aardbeving. Duizelingen en geheugenverlies. Daar zat hij echt op te wachten.

Stil had hij in het kantoor van de rector voor het raam gestaan.
Vandaag was er geen lichtkegel die door het vertrek schoof. Het regende. Opeens, heel plotseling, was hij woedend geworden. Het
was een hevige, grote woede, vermengd met de wanhoop over het

feit dat er geen reden was voor zijn woede. Heel langzaam begon hij te beseffen dat hij een ommekeer doormaakte, een opstand tegen de vreemdheid van de talen die hij zichzelf had opgelegd. Eerst leek die alleen voor het Portugees te gelden en ook een beetje voor het Frans en het Engels dat hij hier moest spreken. Maar toen moest hij zichzelf langzamerhand en met tegenzin bekennen dat de golven van zijn woede ook betrekking hadden op de oude talen, waarmee hij al meer dan veertig jaar leefde.

Hij schrok toen hij de kracht van zijn opstandigheid voelde. Elke vastigheid viel weg. Hij moest iets doen, iets beetpakken, hij sloot zijn ogen, ging op de Bubenbergplatz staan en benoemde de dingen die hij zag met hun Bernse naam. Hij praatte in dialect tegen de dingen en tegen zichzelf met langzame, eenvoudige zinnen. De aardbeving ging langzaam voorbij, hij had weer vaste grond onder de voeten. Maar de schrik echode nog na, hij ging die te lijf met de woede van iemand die is blootgesteld geweest aan een groot gevaar. En zo kwam het dat hij als een idioot door de gangen van het verlaten gebouw liep alsof het van het grootste belang was de geesten in de donkere gangen te bestrijden met woorden in Berns dialect.

Twee uur later, toen hij in de salon van Silveira's huis zat, dacht hij eraan terug als aan een nachtmerrie, als iets dat hij misschien alleen maar had gedroomd. Bij het lezen van Latijn en Grieks was er niets veranderd en toen hij de Portugese grammatica opensloeg, was alles er gewoon weer en hij maakte goede vorderingen bij de regels voor de aanvoegende wijs. Alleen de beelden uit de droom herinnerden hem er nog aan dat in hem iets in opstand was gekomen.

Toen hij in zijn stoel heel even indutte, zat hij als de scholier die hij ooit was geweest in een enorm klaslokaal en verweerde zich, pratend in dialect, tegen vragen van iemand die hij niet kon zien, in een vreemde taal aan hem stelde. Hij werd wakker met zweetplekken in zijn overhemd, nam een douche en ging op weg naar Adriana.

Clotilde had hem verteld dat Adriana aan het veranderen was sinds mét de tikkende klok in de salon de tijd, en daarmee het heden, was teruggekeerd in het blauwe huis. Gregorius had Clotilde in de tram ontmoet toen hij van het liceu kwam.

'Het komt voor,' had ze gezegd, en ze had de woorden geduldig herhaald als hij haar niet begreep, 'dat ze bij de klok haar pas inhoudt alsof ze hem weer stil wil zetten. Maar dan loopt ze door en haar gang is sneller en zelfbewuster geworden. Ze staat vroeger op. Het is alsof ze de dag niet meer zomaar… ja, niet meer zomaar wil laten passeren.'

Ze at ook meer, en ze had Clotilde een keer gevraagd een wandeling met haar te maken.

Toen de deur van het blauwe huis openging, beleefde Gregorius een verrassing. Adriana was niet in het zwart gekleed. Alleen de zwarte band over het litteken in haar hals was gebleven. Haar rok en haar jasje waren van lichtgrijze stof met fijne blauwe strepen en ze had een stralend witte bloes aangetrokken. De zweem van een glimlach verried dat ze genoot van het verblufte gezicht van Gregorius.

Hij gaf haar de brieven aan vader en zoon terug.

'Is het niet idioot?' zei ze. 'Die sprakeloosheid. *Éducation sentimentale,* zei Amadeu altijd, zou ons vooral moeten inwijden in de kunst gevoelens te uiten en zou ons moeten laten ervaren dat die gevoelens door woorden rijker worden. Wat is hem dat bij papá toch slecht gelukt!' Ze sloeg haar ogen neer. 'En bij mij ook!'

Hij wilde graag de notities lezen op de papiertjes die op het bureau van Amadeu lagen, zei Gregorius. Toen ze de kamer op de zolderverdieping betraden, stond Gregorius een nieuwe verrassing te wachten: de stoel stond niet meer schuin voor het bureau. Na dertig jaar was het Adriana gelukt hem te onttrekken aan het gestolde verleden en hem recht te zetten, zodat het nu niet meer was alsof haar broer er zo-even van was opgestaan. Toen hij haar aankeek had ze haar ogen weer neergeslagen en haar handen in de zakken van haar jasje gestoken, een toegewijde oude vrouw die tegelijkertijd een schoolmeisje was dat een moeilijke opgave had voltooid en nu met beschaamde trots op lof wachtte. Gregorius legde heel even zijn hand op haar schouder.

Het blauwe porseleinen kopje op het koperen dienblad was afgewassen, de asbak geleegd. Alleen de kandijsuiker zat nog in de suikerpot. Adriana had de dop op de oeroude vulpen geschroefd en nu deed ze de bureaulamp met de smaragdgroene kap aan. Ze trok de bureaustoel achteruit en nodigde Gregorius met een handgebaar waarin nog iets van een aarzeling zat, uit om plaats te nemen.

Het reusachtige, in het midden opengeslagen boek van vroeger lag nog steeds op de leesstandaard, en ook de stapel schrijfpapier lag er nog. Na een vragende blik naar Adriana tilde hij het boek op om de titel en de naam van de auteur te kunnen lezen. João de Lousada de Ledesma, *O mar tenebroso, De donkere, angstaanjagende zee.* Grote gekalligrafeerde letters, kopergravures van kusten, gewassen tekeningen met zeelui erop. Weer keek Gregorius Adriana aan.

'Ik weet het niet,' zei ze. 'Ik weet niet waarom hem dat plotseling interesseerde, maar hij was helemaal verzot op boeken die over de angst gingen die de mensen in de Middeleeuwen hadden gevoeld als ze op het meest westelijke punt van Europa meenden te staan en zich afvroegen wat er zou zijn aan de andere kant van de eindeloos lijkende zee.'

Gregorius trok het boek naar zich toe en las een Spaans citaat: *Más allá no hay nada más que las aguas del mar, cuyo término nadie más que Dios conoce.* Aan de andere kant ervan is er niets meer behalve het water van de zee, waarvan niemand behalve God de grens kent.

'Cabo Finisterre,' zei Adriana, 'in Galicië. De meest westelijke punt van Spanje. Daar was hij bezeten van. Het einde van de wereld van destijds. "Maar bij ons in Portugal is er een punt dat nog verder naar het westen ligt, waarom dan Spanje," zei ik en wees het hem aan op de kaart. Maar hij wilde er niets van weten en had het altijd over Finisterre, het leek op een idée fixe. Hij had een jachtige, koortsige uitdrukking op zijn gezicht als hij erover sprak.'

SOLIDÃO, EENZAAMHEID, stond boven aan het blad waarop Prado het laatst had geschreven. Adriana had de blik van Gregorius gevolgd.

'In zijn laatste jaar klaagde hij er vaak over dat hij niet begreep waar de eenzaamheid, waar we allemaal zo bang voor zijn, eigenlijk uit bestond. "Wat is het toch dat wij eenzaamheid noemen," zei hij, "het kan niet gewoon de afwezigheid van de anderen zijn, je kunt alleen zijn en helemaal niet eenzaam en je kunt onder mensen zijn en toch eenzaam, wat is het dan toch?" Het hield hem voortdurend bezig dat we te midden van een grote groep mensen toch eenzaam konden zijn. "Goed," zei hij, "het gaat er niet alleen maar om dat er andere mensen zijn, dat ze de ruimte om ons heen opvullen. Maar ook als ze een feest voor ons aanrichten of ons in een vriendschappelijk gesprek raad geven, een verstandige, goed doordachte raad: zelfs dan kan het voorkomen dat we eenzaam zijn. Eenzaamheid is dus niet iets dat simpelweg met de aanwezigheid van de anderen te maken heeft en ook niet met wat ze doen. Maar waarmee dan? Waarmee dan in vredesnaam?"

Over Fátima en zijn gevoelens voor haar sprak hij met mij niet, intimiteit is ons laatste heiligdom, zei hij vaak. Maar één keer liet hij zich ertoe verleiden iets over haar te zeggen. "Ik lig naast haar, ik hoor haar adem, ik voel haar warmte – en ik ben verschrikkelijk eenzaam," zei hij. "Wat is dat toch? WAT?"

Solidão por proscrição, eenzaamheid door uitstoting, had Prado geschreven. *Wanneer de anderen ons hun genegenheid, achting en erkenning onthouden: waarom kunnen we dan niet gewoon tegen hen zeggen: "Ik heb dat allemaal niet nodig, ik heb genoeg aan mijzelf"? Is het niet een afschuwelijke vorm van onvrijheid dat we dat niet kunnen? Maakt het ons niet tot slaven van de anderen? Welke gevoelens kun je ertegen inbrengen als barrière, als bolwerk? Van welke aard zou de innerlijke vrijheid moeten zijn?*

Gregorius boog zich over het bureau heen en las de verbleekte woorden op de briefjes op de muur.

Chantage door vertrouwen. 'De patiënten vertrouwden hem de intiemste dingen toe en ook de gevaarlijkste,' zei Adriana. 'In politieke zin gevaarlijk, bedoel ik. En dan verwachtten ze van hem dat hij ook iets prijsgaf. Om zich niet naakt te hoeven voelen. Hij haatte dat. Hij haatte het uit de grond van zijn hart. "Ik wil niet dat iemand wat dan ook van mij verwacht," zei hij dan en stampte op de grond. "En waarom heb ik er zo vervloekt veel moeite mee grenzen aan mijzelf te stellen?" "Mamã," voelde ik de verleiding te zeggen, maar ik zei het niet. Hij wist het zelf.'

De gevaarlijke deugd van het geduld. 'Patiência. Hij ontwikkelde in de laatste jaren van zijn leven een ware allergie tegen dat woord, zijn gezicht vertrok ogenblikkelijk als iemand over geduld begon. "Dat is niets anders dan de algemeen geaccepteerde manier zichzelf mis te lopen," zei hij geïrriteerd. "Angst voor de fonteinen die in ons zouden kunnen opspuiten." Ik begreep het pas echt toen ik over het aneurysma hoorde.'

Op het laatste briefje stond meer dan op de andere. *Wanneer de branding van de ziel onstuitbaar is en machtiger dan wij: waarom dan lof en afkeuring? Waarom niet gewoon 'Geluk gehad' en 'Pech gehad'? En ze is machtiger dan wij, die branding; dat is ze áltijd.*

'Vroeger zat de hele muur vol met papiertjes,' zei Adriana. 'Hij schreef voortdurend iets op en prikte het op de muur. Tot hij die onzalige reis naar Spanje maakte, anderhalf jaar voor zijn dood. Daarna greep hij nog maar zelden naar de pen, vaak zat hij hier aan het bureau alleen wat voor zich uit te staren.'

Gregorius wachtte. Af en toe wierp hij haar een blik toe. Ze zat in de leunstoel naast de stapels boeken op de grond, waaraan ze niets had veranderd, nog steeds lag op een van de stapels het grote boek met de afbeelding van de hersenen. Ze vouwde haar handen met de donkere aderen, haalde ze weer uit elkaar, vouwde ze opnieuw. Haar gezicht veranderde voortdurend van uitdrukking. Haar verzet tegen de herinnering leek de overhand te krijgen.

Hij zou over die tijd graag ook iets te weten komen, zei Gregorius. 'Om hem nog beter te begrijpen.'

'Ik weet niets,' zei ze en verviel daarna weer tot zwijgen. Toen ze opnieuw begon te spreken, leken de woorden van heel ver weg te komen.

'Ik meende hem te kennen. Ja, ik had kunnen zeggen: ik ken hem, ik ken hem vanbinnen en vanbuiten, tenslotte zag ik hem vele jaren lang elke dag en hoorde hem spreken over zijn gedachten en gevoelens, zelfs over zijn dromen. Maar toen kwam hij thuis na die bijeenkomst, dat was twee jaar voor zijn dood, in december zou hij eenenvijftig worden. Het was zo'n bijeenkomst waar ook João was, João nog wat. De man die hem geen goeddeed. Jorge was er ook, geloof ik, Jorge O'Kelly, zijn heilige vriend. Ik had liever gehad dat hij nooit naar die ontmoetingen was gegaan. Ze deden hem geen goed.'

'Daar kwamen mensen van het verzet bijeen,' zei Gregorius.

'Amadeu werkte voor het verzet, dat moet u toch hebben geweten. Hij wilde iets doen, iets doen tegen mensen als Mendes.'

'Resistência,' zei Adriana, en toen nog een keer: 'Resistência.' Ze sprak het woord uit alsof ze nog nooit iets had gehoord over het verzet en alsof ze weigerde te geloven dat zoiets kon bestaan.

Gregorius vervloekte het dat hij haar probeerde te dwingen de werkelijkheid onder ogen te zien, want heel even leek het alsof ze zou verstommen. Maar toen verdween de irritatie op haar gezicht, ze was weer bij haar broer in de nacht waarin hij was thuisgekomen na zo'n onzalige bijeenkomst.

'Hij had niet geslapen en droeg nog de kleren van de vorige avond toen ik hem 's ochtends vroeg in de keuken aantrof. Ik wist hoe het was als hij niet had geslapen. Maar deze keer was het anders. Hij leek niet geïrriteerd, ondanks de wallen onder zijn ogen. En hij deed iets wat hij anders nooit deed: hij zat met zijn stoel te wippen. Later, toen ik erover nadacht, zei ik tegen mijzelf: het is alsof hij aan een grote reis is begonnen. In de praktijk was hij ongebruikelijk snel met alles, de dingen gingen als vanzelf en elke keer als hij iets in de afvalbak wilde gooien, mikte hij goed.

Verliefd, zult u misschien denken, wees het er niet op dat hij verliefd was? Natuurlijk heb ik daar ook aan gedacht. Maar bij zo'n bijeenkomst waar alleen mannen kwamen? En hij was ook zo anders als destijds bij Fátima. Wilder, uitbundiger, heviger. Onbeheerst, zou je kunnen zeggen. Ik was er een beetje bang voor. Hij werd een vreemde voor me. Vooral nadat ik haar had gezien. Meteen toen ze de wachtkamer binnenkwam, voelde ik dat ze geen gewone patiënte was. Begin twintig, of midden twintig. Een merkwaardige mengeling van onschuldig schoolmeisje en vamp. Glanzende ogen, een Aziatische teint, een uitdagende manier van lopen. De mannen in de wachtkamer keken verstolen naar haar, de ogen van de vrouwen stonden op scherp.

Ik liet haar de spreekkamer binnen. Amadeu stond juist zijn handen te wassen. Hij draaide zich om alsof hij door de bliksem was getroffen. Zijn gezicht werd vuurrood. Toen had hij zichzelf weer onder controle.

"Adriana, dit is Estefânia," zei hij. "Wil je ons alsjeblieft even alleen laten, we moeten iets bespreken."

Dat was nooit eerder voorgekomen. In dat vertrek was nooit iets voorgevallen wat ik niet had mogen horen. Nóóit.

Ze kwam nog een paar keer, vier of vijf keer. Altijd stuurde hij me de kamer uit, sprak met haar en bracht haar dan naar de deur. Elke keer had hij een blozend gezicht en de rest van de dag was hij zenuwachtig en was hij onhandig met de injectienaald. Hij, die werd verafgood om zijn zekere hand. De laatste keer kwam ze niet naar het spreekuur maar belde hier boven aan, het was al bijna middernacht. Hij pakte zijn jas en ging naar beneden. Ik zag ze beiden de hoek omslaan, hij praatte heftig op haar in. Een uur later kwam hij terug, zijn haar zat in de war en hij had een vreemde geur aan zich.

Daarna bleef ze weg. Amadeu had absences. Alsof een onzichtbare kracht hem naar beneden trok. Hij was prikkelbaar en soms grof, ook tegen de patiënten. Het was de eerste keer dat ik dacht: hij houdt niet meer van zijn beroep, hij doet het ook niet meer goed, hij wil ervandoor.

Eén keer kwam ik Jorge tegen met het meisje. Hij had zijn arm om haar middel geslagen, ze leek dat niet op prijs te stellen. Ik voelde me onzeker, Jorge deed alsof hij me niet herkende en trok het meisje mee een zijstraat in. De verleiding was groot het aan Amadeu te vertellen. Ik deed het niet. Hij leed. Eén keer, op een avond waarop het heel erg was, vroeg hij me de Goldberg-variaties van Bach te spelen. Hij zat met gesloten ogen te luisteren en ik wist heel zeker dat hij aan haar dacht.

De schaakpartijen met Jorge, die tot het ritme van Amadeu's leven hadden gehoord, vonden niet meer plaats. De hele winter door kwam Jorge geen enkele keer bij ons op bezoek, ook met Kerstmis niet. Amadeu had het nooit over hem.

Op een van de eerste dagen in maart stond Jorge O'Kelly opeens voor de deur. Ik kon horen dat Amadeu opendeed.

"Zo, jij," zei hij.

"Ja, ik," zei Jorge.

Ze gingen naar de praktijk beneden, ik mocht niets horen van het gesprek. Ik deed de deur van de woonkamer open en spitste mijn oren. Ik hoorde niets, er werd niet luid gesproken. Later hoorde ik de huisdeur dichtslaan. O'Kelly, de kraag van zijn jas opge-

slagen, een sigaret tussen zijn lippen, verdween om de hoek. Stilte. Amadeu bleef heel lang weg. Ten slotte ging ik naar beneden.
Hij zat in het donker en verroerde zich niet.

"Laat me met rust," zei hij. "Ik wil niet praten."

Toen hij laat in de nacht naar boven kwam was hij bleek, stil en
totaal in de war. Ik durfde niet te vragen wat er aan de hand was.

De volgende dag bleef de praktijk gesloten. João kwam. Ik kreeg
niets te horen over het gesprek. Sinds dat meisje was opgedoken,
leefde Amadeu langs me heen, uit de uren die we samen in de praktijk doorbrachten, was het leven weggevloeid. Ik haatte dat mens,
met haar lange zwarte haar, haar wiegende heupen en haar korte
rok. Ik speelde geen piano meer. Ik telde niet meer mee. Het was…
het was zo vernederend.

Twee of drie dagen later, midden in de nacht, stonden João en
het meisje op de stoep.

"Ik wil graag dat Estefânia hier blijft," zei João.

Hij zei het op een manier die tegenspraak onmogelijk maakte.
Ik haatte hem en zijn autoritaire manier doen. Amadeu ging met
haar naar de praktijk, hij zei niets toen hij haar zag maar pakte de
verkeerde sleutel en liet de sleutelbos op de trap vallen. Hij maakte in de behandelkamer een plek voor haar om te slapen, ik heb
het later gezien.

Tegen de ochtend kwam hij naar boven, nam een douche en
maakte een ontbijt klaar. Het meisje zag er onuitgeslapen en angstig uit, ze droeg een soort overall en alles wat aan haar bekoorlijk
was, was verdwenen. Ik beheerste me, maakte nog een kan koffie
klaar en nog één voor de reis. Amadeu legde niets uit.

"Ik weet niet wanneer ik terugkom," zei hij. "Maak je geen zorgen."

Hij stopte wat spullen in een tas, stak een paar medicijnen in
zijn zak en toen gingen ze allebei de straat op. Tot mijn verbazing
haalde Amadeu autosleutels uit zijn zak en maakte een auto open
die er de dag ervoor nog niet had gestaan. Hij kan niet eens autorijden, dacht ik, maar toen ging het meisje achter het stuur zitten.
Dat was de laatste keer dat ik haar heb gezien.'

Adriana bleef stilzitten, haar handen in haar schoot, haar hoofd
tegen de rugleuning, haar ogen gesloten. Ze ademde snel, een re-

actie op de gebeurtenissen van destijds. De zwartfluwelen band rond haar hals was naar boven geschoven, Gregorius zag het litteken in haar hals, een lelijk, diepgegroefd litteken met een kleine puist in het midden die een beetje grijs was. Amadeu was schrijlings op haar schoot gaan zitten. Ik moet het doen, had hij gezegd, anders ga je dood. Haal je handen weg. Vertrouw me. Toen had hij toegestoten. En een half leven later had Adriana gezien hoe hij naast een jonge vrouw in een auto was gaan zitten en zonder enige verklaring voor onbepaalde tijd was vertrokken.

Gregorius wachtte tot Adriana's ademhaling rustiger werd. Hoe het was toen Amadeu terugkwam, wilde hij toen weten.

'Ik stond toevallig voor het raam toen ik hem uit een taxi zag stappen. Alleen. Hij moest met de trein zijn teruggekomen. Er was een week voorbijgegaan. Hij sprak nooit over die tijd, toen niet en later ook niet. Hij had zich niet geschoren en zijn wangen waren ingevallen, al die dagen had hij nauwelijks iets gegeten. Hij had zo'n grote honger dat hij alles gulzig opat wat ik hem voorzette. Toen ging hij naar bed en sliep een dag en een nacht, hij had een slaapmiddel genomen, ik vond later de verpakking.

Hij waste zijn haar, schoor zich en kleedde zich netjes aan. In de tussentijd had ik de praktijk grondig schoongemaakt.

"Alles glimt," zei hij en probeerde te glimlachen. "Bedankt, Adriana. Als ik jou niet had."

We lieten de patiënten weten dat de praktijk weer open was en een uur later zat de wachtkamer vol. Amadeu was trager dan anders, misschien was het de nawerking van het slaapmiddel, misschien was het een aankondiging van zijn ziekte. De patiënten merkten dat hij anders was dan normaal en keken hem onzeker aan. Halverwege de middag wilde hij een kop koffie, dat had ik nog nooit meegemaakt.

Twee dagen later kreeg hij koorts en razende hoofdpijn. Geen enkel medicijn hielp.

"Geen reden voor paniek," stelde hij me gerust, zijn handen tegen zijn slapen, "het lichaam is nu eenmaal ook de geest."

Maar als ik hem heimelijk observeerde, zag ik de angst, hij moet aan het aneurysma hebben gedacht. Hij vroeg me de muziek van Berlioz op te leggen, de muziek van Fátima.

"Afzetten!" schreeuwde hij na een paar maten. "Meteen afzetten!"

Misschien was het de hoofdpijn, misschien voelde hij ook dat hij na het meisje niet zomaar kon terugkeren naar Fátima.

Toen werd João opgepakt, we hoorden het van een patiënt. Amadeu's hoofdpijn werd zo erg dat hij hier boven als een idioot heen en weer liep, beide handen tegen zijn hoofd. In een oog was een adertje gesprongen, het bloed kleurde zijn oog dieprood, hij zag er afschuwelijk uit, wanhopig en een beetje verlopen. Of hij Jorge er niet bij moest halen, vroeg ik in mijn radeloosheid.

"Wáág het eens!" schreeuwde hij.

Hij en Jorge ontmoetten elkaar pas een jaar later weer, een paar maanden voor Amadeu's dood. In dat jaar veranderde Amadeu. Na een week of drie verdwenen de koorts en de hoofdpijn. Ze lieten mijn broer achter als een man die leed onder een grote melancholie. *Melancolia* – hij hield al als kleine jongen van dat woord en later las hij er boeken over. In een van die boeken stond dat het om een typisch moderne ervaring ging. "Onzin!" mopperde hij. Hij beschouwde melancholie als een tijdloze ervaring en was van mening dat melancholie een van de kostbaarste dingen was die de mens kende.

"Omdat de broosheid van mensen erin wordt getoond," zei hij.

Het was niet ongevaarlijk. Natuurlijk wist hij dat melancholie en ziekelijke zwaarmoedigheid niet hetzelfde zijn. Maar als hij een zwaarmoedige patiënte tegenover zich had, aarzelde hij vaak veel te lang voordat hij haar naar een psychiater stuurde. Hij praatte met zulke patiënten alsof het om melancholie ging en had de neiging de toestand van zulke mensen te verklaren en ze te bruuskeren met zijn merkwaardige enthousiasme voor hun lijden. Na de reis met het meisje werd dat nog erger en soms kwam zijn optreden in de buurt van grove nalatigheid.

Als het om lichamelijke zaken ging, waren zijn diagnoses tot het laatst toe altijd juist. Maar hij was een getekend man en als hij met een patiënt te maken had die het hem persoonlijk moeilijk maakte, was hij daar vaak niet meer tegen opgewassen. Tegenover vrouwen was hij plotseling heel bevangen en hij verwees ze sneller dan vroeger naar een specialist.

Wat er ook mag zijn gebeurd tijdens die reis: het heeft hem meer in de war gebracht dan wat ook, zelfs meer dan de dood van Fátima. Het leek alsof er een tektonische beving had plaatsgevonden die de diepste lagen gesteente van zijn ziel had verschoven. Alles wat op die steenlagen rustte was gaan wankelen en kwam bij de minste of geringste windvlaag in beweging. De hele sfeer in het huis veranderde. Ik moest hem afschermen en beschermen alsof we in een sanatorium leefden. Het was afschuwelijk.'

Adriana veegde een traan uit haar oog.

'En wat heerlijk, hij behoorde... hij behoorde mij weer toe. Of zou mij hebben toebehoord als niet op een avond Jorge op de stoep had gestaan.'

O'Kelly had een schaakbord en handgesneden stukken uit Bali bij zich.

'"Het is langgeleden dat we hebben gespeeld," zei hij. "Te lang. Veel te lang."'

De eerste keer dat ze speelden werd er weinig gesproken. Adriana bracht thee.

'Het was een gespannen zwijgen,' zei ze. 'Niet vijandig, maar gespannen. Ze zochten elkaar. Ze zochten naar de mogelijkheid weer vrienden te zijn.'

Af en toe waagden ze een grapje of een bepaalde uitdrukking uit hun schooltijd. Dat mislukte, hun lachen verstomde al voordat het de weg naar hun gezicht had gevonden. Een maand voor Prado's dood gingen ze na de partij naar de praktijk beneden. Het werd een gesprek dat tot diep in de nacht duurde. Adriana stond al die tijd in de deuropening van het huis.

'De deur van de praktijk ging open, ze kwamen naar buiten. Amadeu maakte geen licht en het licht van de praktijkdeur wierp een zwak schijnsel in de gang. Ze liepen langzaam, bijna als in een vertraagde film. De afstand die ze hielden tot elkaar leek mij onnatuurlijk groot. Toen was het voorbij, ze stonden voor de huisdeur.

"Goed dan," zei Amadeu.

"Ja," zei Jorge.

En toen vielen... ja, toen vielen ze tegen elkaar aan, ik weet niet hoe ik het beter kan uitdrukken. Waarschijnlijk was het zo dat ze elkaar wilden omhelzen, voor de laatste keer, en toen leek die al ingezette beweging onmogelijk, maar kon niet meer worden gestopt, ze liepen struikelend naar elkaar toe, zochten elkaar met hun handen, onbeholpen als blinden, ze botsten met hun hoofd tegen de schouder van de ander, toen richtten ze zich op, trokken zich terug en wisten niet wat ze met hun armen en handen moesten beginnen. Eén, twee seconden afschuwelijke verlegenheid, toen trok Jorge de deur open en stormde naar buiten. De deur viel in het slot. Amadeu draaide zich om naar de muur, legde zijn voorhoofd ertegen en begon te snikken. Het waren diepe, rauwe, bijna animale geluiden die gepaard gingen met hevige schokken in zijn hele lichaam. Ik weet nog dat ik dacht: hoe diep heeft Jorge niet in hem gezeten, zijn hele leven lang! En hij zal daar binnen blijven, ook na dit afscheid. Het was de laatste keer dat ze elkaar hebben ontmoet.'

Prado's slapeloosheid werd nog erger dan anders. Hij klaagde over duizelingen en moest pauzes houden tussen de patiënten door. Hij vroeg Adriana de Goldberg-variaties te spelen. Twee keer ging hij naar het liceu en kwam terug met een gezicht waaraan je kon zien dat hij had gehuild. Bij de begrafenis hoorde Adriana van Mélodie dat ze hem uit een kerk had zien komen.

Er waren een paar dagen waarop hij weer naar de pen greep. Op zulke dagen at hij niets. Op de avond voor zijn dood klaagde hij over hoofdpijn. Adriana bleef bij hem tot het slaapmiddel zijn werk begon te doen. Toen ze bij hem wegging leek het alsof hij in slaap zou vallen. Maar toen ze om vijf uur in de ochtend naar hem ging kijken, was zijn bed leeg. Hij was op weg gegaan naar de Rua Augusta, waar hij een uur later ineenstortte. Om zes uur drieëntwintig werd Adriana op de hoogte gesteld. Toen ze later thuiskwam, zette ze de wijzer van de klok terug en bracht de pendel tot stilstand.

37 *Solidão por proscrição*, eenzaamheid door uitsluiting, daarmee had Prado zich op het laatst beziggehouden. Dat we zijn aangewezen op de achting en de genegenheid van de anderen en dat ons dat van hen afhankelijk maakt. Hoe lang was de weg die hij had afgelegd! Gregorius zat in de salon van Silveira en las opnieuw de vroege aantekening over eenzaamheid die Adriana in het boek had opgenomen.

SOLIDÃO FURIOSA. WOEDENDE EENZAAMHEID.

Is het zo dat alles wat we doen uit eenzaamheid wordt gedaan? Is het om die reden dat we afzien van alle dingen waarvan we aan het eind van ons leven berouw hebben? Is dat de reden waarom we zo zelden zeggen wat we denken? Waarom anders houden we vast aan al die ontwrichte huwelijken, leugenachtige vriendschappen, saaie verjaardagsdiners? Wat zou er gebeuren als we al die dingen zouden opgeven, een eind zouden maken aan de sluipende chantage en voor onszelf zouden kiezen? Als we onze onderdrukte wensen en onze woede over de slavernij waaronder we lijden vrijuit zouden uiten? Want de gevreesde eenzaamheid – waaruit bestaat die eigenlijk? Uit de stilte van de verwijten die we dan niet te horen zouden krijgen? Uit de niet meer aanwezige noodzaak met ingehouden adem stilletjes over het mijnenveld van echtelijke leugens en amicale halve waarheden heen te stappen? Uit de vrijheid bij het eten niet tegenover iemand te moeten zitten? Uit de enorme hoeveelheid tijd waarover we komen te beschikken als het spervuur van afspraken is opgehouden? Zijn dat geen heerlijke dingen? Is dat geen paradijselijke toestand? Waarom zijn we er dan zo bang voor? Is het in laatste instantie een angst die alleen bestaat omdat we nog nooit hebben nagedacht over de aard ervan? Een angst die ons is aangepraat door gedachteloze ouders, leraren en priesters? En waarom zijn we er eigenlijk zo zeker van dat de anderen ons niet zouden benijden als ze zouden zien hoe groot onze vrijheid is geworden? En dat ze dan niet ons gezelschap zouden opzoeken?

Toen hij dat schreef wist hij nog niets van de ijskoude wind van de uitsluiting die hij later twee keer mee zou maken: toen hij Mendes redde en toen hij Estefânia Espinhosa het land uit hielp. Die vroege aantekeningen lieten hem zien als een beeldenstormer die niet schroomde te denken wat hij wilde, als iemand die er geen been in zag voor een gezelschap van leraren, waartoe ook priesters

315

behoorden, een godslasterlijke toespraak te houden. Destijds had hij geschreven vanuit de geborgenheid die de vriendschap met Jorge hem had geboden. Die geborgenheid, dacht Gregorius, moest hem hebben geholpen zich over het spuug heen te zetten dat over zijn gezicht was gelopen toen de opgewonden menigte voor hem stond. En toen was die geborgenheid weggevallen. De problemen waar het leven ons mee confronteert zijn domweg te talrijk en te groot dan dat onze gevoelens ze onaangetast zouden kunnen overleven, had hij al tijdens zijn studie in Coimbra gezegd. Hij had het uitgerekend tegen Jorge gezegd.

Nu was zijn helderziende voorspelling bewaarheid en was hij achtergebleven in de ijzige kou van een ondraaglijke isolatie waaraan ook de goede zorg van zijn zuster niets kon veranderen. De loyaliteit, die hij als de reddingsboei tegen de getijden der gevoelens had beschouwd – ook die was kwetsbaar gebleken. Hij was nooit meer naar een samenkomst van het verzet gegaan, had Adriana verteld. Alleen João Eça ging hij opzoeken in de gevangenis. De toestemming die hij daarvoor kreeg was het enige blijk van dankbaarheid dat hij van Mendes accepteerde. "Zijn handen, Adriana," had hij gezegd toen hij terugkwam, "zijn handen. Die hebben ooit Schubert gespeeld."

Hij had haar verboden de praktijkvertrekken te luchten om de sigarettenrook van het laatste bezoek van Jorge te verwijderen. De patiënten klaagden erover, de ramen bleven dagenlang dicht. Hij zoog de verschaalde lucht in zich op als een herinneringsroes. Toen het luchten niet meer kon worden uitgesteld, zat hij in elkaar gedoken op een stoel en was het alsof met de rook ook zijn energie de kamer verliet.

'Komt u mee,' had Adriana tegen Gregorius gezegd, 'ik wil u iets laten zien.'

Ze waren naar beneden gegaan, naar de praktijk. In een hoek lag een klein kleed op de vloer. Adriana duwde het met haar voet opzij. Het cement was kapot en een van de grote tegels lag los. Adriana was op haar knieën gaan liggen en had de tegel gelicht. Onder de tegel was in de vloer een uitsparing gemaakt waarin een dichtgeklapt schaakbord lag en een doos. Adriana maakte de doos open en liet Gregorius de met de hand gemaakte houten figuren zien.

Gregorius kreeg geen lucht meer, hij zette een raam open en zoog de koele avondlucht naar binnen. Hij werd duizelig en moest zich vasthouden aan de vensterbank.

'Ik betrapte hem toen hij daarmee bezig was,' zei Adriana. Ze had de tegel weer op het gat gelegd en was naast Gregorius gaan zitten.

'Hij werd vuurrood. "Ik wilde alleen…" begon hij. "Geneer je maar niet," zei ik. Die avond was hij radeloos en kwetsbaar als een klein kind. Natuurlijk zag het eruit als een graf voor het schaakspel, een graf voor Jorge, voor hun vriendschap. Maar zo had hij het helemaal niet ervaren, kwam ik te weten. Het was veel gecompliceerder. En op een bepaalde manier ook hoopvoller. Hij had het spel niet willen begraven. Hij wilde het alleen over de grenzen van zijn wereld heen schuiven zonder het te vernietigen, en hij wilde de zekerheid hebben dat hij het elk moment weer te voorschijn kon halen. Zijn wereld was nu een wereld zonder Jorge. Maar Jorge bestond nog wel. Hij *was* er nog. "Nu hij er niet meer is, is het alsof ik er ook niet meer ben," had hij eerder eens gezegd.

Daarna was zijn zelfbewustzijn dagenlang zoek en tegenover mij was hij bijna onderdanig. "Wat een kitsch, dat gedoe met het spel," kon hij uiteindelijk uitbrengen, toen ik hem ter verantwoording riep.'

Gregorius had aan de woorden van O'Kelly gedacht: 'Hij had een neiging tot pathos, hij wilde er niets van weten, maar hij wist het en daarom trok hij bij elke gelegenheid die zich voordeed ten strijde tegen de kitsch en dan kon hij erg onredelijk worden, verschrikkelijk onredelijk.'

Nu, in de salon van Silveira, las hij nog eens de aantekening over kitsch in het boek van Prado:

Kitsch is de meest verraderlijke van alle gevangenissen. De tralies zijn met het goud van simpele, onechte gevoelens bekleed zodat je ze voor de zuilen van een paleis houdt.

Adriana had hem een stapel papieren meegegeven, een van de stapels die op Prado's bureau hadden gelegen, tussen kartonnen omslagen en met een rood lint bijeengehouden. 'Dat zijn dingen die niet in het boek terecht zijn gekomen. De wereld hoeft daar niets van te weten,' had ze gezegd.

Gregorius maakte het lint los, haalde het stuk karton eraf en las:

Jorges schaakspel. De manier waarop hij het me aanreikte. Zo kan alleen hij het. Ik ken niemand die zo dwingend *kan zijn. Toch zou ik de dwang die hij soms uitoefent voor geen goud willen missen. Evenmin als zijn dwingende zetten op het bord. Wat wilde hij goedmaken? Is het wel juist om te zeggen: hij wilde iets goedmaken? Hij zei niet: 'Je hebt me destijds in verband met Estefânia verkeerd begrepen.' Hij zei: 'Ik heb destijds gedacht dat we over alles konden praten, over alles wat in ons hoofd opkwam. Zo zijn we altijd met elkaar omgegaan, weet je dat niet meer?' Na die woorden heb ik een paar seconden, een paar seconden maar, gedacht dat het weer goed zou komen tussen ons. Het was een warm, heerlijk gevoel. Maar het verdween weer. Zijn reusachtige neus, de kringen onder zijn ogen, zijn bruine tanden. Vroeger had dat gezicht in mij gezeten, als een deel van mij. Nu bleef het buiten, vreemder dan het gezicht van een vreemdeling die nooit in me heeft gezeten. Ik voelde zoveel pijn in mijn borst, zoveel pijn.*

Waarom zou het kitsch zijn wat ik met het spel heb gedaan? Eigenlijk was het een simpel, oprecht gebaar. En ik heb het helemaal voor mij alleen gedaan, niet voor een publiek. Als iemand iets helemaal alleen voor zichzelf zou doen en hij zou, zonder dat hij het wist, worden gezien door een miljoen mensen die in schamper gelach zouden uitbarsten omdat ze het kitsch vonden: hoe zouden we oordelen?

Toen Gregorius een uur later op de schaakclub arriveerde, was O'Kelly juist in een ingewikkeld eindspel verwikkeld. Ook Pedro was er, de man met de epileptische ogen en de eeuwige snotneus, die Gregorius aan het verloren toernooi in Moutier herinnerde. Er was geen bord vrij.

'Kom hier maar zitten,' zei O'Kelly en hij trok een lege stoel bij de tafel.

De hele tijd op weg naar de club had Gregorius zich afgevraagd wat hij ervan verwachtte. Wat hij wilde van O'Kelly. Terwijl het duidelijk genoeg was dat hij hem onmogelijk kon vragen hoe het destijds was geweest met Estefânia Espinhosa en of hij haar werkelijk had willen opofferen. Hij had er geen antwoord op gevonden maar had ook niet om kunnen draaien.

Nu, met de rook van zijn sigaret in zijn gezicht, wist hij plotseling: hij had zich er nog één keer van willen vergewissen hoe het was om naast de man te zitten die Prado zijn hele leven lang in zich mee had gedragen, naast de man die Prado, zoals pater Bartolomeu had gezegd, nodig had gehad om *heel* te zijn. Naast de man van wie hij met alle plezier had verloren en aan wie hij een hele apotheek cadeau had gedaan zonder dankbaarheid te verwachten. Naast de man die als eerste hard had gelachen toen de blaffende hond de pijnlijke stilte na de schandaleuze toespraak had verbroken.

'Nu wij?' vroeg O'Kelly nadat hij het eindspel had gewonnen en afscheid had genomen van zijn partner.

Zo had Gregorius nog nooit tegen iemand gespeeld. Op een manier die niet om de partij maar om de aanwezigheid van de ander ging. Enkel en alleen om zijn aanwezigheid. Om de vraag hoe het geweest moest zijn, iemand te zijn wiens leven vervuld was door deze man, wiens gele nicotinevingers met de zwarte nagels de stukken met genadeloze precisie in stelling brachten.

'Wat ik u onlangs heb verteld, ik bedoel over Amadeu en mij: vergeet het.'

O'Kelly keek Gregorius met een blik aan waarin zowel verlegenheid stond als de bereidheid alles weg te gooien.

'Het kwam door de wijn. Het was allemaal heel anders.'

Gregorius knikte en hoopte dat zijn respect voor die diepe en gecompliceerde vriendschap op zijn gezicht te lezen stond. Prado had zich immers afgevraagd, zei hij, of de ziel eigenlijk wel een domein van feiten was of dat de vermeende feiten slechts de bedrieglijke schaduwen van onze verhalen zijn die wij over anderen en over onszelf vertellen.

Ja, zei O'Kelly, dat was iets wat Amadeu zijn hele leven lang had beziggehouden. Het ging er, had Amadeu wel eens gezegd, in het innerlijk van een mens veel gecompliceerder aan toe dan onze schematische, slordige verklaringen ons willen wijsmaken. "Het is allemaal veel gecompliceerder. Het is op elk moment veel gecompliceerder. 'Ze trouwden omdat ze van elkaar hielden en het leven wilden delen.' 'Ze stal omdat ze geld nodig had.' 'Hij loog omdat hij niet wilde kwetsen.' Wat een belachelijke verhalen zijn dat! We zijn gelaagde wezens, wezens vol onmetelijk diepe plekken, met een ziel van ongrijpbaar kwikzilver, met een gemoedsgesteldheid waarvan kleur en vorm veranderen als in een caleidoscoop die voortdurend wordt rondgedraaid."

Dat klonk, had hij, Jorge, ertegen ingebracht, alsof er dus in verband met de ziel toch sprake was van feiten, maar wel erg gecompliceerde feiten.

Nee, nee, had Amadeu geprotesteerd, we kunnen onze verklaringen tot in het oneindige verfijnen en zouden het toch helemaal verkeerd hebben. "En het verkeerde was nu juist de veronderstelling dat er waarheden te ontdekken vielen. De ziel, Jorge, is puur een bedenksel, ons meest geniale bedenksel, en de genialiteit ervan zit in de suggestie, de overweldigend plausibele suggestie, dat er aan de ziel iets te ontdekken valt alsof het om een deel van de echte wereld gaat. De waarheid, Jorge, is heel anders: we hebben de ziel uitgevonden om een gespreksonderwerp te hebben, iets waarover we kunnen praten als we elkaar tegenkomen. Stel je voor dat we niet over de ziel konden praten: wat zouden we dan met elkaar moeten beginnen? Het zou een ramp zijn!"

'Hij kon er helemaal van in vuur en vlam raken, dan gloeide hij helemaal, en als hij aan me zag dat ik van zijn opwinding genoot, zei hij: "Weet je, het denken is het op één na mooiste. Het mooiste is de poëzie. Als het poëtische denken zou bestaan en de denkende poëzie – dat zou het paradijs zijn." Toen hij later met zijn aantekeningen begon, was dat, geloof ik, een poging zich een weg naar dat paradijs te banen.'

O'Kelly's ogen waren vochtig geworden. Hij zag niet dat zijn dame in gevaar was. Gregorius deed een onbelangrijke zet. Ze waren de laatsten in het vertrek.

'Eén keer werd dat denkspelletje bittere ernst. Het gaat u niets aan waar het om ging, dat gaat níémand iets aan.'

Hij beet zich op de lippen.

'Ook João ginds in Cacilhas niet.'

Hij trok aan zijn sigaret en hoestte.

'"Je houdt jezelf voor de gek," zei hij tegen me, "je wilde het om een andere reden dan die je voor jezelf in elkaar hebt geflanst."

Dat waren zijn woorden, zijn vervloekte, kwetsende woorden: die je voor jezelf in elkaar hebt geflanst. Kunt u zich voorstellen hoe het is als een vriend, je grote vriend, zoiets zegt?

"Hoezo denk jij dat te weten," schreeuwde ik tegen hem. "Ik denk dat er niets waars of verkeerds aan is, of denk je er inmiddels anders over?"'

Op het ongeschoren gezicht van O'Kelly zaten rode vlekken.

'Weet u, ik geloofde er destijds gewoon in dat we over alles konden praten wat in ons opkwam. Alles. Romantisch, verdomde romantisch, dat weet ik. Maar zo was het tussen ons, meer dan veertig jaar lang. Sinds de dag dat hij in zijn dure geklede jas en zonder schooltas in de klas verscheen.

Híj was immers degene die voor geen enkele gedachte terugschrok. Híj was het immers die voor een gehoor van priesters over het stervende woord van God had willen spreken. En toen ik eindelijk een keer een – dat moet ik toegeven – verschrikkelijke gedachte wilde uitproberen, toen merkte ik dat ik hem en onze vriendschap had overschat. Hij keek me aan alsof ik een monster was. Anders kende hij precies het verschil tussen een gedachte die je alleen maar wilde uitproberen en een gedachte die werkelijk ergens toe leidt. Híj was het die me dat verschil, dat bevrijdende verschil, had geleerd. En plotseling wist hij daar niets meer van. Al het bloed was uit zijn gezicht verdwenen. In die ene fractie van een seconde was het meest verschrikkelijke gebeurd: onze levenslange wederzijdse genegenheid was omgeslagen in haat. Dat was het moment, het afschuwelijke moment waarop we elkaar zijn kwijtgeraakt.'

Gregorius wilde dat O'Kelly de partij zou winnen. Hij wilde dat O'Kelly hem met een paar dwingende zetten schaakmat zette. Maar Jorge kwam niet meer in het spel en Gregorius zorgde toen maar voor remise.

'Onbegrensde openheid is gewoon niet mogelijk,' zei Jorge toen ze elkaar op straat een hand gaven. 'Die gaat onze krachten te boven. Eenzaamheid ten gevolge van de noodzaak te zwijgen, ook dat bestaat.'

Hij blies rook uit.

'Het is allemaal al langgeleden, meer dan dertig jaar. Alsof het gisteren was. Ik ben blij dat ik de apotheek heb behouden. Ik kan er in onze vriendschap wonen. En af en toe lukt het me te denken dat we elkaar niet zijn kwijtgeraakt. Dat hij gewoon is overleden.'

38 Al ruim een uur sloop Gregorius rond het huis van Maria João en vroeg zich af waarom zijn hart zo tekeerging. De grote platonische liefde van zijn leven, had Mélodie haar genoemd. Het zou me niet verbazen als hij haar niet één keer een kus heeft gegeven. Maar niemand, geen vrouw, kon aan haar tippen. Als er iemand was die al zijn geheimen kende, dan was het Maria João. In zekere zin wist alleen zij, zij alleen, wie hij was. En Jorge had gezegd dat ze de enige vrouw was geweest in wie Amadeu werkelijk vertrouwen had. Maria, lieve god, ja, Maria, had hij gezegd.

Toen ze de deur opendeed was voor Gregorius alles in één klap duidelijk. Ze hield een dampende beker koffie in haar ene hand en warmde haar andere hand eraan. De blik uit haar heldere bruine ogen was onderzoekend maar niet bedreigend. Ze was geen stralende vrouw. Ze was geen vrouw naar wie je op straat zou omkijken. Zo'n vrouw was ze ook niet in haar jonge jaren geweest. Maar Gregorius was nog nooit een vrouw tegengekomen die een zo onopvallende en toch volmaakte zekerheid en zelfstandigheid uitstraalde. Ze moest al over de tachtig zijn maar het zou je niet verbazen als ze nog met zekere hand haar beroep zou uitoefenen.

'Het hangt ervan af wat u wilt,' zei ze, toen Gregorius vroeg of hij binnen mocht komen. Hij wilde niet alweer op een stoep staan en zich legitimeren door het portret van Prado te laten zien. De rustige, open blik gaf hem de moed gewoon met de deur in huis te vallen.

'Ik houd me bezig met het leven en de aantekeningen van Amadeu de Prado,' zei hij in het Frans. 'Ik heb gehoord dat u hem hebt gekend. Dat u hem beter hebt gekend dan wie ook.'

Haar blik had de verwachting gewekt dat ze niet snel van haar

stuk gebracht kon worden. Nu gebeurde dat toch. Niet aan de oppervlakte. Ze leunde in haar donkerblauwe wollen jurk nog even
zeker en kalm tegen de deurpost als zo-even en met haar vrije hand
bleef ze langs de warme beker strijken, alleen een beetje langzamer. Maar ze knipperde nu sneller met haar wimpers en op haar
voorhoofd waren rimpels verschenen die op een concentratie
duidden die je nodig hebt als je met iets onverwachts wordt geconfronteerd dat consequenties kan hebben. Ze zei niets. Een paar
seconden lang sloot ze haar ogen. Toen had ze zichzelf weer in haar
macht.

'Ik weet niet of ik daarnaar terug wil,' zei ze. 'Maar het heeft ook
niet veel zin dat u hier buiten in de regen staat.'

De Franse woorden kwamen er zonder hapering uit en haar accent had de slaperige elegantie van een Portugese die moeiteloos
Frans spreekt zonder haar eigen taal ook maar een moment te verlaten.

Wie hij was, wilde ze weten, nadat ze een kop koffie voor hem
had neergezet, niet met de afgepaste bewegingen van een attente
gastvrouw maar met de nuchtere, ongeflatteerde beweging van iemand die de dingen doet die noodzakelijk zijn.

Gregorius vertelde over de Spaanse boekhandel in Bern en over
de passage die de boekhandelaar voor hem had vertaald. 'Van de
duizenden ervaringen die we opdoen, brengen we er hoogstens één
ter sprake,' citeerde hij. 'Onder al die verzwegen ervaringen zitten
ook die verborgen welke ons leven ongemerkt zijn vorm, zijn kleur
en zijn melodie geven.'

Maria João sloot haar ogen. Haar ruwe lippen, waarop nog iets
te zien was van een koortsblaar, begonnen bijna onmerkbaar te
trillen. Ze zakte een beetje dieper weg in haar stoel. Ze sloeg haar
handen om haar knie en liet die weer los. Nu wist ze niet waar ze
haar handen moest laten. Haar oogleden met de donkere adertjes
bewogen. Langzaam werd haar adem rustiger. Ze deed haar ogen
open.

'U hoorde die zinnen en toen bent u weggelopen uit de school,'
zei ze.

'Ik ben weggelopen uit de school en hoorde toen die zinnen,' zei
Gregorius.

Ze glimlachte. *Ze keek me aan en schonk me een glimlach die uit de uitgestrekte steppe van een wakker geleefd leven kwam,* had rechter Prado geschreven.

'Goed, maar het klopte. Het klopte zo goed dat u hem wilde leren kennen. Hoe bent u op mij gekomen?'

Toen Gregorius klaar was met zijn verhaal, keek ze hem aan. 'Ik wist niets van dat boek. Ik wil het graag zien.'

Ze sloeg het open, zag de foto en het was alsof een dubbele zwaartekracht haar in haar stoel drukte. Achter de dooraderde, bijna doorzichtige oogleden gingen haar oogbollen hevig tekeer. Ze nam een aanloop, deed haar ogen open en richtte haar blik vast op het portret. Langzaam streek ze er met haar gerimpelde hand overheen, één keer en toen nog een keer. Toen legde ze haar handen op haar knieën, stond op en ging de kamer uit.

Gregorius pakte het boek en bekeek de foto. Hij dacht aan het moment waarop hij in het café in de buurt van de Bubenbergplatz had gezeten en het voor het eerst had gezien. Hij dacht aan Prado's stem op de bandrecorder van Adriana.

'Nu ben ik daar dus toch naar teruggekeerd,' zei Maria João, toen ze weer in haar leunstoel zat. "Als het om de ziel gaat is er maar weinig wat we in de hand hebben." Dat zei hij vaak.'

Haar gezicht was weer rustig en ze had de losse slierten haar uit haar gezicht gekamd. Ze liet zich het boek geven en bekeek de foto.

'Amadeu.'

Uit haar mond klonk de naam heel anders dan uit de mond van anderen. Alsof het een heel andere naam was, die onmogelijk bij dezelfde man kon horen.

'Hij was zo wit en stil, zo vreselijk wit en stil. Misschien was het omdat hij zozeer taal was geweest. Ik kon, ik wilde niet geloven dat er nooit meer woorden uit hem zouden komen. Nooit meer. Het bloed uit de gesprongen ader had ze weggespoeld, de woorden. Alle woorden. Een bloedige dijkbreuk van verwoestende kracht. Als verpleegster heb ik veel doden gezien. Maar ik heb de dood nooit als zoiets wreeds ervaren. Als iets dat gewoonweg niet had mogen gebeuren. Als iets dat zonder meer ondraaglijk was. Ondraaglijk.'

Ondanks het verkeerslawaai van de straat vulde de kamer zich met stilte.

'Ik zie voor me hoe hij naar me toe komt, hij heeft de brief van het ziekenhuis met de diagnose in zijn hand, het was een gele envelop. Hij was er vanwege barstende hoofdpijn en duizelingen naartoe gegaan. Hij was bang dat het een tumor was. Angiografie, contrastvloeistof. Ze vonden niets. Alleen een aneurysma. "Daarmee kunt u honderd worden," had de neuroloog gezegd. Maar Amadeu was lijkbleek. "Hij kan elk moment doorbreken, elk moment, hoe kan ik verder leven met een tijdbom in mijn hoofd," zei hij.'

Hij had de afbeelding van hersenen van de muur gehaald, vertelde Gregorius.

'Dat weet ik, dat was het eerste wat hij deed. Wat het voor hem betekende kun je alleen begrijpen als je weet wat voor grenzeloze bewondering hij had voor de menselijke hersenen en voor de mirakels waartoe die in staat zijn. "Een godsbewijs," zei hij, "ze zijn een bewijs voor het bestaan van God. Ook al bestaat God niet." En toen begon voor hem een leven waarin hij elke gedachte aan hersenen vermeed. Elke patiënt bij wie hij het vermoeden had dat de klacht iets met de hersenen te maken kon hebben, verwees hij meteen naar een specialist.'

Gregorius zag het grote boek over de hersenen voor zich dat in Prado's kamer boven op de stapel lag. *O cérebro, sempre o cérebro*, hoorde hij Adriana zeggen. *Porquê não disseste nada?*

'Niemand wist er iets van. Ook Adriana niet. Zelfs Jorge niet.'

Haar trots was nauwelijks hoorbaar, maar die was er wel.

'We hebben er later zelden over gesproken, en nooit lang. Er was niet veel om over te praten. Maar de dreiging van een bloedige dijkdoorbraak in zijn hoofd legde een schaduw over de laatste zeven jaar van zijn leven. Er waren momenten waarop hij ernaar verlangde dat het eindelijk zou gebeuren. Om van de angst af te zijn.'

Ze keek Gregorius aan. 'Kom.' Ze ging hem voor naar de keuken. Van de bovenste plank van een kast pakte ze een grote platte kist van gelakt hout, het deksel was versierd met houtsnijwerk. Ze gingen aan de keukentafel zitten.

'Een paar van zijn notities zijn bij mij in de keuken ontstaan.

Het was een andere keuken, maar het was wel aan deze tafel. "De dingen die ik hier opschrijf zijn het gevaarlijkst," zei hij. Erover praten wilde hij niet. "Schrijven is zwijgen," zei hij. Het kwam voor dat hij de hele nacht hier zat en daarna zonder te slapen naar de praktijk ging. Hij pleegde roofbouw op zijn gezondheid. Adriana haatte het. Ze haatte alles wat met mij te maken had. "Bedankt," zei hij dan als hij wegging, "het is bij jou als een rustige, veilige haven." Ik heb de beschreven bladen altijd in de keuken bewaard. Daar horen ze.'

Ze deed het geciseleerde slot van de doos open en haalde de drie bovenste bladen eruit. Nadat ze een paar regels had gelezen, schoof ze Gregorius de papieren toe.

Hij las. Elke keer als hij iets niet begreep, keek hij haar aan en dan vertaalde ze.

MEMENTO MORI.

Donkere kloostermuren, neergeslagen blik, besneeuwd kerkhof. Is dat onvermijdelijk?

Je erop bezinnen wat je werkelijk wilt. Het bewustzijn van de beperkte, eindige tijd als bron van energie om je te verzetten tegen je eigen gewoontes en verwachtingen, maar vooral tegen de verwachtingen en bedreigingen van de anderen. Dus als iets dat de toekomst opent en niet afsluit. Zo gezien is het memento een gevaar voor de machtigen, de onderdrukkers, die het zo weten in te richten dat de onderdrukten geen gehoor vinden voor hun verlangens, zelfs niet bij zichzelf.

'Waarom zou ik daaraan denken, het einde is het einde, het komt als het komt, waarom zeggen jullie dat tegen me, het verandert er toch helemaal niets aan.'

Wat is daarop het antwoord?

'Verkwist je tijd niet, doe er iets mee dat loont.'

Maar wat kan dat zijn, iets dat loont? Eindelijk ertoe overgaan langgekoesterde verlangens te verwerkelijken. Een einde maken aan de misvatting dat je daar later nog tijd genoeg voor zult hebben. Het memento als instrument in de strijd tegen gemakzucht, zelfbedrog en tegen de angst die met de noodzakelijke verandering is verbonden. De reis maken waar je al zo lang van droomt, die taal nog leren, die boe-

ken lezen, dat sieraad kopen, een nacht in dat beroemde hotel door-brengen. Jezelf niet verliezen.

Ook grotere dingen horen erbij: je beroep, waar je toch al niet erg op gesteld bent, opgeven, het milieu dat je haat verlaten. Alles doen wat ertoe bijdraagt dat je echter wordt, dichter bij jezelf komt te staan.

De godganse dag op het strand liggen of in het café zitten: ook dat kan het antwoord op het memento zijn, het antwoord van iemand die tot dusver alleen maar heeft gewerkt.

'Denk eraan dat je eens zult sterven, misschien morgen al.'

'Ik denk er de hele tijd aan, daarom laat ik verstek gaan op kan-toor en lig ik te luilakken in de zon.'

De schijnbaar sombere voorspelling sluit ons niet op in de be-sneeuwde kloostertuin. Ze ontsluit de weg naar buiten en laat in ons het heden ontwaken.

De dood indachtig je relaties tot anderen in orde brengen. Een ein-de maken aan een vijandschap, je verontschuldigingen aanbieden voor een onrecht dat je iemand hebt aangedaan, waardering uitspre-ken waartoe je wegens een futiliteit eerder niet bereid was. Dingen die je te serieus hebt genomen niet meer zo serieus nemen: de peste-rijen van anderen, hun opschepperige gedoe, in het algemeen het door willekeur ingegeven oordeel dat ze over je hebben. Het memento als uitnodiging anders te vóélen.

Het gevaar: relaties zijn niet meer echt en vitaal omdat die de mo-mentane ernst ontberen die gebaseerd is op een zeker gebrek aan dis-tantie. Ook: voor veel dingen die we beleven is het cruciaal dat die niet verbonden zijn met de gedachte aan eindigheid maar juist met het gevoel dat de toekomst nog erg lang zal zijn. Het zou betekenen deze belevenis in de kiem te smoren als je het bewustzijn van de dood die je te wachten staat tot je door laat dringen.

Gregorius vertelde over de Ier die het lef had gehad in het All Souls College in Oxford met een knalrode voetbal onder zijn arm een lezing bij te wonen.

'Amadeu schreef: "Wat had ik er niet voor overgehad die Ier te zijn!"'

'Ja, dat past bij hem,' zei Maria João, 'dat past precies. Dat past vooral bij het begin, bij onze eerste ontmoeting, toen, zoals ik nu zou zeggen, alles zijn beslag kreeg. Het was mijn eerste jaar op de meisjesschool bij het liceu. We hadden allemaal ongelooflijk veel respect voor de jongens aan de overkant. Latijn en Grieks! Maar op een dag, een warme ochtend in mei, ging ik er gewoon heen, ik had genoeg van dat stomme respect. De jongens speelden, lachten, speelden. Alleen hij niet. Hij zat op de stoep, had zijn armen om zijn knieën geslagen en zag me aankomen. Alsof hij al jaren op me had gewacht. Als hij niet zo had gekeken was ik beslist niet naast hem gaan zitten. Maar zo leek het de natuurlijkste zaak van de wereld.

"Je speelt niet mee?" zei ik. Hij schudde heel even zijn hoofd, bijna een beetje nors.

"Ik heb dit boek gelezen," zei hij op de zachte, onweerstaanbare toon van een dictator die nog niets weet van zijn eigen dictaat en dat in zekere zin ook nooit zal weten. "Een boek over heiligen, Theresia van Lisieux, Theresia van Ávila enzovoort. Na dit boek vind ik alles wat ik doe zo banaal. Gewoon niet belangrijk genoeg. Snap je?"

Ik lachte. "Ik heet Ávila, Maria João Ávila," zei ik.

Hij moest ook lachen, maar het klonk geforceerd, hij voelde zich niet serieus genomen.

"Niet alles kan belangrijk zijn, en niet altijd," zei ik. "Dat zou toch verschrikkelijk zijn."

Hij keek me aan en nu was zijn glimlach niet meer geforceerd. De bel van het liceu ging, we namen afscheid.

"Kom je morgen weer?" vroeg hij. Er waren niet meer dan vijf minuten verstreken en er was al sprake van een vertrouwelijkheid alsof we elkaar al jaren kenden.

Natuurlijk ging ik de volgende dag er weer heen en toen wist hij alles al over mijn achternaam en hield een heel betoog over Vasco Ximeno en graaf Raimundo de Borgonha, die door koning Alfons VI van Castilië naar de stad was gezonden, over Antão en João Gonçalves de Ávila, die de naam in de vijftiende eeuw naar Portugal brachten, enzovoort.

"We kunnen samen naar Ávila gaan," zei hij.

De volgende dag keek ik vanuit mijn klas naar het liceu en toen zag ik twee fel glimmende rondjes achter een raam. Het was het zonlicht in de glazen van zijn toneelkijker. Het ging allemaal zo snel, alles ging altijd zo snel bij hem.

In de pauze liet hij me de kijker zien. "Die is van mijn moeder," zei hij, "ze gaat zo graag naar de opera, maar papá…"

Hij wilde een goede leerlinge van me maken. Zodat ik arts kon worden. Dat wil ik helemaal niet, zei ik, ik wil verpleegster worden.

"Maar jij…" begon hij.

"Verpleegster," zei ik, "een eenvoudige verpleegster."

Hij had er een jaar voor nodig om het te accepteren. Dat ik bij mijn plan bleef en me zijn plan niet op liet dringen, was voor onze vriendschap cruciaal. Want dat was het: een levenslange vriendschap.

"Je hebt zulke mooie bruine knieën en je jurk ruikt zo lekker naar zeep," zei hij een paar weken na onze eerste ontmoeting.

Ik had hem een sinaasappel gegeven. De anderen in de klas waren erg jaloers: de adellijke jongen en de boerendochter. Waarom uitgerekend Maria? vroeg een meisje een keer toen ze niet wist dat ik haar kon horen. Ze stelden zich er van alles van voor. Pater Bartolomeu, die voor Amadeu de belangrijkste docent was, mocht me niet. Zodra hij me zag, keerde hij om en sloeg een andere richting in.

Voor mijn verjaardag kreeg ik een nieuwe jurk. Ik vroeg mijn moeder hem een stukje korter te maken. Amadeu zei er niets over.

Soms kwam hij naar onze school, dan maakten we in de pauze een wandeling. Hij vertelde over thuis, over de rug van zijn vader, over de zwijgende verwachtingen van zijn moeder. Ik kreeg alles te horen wat hem bewoog. Ik werd zijn vertrouwelinge. Ja, dat is wat ik werd: zijn levenslange vertrouwelinge.

Hij nodigde me niet uit voor zijn bruiloft. "Je zou je alleen maar vervelen," zei hij. Ik stond achter een boom toen ze uit de kerk kwamen. De dure bruiloft van een adellijke familie. Grote, glimmende auto's, een lange witte sleep. Mannen in jacquet en met hoge hoed.

Het was de eerste keer dat ik Fátima zag. Een goedgevormd, mooi gezicht, wit als albast. Lang, zwart haar, jongensachtig figuur. Geen poppetje, zou ik zeggen, maar toch op de een of andere manier… niet echt volwassen. Ik kan het niet bewijzen maar ik denk dat hij haar heeft bevoogd. Zonder het te merken. Hij was zo'n ver-schrikkelijk dominante man. Niet heerszuchtig, helemaal niet, maar dominant, stralend, superieur. Goedbeschouwd was er in zijn leven helemaal geen plaats voor een vrouw. Toen ze stierf, was het een grote schok."

Maria João zweeg en keek uit het raam. Toen ze verder ging was het aarzelend, als met een slecht geweten.

'Zoals ik al zei: een grote schok. Zonder enige twijfel. En toch… hoe zal ik het zeggen, niet een schok die tot de diepste diepten doordrong. De eerste dagen na haar dood was hij vaak bij mij. Niet om getroost te worden. Hij wist dat hij… dat hij dát niet van mij kon verwachten. Jawel, dat wist hij, dat móét hij hebben geweten. Hij wilde gewoon dat ik er was. Zo was het vaak: ik moest er zíjn.'

Maria João stond op, liep naar het raam en bleef daar staan, haar blik naar buiten, haar handen gevouwen op haar rug. Toen ze ver-der sprak was het met de zachte stem van iemand die een geheim vertelt.

'De derde of de vierde keer dat hij hier was, vatte hij ten slotte moed, zijn innerlijke nood was te groot geworden, hij moest het iemand vertellen. Hij kon geen kinderen verwekken. Hij had zich laten opereren om in geen geval vader te worden. Dat was gebeurd lang voordat hij Fátima ontmoette.

"Ik wil niet dat er kleine, weerloze kinderen zijn die de last van mijn ziel moeten dragen," zei hij. "Ik weet immers hoe het bij mij was – en nog steeds is."

De contouren van de wil en de angsten van de ouders worden met gloeiende griffels in de ziel van de kleine kinderen geschreven, die vol-strekt onmachtig zijn en die er geen idee van hebben wat er met hen gebeurt. Wij hebben er een leven lang voor nodig om de ingebrande tekst te vinden en te ontcijferen en we kunnen er nooit zeker van zijn die helemaal te begrijpen.

Gregorius vertelde Maria João wat er in de brief aan de vader stond.

'Ja,' zei ze, 'ja. Waar hij mee zat was niet de ingreep, daarvan heeft hij nooit spijt gehad. Het was dat hij Fátima er niets over had ver-teld. Ze leed eronder dat ze geen kinderen had en hij stikte bijna in zijn slechte geweten. Hij was een moedig man, een man met een ongebruikelijk grote moed. Maar in dat geval was hij laf. En die lafheid heeft hij nooit overwonnen.'

Hij is laf als het mamã betreft, had Adriana gezegd. De enige lafheid waarop je hem kunt betrappen. Hij, die anders nooit een onaangename zaak uit de weg gaat, geen enkele.

'Ik begreep hem,' zei Maria João, 'ja, ik geloof dat ik kan zeggen dat ik hem begreep. Ik heb immers meegemaakt hoe diep zijn vader en zijn moeder in hem zaten. Wat ze in hem hebben aangericht. En toch: ik was kwaad. Ook vanwege Fátima. Maar erger nog vond ik de radicaliteit, de grofheid zelfs, van zijn beslissing. Halverwege de twintig al had hij die onomkeerbare beslissing genomen. Voor altijd. Ik had er een jaar voor nodig om eroverheen te komen. Tot ik tegen mijzelf kon zeggen: hij zou niet zijn wie hij was als hij zoiets niet kon doen.'

Ze pakte Prado's boek, zette haar bril op en begon erin te bladeren. Maar ze was met haar gedachten nog steeds bij het verleden en zette haar bril weer af.

'We hebben nooit langer over Fátima gesproken, over wat ze voor hem was. Ik heb Fátima maar één keer ontmoet, in een café, zij kwam binnen en voelde zich verplicht naast me te gaan zitten. Maar al voordat de kelner kwam, wisten we dat het een vergissing was. We dronken gelukkig alleen maar een espresso.

Ik weet niet of ik het allemaal wel goed begreep. Ik weet zelfs niet of híj het begreep. En dit is mijn lafheid: ik heb nooit gelezen wat hij over Fátima heeft geschreven. "Dat mag je pas na mijn dood lezen," zei hij, toen hij me de verzegelde envelop gaf. "Maar ik wil niet dat Adriana het in handen krijgt." Meer dan eens heb ik de envelop in mijn hand gehad. Om de een of andere reden besloot ik telkens weer: ik wil het niet weten. De envelop zit nog altijd hier in de doos.'

Maria João legde de tekst met het memento terug in de doos en schoof die opzij.

'Eén ding weet ik: toen die zaak met Estefânia begon, was ik geen moment verbaasd. Zoiets bestaat immers: dat je niet weet wat iemand ontbeert, tot hij het krijgt, en dan weet je heel zeker dat dat het was.

Hij veranderde. Voor het eerst sinds veertig jaar leek hij zich tegenover mij te generen en iets voor me verborgen te willen houden. Ik kreeg alleen te horen dat er iemand was, iemand uit het verzet, en dat het ook iets met Jorge te maken had. En dat Amadeu het niet wilde toelaten, niet kon toelaten. Maar ik kende hem: hij dacht voortdurend aan haar. Uit zijn zwijgen maakte ik op dat ik haar niet mocht zien. Alsof ik door naar haar te kijken iets over hem te weten zou komen wat ik niet mocht weten. Wat niemand mocht weten. Ook hijzelf niet, zou je kunnen zeggen. Toen ben ik erheen gegaan en heb gewacht voor het huis waar de verzetsgroep bijeenkwam. Er kwam maar één vrouw naar buiten en ik wist meteen: dat is ze.'

De ogen van Maria João dwaalden door de keuken en vestigden zich op een verafgelegen punt.

'Ik wil u haar niet beschrijven. Ik wil alleen dit zeggen: ik kon me meteen voorstellen wat er met hem was gebeurd. Dat de wereld er voor hem plotseling heel anders was komen uit te zien. Dat de orde die tot dusver had geheerst, omvergeworpen was. Dat opeens heel andere dingen van belang waren. Zo'n vrouw was ze. Ze was nog maar halverwege de twintig. Ze was niet alleen de bal, de rode Ierse bal in het college in Oxford. Ze was veel meer dan alle rode Ierse ballen bij elkaar: hij moet hebben gevoeld dat zij voor hem de kans was om *heel* te worden. Als man, bedoel ik.

Alleen zo is het te verklaren dat hij alles op het spel zette: de achting van de anderen, de vriendschap met Jorge, die voor hem heilig was geweest, zelfs zijn leven. En dat hij terugkwam uit Spanje alsof hij… alsof hij was vernietigd. Vernietigd, ja, dat is het juiste woord. Hij was traag geworden, het kostte hem moeite zich te concentreren. Van het vroegere kwikzilver in zijn aderen was niets meer over, ook niet van zijn vermetelheid. Het vuur van zijn leven was gedoofd. Hij had het erover dat hij helemaal opnieuw moest leren leven.

"Ik ben bij het liceu geweest," zei hij op een dag. "Vroeger lag alles nog vóór me. Er was nog zoveel mogelijk toen. Alles lag open."'

Haar stem klonk gesmoord, ze schraapte haar keel en toen ze verder sprak was haar stem hees.

'Hij zei nog iets anders. "Waarom zijn we eigenlijk nooit samen naar Ávila gegaan," zei hij.

332

Ik dacht dat hij het was vergeten. Hij was het niet vergeten. We huilden. Dat was de enige keer dat we samen hebben gehuild.'

Maria João ging de keuken uit. Toen ze terugkwam had ze een sjaal omgeslagen en over haar arm droeg ze een warme jas.

'Ik wil graag met u naar het liceu,' zei ze. 'Naar wat ervan over is.'

Gregorius stelde zich voor hoe ze de foto's van Isfahan zou bekijken en vragen zou stellen. Hij was verbaasd dat hij zich er niet voor geneerde. Voor Maria João toch zeker niet.

39 Met haar tachtig jaar reed ze auto met de rust en de precisie van een taxichauffeur. Gregorius keek naar haar handen op het stuur en de versnellingspook. Het waren geen elegante handen en ze besteedde ook niet veel tijd aan hun verzorging. Handen die zieken hadden verzorgd, po's geleegd, verbanden gelegd. Handen die wisten wat ze deden. Waarom had Prado haar niet als zijn assistente aangesteld?

Ze parkeerden ergens en gingen te voet door het park. Ze wilde eerst naar het gebouw van de meisjesschool.

'Hier ben ik al dertig jaar niet meer geweest. Sinds hij dood is. Toen hij was overleden kwam ik hier aanvankelijk dagelijks. Ik dacht dat de gemeenschappelijke plek, de plek waar we elkaar voor het eerst hadden gezien, me zou leren afscheid van hem te nemen. Ik wist niet hoe ik dat moest doen: afscheid van hem nemen. Hoe neem je afscheid van iemand die als geen ander bepalend is geweest in je leven?

Hij heeft me iets geschonken wat ik voordien niet kende en nadien ook nooit meer heb ervaren: zijn ongelooflijke inlevingsvermogen. Hij was heel veel met zichzelf bezig en hij kon zozeer op zichzelf betrokken zijn, dat het bijna wreed was. Maar tegelijkertijd bezat hij wat anderen betrof een verbeeldingskracht die zo snel en precies was, dat het je soms duizelde. Het gebeurde wel dat hij me al zei hoe ik me voelde voordat ik eraan was begonnen er zelf woorden voor te zoeken. Anderen willen begrijpen was zijn hartstocht, zijn passie. Maar hij zou niet geweest zijn wie hij was als hij niet ook had getwijfeld aan de mogelijkheid mensen te begrijpen, zo radicaal getwijfeld dat je er ook in omgekeerde richting van kon duizelen.

Het bracht een ongelooflijke, adembenemende intimiteit tot stand als hij zo tegen me deed. Bij mij thuis ging het er weliswaar niet erg fijngevoelig aan toe, maar we waren wel heel nuchter, heel efficiënt zogezegd. En daar zat iemand die het vermogen bezat bij mij naar binnen te kijken. Het was een openbaring. En het liet hoop ontstaan.'

Ze waren in het klaslokaal van Maria João. Er stonden geen banken meer, alleen het schoolbord hing er nog. Blinde ramen waarin hier en daar een stuk glas ontbrak. Maria João zette een raam open, uit het geknars spraken decennia. Ze wees naar het liceu.

'Daar. Daarginds, op de derde verdieping, waren die glimmende rondjes van de toneelkijker.' Ze slikte. 'Dat iemand, een jongen van adellijken huize, mij zocht met een toneelkijker, dat… dat had wel iets. En, zoals gezegd, het liet hoop ontstaan. Die hoop had nog een kinderlijke vorm en natuurlijk was het niet duidelijk waar die uit bestond. Toch was het, in vage vorm, de hoop op een gedeeld leven.'

Ze liep de stoeptreden af waarop net als in het liceu een dunne laag fijn stof en vergaan mos lag. Maria João zweeg terwijl ze door het park liepen. Toen begon ze weer.

'Op een bepaalde manier is het dat ook geworden. Een gedeeld leven, bedoel ik. Gedeeld in afstand die nabij was, in nabijheid op afstand.'

Ze keek omhoog naar de gevel van het liceu.

'Daar, achter dat raam, zat hij en omdat hij alles al wist en zich verveelde, schreef hij briefjes aan mij die hij me in de pauze toestak. Het waren geen… geen billets-doux. Er stond niet in waarop ik hoopte, ieder papiertje weer. Het waren zijn gedachten over het een of ander. Over Theresia van Ávila en heel veel andere dingen. Hij maakte van mij de bewoonster van zijn gedachtewereld. "Behalve ik woont alleen jij er," zei hij.

En toch gold wat ik slechts heel geleidelijk en pas veel later begreep: hij wilde niet dat ik in zijn leven werd verwikkeld. In zijn visie, die moeilijk uit te leggen is, moest ik erbuiten blijven. Ik had verwacht dat hij me zou vragen in de blauwe praktijk te komen werken. In mijn dromen heb ik daar gewerkt, en het was heerlijk, we begrepen elkaar zonder iets te hoeven zeggen. Maar hij heeft het me niet gevraagd, hij heeft zelfs nooit iets in die richting gesuggereerd.

Hij hield van treinen, die waren voor hem het zinnebeeld van het leven. Ik had graag een keer met hem in dezelfde coupé gezeten. Maar daar wilde hij me ook niet zien. Hij wilde me op het perron, hij wilde elk moment het raam open kunnen doen en mij om raad vragen. En hij wilde dat het perron met de trein meereisde als de trein zich in beweging zette. Ik moest als een soort engel op het meereizende perron staan, op het engelenplatform, dat met precies dezelfde snelheid diende mee te bewegen.'

Ze gingen het liceu binnen. Maria João keek om zich heen.

'Eigenlijk mochten meisjes hier niet naar binnen. Maar hij smokkelde me na schooltijd naar binnen en liet me alles zien. We werden betrapt door pater Bartolomeu. Die was ziedend. Maar het was Amadeu, en dus zei hij niets.'

Ze stonden voor de kamer van senhor Cortês. Nu was Gregorius toch bang. Ze gingen naar binnen. Maria João barstte in lachen uit. Het was het lachen van een levenslustig schoolmeisje.

'U?'

'Ja.'

Ze liep langs de muren met de foto's van Isfahan en keek hem vragend aan.

'Isfahan, Perzië. Daar wilde ik naartoe toen ik nog op school zat. Naar het morgenland.'

'En nu u bent weggelopen, haalt u dat in. Hier.'

Hij knikte. Hij had niet geweten dat er mensen bestonden die zo snel van begrip waren. Je kon het treinraampje opendoen en vragen stellen aan de engel.

Maria João deed iets verrassends: ze ging naast hem staan en legde een arm om zijn schouders.

'Amadeu zou het hebben begrepen. En niet alleen begrepen. Hij zou u erom hebben liefgehad. *A imaginação, o nosso último santuário*, zei hij vaak. Het inbeeldingsvermogen en de intimiteit, dat waren naast de taal de enige twee heiligdommen die hij accepteerde. En ze hebben veel met elkaar te maken, heel veel, zei hij.'

335

Gregorius aarzelde. Maar toen deed hij de lade van het bureau open en liet Maria João de Hebreeuwse bijbel zien.

'Ik durf te wedden dat dat uw trui is!'

Ze ging op een stoel zitten en legde een van Silveira's dekens over haar benen.

'Lees me er iets uit voor, alstublieft. Dat heeft hij ook gedaan. Ik begreep er natuurlijk niets van, maar het was heerlijk.'

Gregorius las het scheppingsverhaal voor. Hij, Mundus, las in een vervallen Portugees gymnasium het scheppingsverhaal voor aan een vrouw van tachtig die hij de dag ervoor nog niet kende en die geen woord Hebreeuws verstond. Het was het gekste wat hij ooit had gedaan. Hij genoot ervan zoals hij nog nooit van iets had genoten. Het was alsof hij innerlijk alle ketenen van zich afwierp om deze ene keer ongehinderd om zich heen te kunnen slaan als iemand die weet dat zijn einde nadert.

'En nu gaan we naar de aula,' zei Maria João. 'Die zat op slot destijds.'

Ze gingen op de eerste rij onder het op een verhoging geplaatste katheder zitten.

'Daar heeft hij dus die toespraak gehouden. Zijn beruchte toespraak. Ik vond hem prachtig. Er zat zoveel van hem in. Hij wás die toespraak. Maar er was ook iets mee waar ik van schrok. Niet iets in de versie die hij voorlas, hij had de passage eruit gehaald. U herinnert zich ongetwijfeld het einde, waar hij zegt dat hij ze allebei nodig heeft, de heiligheid van de woorden en de vijandschap tegenover alles wat wreed is. En dan komt: "En laat niemand het in zijn hoofd halen mij te dwingen tot een keuze." Dat was de laatste zin die hij voorlas. Maar oorspronkelijk kwam er daarna nog een zin: *Seria uma corrida atrás do vento*, het zou najagen van wind zijn.

"Wat een schitterend beeld!" riep ik uit.

Toen pakte hij de bijbel en las me voor uit Prediker: Ik bezag al hetgeen onder de zon geschiedt en zie: het was alles ijdel en het najagen van wind. Ik schrok.

"Dat kun je toch niet maken!" zei ik. "Dat herkennen de paters meteen en dan zullen ze je van hoogmoedswaanzin betichten!"

Wat ik niet zei was dat ik op dat moment bang om hem was,

dat ik vreesde voor zijn geestelijke gezondheid.

"Maar waarom dan," zei hij verbaasd, "het is toch gewoon poëzie."

"Maar jij kunt toch geen bijbelse poëzie spreken! Bijbelse poëzie! Uit jouw naam!"

"Poëzie overtroeft alles," zei hij. "Die zet alle regels buitenspel."

Maar hij was onzeker geworden en haalde die zin eruit. Hij merkte dat ik me zorgen maakte, hij merkte altijd alles. We hebben er later nooit meer over gesproken.'

Gregorius vertelde over de discussie die Prado met O'Kelly had gevoerd over het stervende woord van God.

'Dat wist ik niet,' zei ze en zweeg even. Ze vouwde haar handen, maakte ze weer los en vouwde ze opnieuw.

'Jorge. Jorge O'Kelly. Ik weet het niet. Ik weet niet of hij voor Amadeu een geluk of een ongeluk betekende. Een groot ongeluk dat verkleed gaat als een groot geluk, zoiets is mogelijk. Amadeu verlangde naar de kracht van Jorge, die een oerkracht was. Hij verlangde eigenlijk altijd naar Jorges ruwheid, die je al kon aflezen van zijn ruwe, gekloofde handen, zijn weerbarstige, ruige haar en zijn sigaretten zonder filter die hij toen al aan de lopende band rookte. Ik wil hem geen onrecht doen, maar het beviel me niet dat Amadeu's enthousiasme voor hem zonder enig voorbehoud was. Ik was een boerendochter, ik wist hoe boerenjongens zijn. Niet bepaald romantisch. Als het hard tegen hard zou gaan, zou Jorge eerst aan zichzelf denken.

Wat hem fascineerde aan O'Kelly en hem in extase kon brengen: dat Jorge er geen moeite mee had zijn grenzen te bepalen tegenover anderen. Hij zei gewoon nee en trok een grijns rond zijn grote neus. Amadeu moest daarentegen zijn grenzen bevechten alsof het om zijn ziel en zaligheid ging.'

Gregorius vertelde over de brief die Amadeu aan zijn vader had geschreven en aan de zin: *De anderen zijn je gerechtshof.*

'Ja, zo was het. Het maakte van hem een ten diepste onzeker mens, een mens met de dunste huid die je je kunt voorstellen. Hij had een overweldigende behoefte aan vertrouwen en acceptatie. Hij meende die onzekerheid te moeten verbergen, en veel dingen die eruitzagen als moed en vermetelheid waren domweg een vlucht naar voren. Hij heeft oneindig veel van zichzelf gevergd, veel te veel, en daardoor is hij eigengereid en uiterst streng voor anderen geworden.

Iedereen die hem beter kende had het over het gevoel nooit aan zijn verwachtingen te voldoen, altijd tekort te schieten. Dat hij zichzelf niet erg hoog had zitten, maakte het allemaal nog erger. Op die manier kon je je niet eens verdedigen met het verwijt dat hij zelfingenomen was.

Zo onverdraagzaam als hij was geworden tegenover alles wat kitsch was! Vooral wat woorden en gebaren betrof. En hoe bang was hij niet voor zijn eigen kitsch! "Je moet jezelf toch ook met je eigen kitsch kunnen accepteren om vrij te kunnen worden," zei ik. Dan haalde hij een poosje rustiger adem, vrijer. Hij had verder een fenomenaal geheugen. Maar dat soort dingen vergat hij snel, en dan werd hij weer in de tang genomen door zijn eigen gejaagdheid.

Hij heeft gevochten tegen het gerechtshof. Mijn god, wat heeft hij gevochten! En hij heeft verloren. Ja, ik geloof dat je moet zeggen: hij heeft verloren.

In rustiger tijden, als hij gewoon met de praktijk bezig was en de mensen hem dankbaar waren, zag het er soms uit alsof hij het gered had. Maar toen kwam die toestand met Mendes. Het spuug op zijn gezicht achtervolgde hem, tot het laatst toe droomde hij er telkens over. Een terechtstelling.

Ik was er tegen dat hij bij het verzet ging. Hij was er niet de man naar, hij had niet de koelbloedigheid, al was hij er slim genoeg voor. En ik zag niet in dat hij iets goed te maken had. Maar mijn verzet haalde niets uit. Als het om de ziel gaat is er weinig wat we in de hand hebben, zei hij, ik heb u al verteld over die woorden.

En Jorge was ook bij het verzet. Jorge, die hij daardoor uiteindelijk is kwijtgeraakt. In mijn keuken zat hij er in elkaar gedoken over te piekeren en bracht geen woord uit.'

Ze liepen de trap op en Gregorius wees haar de schoolbank aan waarop hij Prado in gedachten had neergezet. Het was de verkeerde verdieping, maar verder klopte het. Maria João stond voor het raam en keek naar de overkant, naar de plaats in de meisjesschool waar zij had gezeten.

'Het gerechtshof van de anderen. Zo had hij het ook beleefd toen hij de keel van Adriana opensneed. De anderen zaten rond de tafel en keken naar hem alsof hij een monster was. Terwijl hij het enig juiste had gedaan. In mijn tijd in Parijs heb ik een cursus Eerste Hulp gevolgd, toen hebben ze ons zo'n ingreep laten zien. Je moet een snee maken in de *ligamen conicum* en de luchtpijp dan met een buisje openhouden. Anders gaat de patiënt dood door verstikking. Ik weet niet of ik het zou kunnen en of ik aan een balpen zou hebben gedacht als vervanging van een pijpje. "Als u zin hebt om hier te komen werken…" zeiden de artsen tegen hem toen ze Adriana later opereerden.

Voor het leven van Adriana had het catastrofale gevolgen. Juist als je iemand het leven hebt gered zou je snel en gemakkelijk afscheid moeten kunnen nemen. Het redden van een leven is voor de ander, en door toedoen van die ander voor jezelf, een last die niemand kan dragen. Daarom moet je ermee omgaan alsof het een heel natuurlijke zaak is, zoiets als een spontane genezing. Als iets onpersoonlijks.

Amadeu ging diep gebukt onder Adriana's dankbaarheid, die iets religieus, iets fanatieks had. Soms walgde hij ervan, ze kon serviel zijn als een slavin. Maar er was ook nog haar ongelukkige liefde, de abortus, het gevaar voor vereenzaming. Soms probeerde ik mezelf aan te praten dat het vanwege Adriana was dat hij me niet in de praktijk liet werken. Maar dat is niet de waarheid.

Met Mélodie, zijn zuster Rita, was het heel anders, heel licht en ontspannen. Hij had een foto waarop hij zo'n ballonpet droeg van het meisjesbandje. Hij was jaloers op het lef dat ze had haar eigen gang te gaan. Hij gunde het haar dat zij, als het ongeplande nakomertje, veel minder last had van de druk van haar ouders dan haar oudere broer en zusters. Maar hij kon ook woedend zijn als hij eraan dacht hoeveel gemakkelijker zijn leven als zoon had kunnen zijn.

Ik ben maar een enkele keer bij hem thuis geweest. We zaten allebei nog op school. Die uitnodiging was een pijnlijke vergissing. Ze deden heel aardig tegen me maar we voelden allemaal dat ik er niet bij hoorde, niet op mijn plaats was in een welgestelde, adellijke familie. Amadeu was erg ongelukkig over het verloop van die middag.

"Ik hoop..." zei hij, "ik kan niet..."

"Het is echt niet zo belangrijk," zei ik.

Veel later had ik een keer een ontmoeting met de rechter, hij had erom verzocht. Hij wist dat Amadeu hem kwalijk nam dat hij zijn werkzaamheden voortzette onder een regering die Tarrafal op haar geweten had. "Hij veracht me, mijn eigen zoon veracht me," riep hij ontdaan. En toen vertelde hij over zijn pijn en hoe zijn beroep hem hielp door te gaan met leven. Hij verweet Amadeu gebrek aan inlevingsvermogen. Ik vertelde hem wat Amadeu tegen mij had gezegd: *Ik wil hem niet meer als een zieke man zien wie je alles vergeeft. Dan is het net alsof ik geen vader meer heb.*

Wat ik hem niet vertelde: hoe ongelukkig Amadeu was in Coimbra. Omdat hij twijfelde over zijn toekomst als arts. Omdat hij er niet zeker van was of hij misschien alleen maar de wens van zijn vader vervulde en niet zijn eigen weg was gegaan.

Hij had iets gestolen in het oudste warenhuis van de stad, werd bijna betrapt en kreeg daarna een zenuwinstorting. Ik ging hem opzoeken.

"Weet je de reden?" vroeg ik. Hij knikte.

Uitgelegd heeft hij het me nooit. Maar ik denk dat het met zijn vader, met rechtspraak en veroordeling te maken had. Een soort machteloos, verkapt verzet. In de gang van het ziekenhuis kwam ik O'Kelly tegen.

"Als hij nou nog echt iets waardevols had gestolen!" zei die. "Maar zo'n prul!"

Ik wist niet of ik hem op dat moment mocht of dat het tegendeel het geval was. Dat weet ik zelfs nu nog niet.

Het verwijt van het gebrek aan inlevingsvermogen was allesbehalve terecht. Hoe vaak heeft Amadeu mij niet de houding van een Bechterev-patiënt gedemonstreerd en die houding volgehouden tot hij er pijn in zijn rug van kreeg! En juist dan blééf hij met zijn tanden op elkaar diep gebukt staan, met zijn hoofd naar voren gestrekt als een vogel.

"Ik weet niet hoe hij het uithoudt," zei hij. "Niet alleen de pijn, ook de vernedering!"

Als zijn verbeeldingskracht ergens tekortschoot, dan bij zijn moeder. Zijn relatie tot haar was en bleef een mysterie. Een knappe, verzorgde maar onopvallende vrouw. "Ja," zei hij, "ja. Dat is het nou precies. Niemand zou het geloven." Hij gaf haar van zoveel dingen de schuld dat het eigenlijk niet kon kloppen. Zijn mislukte poging zich af te grenzen; zijn overdreven werkijver; het feit dat hij te veel van zichzelf eiste; zijn onvermogen te dansen en te spelen. Alles had in zijn visie te maken met haar en haar zachte dictatuur. Maar er met hem over praten was onmogelijk. "Ik wil niet praten, ik wil kwaad zijn! Gewoon alleen maar kwaad zijn! *Furioso! Raivoso!*"

Het begon te schemeren, Maria João deed de koplampen van de auto aan.

'Kent u Coimbra?' vroeg ze.

Gregorius schudde zijn hoofd.

'Hij hield van de Biblioteca Joanina in de universiteit. Er ging geen week voorbij zonder dat hij daar was. En de Sala Grande dos Actos, waar hij zijn bul uitgereikt kreeg. Hij is er ook later telkens weer heen gegaan om die plekken terug te zien.'

Toen Gregorius uitstapte, kreeg hij een duizeling en hij moest zich vasthouden aan het dak van de auto. Maria João keek hem bezorgd aan.

'Hebt u daar vaker last van?'

Hij aarzelde. Toen loog hij.

'U moet er niet te lichtvaardig over denken,' zei ze. 'Kent u een neuroloog hier?'

Hij knikte.

Ze reed langzaam weg alsof ze overwoog om te keren. Pas bij de kruising gaf ze gas. De wereld draaide om hem heen en Gregorius moest zich vasthouden aan de deurknop voordat hij de sleutel om kon draaien. Hij dronk een glas melk uit de koelkast van Silveira en liep toen langzaam naar boven, trede voor trede.

40   "Ik haat hotels. Waarom ga ik er dan nog steeds mee door? Kun je me dat zeggen, Julieta?" Toen Gregorius zaterdagmiddag Silveira de deur hoorde opendoen, moest hij aan die woorden van hem denken waarover het dienstmeisje had verteld. Bij die woorden paste het dat Silveira zijn koffer en zijn jas gewoon uit

zijn handen liet vallen, in de hal op een stoel ging zitten en dodelijk vermoeid zijn ogen sloot. Toen hij Gregorius de trap af zag komen, klaarde zijn gezicht op.

'Raimundo. Ben je niet in Isfahan?' vroeg hij lachend.

Hij was verkouden en haalde zijn neus op. De zaken die hij in
Biarritz had gedaan waren niet zo succesvol geweest als hij had verwacht, twee keer had hij een partij schaak verloren van de slaap-
wagonbediende en Filipe, zijn chauffeur, was niet op tijd op het
station geweest. Bovendien was Julieta vandaag vrij. De uitputting
stond op zijn gezicht te lezen, een uitputting die nog groter en dieper was dan een tijd geleden in de trein. Het probleem is, had Silveira gezegd toen de trein destijds op het station van Valladolid
stilstond, dat we geen overzicht hebben over ons leven. Noch in
voorwaartse noch in achterwaartse richting. Als iets goed gaat hebben we domweg geluk gehad.

Ze aten wat Julieta de vorige dag had klaargemaakt en dronken
koffie in de salon. Silveira zag dat Gregorius af en toe naar de foto's van het chique feest keek.

'Verdomd,' zei hij, 'ik was het bijna vergeten. Het feest, dat vervloekte familiefeest!'

Hij ging er niet heen, 'Ik ga er gewoon niet heen,' zei hij en trommelde met zijn vork op de tafel. Iets in het gezicht van Gregorius
viel hem op.

'Tenzij jij meegaat,' zei hij. 'Een stijf feestje van een adellijke familie. Echt verschrikkelijk! Maar als je mee wilt…'

Het liep tegen achten toen Filipe hen afhaalde en tot zijn verbazing zag dat ze in de hal stonden te brullen van het lachen. Hij had
niets geschikts om aan te trekken, had Gregorius een uur daarvoor
gezegd. Toen had hij kleren van Silveira gepast, maar die zaten allemaal te krap. En nu bekeek hij zichzelf in de grote spiegel: een te
lange pantalon die plooien vormde op zijn grove schoenen die er
niet bij pasten, een smokingjasje dat niet dicht ging, een overhemd
dat hem leek te wurgen. Hij was geschrokken toen hij het zag, maar
het gelach van Silveira had hem aangestoken en hij begon lol te
krijgen in de clownsfiguur die hij was. Hij had het niet kunnen uitleggen, maar hij had het gevoel zich met die verkleedpartij op Florence te wreken.

Maar echt op gang kwam die ondoorgrondelijke wraak pas toen ze de villa van Silveira's tante betraden. Silveira genoot ervan zijn vriend uit Zwitserland, Raimundo Gregorio, aan zijn arrogante familie voor te stellen: een echte geleerde die talloze talen beheerste. Toen Gregorius het woord *erudito* hoorde, schrok hij als een charlatan kort voor de ontmaskering. Maar eenmaal aan tafel kreeg hij de geest en praatte ten bewijze van zijn veeltaligheid Hebreeuws, Grieks en Berns dialect dwars door elkaar en kwam zelf door zijn wonderlijke woordcombinaties, die van minuut tot minuut idioter werden, in een roes. Hij had nooit geweten dat hij zo goed was in woordspelletjes, het was alsof hij door zijn fantasie in een wijde boog uit het vertrek werd geslingerd, steeds verder en hoger, totdat hij op een bepaald moment zou neerstorten. Een duizeling overviel hem, een aangename duizeling die uit krankzinnige woorden, rode wijn, rook en achtergrondmuziek bestond, hij wilde die duizeling en deed alles om die in stand te houden, hij was de ster van de avond, de familie van Silveira was blij dat ze zich niet met zichzelf hoefde te vervelen. Silveira rookte als een ketter en genoot van het schouwspel, de vrouwen keken naar Gregorius met blikken die hij niet gewend was, hij was er niet zeker van of die betekenden wat ze leken te betekenen, maar dat kon hem ook niets meer schelen, wat telde was dat het veelbetekenende blikken waren die voor hem waren bestemd, voor hém, Mundus, de man van breekbaar perkament, de man die de Papyrus werd genoemd.

Later die avond stond hij in de keuken en deed de afwas, het was de keuken van Silveira's tante, maar het was ook de keuken van de familie Muralt, en Eva, de Ongelooflijke, stond in de deuropening en keek ontzet toe. Hij had gewacht tot de twee meisjes die de bediening hadden gedaan waren vertrokken, toen was hij naar de keuken geslopen en nu stond hij, duizelig en wankel ter been, voor het aanrecht en droogde de borden af tot ze glommen. Hij wilde niet bang zijn voor zijn duizeligheid, hij wilde genieten van de gekte van de avond die eruit bestond dat hij veertig jaar later inhaalde wat hem jaren en jaren geleden op het schoolfeest was verboden. Of je in Portugal een adellijke titel kon kopen, had hij bij het dessert gevraagd, maar de gêne waarop hij had gehoopt had zich niet voorgedaan, de anderen beschouwden zijn vraag als de klets-praat van een taalgeleerde. Alleen Silveira had gegrijnsd.

Zijn bril was beslagen door het afwaswater, Gregorius greep in de leegte en een bord viel op de betegelde vloer in stukken.

'Espera, eu ajudo,' zei Silveira's nicht Aurora, die plotseling in de keuken stond. Samen hurkten ze neer en raapten de porselei-nen brokstukken op. Gregorius zag nog steeds niets en kwam in botsing met Aurora, wier parfum, dacht hij later, precies bij zijn duizeligheid paste.

'Não faz mal,' zei ze toen hij zich excuseerde, en verbaasd voel-de hij hoe ze hem op zijn voorhoofd kuste. Wat hij hier eigenlijk deed, vroeg ze toen ze weer rechtop stonden, en ze wees gieche-lend naar de schort die hij had omgedaan. Afwassen? Hij? De gast? De polyglotte geleerde? 'Incrível! Ongelooflijk!'

Ze dansten. Aurora had zijn schort afgedaan, had de radio die in de keuken stond aangezet, hem bij een hand en een schouder gepakt en wervelde nu op de klanken van een Weense wals met hem de keuken rond. Gregorius was ooit na anderhalve les in pa-niek de dansschool uitgevlucht. Nu draaide hij in het rond als een beer, struikelde over zijn te lange broek, alles om hem heen begon te tollen, *straks val ik*, hij probeerde zich vast te klampen aan Au-rora, die niets scheen te merken en met de muziek mee floot, zijn knieën begaven het en alleen de stevige greep van Silveira's hand voorkwam dat hij viel.

Gregorius begreep niet wat Silveira tegen Aurora zei, maar zijn toon verraadde dat hij tegen haar uitviel. Hij hielp Gregorius te gaan zitten en bracht hem een glas water.

Na een halfuur gingen ze weg. Zoiets had hij nog nooit meege-maakt, zei Silveira op de achterbank van de auto, Gregorius had dat hele stijve gezelschap op zijn kop gezet. Goed, Aurora stond er min of meer bekend om… Maar de anderen… Hij moest Grego-rius de volgende keer weer meebrengen, hadden ze hem met klem verzocht!

Ze lieten de chauffeur bij zijn huis uitstappen en Silveira ging achter het stuur zitten. Ze reden naar het liceu. 'Dat past er nu op de een of andere manier bij, nietwaar?' had Silveira onderweg plot-seling gezegd.

In het licht van de campinglamp bekeek Silveira de foto's van Isfahan. Hij knikte. Hij wierp Gregorius een blik toe en knikte opnieuw. Op een stoel lag nog de deken die Maria João had opgevouwen. Silveira nam plaats. Hij stelde Gregorius vragen die hier nog niemand had gesteld, ook Maria João niet. Hoe hij ertoe was gekomen oude talen te gaan studeren? Waarom hij geen baan had aan een universiteit? Hij wist alles nog wat Gregorius hem over Florence had verteld. Of er daarna nooit meer een vrouw was geweest?

En toen vertelde Gregorius hem over Prado. Het was de eerste keer dat hij over hem sprak tegen iemand die hem niet had gekend. Hij stond er zelf versteld van hoeveel hij over hem wist en hoeveel hij over hem had nagedacht. Silveira warmde zijn handen aan het campingkacheltje en luisterde zonder hem ook maar één keer te onderbreken. Of hij het boek van de rode ceders mocht zien, vroeg hij toen Gregorius klaar was met vertellen.

Hij keek lang naar het portret. Hij las de inleiding over de duizenden verzwegen ervaringen. Hij las de inleiding nog een keer. Toen begon hij te bladeren. Hij lachte en las voor: *Pietluttige boekhouding over gulheid, ook dat bestaat.* Hij sloeg een pagina om, keek verbaasd en las voor:

AREIAS MOVEDIÇAS. DRIJFZAND.

Als we hebben ingezien dat het ondanks alle inspanning toch een kwestie van puur geluk is of iets ons lukt of niet, als we dus hebben ingezien dat we met alles wat we doen en beleven, drijfzand zijn voor onszelf: wat gebeurt er dan met al die vertrouwde en veelgeprezen gevoelens als trots, wroeging en schaamte?

Nu stond Silveira op van zijn stoel en liep heen en weer, zijn ogen gericht op Prado's tekst. Alsof hij in een roes was geraakt. Hij las voor: *Zichzelf begrijpen: is dat een ontdekking of een creatie?* Hij bladerde verder en las weer voor: *Is iemand werkelijk in mij geïnteresseerd en niet alleen in zijn interesse in mij?* Hij had een langer stuk tekst gevonden en ging nu op de rand van het bureau van senhor Cortês zitten. Hij stak een sigaret op.

PALAVRAS TRAIÇOEIRAS. VERRADERLIJKE WOORDEN.

Als we over onszelf, over anderen of ook gewoon over dingen spreken, dan willen we onszelf in onze woorden – zou je kunnen zeggen – openbaren: we willen meedelen wat we denken en voelen. We gunnen de anderen een blik in onze ziel. (We give them a piece of our mind, *zoals de Engelsen zeggen. Een Engelsman zei het tegen me toen we aan de reling van een schip stonden. Dat is het enige goede wat ik uit dat merkwaardige land heb meegebracht. Misschien ook nog de herinnering aan de Ier met de rode bal in het* All Souls.) *Zo gezien zijn wij wat het openstellen van onszelf betreft soevereine regisseurs, autonome dramaturgen. Maar misschien is dat allemaal wel helemaal verkeerd? Is het zelfbedrog? Want wij openbaren onszelf niet alleen met onze woorden, we verraden onszelf ook. We geven veel meer prijs dan hetgeen we willen openbaren, soms is het zelfs precies het tegenovergestelde. En de anderen kunnen onze woorden als symptomen van iets duiden waarvan wij zelf wellicht helemaal geen weet hebben. Als symptomen van de ziekte wij te zijn. Het kan amusant zijn als we de anderen zo beschouwen, het kan ons toleranter maken, maar ons ook munitie in de hand drukken. En als we er op het moment waarop we beginnen te spreken aan denken dat de anderen precies hetzelfde doen met ons, dan kunnen de woorden in onze keel blijven steken en de schrik kan ons voor altijd doen verstommen.*

Op weg naar huis stopten ze voor een gebouw met veel staal en glas.

'Dit is mijn bedrijf,' zei Silveira. 'Ik wil graag een fotokopie maken van Prado's boek.'

Hij zette de motor af en opende het portier. Een blik op het gezicht van Gregorius deed hem aarzelen.

'O. Natuurlijk. Die tekst en een kopieermachine, dat past niet goed bij elkaar.' Hij streek met zijn hand over het stuur. 'En bovendien wil je de tekst helemaal voor jezelf houden. Niet alleen het *boek. De tekst.*'

Later, toen Gregorius niet kon slapen, dacht hij voortdurend aan wat Silveira had gezegd. Waarom was er vroeger nooit iemand in zijn leven geweest die hem zo snel en moeiteloos had begrepen?

Voordat ze naar bed gingen had Silveira hem kort omhelsd. Hij was een man wie hij zou kunnen vertellen over zijn duizelingen. Over zijn duizelingen en over zijn angst voor de neuroloog.

41 Toen João Eça de deur opende van zijn kamer in het tehuis zag Gregorius aan zijn gezicht dat er iets was gebeurd. Eça aarzelde voordat hij hem verzocht binnen te komen. Het was een koude maartdag en toch stond het raam wijd open. Eça trok zijn broek recht voordat hij ging zitten. Hij streed tegen zichzelf toen hij de stukken op het bord zette. Het was een strijd, dacht Gregorius later, die zowel met zijn gevoelens te maken had als met de vraag of hij erover zou praten.

Eça trok de pion. 'Ik heb vannacht in mijn bed geplast,' zei hij schor. 'En ik heb er niets van gemerkt.' Hij hield zijn ogen op het bord gericht.

Gregorius trok. Hij mocht niet te lang blijven zwijgen. Hij had gisteravond met een duizelig hoofd in een vreemde keuken gestaan en was toen bijna in de armen van een opgefokte vrouw terechtgekomen, tegen zijn zin, zei hij.

Dat was iets anders, zei Eça geïrriteerd.

Omdat het niets met het onderlijf te maken had? vroeg Gregorius. Het ging er in beide gevallen immers om dat de normale controle over het lichaam verloren was gegaan.

Eça keek hem aan. Hij dacht na.

Gregorius zette thee en schonk een half kopje voor hem in. Eça ving zijn blik op, die op zijn bevende handen was gericht.

'A dignidade,' zei hij.

'Waardigheid,' zei Gregorius. 'Ik heb geen idee wat dat eigenlijk is. Maar ik geloof niet dat het iets is wat enkel en alleen verloren gaat omdat het lichaam het laat afweten.'

Eça verknoeide de openingszet.

'Toen ze me martelden, deed ik het ook in mijn broek en ze lachten me erom uit. Het was een afschuwelijke vernedering maar ik had niet het gevoel dat ik mijn waardigheid verloor. Maar wat is het dan?'

Of hij dacht dat hij zijn waardigheid zou hebben verloren als hij de anderen had verlinkt, vroeg Gregorius.

'Ik heb geen woord gezegd, echt geen woord. Ik heb alle mogelijke woorden in mijzelf... opgeborgen. Ja, dat is het: ik heb ze opgeborgen en de deur onherroepelijk op slot gedaan. Daardoor was het uitgesloten dat ik zou praten, er viel niet over te onderhandelen. Dat had een merkwaardig effect: ik hield ermee op de marteling als een handeling van de anderen te beleven, als een daad. Ik zat er puur als een lichaam bij, een klomp vlees dat door de pijn werd geraakt alsof die door een hagelbui werd veroorzaakt. Ik hield ermee op de beulsknechten als handelende personen te zien. Ze wisten het niet, maar ik heb ze gedegradeerd, ik heb ze gedegradeerd tot uitvoerders van een blinde machinerie. Dat heeft me geholpen de marteling om te zetten in agonie.'

En als ze met een of andere drug zijn tong los hadden gemaakt?

Dat had hij zichzelf ook al vaak afgevraagd, zei Eça, en hij had erover gedroomd. Hij was tot de conclusie gekomen dat ze hem daarmee hadden kunnen vernietigen, maar zijn waardigheid hadden ze hem niet op die manier kunnen afnemen. Om je waardigheid te verliezen moest je die zelf verspelen.

'En dan windt u zich op over een natgeplast bed?' zei Gregorius, en deed het raam dicht. 'Het is koud en het stinkt hier niet, echt niet.'

Eça wreef met zijn hand over zijn ogen. 'Ik wil niet aan slangen en aan een pomp worden gelegd. Alleen maar om het een paar weken te rekken.'

Dat er dingen waren die je voor geen prijs zou doen of laten: misschien bestond daaruit de waardigheid, zei Gregorius. Het hoeven geen morele grenzen te zijn, voegde hij eraan toe. Je kon je waardigheid ook op een andere manier verspelen. Een leraar die uit horigheid de kraaiende haan speelt in een variététheater. Hielenlikkerij omwille van je carrière. Grenzeloos opportunisme. Leugenachtigheid en het uit de weg gaan van conflicten teneinde je huwelijk te redden. Dat soort dingen.

'En een bedelaar?' vroeg Eça. 'Kan iemand bedelaar zijn en toch waardigheid bezitten?'

'Misschien, als er iets dwangmatigs is in zijn levensloop, iets onvermijdelijks, iets waar hij niets aan kan doen. En als hij ervoor staat. Als hij zichzelf trouw blijft,' zei Gregorius.

Trouw zijn aan jezelf – ook dat hoort bij waardigheid, zei hij. Op die manier kon je op een waardige manier overleven dat je in het openbaar kapot wordt gemaakt. Galilei. Luther. Maar ook iemand die een schuld op zich heeft geladen en de verleiding weerstaat het te ontkennen. Dus dat waartoe politici niet in staat zijn. Oprechtheid, de moed oprecht te zijn. Tegenover de anderen en tegenover jezelf.

Gregorius zweeg. Wat je dacht wist je pas als je het uitsprak.

'Er bestaat een walging,' zei Eça, 'een heel bijzondere walging die je voelt als je met iemand te maken hebt die constant tegen je liegt. Misschien is dat een walging die met onwaardigheid te maken heeft. Op school zat ik naast een jongen die zijn plakkerige handen altijd aan zijn broek afveegde. Hij deed dat op een speciale manier die ik nu nog voor me zie: alsof het niet waar was dat hij ze afveegde. Hij was graag mijn vriend geworden. Maar het ging niet. En niet vanwege die broek. Het kon gewoon niet.'

Ook als je van iemand afscheid nam of iemand je excuses aanbood was er sprake van waardigheid, voegde hij eraan toe. Amadeu had er wel eens over gesproken. Hij had zich vooral beziggehouden met het verschil tussen iemand op zo'n manier vergiffenis te schenken dat die ander zijn waardigheid behield, en de manier die hem ervan beroofde. Vergiffenis die van de ander vraagt zich te onderwerpen, had Prado gezegd, is ontoelaatbaar. Dus niet zoals in de bijbel, waar je jezelf moet beschouwen als knecht van God en Jezus. Als knecht! Dat staat er!

'Hij kon witheet worden van woede,' zei Eça. 'En vaak had hij het dan ook over de onwaardigheid die besloten ligt in de houding tot de dood, zoals die in het Nieuwe Testament staat beschreven. Waardig sterven betekent sterven met het besef dat het het einde betekent. En de kitsch van de zogenaamde onsterfelijkheid afwijzen. Op Hemelvaartsdag was bij hem de praktijk altijd gewoon open, hij werkte dan nog langer dan anders.'

Gregorius nam de boot terug naar Lissabon. *Als we hebben ingezien dat we met alles wat we doen en beleven, drijfzand zijn...* Wat betekende dat voor de waardigheid?

42   Maandagochtend zat Gregorius in de trein naar Coimbra, de stad waar Prado met de kwellende vraag had geleefd of het
geen enorme vergissing was geweest medicijnen te gaan studeren
omdat hij daarmee hoofdzakelijk gehoor had gegeven aan de wens
van zijn vader en had verzuimd te doen wat hij werkelijk wilde.
Op een dag was hij naar het oudste warenhuis van de stad gegaan
en had spullen gestolen die hij niet nodig had. Hij, de man die zich
kon permitteren zijn vriend Jorge een hele apotheek cadeau te
doen. Gregorius dacht aan de brief die Prado aan zijn vader had
geschreven en aan de mooie dievegge Diamantina Esmeralda Ermelinda, die in Prado's fantasie de rol toebedacht had gekregen
zich te wreken voor de dievegge die door zijn vader was veroordeeld.

Voordat hij vertrok had hij Maria João gebeld en haar naar de
straat gevraagd waar Prado in Coimbra had gewoond. Op haar be-
zorgde vraag naar zijn duizelingen was hij niet ingegaan. Vanochtend had hij nog geen last van duizelingen gehad. Maar iets was
anders. Hij had een gevoel alsof hij tegen een flinterdun luchtkussen met een heel geringe weerstand moest vechten om met de dingen in aanraking te komen. De luchtlaag waar hij doorheen moest
dringen had hij kunnen beleven als een beschermend omhulsel,
als hij niet de angst had gevoeld dat de wereld aan de andere kant
van die laag lucht hem langzaam ontglipte. Op het station in Lissabon had hij met grote stappen op en neer gelopen om zich te
verzekeren van de weerstand die het betegelde perron bood. Het
had geholpen, en toen hij plaatsnam in de lege treincoupé was hij
rustiger.

Prado had talloze keren dit traject afgelegd. Maria João had aan
de telefoon gesproken over zijn passie voor treinen, een passie die
João Eça ook al had beschreven toen hij vertelde hoe Amadeu's kennis van zaken, zijn krankzinnige spoorwegpatriottisme, het leven
had gered van mensen die bij het verzet zaten. Wissels stellen had
hem het meest gefascineerd, had hij verteld. Maria João had het
over iets anders gehad: de treinreis als rivierbedding van het inbeeldingsvermogen, als een beweging waarin de fantasie vloeibaar
wordt waardoor er diep in de ziel verborgen beelden opkomen. Het
gesprek met haar had die ochtend langer geduurd dan hij had ver-

wacht, de merkwaardige, unieke vertrouwelijkheid die was ontstaan toen hij haar gisteren uit de bijbel had voorgelezen, was gebleven. Opnieuw hoorde Gregorius O'Kelly's verzuchting: Maria, mijn god, ja, Maria. Er was nog maar vierentwintig uur verstreken sinds ze de deur voor hem had geopend en hij begreep zonder enige moeite waarom Prado de gedachten die hij als de gevaarlijkste ter wereld had beschouwd, in háár keuken, en nergens anders, had opgeschreven. Wat was het? Haar onversaagdheid? De indruk dat je bij haar met een vrouw te maken had die in de loop van haar leven een innerlijke evenwichtigheid en onafhankelijkheid had ontwikkeld waar Prado alleen maar van had kunnen dromen?

Ze hadden over de telefoon met elkaar gepraat alsof ze nog steeds in het liceu zaten, hij aan het bureau van senhor Cortês, zij in de stoel met de deken over haar benen.

'Wat reizen betreft was hij op een merkwaardige manier gespleten,' had ze gezegd. 'Hij wilde reizen, almaar verder, hij wilde ronddwalen in de ruimtes die zijn fantasie voor hem ontsloot. Maar hij was nog niet vertrokken uit Lissabon of hij kreeg al heimwee, verschrikkelijke heimwee, het was niet om aan te zien. "Goed, Lissabon is natuurlijk heel mooi, maar…" zeiden de mensen dan tegen hem.

Ze begrepen niet dat het eigenlijk niet om Lissabon ging maar om hem, Amadeu. Zijn heimwee was namelijk niet het verlangen naar wat hem vertrouwd was en wat hij liefhad. Het was iets veel diepers, iets wat hem in zijn kern raakte: het verlangen terug te kunnen vluchten naar achter de beproefde dijken van zijn innerlijk, die hem beschermden tegen de gevaarlijke branding en de verraderlijke overstromingen van zijn ziel. Hij had de ervaring dat die innerlijke bolwerken het stevigst waren als hij in Lissabon was, in zijn ouderlijk huis, in het liceu, maar vooral in de blauwe praktijk. Blauw is de kleur van mijn geborgenheid, zei hij.

Dat het erom ging zich tegen zichzelf te beschermen, verklaart waarom zijn heimwee altijd gepaard ging met iets van paniek en rampspoed. Als het hem overviel moest het heel snel gaan en dan brak hij een reis van het ene moment op het andere af en vluchtte naar huis. Hoe vaak was Fátima niet hevig teleurgesteld als dat gebeurde!'

Maria João had geaarzeld voordat ze eraan toevoegde: 'Het is goed dat ze niet begreep waar het om ging, met dat heimwee van hem. Anders had ze misschien wel gedacht dat zij het was die er niet in slaagde zijn angst voor zichzelf weg te nemen.'

Gregorius sloeg Prado's boek open en las voor de zoveelste keer de aantekening die hem als geen andere de sleutel leek te zijn tot alle andere dingen:

ESTOU A VIVER EM MIM PRÓPRIO COMO NUM COMBOIO A ANDAR. IK WOON NU IN MIJZELF ALS IN EEN RIJDENDE TREIN.

Ik ben niet vrijwillig ingestapt, had geen keus en weet niet waar we heen gaan. Op een dag in het verre verleden werd ik wakker in mijn coupé en voelde de trein rijden. Het was opwindend, ik luister-de naar het ratelen van de wielen, stak mijn hoofd uit het raam en genoot van de snelheid waarmee de dingen langs me heen suisden. Ik wou dat de trein zijn reis nooit zou onderbreken. In geen geval wil-de ik dat hij voor altijd ergens zou blijven stilstaan.

Het was in Coimbra, op een harde bank in de collegezaal, toen ik besefte: ik kan niet uitstappen. Ik kan de spoorbaan en de richting niet veranderen. Ik bepaal niet het tempo. Ik zie de locomotief niet en weet ook niet of de machinist te vertrouwen is. Ik weet niet of hij de seinen in de gaten houdt en merkt of een wissel verkeerd staat. Ik kan niet in een andere coupé gaan zitten. In het gangpad lopen men-sen langs en ik denk: misschien ziet het er in hun coupés heel anders uit dan bij mij. Maar ik kan er geen kijkje gaan nemen, een conduc-teur die ik nooit heb gezien en nooit zal zien, heeft de deur van mijn coupé op slot gedaan en verzegeld. Ik doe het raam open, leun zo ver mogelijk naar buiten en zie dat alle anderen hetzelfde doen. De trein maakte een wijde bocht. De laatste wagons zijn nog in de tunnel en de eerste rijden alweer naar binnen. Misschien rijdt de trein in een cirkel, almaar, zonder dat iemand het merkt, ook de machinist niet? Ik heb geen idee hoe lang de trein is. Ik zie al die andere mensen die hun nekken rekken om iets te zien en te begrijpen. Ik roep een groet, maar de wind verwaait mijn woorden.

De verlichting van de coupé verandert telkens zonder dat ik er in-vloed op heb. Zon en wolken, schemering en opnieuw schemering. Re-gen, sneeuw, storm. Het lampje aan het plafond geeft een flauw schijn-

sel, wordt feller, een verblindend licht, begint te flakkeren, gaat uit, geeft weer licht, is een pitje, een kroonluchter, een felle neonbuis, alles tegelijk. De verwarming laat het vaak afweten. Het komt voor dat die heet is bij warm weer en bij kou geen warmte afgeeft. Als ik aan de verwarmingsknop draai, hoor ik iets klikken en kraken maar er verandert niets. Vreemd is het dat ook mijn jas me niet altijd meteen verwarmt. Buiten lijken de dingen hun gewone, redelijke gang te gaan. Misschien ook in de coupés van de andere passagiers? In die van mij gaat het er in elk geval anders aan toe dan ik had verwacht, heel anders. Was de man die de trein heeft ontworpen dronken? Was hij gek? Was hij een duivelse charlatan?

In de coupés liggen papieren met het reisschema. Ik wil nalezen waar we zullen stoppen. Op de papieren staat niets. Op de stations waar we stoppen ontbreken borden met de naam van het station. De mensen buiten werpen nieuwsgierige blikken naar de trein. De ruiten zijn vuil door het frequente slechte weer. Ik denk: die ruiten geven een vertekend beeld van wat hier binnen is. Plotseling overvalt me de behoefte de dingen recht te zetten. Het raam klemt. Ik schreeuw me schor. De anderen kloppen verontwaardigd op de scheidingswand. Na elk station komt een tunnel. Die beneemt me de adem. Bij het verlaten van de tunnel vraag ik me af of we werkelijk hebben stilgestaan.

Wat kan ik doen tijdens de reis? De coupé opruimen. De dingen vastzetten, zodat ze niet meer rammelen. Maar dan droom ik dat de wind die door de rijdende trein wordt veroorzaakt, aanzwelt en het raam indrukt. Alles vliegt weg wat ik met veel moeite op orde heb gebracht. Ik droom trouwens toch al veel op die eindeloze reis, het zijn dromen over gemiste treinen en dienstregelingen die niet kloppen, over stations die in het niets oplossen als je er binnenrijdt, over perronopzichters en over stationschefs die met rode petten plotseling in de leegte staan. Soms val ik van pure uitputting in slaap. In slaap vallen is gevaarlijk, heel zelden word ik verfrist wakker en verheug me op de veranderingen. In de regel stoort alles me wat ik bij het wakker worden aantref, zowel innerlijk als uiterlijk.

Soms schrik ik op en denk: de trein kan elk moment ontsporen. Ja, meestal schrik ik van die gedachte. Toch, op zeldzame, zinderende momenten schiet die gedachte als een zalige flits door me heen.

Ik word wakker en het landschap van de anderen trekt voorbij. Razendsnel soms, zodat ik hun nukken en grillen en hun eclatante onzin bijna niet kan bijhouden; dan weer tergend langzaam, als ze telkens hetzelfde zeggen en doen. Ik ben blij over de ruit tussen hen en mij. Zo kan ik hun wensen en voornemens leren kennen zonder dat ze mij ongehinderd onder vuur kunnen nemen. Ik ben blij als de trein weer op volle vaart komt en ze verdwijnen. De wensen van de anderen: wat doen we daarmee als we elkaar ontmoeten?

Ik duw mijn voorhoofd tegen de ruit en concentreer me uit alle macht. Ik wil één keer, één enkele keer, proberen te begrijpen wat er buiten gebeurt. Het werkelijk leren begrijpen. Op zo'n manier dat het me niet meteen weer ontglipt. Het lukt niet. Het gaat allemaal veel te snel, ook als de trein midden in het niets stopt. De volgende indruk wist de vorige uit. Mijn geheugen raakt oververhit, ik ben ademloos bezig de vluchtige beelden van de gebeurtenissen achteraf om te zetten in de illusie van iets begrijpelijks. Telkens kom ik te laat, hoe snel het licht van de oplettendheid ook achter de dingen aan snelt. Altijd is alles al voorbij. Altijd heb ik het nakijken. Nooit ben ik erbij. Ook niet als 's nachts het interieur van de coupé wordt weerspiegeld in de ruit.

Ik houd van tunnels. Ze zijn het zinnebeeld van de hoop: op een bepaald moment wordt het weer licht. Als het niet toevallig donker is buiten.

Soms krijg ik bezoek in mijn coupé. Ik weet niet hoe het ondanks de gesloten en verzegelde deur mogelijk is, maar het gebeurt. Meestal komt het bezoek op een onmogelijk tijdstip. Het zijn mensen uit het heden, maar ook vaak uit het verleden. Ze komen en gaan naar het hun uitkomt, ze zijn grof en storen me. Ik moet met hen praten. Het is allemaal vluchtig, vrijblijvend, bestemd om vergeten te worden; heel gewone treingesprekken dus. Een paar bezoekers verdwijnen spoorloos. Anderen laten kleverige en stinkende sporen na, de coupé luchten helpt niet. In zo'n geval heb ik de neiging het hele interieur van de coupé te slopen en door een nieuw interieur te vervangen.

De reis duurt lang. Er zijn dagen waarop ik hoop dat de reis eindeloos zal zijn. Dat zijn zeldzame, kostbare dagen. Er zijn andere dagen waarop ik blij ben met de wetenschap dat er een laatste tunnel zal zijn waarin de trein voor altijd tot stilstand komt.

Toen Gregorius uit de trein stapte, was het laat in de middag. Hij nam een kamer in een hotel aan de overkant van de Mondego, waar hij uitzicht had op de oude binnenstad en de heuvel Alcáço-va. De laatste zonnestralen dompelden de majestueuze gebouwen van de universiteit, die boven alles uitstaken, in een warm, gouden licht. Daar boven, in een van de steile, nauwe straten, hadden Prado en O'Kelly in een *república* gewoond, een van de studentenhuizen die al in de Middeleeuwen waren gesticht.

'Hij wilde niet anders wonen dan de anderen,' had Maria João gezegd, 'hoewel hij soms tot wanhoop werd gedreven door de geluiden uit de kamer naast hem, dat was hij niet gewend. Maar de rijkdom van de familie, die uit het grootgrondbezit van vroegere generaties stamde, drukte soms zwaar op hem. Er waren twee woorden die als geen andere hem witgloeiend konden maken: *colónia* en *latifundiário*. Hij zag er dan uit als iemand die bereid is te schieten.

Toen ik hem ging opzoeken in Coimbra had hij zich overdreven nonchalant gekleed. Waarom hij niet, zoals de andere studenten die medicijnen studeerden, het gele lint van de faculteit droeg, vroeg ik.

"Je weet toch dat ik niet van uniformen houd, zelfs aan de pet van het liceu had ik een hekel," zei hij.

Toen ik terug naar huis moest en we op het perron stonden, kwam er een student aan lopen die het donkerblauwe lint van de literatuur droeg.

Ik keek Amadeu aan. "Het is niet zozeer het línt," zei ik, "het is het géle lint. Jij zou graag het blauwe lint dragen."

"Je weet toch dat ik er niet van houd als iemand me doorziet," zei hij. "Kom gauw weer op bezoek, alsjeblieft."

Hij had een manier om *por favor* te zeggen – ik was bereid om naar het eind van de wereld te reizen om dat te horen.'

De straat waar Prado had gewoond, was gemakkelijk te vinden. Gregorius wierp een blik in de entree van het studentenhuis en liep een paar trappen op. 'In Coimbra, toen de hele wereld van ons leek te zijn.' Zo had Jorge die tijd beschreven. In dit huis hadden hij en Prado dus opgeschreven wat tot *lealdade*, loyaliteit, tussen mensen leidde. Een lijst waarin de liefde had ontbroken. Begeerte, welbehagen, geborgenheid. Alle gevoelens die vroeg of laat teloor-gingen. Loyaliteit was het enige wat duurzaamheid bezat. Een wil, een beslissing, het partij kiezen door de ziel. Iets wat het toeval van ontmoetingen en de toevalligheid van gevoelens in een noodzaak veranderde. Een zweem van eeuwigheid, slechts een zweem, maar toch, had Prado gezegd. Gregorius zag het gezicht van O'Kelly voor zich. 'Hij heeft zich vergist. We hebben ons allebei vergist,' had hij op de trage manier van dronken mensen gezegd.

In de universiteit was Gregorius het liefst meteen naar de Biblio-teca Joanina en naar de Sala Grande dos Actos gegaan, de zalen waarvoor Prado regelmatig hierheen was gereisd. Maar dat kon al-leen tijdens bepaalde uren en vandaag was het niet meer mogelijk.

Wel open was de Capela de São Miguel. Gregorius was er alleen en bekeek het barokke orgel dat van een overweldigende schoon-heid was. 'Ik wil de bruisende klanken van het orgel horen, die stortvloed van bovenaardse klanken. Ik heb die nodig tegen de schelle lachwekkendheid van de marsmuziek,' had Prado in zijn toespraak gezegd. Gregorius probeerde zich de keren te herinne-ren dat hij in een kerk was geweest. De geloofsbelijdenis, de rouw-diensten voor zijn ouders. Onze Vader... Hoe somber, hoe vreug-deloos en kleinburgerlijk het had geklonken! En, dacht hij nu, het had allemaal niets te maken gehad met de overweldigende poëzie van de Griekse en Hebreeuwse tekst. Niets, helemaal niets!

Gregorius schrok. Zonder het te willen had hij met zijn vuist op een bank geslagen en nu keek hij beschaamd om zich heen, maar hij was nog steeds alleen. Hij knielde neer en deed wat Prado had gedaan met de kromme rug van zijn vader: hij probeerde zich voor te stellen hoe die houding van binnenuit aanvoelde. 'Die zou je moeten afbreken,' had Prado gezegd toen hij met pater Bartolo-meu langs de biechtstoelen was gelopen. 'Wat een vernedering!'

Toen Gregorius zich oprichtte begon de kapel als een razende om hem heen te draaien. Hij greep zich vast aan de bank en wacht-te tot het voorbij was. Toen liep hij, terwijl een paar studenten hem gehaast passeerden, langzaam door de gangen en ging een college-zaal binnen. In de laatste rij gezeten dacht hij eerst aan het colle-ge over Euripides waarbij hij had verzuimd de docent luid zijn me-ning te geven. Toen gleden zijn gedachten terug naar de colleges die hij als student had gevolgd. En ten slotte stelde hij zich de student Prado voor, die in de collegezaal opstond en kritische vragen stelde. Gerenommeerde, met prijzen overladen hoogleraren, keien in hun vak, voelden zich door hem op de proefbank gelegd, had pater Bartolomeu gezegd. Maar Prado had hier niet als een arrogante, eigenwijze student gezeten. Hij had geleefd in een vagevuur van twijfels, geteisterd door de angst zichzelf mis te lopen. *Het was in Coimbra, op een harde bank in de collegezaal, toen ik besefte: ik kan niet uitstappen.*

Het was een college over juridische kwesties, Gregorius begreep er geen woord van en ging weg. Hij bleef tot het donker werd op het terrein van de universiteit en probeerde telkens weer helderheid te krijgen over de verwarrende gevoelens die hem maar niet loslieten. Waarom dacht hij hier, op de beroemdste universiteit van Portugal, opeens dat hij misschien toch graag voor een collegezaal had gestaan om zijn uitputtende filologische kennis door te geven aan studenten? Had hij misschien toch een leven misgelopen, een leven dat hij met zijn intellectuele vermogens en zijn kennis moeiteloos had kunnen leven? Nooit eerder, geen seconde, had hij het als een vergissing beschouwd dat hij als student na een paar semesters de colleges had verzuimd en al zijn tijd had gewijd aan het bezeten lezen van teksten. Waarom nu opeens die merkwaardige weemoed? En was het eigenlijk wel weemoed?

Toen het eten werd opgediend dat hij in een klein eetcafé had besteld, stond het voedsel hem tegen. Hij wilde weg, de koele nachtlucht in. Het flinterdunne luchtkussen dat hem vanochtend had omhuld, was er weer, een beetje dikker en met een weerstand die een klein beetje sterker was. Net als op het perron in Lissabon liep hij met extra stevige pas door, en dat hielp ook deze keer.

João de Lousada de Ledesma, *O mar tenebroso*. Het dikke boek viel hem meteen op toen hij in een antiquariaat langs de schappen liep. Het boek op het bureau van Prado. Het laatste boek waarin hij had gelezen. Gregorius pakte het uit de kast. Het kalligrafische lettertype, de kopergravures van kusten, de gewassen tekeningen van zeevaarders. Cabo Finisterre, hoorde hij Adriana zeggen, in Galicië. Het was als een idée-fixe. Hij had een jachtige, koortsige uitdrukking op zijn gezicht als hij erover sprak.

Gregorius ging in een hoekje zitten en bladerde tot hij op de woorden van de islamitische geograaf al-Idrisi uit de twaalfde eeuw stuitte: 'Vanuit Santiago voeren we naar Finisterre, zoals de boeren het noemen, een woord dat het einde van de wereld betekent. Je ziet er alleen maar hemel en water en ze zeggen dat de zee zo onstuimig is dat niemand erop kan varen, en dat is de reden dat men niet weet wat er achter de zee is. Ze zeiden tegen ons dat een paar mannen, die er begerig naar waren geweest het te onderzoeken, met hun schepen zijn verdwenen en dat niemand van hen ooit is teruggekeerd.'

Het duurde even tot de gedachte tot Gregorius was doorgedrongen. 'Veel later hoorde ik dat ze in Salamanca werkte, als docente geschiedenis,' had João Eça over Estefânia Espinhosa gezegd. Toen ze voor het verzet werkte, had ze een baan bij de posterijen. Na de vlucht met Prado was ze in Spanje gebleven. En had geschiedenis gestudeerd. Adriana had geen verband gezien tussen Prado's reis naar Spanje en zijn plotselinge, fanatieke belangstelling voor Finisterre. Maar wat als er wel een verband was? Als hij en Estefânia Espinhosa naar Finisterre waren gegaan omdat zij altijd al geïnteresseerd was geweest in de middeleeuwse angst voor de eindeloze, onstuimige zee, een interesse die de aanleiding was geweest voor haar studie? Wat, als het op die reis naar het einde van de wereld was geweest, dat was gebeurd wat Prado dermate uit zijn evenwicht had gebracht dat het hem ertoe had bewogen naar huis terug te keren?

Maar nee, dat was te vergezocht, te avontuurlijk. En het zou volstrekt krankzinnig zijn aan te nemen dat de vrouw ook een boek had geschreven over de angstaanjagende zee. Met zoiets kon hij de eigenaar van het antiquariaat werkelijk niet lastigvallen.

'Eens even kijken,' zei de antiquaar. 'Dezelfde titel – dat is zo goed als uitgesloten. Dat zou indruisen tegen de goede academische gewoonten. Laten we eens kijken of het met de naam lukt.'

Estefânia Espinhosa, meldde de computer, had twee boeken geschreven, allebei hadden ze te maken met de begintijd van de Renaissance.

'Dat komt dicht in de buurt, nietwaar?' zei de antiquaar. 'Maar we krijgen het nog preciezer, wacht maar eens.' Hij zocht op het internet naar de historische faculteit van de universiteit van Salamanca.

Estefânia Espinhosa had haar eigen website en aan het begin van haar publicatielijst stonden ze: twee artikelen over Finisterre, één in het Portugees, het andere in het Spaans. De antiquaar grijnsde.

'Ik houd niet van computers, maar soms…'

Hij belde een gespecialiseerde boekhandel en daar hadden ze een van de beide boeken.

De winkels zouden spoedig sluiten. Gregorius, het grote boek over de onheilspellende zee onder zijn arm, moest rennen. Stond er een foto van de auteur op het omslag? Hij rukte het boek uit de hand van de verkoopster en draaide het om.

Estefânia Espinhosa, geboren 1948 in Lissabon, tegenwoordig docente aan de universiteit van Salamanca voor Spaanse en Italiaanse geschiedenis van de vroege Nieuwe Tijd. En een foto van haar die alles verklaarde.

Gregorius kocht het boek en bleef op weg naar het hotel een paar keer staan om de foto te bekijken. 'Ze was niet alleen de bal, de rode bal in het college in Oxford,' hoorde hij Maria João zeggen. 'Ze was veel meer dan alle rode Ierse ballen bij elkaar: hij moet gevoeld hebben dat ze voor hem de kans was heel te worden. Als man, bedoel ik.' En ook de woorden van João Eça hadden niet beter kunnen treffen: 'Estefânia was, geloof ik, zijn kans om eindelijk het gerechtshof te verlaten en naar buiten te gaan, naar waar het vrije, warme leven was, en deze ene keer geheel volgens zijn eigen wensen te leven, zijn hartstocht een kans te geven; de anderen konden naar de duivel lopen.'

Ze was dus vierentwintig geweest toen ze voor het blauwe huis achter het stuur was gaan zitten en met Prado, de man die achtentwintig jaar ouder was dan zij, over de grens was gereden, weg van O'Kelly, weg van het gevaar, een nieuw leven tegemoet.

Op de terugweg naar het hotel kwam Gregorius langs de psychiatrische kliniek. Hij dacht aan de zenuwinstorting van Prado na de diefstal. Maria João had verteld dat hij zich op de afdeling vooral had geïnteresseerd voor patiënten die hopeloos in zichzelf verstrikt waren geraakt, die heen en weer liepen en in zichzelf praatten. Ook later had hij altijd oog gehad voor zulke mensen en was hij verbaasd geweest hoeveel er waren die op straat, in de bus, op de Tejo hun woede uitschreeuwden tegen ingebeelde tegenstanders.

'Hij zou Amadeu niet zijn geweest als hij ze niet had aangesproken en hun verhaal had aangehoord. Dat was hun nooit eerder overkomen, en als hij zo stom was hun zijn adres te geven, liepen ze bij hem vervolgens de deur plat, zodat Adriana ze eruit moest gooien.'

In het hotel las Gregorius een van de weinige aantekeningen in Prado's boek die hij nog niet kende.

O VENENO ARDENTE DO DESGOSTO. HET GLOEIENDE GIF VAN DE ERGERNIS.

Als de anderen ons aanleiding geven ons aan hen te ergeren – aan hun driestheid, hun onrechtvaardigheid, hun egoïsme – dan oefenen ze macht over ons uit, ze zitten ons dwars en knagen aan onze ziel, want ergernis is als een gloeiend gif dat alle zachte, nobele en evenwichtige gevoelens vernietigt en ons van onze slaap berooft. Slapeloos doen we het licht aan en ergeren ons over de ergernis die zich in ons heeft genesteld als parasiterend ongedierte dat ons uitzuigt en krachteloos maakt. We zijn niet alleen woedend over de schade, maar ook over het feit dat die enkel en alleen in onszelf wordt aangericht, want terwijl we met een pijnlijk hoofd op de bedrand zitten, blijft de verre aanstichter gevrijwaard van de verwoestende kracht van de ergernis waarvan wij het slachtoffer zijn. Op het lege, innerlijke toneel dat fel verlicht wordt door de woordeloze woede, voeren we helemaal alleen voor onszelf een drama op met schimmige figuren en schimmige woorden die we met de machteloze, als ijskoud vuur in ons oplaaiende woede uitschreeuwen tegen schimmige vijanden. En hoe meer we erover vertwijfeld raken dat het slechts een schimmenspel is en geen werkelijke confrontatie waarin de mogelijkheid bestaat de ander schade toe te brengen en het leed evenwichtig te verdelen, des te woester dansen de giftige schimmen en achtervolgen ze ons tot in de duistere catacomben van onze dromen. (We zullen de spies omkeren, denken we grimmig, en smeden nachtenlang woorden die in de ander de uitwerking van een brandbom moeten hebben zodat vervolgens hij degene is in wie de vlammen van de verontwaardiging op-

laaien, terwijl wij, door het leedvermaak gekalmeerd, opgewekt en kalm onze koffie drinken)

Wat zou het betekenen als we op de juiste *manier omgingen met ergernis? We willen immers niet graag ongevoelige wezens zijn die geheel en al onaangedaan blijven door wat ons overkomt, wezens die ermee volstaan hun bevindingen uit te drukken in kille, bloedeloze oordelen, zonder dat ze zich ooit over iets opwinden omdat er niets is waar ze zich werkelijk om bekommeren. En daarom kunnen we niet serieus menen de ervaring van ergernis niet te willen kennen en in plaats daarvan altijd kalm te blijven, een kalmte die niet te onderscheiden zou zijn van totale gevoelloosheid. Ergernis leert ons immers ook iets over wie wij zijn. Wat ik daarom wil weten is dit: wat zou het betekenen als we onszelf op zo'n manier opvoeden en vormen, dat we wel lering trekken uit ergernis maar geen last hebben van het gif dat de ergernis bevat?*

We kunnen er zeker van zijn dat we op ons sterfbed, als deel van de laatste balans – en dat deel zal bitter smaken als cyanide –, zullen vaststellen dat we te veel, veel te veel energie en tijd hebben verkwist met ons te ergeren en het de ander in een machteloos schijntheater betaald te zetten, terwijl enkel en alleen wijzelf, die er zo zwaar onder hebben geleden, dat weten. Wat kunnen we doen om die balans te verbeteren? Waarom hebben onze ouders, onze leraren en andere opvoeders daar nooit over gesproken? Waarom hebben ze nooit ter sprake gebracht hoe ongelooflijk belangrijk het is? Waarom hebben ze ons geen kompas meegegeven dat ons had kunnen helpen te vermijden dat onze ziel zoveel onnodige tijd besteedt aan die onzinnige, zelfvernietigende ergernis?

Gregorius lag lang wakker. Af en toe stond hij op en ging voor het raam staan. De bovenstad met de universiteit en de klokkentoren zag er nu, na middernacht, kaal en sacraal en ook een beetje dreigend uit. Hij kon zich een landmeter voorstellen die er vergeefs op wachtte tot de geheimzinnige wijk te worden toegelaten.

Met zijn hoofd tegen een berg kussens rustend las Gregorius nog een keer de zinnen waarin Prado meer van zichzelf had laten zien dan in alle andere: *Soms schrik ik op en denk: de trein kan elk moment ontsporen. Ja, meestal doet die gedachte me schrikken. Maar op zeldzame, zinderende momenten schiet die gedachte als een zalige flits door me heen.*

Hij wist niet waar het beeld vandaan kwam maar opeens zag Gregorius de Portugese arts, die over het poëtische denken had gedroomd als over het paradijs, tussen de zuilen van een kruisgang zitten, midden in een klooster dat een stil asiel voor ontspoorde mensen was geworden. Zijn ontsporing had eruit bestaan dat de gloeiende lava van zijn gekwelde ziel met enorme kracht alles had verbrand en weggevaagd wat er aan knechting en tekortkomingen in hem had gezeten. Hij had alle verwachtingen teleurgesteld en alle taboes doorbroken, en daaruit bestond zijn zaligheid. Eindelijk was hij verlost van zijn kromgegroeide, rechtsprekende vader, van de zachte dictatuur van zijn eerzuchtige moeder en van de levenslange, verstikkende dankbaarheid van zijn zuster.

En ook van zichzelf was hij eindelijk verlost. Het heimwee was voorbij, hij had Lissabon en de blauwe kleur van de geborgenheid niet meer nodig. Nu hij zich helemaal had overgeleverd aan zijn innerlijke stormvloeden en er één mee was geworden, was er niets meer waartegen hij een verdedigingsmuur hoefde op te richten. Ongehinderd door zichzelf kon hij tot aan het andere einde van de wereld reizen. Eindelijk kon hij door de besneeuwde steppen van Siberië naar Vladivostok reizen zonder er bij elke bonk van de wielen aan te hoeven denken dat hij zich verwijderde van zijn blauwe Lissabon.

Nu viel het zonlicht in de kloostertuin, de zuilen werden lichter en lichter en verbleekten ten slotte helemaal, zodat er alleen nog maar een stralende diepte overbleef waarin Gregorius het spoor bijster werd.

Hij schrok en wankelde naar de badkamer, waar hij zijn gezicht natmaakte. Toen belde hij Doxiades. De Griek liet zich de duizelingen in detail beschrijven. Toen zweeg hij een tijdlang. Gregorius voelde zijn angst toenemen.

'Het kan van alles zijn,' zei de Griek ten slotte met zijn rustige doktersstem. 'Het meeste wat ik kan bedenken is onschuldig, niet iets wat je niet snel onder controle zou kunnen krijgen. Maar er moeten tests worden gedaan. Dat kunnen de Portugezen net zo goed als wij hier. Maar mijn gevoel zegt me: u moet naar huis komen. Met de artsen in uw moedertaal praten. Angst en vreemde talen, dat past niet goed bij elkaar.'

Toen Gregorius eindelijk in slaap viel, was achter de universiteit het prille eerste licht van de ochtend zichtbaar.

43 Er stonden driehonderdduizend boeken, zei de gids en haar naaldhakken klikten op de marmeren vloer van de Biblioteca Joanina. Gregorius bleef achter en keek om zich heen. Zoiets had hij nog nooit gezien. Met goud en tropisch hout gelambriseerde zalen die met elkaar waren verbonden door bogen die aan triomfbogen deden denken, boven de bogen het wapen van koning Johan V, die de bibliotheek aan het begin van de achttiende eeuw had gesticht. Barokke boekenkasten met oksalen op sierlijke zuiltjes. Een portret van koning Johan. Een rode loper die de pracht en praal versterkte. Het leek een sprookje.

Homerus, *Ilias* en *Odyssee*, verscheidene uitgaven die zo schitterend waren ingebonden dat ze heilige teksten leken. Gregorius liet zijn blik ronddwalen.

Na een poosje merkte hij dat zijn blik alleen nog achteloos langs de kasten gleed. Zijn gedachten waren bij Homerus gebleven. Het moesten gedachten zijn die zijn hart sneller deden kloppen, maar hij kwam er niet achter waarop ze betrekking hadden. Hij ging in een hoek staan, nam zijn bril af en sloot zijn ogen. In de zaal ernaast hoorde hij de scherpe stem van de gids. Hij duwde zijn handpalmen tegen zijn oren en concentreerde zich op de gonzende stilte in zijn hoofd. Seconden gingen voorbij, hij voelde zijn bloed kloppen.

Ja. Wat hij zonder het te beseffen had gezocht, was een woord dat bij Homerus maar een enkele keer voorkwam. Het was alsof iets achter zijn rug, verborgen in de coulissen van zijn geheugen, wilde testen of zijn geheugen nog net zo goed was als vroeger. Zijn ademhaling ging snel. Het woord kwam niet. Het kwam niet.

De gids liep met de groep door de zaal, de mensen kakelden als kippen. Gregorius liep langs hen heen naar het achterste gedeelte.

Hij hoorde hoe de toegangsdeur tot de bibliotheek op slot werd gedaan.

Met een hart dat als een razende tekeerging rende hij naar de kast en haalde de *Odyssee* eruit. Het oude, hard geworden leer sneed met zijn scherpe kanten in zijn handpalm. Koortsachtig bladerde hij in het boek en blies het stof van de bladzijden. Het woord stond niet op de plaats waar hij had gedacht. Het stond niet op die plaats! Hij probeerde rustig te ademen. Alsof er sluierwolken door hem heen trokken voelde hij een duizeling die kwam en ging. Systematisch nam hij het hele epos in gedachten door. Er kwam geen andere plek in aanmerking. Maar zijn actie had tot gevolg dat nu ook de zekerheid verdween waarmee hij met zoeken was begonnen. De grond onder zijn voeten begon te bewegen en deze keer was het geen duizeling. Zou hij zich op een verschrikkelijke manier hebben vergist en was het de *Ilias*? Hij nam die van de plank en bladerde er afwezig in. De bewegingen van zijn bladerende hand werden loos en mechanisch, het doel verdween in vergetelheid, steeds meer, Gregorius voelde hoe het luchtkussen hem omhulde, hij probeerde op de grond te stampen, zwaaide met zijn armen, het boek viel uit zijn hand, zijn knieën begaven het en hij gleed met een zachte, krachteloze beweging op de grond.

Toen hij wakker werd had hij moeite zijn bril te vinden, die een armlengte van hem vandaan lag. Hij keek op zijn horloge. Er kon niet meer dan een kwartier zijn verstreken. In zithouding leunde hij tegen de muur. Minuten gingen voorbij waarin hij alleen maar ademde, blij dat hij zich niet had bezeerd en dat zijn bril heel was gebleven.

En toen, plotseling, vlamde de paniek in hem op. Was dat vergeten het begin van iets? Een eerste, heel klein eilandje van het grote vergeten? Zou het groter worden en zouden er andere eilandjes aan toegevoegd worden? *We zijn het losse gesteente van het vergeten*, had Prado ergens geschreven. En als er nu een lawine van los gesteente op hem neerdaalde en de kostbare woorden met zich mee sleurde? Hij greep met zijn grote handen naar zijn hoofd en duwde ertegen alsof hij daarmee kon voorkomen dat er nog meer woorden verdwenen. Eén voor één bekeek hij de dingen om hem heen en gaf elk ding zijn naam, eerst in dialect, daarna in het Hoogduits, het Frans en het Engels, en ten slotte in het Portugees. Geen naam ontbrak en allengs werd hij rustiger.

Toen de deur voor de volgende groep werd opengedaan, wachtte hij in een hoek, mengde zich heel even onder de mensen en verliet toen het gebouw. Een diepblauwe hemel welfde zich over Coimbra. Op het terras voor een café dronk hij met kleine langzame slokjes kamillethee. Zijn maag kwam tot rust en hij kon iets eten.

Studenten lagen in de warme maartzon. Een man en een vrouw die elkaar innig omhelsden, barstten plotseling in luid gelach uit, gooiden hun sigaretten weg, stonden met lenige, soepele bewegingen op en begonnen te dansen, zo licht en vrij dat het leek alsof er geen zwaartekracht bestond. Gregorius voelde hoe de herinnering aan hem trok en hij gaf zich eraan over. En plotseling was ze er, de gebeurtenis waar hij al jaren niet meer aan had gedacht.

'Foutloos, maar een beetje stroef,' had de hoogleraar Latijn gezegd toen Gregorius in de collegezaal een fragment uit de *Metamorfosen* van Ovidius vertaalde. Een middag in december. Sneeuwvlokken, elektrisch licht. Meisjes die grijnsden. 'Een beetje meer dansen!' had de man met de strik en de rode halsdoek over zijn blazer eraan toegevoegd. Gregorius had in de collegebank het hele gewicht van zijn lichaam gevoeld. De bank had gekraakt toen hij zich bewoog. De overige tijd, waarin andere studenten aan de beurt kwamen, had hij er als verdoofd bij gezeten. De verdoving was gebleven toen hij later door de ter gelegenheid van Kerstmis versierde winkelgalerijen liep.

Na de feestdagen had hij het college niet verder gevolgd. De man met de rode halsdoek was hij uit de weg gegaan en ook andere hoogleraren ging hij uit de weg. Vanaf dat moment had hij alleen nog thuis gestudeerd.

Nu betaalde hij en ging over de Mondego, die ze *O Rio dos Poetas* noemden, terug naar het hotel. 'Vind je me saai?' 'Wat? Maar Mundus, zoiets kun je mij toch niet vragen!' Waarom deden al die dingen zoveel pijn, ook nu nog? Waarom was het hem in al die twintig, dertig jaar niet gelukt ze van zich af te schudden?

Toen Gregorius twee uur later in het hotel wakker werd, ging juist de zon onder. Natalie Rubin had met klikkende naaldhakken over het marmer van de gangen in de universiteit van Bern gelopen. In een lege collegezaal had hij voor haar een lezing gehouden over woorden die in de Griekse literatuur maar een enkele keer voorkomen. Hij wilde die woorden op het bord schrijven maar het bord was zo nat dat het krijtje weggleed, en toen hij de woorden wilde uitspreken, was hij ze vergeten. Ook Estefânia Espinhosa had rondgespookt in zijn onrustige slaap, een gestalte met stralende ogen en een olijfkleurige teint, eerst zwijgend, later als docente die onder een enorme met goud versierde koepel colleges gaf over onderwerpen die niet bestonden. Doxiades had haar onderbroken. Komt u maar mee naar huis, had hij gezegd, we zullen u op de Bubenbergplatz onderzoeken.

Gregorius zat op de rand van zijn bed. Het homerische woord kwam ook nu niet. En de onzekerheid over de plaats waar hij het kon vinden, begon hem weer parten te spelen. Het was zinloos geweest de *Ilias* uit de kast te halen. Het stond in de *Odyssee*. Het woord stond daar. Hij wist het. Maar waar?

De eerstvolgende trein naar Lissabon, dat hadden ze bij de receptie voor hem uitgezocht, ging pas morgenochtend. Hij pakte het grote boek over de onheilspellende zee en las verder wat al-Idrisi, de islamitische geograaf, had geschreven: 'Niemand weet – zegt men ons – wat er in die zee zit en je kunt het ook niet onderzoeken want er zijn te veel dingen die de scheepvaart belemmeren: de diepe duisternis, de hoge golven, de veel voorkomende stormen, de talloze monsters die de zee bevolken, en de heftige winden.' Hij had een fotokopie willen laten maken van de twee artikelen die Estefânia Espinhosa over Finisterre had geschreven, maar hij was vastgelopen op het personeel van de bibliotheek omdat hij niet de juiste woorden had kunnen vinden.

Hij bleef nog een poosje zitten. Er moeten tests worden gedaan, had Doxiades gezegd. En ook de stem van Maria João hoorde hij: U moet er niet te licht over denken.

Hij nam een douche, pakte zijn spullen in en liet door de verbaasde vrouw van de receptie een taxi bellen. In de buurt van het station kon hij nog een auto huren. Maar ze moesten dan deze dag ook in rekening brengen, zei de man. Gregorius knikte, zette zijn handtekening voor twee dagen en liep naar de parkeerplaats.

Zijn rijbewijs had hij als student gehaald, met het geld dat hij met lesgeven had verdiend. Dat was vierendertig jaar geleden. Sindsdien had hij niet meer gereden, het vergeelde rijbewijs met de jeugdige foto en het vetgedrukte voorschrift een bril te dragen en niet in het donker te rijden, had ongebruikt in de map met zijn reisdocumenten gezeten. De man van het autoverhuurbedrijf had zijn voorhoofd gefronst, hij had de foto vergeleken met het werkelijke gezicht, maar hij had niets gezegd.

Achter het stuur van de grote wagen wachtte Gregorius tot zijn adem rustiger werd. Voorzichtig probeerde hij alle knoppen en hendels. Met koude handen startte hij de motor, zette de versnelling in z'n achteruit en liet de koppeling los. De motor sloeg af. Geschrokken van de hevige schok sloot hij zijn ogen en hij wachtte opnieuw tot zijn adem kalmeerde. Bij de tweede poging schokte de auto, maar hij bleef rijden en Gregorius reed achteruit de rij geparkeerde auto's uit. De bochten tot de uitgang nam hij stapvoets. Bij een stoplicht aan de rand van de stad sloeg de auto nog een keer af. Daarna ging het steeds beter.

De autosnelweg tot Viana do Castelo liet hij na twee uur achter zich. Rustig zat hij achter het stuur en bleef op de rechterrijbaan. Hij begon allengs te genieten van de rit. Het lukte hem de kwestie met het woord van Homerus zo ver van zich af te zetten dat je het bijna vergeten zou kunnen noemen. Overmoedig geworden drukte hij het gaspedaal dieper in en hield het stuur met gestrekte armen vast.

Een auto die met groot licht reed, kwam hem tegemoet op de andere rijbaan. De dingen begonnen te draaien, Gregorius haalde zijn voet van het gaspedaal, maakte een schuiver naar rechts, reed de vluchtstrook op, raakte de smalle strook gras en kwam een paar centimeter voor de vangrail tot stilstand. Snel voorbijschietende lichtkegels gleden over hem heen. Later, op de eerstvolgende parkeerplaats, stapte hij uit en ademde voorzichtig de koele nachtlucht in. *U kunt beter naar huis komen. Met de artsen in uw moedertaal praten.*

Een uur later, voorbij Valença do Minho, kwam de grens. Twee mannen van de guardia civil met machinegeweren gebaarden dat hij kon doorrijden. Vanaf Tui nam hij de autosnelweg via Vigo,

Pontevedra en verder naar het noorden, richting Santiago. Even voor middernacht hield hij in een wegrestaurant een pauze en bestudeerde de wegenkaart. Er was geen andere mogelijkheid: als hij niet de enorme omweg wilde maken over de landtong van Santa Eugenia, moest hij bij Padrón de weg door de bergen nemen naar Noia, de rest was simpel, de hele tijd de kust volgen tot aan Finisterre. Hij had nog nooit in de bergen gereden en er doemden beelden op van Zwitserse bergpassen waar de chauffeurs van de lijnbussen constant uit alle macht aan het stuur zaten te trekken om het meteen daarna weer terug te draaien.

De mensen om hem heen spraken de taal van Galicië. Hij verstond er geen woord van. Hij was moe. Hij was het woord vergeten. Hij, Mundus, was een woord bij Homerus vergeten. Onder de tafel duwde hij zijn voeten tegen de vloer om het luchtkussen te verdrijven. Hij was bang. *Angst en vreemde talen, dat past niet bij elkaar.*

Het was gemakkelijker dan hij had verwacht. Bij scherpe, onoverzichtelijke bochten reed hij stapvoets, maar in het donker wist je door de schijnwerpers van tegemoetkomende auto's beter hoe de bochten lagen dan overdag. Er kwamen hem steeds minder auto's tegemoet, het was al over tweeën. Als hij eraan dacht dat hij, als hij duizelig werd, niet zomaar kon stoppen op de smalle weg, kwam er paniek in hem op. Maar toen een bord aangaf dat hij al in de buurt van Noia was, werd hij overmoedig en sneed de bochten af. *Een beetje stroef. Maar Mundus, zoiets kun je mij toch niet vragen!* Waarom had Florence niet gewoon gelogen! *Jij saai? Geen sprake van!*

Kon dat eigenlijk: dat je de dingen die je kwetsten gewoon van je af zette? *We strekken ons tot ver in het verleden uit,* had Prado genoteerd. *Dat komt door onze gevoelens, met name de diepe gevoelens die bepalen wie we zijn en hoe het is wij te zijn. Want die gevoelens kennen geen tijd, ze kennen die niet en ze erkennen die niet.*

Van Noia tot Finisterre was het honderdvijftig kilometer goed berijdbare weg. Hij kon de zee niet zien maar wist dat die er was. Het liep tegen vieren. Af en toe stopte Gregorius even. Het was geen duizeling, stelde hij elke keer vast, het kwam gewoon omdat zijn hersenen door de vermoeidheid door zijn hoofd begonnen te drijven. Na een hele reeks benzinestations die gesloten waren vond hij er ten slotte eentje die open was. Hoe het was in Finisterre, vroeg hij aan de slaperige pompbediende. 'Pues, el fin del mundo!' lachte die.

Toen Gregorius Finisterre binnenreed begon het juist een beetje te schemeren door de wolkenlaag heen. Als eerste gast dronk hij in een bar een kop koffie. Helemaal wakker en heel stevig stond hij op de betegelde vloer. Het woord zou terugkomen, op een moment waarop hij het het minst verwachtte, zo werkte het geheugen nu eenmaal, dat wist iedereen. Hij genoot ervan dat hij die krankzinnige tocht had gemaakt en nu hier was, en accepteerde de sigaret die de waard hem aanbood. Nadat hij twee keer diep had geïnhaleerd voelde hij zich een beetje duizelig. 'Vértigo,' zei hij tegen de waard. 'Ik ben een expert in duizelingen, er zijn een heleboel manieren en ik ken ze allemaal.' De waard snapte hem niet en maakte energiek de toog schoon.

De paar kilometer naar de kaap reed Gregorius met open raam. De zilte zeelucht was heerlijk en hij reed heel langzaam, als iemand die van voorpret geniet. De weg eindigde bij een haven met vissersboten. De vissers waren juist teruggekeerd en stonden bij elkaar een sigaret te roken. Hij wist later niet meer hoe het was gekomen maar opeens stond hij tussen de vissers en rookte hun sigaretten, het leek op een staande stamtafel in de open lucht.

Of ze tevreden waren met hun leven, vroeg hij. Mundus, docent oude talen uit Bern die in Galicië, aan het eind van de wereld, vissers vroeg hoe ze over het leven dachten. Gregorius genoot ervan, hij genoot er intens van; zijn plezier in de absurditeit mengde zich met zijn vermoeidheid, zijn euforie en een ongekend gevoel van bevrijdende ontregeling.

De vissers begrepen de vraag niet en Gregorius moest die in zijn belabberde Spaans twee keer herhalen. '¿Contento?' riep een van hen ten slotte uit. '¡Wij kennen niets anders!' Ze moesten lachen en bleven maar lachen, tot het ontaardde in een bulderend gelach waar Gregorius zo enthousiast aan meedeed dat zijn ogen begonnen te tranen.

Hij legde zijn hand op de schouder van een van de mannen en draaide hem met zijn gezicht naar de zee.

'¡Siempre derecho, más y más – nada!' riep hij tegen een wind-vlaag in.

'¡America!' riep de man. '¡America!'

Hij haalde uit de binnenzak van zijn jasje de foto van een meis-je in spijkerbroek, laarzen en een cowboyhoed.

'¡Mi hija! Mijn dochter!' Hij maakte gebaren in de richting van de zee.

De anderen trokken de foto uit zijn hand.

'¡Qué guapa es! Wat is ze knap!' riepen ze allemaal door elkaar.

Gregorius lachte en gebaarde en lachte, de anderen sloegen hem op zijn schouders, rechts en links en rechts, het waren forse klap-pen, Gregorius wankelde, de vissers draaiden om hem heen, de zee draaide, het suizen van de wind werd een oorsuizing, het zwol steeds meer aan, om plotseling in een stilte te verdwijnen die alles opslokte.

Toen hij bijkwam lag hij in een boot op een bank, geschrokken gezichten boven hem. Hij richtte zich op. Zijn hoofd deed pijn. Voor de fles met sterke drank bedankte hij. Het gaat wel weer, zei hij, en voegde eraan toe: '¡El fin del mundo!' De mannen lachten opgelucht. Hij schudde knoestige, ruwe handen, klom voorzichtig balancerend uit de boot en ging achter het stuur van zijn auto zit-ten. Hij was blij dat de motor meteen aansloeg. De vissers, hun handen in de zakken van hun oliejassen, keken hem na.

In het stadje nam hij een kamer in een pension en sliep tot laat in de middag. Het was intussen opgeklaard en het was warmer ge-worden. Toch had hij het koud toen hij in de schemering naar de kaap reed. Hij ging op een rotsblok zitten en keek naar hoe het licht in het westen steeds zwakker werd, om ten slotte helemaal te doven. *O mar tenebroso.* De donkere golven braken met veel la-waai, het witte schuim zwiepte met een dreigend geluid over het strand. Het woord kwam niet. Het kwam niet.

Bestond dat woord eigenlijk wel? Was het uiteindelijk niet zijn geheugen maar zijn verstand dat een deuk had opgelopen? Hoe kon het gebeuren dat een mens bijna zijn verstand verliest omdat een woord, één enkel woord slechts, dat bij Homerus maar één keer voorkomt, hem was ontschoten? Dat hij er een probleem mee had als hij in een collegezaal zat, of voor een examen, kon hij begrijpen. Maar hier, aan de ziedende zee? Moest het zwarte water dat ginds naadloos overging in de nachtelijke hemel zulke zorgen niet gewoon wegspoelen als iets dat volkomen onbelangrijk, ridicuul is, iets waar alleen iemand zich druk om kan maken die elk gevoel voor proporties heeft verloren?

Hij had heimwee. Hij sloot zijn ogen. Hij verliet om kwart voor acht de Bundesterrasse en betrad de Kirchenfeldbrücke. Door de winkelgalerijen van de Spitalgasse, de Marktgasse en de Kramgasse liep hij naar de Bärengraben. In de dom hoorde hij het *Weihnachtsoratorium*. Hij stapte in Bern uit de bus en ging zijn woning binnen. Hij nam de plaat met de Portugese taalcursus van de grammofoon en legde hem in de berging. Hij ging op bed liggen en was blij te weten: alles was als vroeger.

Het was erg onwaarschijnlijk dat Prado en Estefânia Espinhosa hierheen waren gereden. Meer dan onwaarschijnlijk. Niets wees erop, helemaal niets.

Rillerig en met een jasje dat klam was geworden liep Gregorius terug naar de auto. Die leek in het donker enorm groot. Een monster dat je nooit heelhuids terug kon chaufferen naar Coimbra, hij al helemaal niet.

Later probeerde hij tegenover zijn pension iets te eten, maar het ging niet. Door de pensionhoudster liet hij zich een paar vellen papier geven. Toen ging hij aan het kleine tafeltje in zijn kamer zitten en vertaalde wat de islamitische geograaf had geschreven in het Latijn, het Grieks en het Hebreeuws. Hij had gehoopt dat het schrijven van de Griekse letters het verloren woord terug zou brengen. Maar er gebeurde niets, de kamers van zijn herinnering bleven stil en leeg.

Nee, het was niet zo dat de ruisende weidsheid van de zee het onthouden en vergeten van woorden onbetekenend maakte. Ook niet het onthouden en vergeten van woorden. Het was niet zo, het was helemaal niet zo. Eén enkel woord tussen al die andere woorden, één enkel woord: ze waren onaanraakbaar, geheel en al onaanraakbaar voor de massa's blind, woordeloos water, en dat bleef zo, ook als het hele universum van vandaag op morgen veranderde in een wereld van ontelbaar vele zondvloeden waarbij de regen constant met bakken uit de hemel viel. Als er in het universum maar één woord was, één woord slechts, dan was het geen *woord*, maar als het toch een woord was dan zou het machtiger en stralender zijn dan alle vloedgolven achter alle horizonnen.

Langzaam werd Gregorius rustiger. Voordat hij ging slapen keek hij vanuit zijn raam naar de geparkeerde auto beneden. Morgen, als het licht was, zou het gaan.

Het ging. Uitgeput en angstig na een onrustige nacht legde hij de afstand in korte etappes af. Tijdens de rustpauzes werd hij regelmatig achtervolgd door de droombeelden van die nacht. Hij was in Isfahan geweest en had op het strand gelegen. De stad met haar minaretten en koepels, met het stralende ultramarijn en het blinkende goud, was opgerezen tegen een lichte horizon en daarom was hij geschrokken toen hij naar de zee keek en zag dat die zwart en bruisend voor de woestijnstad woedde. Een hete, droge wind woei vochtige, zware lucht in zijn gezicht. Voor het eerst had hij van Prado gedroomd. De goudsmid van woorden deed niets, hij was in de grote arena van de droom alleen aanwezig, zwijgend en voornaam, en Gregorius, zijn oor vlak bij de reusachtige bandrecorder van Adriana, zocht naar de klank van zijn stem.

Bij Viana do Castelo, kort voor de autosnelweg naar Porto en Coimbra, voelde Gregorius dat het verloren woord op het puntje van zijn tong lag. Hij deed achter het stuur onwillekeurig zijn ogen dicht en probeerde uit alle macht te voorkomen dat het terug zou zakken in het vergeten. Luid getoeter deed hem opschrikken. Op het allerlaatste ogenblik lukte het hem de auto, die op de andere rijbaan terecht was gekomen, naar rechts te sturen en een frontale botsing te voorkomen. Bij de eerste de beste parkeerhaven stopte hij en wachtte tot het pijnlijke bonzen van het bloed in zijn hersenen minder werd. Daarna bleef hij tot Porto achter een trage vrachtwagen rijden. De vrouw van het autoverhuurbedrijf was er niet blij mee dat hij de wagen daar en niet in Coimbra afleverde. Maar na een lange blik op zijn gezicht accepteerde ze het toch.

Toen de trein in de richting van Coimbra en Lissabon zich in beweging zette, liet Gregorius zijn hoofd uitgeput tegen de rugleuning vallen. Hij dacht aan de vele mensen in Lissabon van wie hij spoedig afscheid zou nemen. *Dat is de zin van een afscheid in de volle, belangrijke betekenis van het woord: dat twee mensen, voordat ze uit elkaar gaan, het erover eens worden hoe ze elkaar hebben gezien en ervaren,* had Prado in zijn brief aan zijn moeder geschreven. *Afscheid nemen van elkaar, dat is ook iets wat je met jezelf doet: je tot jezelf verhouden terwijl de ander toekijkt.* De trein begon sneller te rijden. De schrik over het ongeval dat hij op een haar na had veroorzaakt, begon te verdwijnen. Tot hij in Lissabon was wilde hij aan niets meer denken.

Precies op het moment waarop hij, ondersteund door het monotone geluid van de wielen, erin slaagde de dingen los te laten, was het verloren woord er plotseling: λίστρον, een schraapijzer voor het reinigen van de vloer van een zaal. En nu wist hij ook weer waar het stond: in de *Odyssee,* aan het eind van het tweeëntwintigste gezang.

De deur van de coupé ging open en een jongeman nam plaats die een boulevardblad opensloeg waarop reusachtige letters stonden. Gregorius stond op, pakte zijn bagage en liep naar het einde van de trein, waar hij een lege coupé vond. Λίστρον, zei hij in zichzelf, λίστρον.

Toen de trein stilhield op het station van Coimbra dacht hij aan de heuvel waarop de universiteit stond en aan de landmeter die in zijn voorstelling met een ouderwetse dokterstas over de brug liep, een magere, gebogen man in een grijze werkjas die erover nadacht hoe hij de mensen op de slotberg ertoe kon bewegen hem binnen laten.

Toen Silveira 's avonds thuiskwam van zijn werk, liep Gregorius hem in de hal tegemoet. Silveira keek verbaasd en kneep zijn ogen samen.

'Je gaat naar huis.'

Gregorius knikte.

'Vertel!'

44 'Als u me de tijd had gegeven, had ik een Portugees van u gemaakt,' zei Cecília. 'Denk eraan als u weer in dat land van u bent met die rauwe keelklanken: *doce, suave*, dan springen we over de vocalen heen.'

Ze trok haar groene halsdoekje over haar lippen en het bolde op als ze sprak. Ze lachte toen ze zag dat hij ernaar keek.

'Die truc met het doekje vond u leuk, nietwaar?' Ze blies extra hard.

Ze gaf hem een hand. 'U hebt een ongelooflijk goed geheugen. Alleen al daarom zal ik u nooit vergeten.'

Gregorius hield haar hand net zolang vast tot het ongepast begon te worden. Hij aarzelde. Eindelijk waagde hij het erop.

'Is er een reden waarom...'

'U wilt zeggen: waarom ik altijd groene kleren draag? Ja, die is er. Die zal ik u vertellen wanneer u terugkomt.'

Quando voltares. Wanneer u terugkomt. *Quando* had ze gezegd, niet *se.* Op weg naar Vítor Coutinho stelde hij zich voor hoe het zou zijn als hij morgen toch weer naar het taleninstituut zou gaan. Hoe ze dan zou kijken. Hoe ze haar lippen zou bewegen als ze hem de reden zou vertellen voor het eeuwige groen.

'Que quer?' riep Coutinho's blaffende stem een uur later.

De deuropener zoemde, de oude man kwam de trap af, zijn pijp tussen zijn tanden. Heel even moest hij het opdiepen uit zijn geheugen.

'Ah, c'est vous,' zei hij toen.

Ook nu hingen er weer etensluchtjes, rook het naar stof en pijptabak, en ook nu droeg Coutinho een verschoten overhemd van ondefinieerbare kleur.

Prado. *O consultório azul.* Of Gregorius de man had gevonden?

Geen idee waarom ik je dat geef, maar zo is het nu eenmaal, had de oude man tegen hem gezegd toen hij hem het Nieuwe Testament cadeau had gedaan. Gregorius had het meegenomen. Hij hield het in zijn zak. Hij begon er zelfs niet over, hij kon de juiste woorden niet vinden. *Intimiteit is vluchtig en bedrieglijk als een luchtspiegeling*, had Prado geschreven.

Hij had haast, zei Gregorius, en gaf de oude man een hand.

'Nog één ding,' riep Coutinho hem door de voortuin na. 'Als u straks weer thuis bent, gaat u dan dat nummer bellen, dat nummer op uw voorhoofd?'

Gregorius maakte een gebaar dat hij het niet wist en zwaaide.

Hij nam de tram naar de Baixa, de benedenstad, en liep over het schaakbord dat door smalle straten werd gevormd. In het café tegenover de apotheek van O'Kelly nuttigde hij iets en hoopte heimelijk de figuur van de rokende apotheker achter de glazen deur te zien. Wilde hij hem nog een keer spreken? Wílde hij dat?

De hele morgen al had hij het gevoel iets niet goed te doen met het afscheid dat hij van verschillende mensen nam. Het gevoel dat er iets aan ontbrak. Nu begreep hij wat het was. Hij liep naar de fotozaak verderop in de straat en kocht een toestel met een telelens. Toen hij weer in het café zat, zoomde hij in op de deur van de apotheek en elke keer als O'Kelly in de deuropening verscheen, maakte hij een foto. Hij schoot een heel rolletje vol omdat hij meestal te laat afdrukte.

Later ging hij nog een keer naar het huis van Coutinho bij het Cemitério dos Prazeres en maakte een foto van het bouwvallige, met klimop begroeide huis. Hij zoomde in op een raam, maar de oude man verscheen niet. Uiteindelijk gaf hij het op en ging naar het kerkhof, waar hij foto's maakte van het familiegraf van de Prado's. In de buurt van het kerkhof kocht hij nog een paar rolletjes en nam toen de tram dwars door de stad naar Mariana Eça.

Roodgouden Assamthee met kandijsuiker. De grote, donkere ogen. Het rossige haar. Ja, zei ze, het was altijd beter om in je moedertaal met artsen te praten. Gregorius vertelde haar niet dat hij was flauwgevallen in de bibliotheek van Coimbra. Ze spraken over João Eça.

'Het is een beetje klein in zijn kamer,' zei Gregorius.

Heel even keek ze geïrriteerd, toen herstelde ze zich weer.

'Ik heb hem een ander tehuis voorgesteld, met meer comfort. Maar hij wilde het liever zo. Ik heb het liever heel eenvoudig, zei hij. Na alles wat er is gebeurd moet het heel eenvoudig zijn.'

Gregorius ging weg voordat de theepot leeg was. Hij wou dat hij niets over Eça's kamer had gezegd. Het was belachelijk om te doen alsof hij hem na vier middagen al nader stond dan zij, terwijl zij hem al als klein meisje had gekend. Het was belachelijk. Zelfs als hij gelijk had.

Toen hij 's middags wat uitrustte in het huis van Silveira, zette hij zijn oude, zware bril op. Zijn ogen wilden niet.

Het was te donker om te fotograferen toen hij bij het huis van Mélodie aankwam. Hij gebruikte flitslicht toen hij toch een paar foto's maakte. Vandaag was ze niet te zien achter de verlichte ramen. 'Een meisje dat de grond niet leek te raken.' De rechter was uit zijn auto gestapt, had met zijn stok de auto's tegengehouden, had zich een weg door de omstanders gebaand en had, zonder zijn dochter met de baseballpet op haar hoofd aan te kijken, een handvol munten in de open vioolkist gegooid. Gregorius keek naar de ceders die voor Adriana, kort voordat haar broer het mes in haar keel stootte, bloedrood hadden geleken.

Nu zag Gregorius een man achter het raam. Hij besloot daarom niet aan te bellen. In de bar waar hij al eens eerder was geweest dronk hij een kop koffie en rookte, net als toen, een sigaret. Daarna beklom hij het terras van de burcht en liet nachtelijk Lissabon op zich inwerken.

O'Kelly was juist bezig de apotheek af te sluiten. Toen hij een paar minuten later naar buiten kwam, volgde Gregorius hem op zo'n grote afstand dat hij deze keer niet zou worden ontdekt. O'Kelly sloeg de hoek om van de straat waaraan de schaakclub lag. Gregorius ging terug om foto's van de verlichte apotheek te maken.

45 Op zaterdag reed Filipe met Gregorius naar het liceu. Ze pakten de campingspullen in en Gregorius haalde de foto's van Isfahan van de muren. Toen stuurde hij de chauffeur weg.

Het was een zonnige, warme dag, volgende week was het al april. Gregorius ging op de trap voor de ingang zitten. *Ik zat op het warme mos van de trap voor de ingang en dacht aan de gebiedende wens van mijn vader dat ik arts zou worden – iemand dus die in staat is mensen als hij van hun pijn te verlossen. Ik had hem om zijn vertrouwen lief en vervloekte hem om de deprimerende last die hij met zijn aandoenlijke wens op mijn schouders had gelegd.*

Opeens begon Gregorius te huilen. Hij nam zijn bril af, duwde zijn hoofd tussen zijn knieën en liet zijn tranen zonder zich ertegen te verzetten op het mos druppelen. *Em vão*, tevergeefs, was een van de lievelingswoorden van Prado geweest, had Maria João gezegd. Gregorius sprak het woord uit en herhaalde het, langzaam, toen steeds sneller, tot de woorden met elkaar en met zijn tranen versmolten.

Later ging hij naar boven, naar Prado's klaslokaal, en maakte foto's van het uitzicht op het meisjeslyceum. Vanaf het meisjeslyceum legde hij de omgekeerde blik vast: de ramen waarin Maria João de glimmende rondjes had gezien van de zon die werd weerspiegeld in het glas van de toneelkijker.

Hij vertelde Maria João over de foto's toen hij 's middags in haar keuken zat. En toen, opeens, stortte hij zijn hart uit. Hij zei dat hij in Coimbra was flauwgevallen, vertelde over het woord bij Homerus dat hij was vergeten en over zijn panische angst voor het neurologisch onderzoek.

Later lazen ze samen aan de keukentafel wat er in de medische encyclopedie van Maria João over flauwvallen stond. Het kon heel onschuldige oorzaken hebben, Maria João wees hem de zinnen aan, volgde ze met haar wijsvinger, vertaalde ze, herhaalde de belangrijkste woorden.

Tumor. Zwijgend wees Gregorius het woord aan. Ja, natuurlijk, zei Maria João, maar hij moest eerst lezen wat er verder over werd gezegd, vooral dat in het geval van een tumor de duizelingen altijd gepaard gaan met ernstige uitvalverschijnselen, en die had hij niet gehad.

Ze was blij, zei ze bij het afscheid, dat hij haar onlangs had meegenomen op zijn reis naar het verleden. Ze had op die reis de merkwaardige mengeling van nabijheid en distantie ervaren die ze met zich meedroeg als het Amadeu betrof. Toen haalde ze uit een kast de grote kist met belangrijke documenten. Ze gaf hem de verzegelde envelop met Prado's aantekeningen over Fátima.

'Ik zal ze, zoals ik al zei, niet lezen,' zei ze. 'En ik denk dat ze bij u in goede handen zijn. Misschien bent u van ons allemaal uiteindelijk degene die hem het beste kent. Ik ben u dankbaar voor de manier waarop u over hem spreekt.'

Toen Gregorius later op de veerboot over de Tejo zat, zag hij Maria João voor zich, hoe ze hem bij het afscheid had nagezwaaid tot hij uit het gezicht was verdwenen. Haar had hij als laatste leren kennen en zij was degene die hij het meest zou missen. Of hij haar wilde schrijven wat het neurologische onderzoek had opgeleverd, had ze gevraagd.

46 Toen Gregorius voor de deur stond, kneep João Eça zijn ogen samen en de uitdrukking op zijn gezicht verhardde zich als bij iemand die zich wapent tegen een groot verdriet.

'Het is zaterdag,' zei hij.

Ze gingen op hun gebruikelijke plek zitten. Het schaakbord ontbrak, de tafel zag er naakt uit.

Gregorius vertelde over de duizelingen, over zijn angst, over de vissers aan het einde van de wereld.

'U komt dus niet meer,' zei Eça.

In plaats van over hem en zijn zorgen te praten, sprak hij over zichzelf, en bij ieder ander zou het Gregorius hebben bevreemd. Maar niet bij deze mishandelde, gesloten, eenzame man. Zijn woorden behoorden tot de kostbaarste dingen die hij ooit had gehoord.

Als zou blijken dat de duizelingen van onschuldige aard waren en het de artsen zou lukken ze te laten verdwijnen, zou hij terugkomen, zei Gregorius. Om echt goed Portugees te leren en een boek te schrijven over de geschiedenis van het Portugese verzet. Hij zei het met vaste stem, maar het optimisme dat hij er met alle macht in probeerde te leggen klonk hol, en hij wist zeker dat ze ook voor Eça hol klonken.

Met bevende handen haalde Eça het schaakbord uit de kast en stelde de stukken op. Even bleef hij met gesloten ogen zitten. Toen stond hij op en pakte ook een boek met schaakpartijen.

'Hier, Aljechin tegen Capablanca. Ik wil graag dat we die partij samen naspelen.'

'Kunst tegen wetenschap,' zei Gregorius.

Eça glimlachte. Gregorius had die glimlach graag op een foto vastgelegd.

Af en toe probeerde hij zich voor te stellen hoe de laatste minuten zouden zijn, nadat je de dodelijke pillen hebt ingenomen, zei

Eça midden in de partij. Aanvankelijk misschien opluchting dat het nu eindelijk voorbij was en je kon ontsnappen aan het mensonwaardige verval. Een zweem van trots over je eigen moed. Spijt dat je niet vaker zo moedig was geweest. Nog een resumé, je er nog één keer van vergewissen dat het goed was en dat het verkeerd zou zijn een ambulance te bellen. De hoop je eraan over te kunnen geven. Wachten op het begin van de verdoving en op vingertoppen en lippen die gevoelloos worden.

'En dan plotseling toch hevige paniek, verzet, de onzinnige wens dat het toch niet ten einde is. Een warme vloedgolf van wil tot leven die alles wegvaagt en die het denken en beslissen kunstmatig doet lijken, gekunsteld, belachelijk. En dan? Wat dán?'

Hij wist het niet, zei Gregorius, en toen haalde hij Prado's boek te voorschijn en las voor:

Was het niet zonder meer duidelijk, heel eenvoudig en simpel, waaruit hun ontzetting zou bestaan als ze op ditzelfde moment het bericht zouden krijgen dat ze spoedig zouden sterven? Ik hield mijn dodelijk vermoeide gezicht in de ochtendzon en dacht: ze willen gewoon nog meer van de dingen waaruit hun leven bestaat, hoe gemakkelijk of lastig, hoe armelijk of overdadig dat leven ook moge zijn. Ze willen niet dat het ten einde is, ook als ze het ontbrekende leven na het einde niet meer kunnen missen – en dat ook weten.

Eça liet zich het boek geven en las zelf, eerst dit fragment, toen het hele gesprek met Jorge over de dood.

'O'Kelly,' zei hij ten slotte. 'Rookt zich dood. "Ja, en?" zei hij als iemand hem erop aansprak. Ik zie nog voor me hoe hij erbij keek: je kunt de pot op. En toen heeft de angst hem toch nog te pakken gekregen. *Merda*.'

Het begon te schemeren toen de partij klaar was en Aljechin had gewonnen. Gregorius nam Eça's kopje en dronk de laatste slok thee. Bij de deur stonden ze tegenover elkaar. Gregorius voelde hoe hij innerlijk begon te beven. Eça's handen pakten hem bij de schouders en nu voelde hij zijn hoofd tegen zijn wang. Eça slikte luid, Gregorius voelde zijn adamsappel bewegen. Met een ferme zet, die Gregorius aan het wankelen bracht, duwde Eça hem van zich af en deed de deur open, zijn ogen neergeslagen. Voordat Gregorius in de gang de hoek omsloeg, keek hij om. Eça stond in het midden van de gang en keek hem na. Dat had hij nog nooit gedaan.

Op straat ging Gregorius achter een struik staan en wachtte tot Eça het balkon op kwam om een sigaret te roken. Hij schoot het rolletje vol.

Hij zag niets van de Tejo. Hij zag en voelde João Eça. Van de Praça do Comércio liep hij langzaam in de richting van de Bairro Alto en ging in de buurt van het blauwe huis in een café zitten.

47 Hij liet kwartier na kwartier verstrijken. Adriana. Dat afscheid zou het moeilijkst worden.

Ze deed de deur open en zag het meteen aan zijn gezicht. 'Er is iets gebeurd,' zei ze.

Een medisch routineonderzoek bij zijn arts in Bern, zei Gregorius. Ja, het was heel goed mogelijk dat hij terugkwam naar Lissabon, zei hij. Hij was verbaasd hoe rustig ze het opnam, hij voelde zich bijna een beetje gekwetst.

Ze ademde niet gejaagd maar wel opvallender dan eerst. Toen vermande ze zich, stond op en haalde een notitieblok. Ze wilde graag zijn telefoonnummer in Bern hebben, zei ze.

Gregorius trok verbaasd zijn wenkbrauwen op. Toen wees ze naar het tafeltje in de hoek waarop een telefoontoestel stond.

'Sinds gisteren,' zei ze. En ze wilde hem nog iets laten zien. Ze ging hem voor naar de zolderverdieping.

De stapels boeken op de kale houten vloer in Amadeu's kamer waren verdwenen. De boeken stonden nu in een kast in de hoek. Ze keek hem vol verwachting aan. Hij knikte, liep naar haar toe en legde even zijn hand op haar arm.

Nu trok ze de lade van Amadeu's bureau open, maakte het lint los dat om de bundel papieren zat en haalde er drie beschreven vellen uit.

'Hij heeft het erna geschreven, na het meisje,' zei ze. Haar magere borst ging op en neer. 'De letters zijn opeens zo klein. Toen ik het zag, dacht ik: Hij heeft het voor zichzelf willen verbergen.'

Ze gleed met haar ogen over de tekst. 'Het vernietigt alles. Echt álles.'

Ze stopte de papieren in een envelop en gaf die aan Gregorius. 'Hij was niet meer zichzelf. Ik zou graag... Neemt u ze alstublieft mee. Ver weg. Heel ver weg.'

Gregorius vervloekte zichzelf later. Hij had nog één keer de kamer willen zien waarin Prado het leven van Mendes had gered, waar de kaart van de hersenen had gehangen en waar hij het schaakspel van Jorge had begraven.

'Hij werkt zo graag hier beneden,' zei Adriana toen ze in de praktijk stonden. 'Met mij. Samen met mij.' Ze streek met haar hand over de onderzoekstafel. 'Ze houden allemaal van hem. Houden van hem en bewonderen hem.'

Ze glimlachte. Het was een angstaanjagend, vaag glimlachje.

'Sommige mensen komen ook als ze niets mankeren. Ze verzinnen dan iets. Alleen maar om hem te zien.'

Gregorius dacht koortsachtig na. Hij liep naar de tafel met de verouderde injectiespuiten en pakte er eentje op. Ja, zo hadden die er destijds uitgezien, zei hij. En hoe anders die tegenwoordig waren!

De woorden bereikten Adriana niet, ze plukte aan het papier dat op de onderzoekstafel lag. Een restje van haar glimlach van zonet lag nog op haar gezicht.

Of ze wist wat er met die kaart van de hersenen was gebeurd, vroeg hij. Die moest intussen een zeldzaamheid zijn geworden.

'"Waarom heb je die kaart eigenlijk nodig," vraag ik hem vaak. "Voor jou zijn lichamen toch van glas." "Het is gewoon een kaart," zegt hij dan. Hij houdt van kaarten. Landkaarten. Kaarten waarop spoorlijnen staan aangegeven. In Coimbra, toen hij daar studeerde, heeft hij een keer kritiek geuit op een anatomieatlas die heilig was verklaard. De professoren mochten hem niet. Hij is respectloos. Hij voelt zich zo superieur.'

Gregorius kon nog maar één oplossing bedenken. Hij keek op zijn horloge. 'Ik ben een beetje laat,' zei hij. 'Mag ik even gebruik maken van uw telefoon?'

Hij deed de deur open en liep voor haar uit naar de hal.

Ze leek geïrriteerd toen ze de praktijk op slot deed. Een verticale rimpel was op haar voorhoofd verschenen en gaf haar de uitdrukking van iemand waarin duisternis en verwarring heersen.

Gregorius liep naar de trap.

'Adeus,' zei Adriana en deed de huisdeur open.

Het was de strenge, afwijzende stem die hij van zijn eerste bezoeken kende. Ze stond kaarsrecht en verzette zich tegen de hele wereld.

Gregorius liep langzaam naar haar toe en bleef voor haar staan. Hij keek haar aan. Haar blik was gesloten en afwijzend. Hij stak zijn hand niet uit. Ze zou hem niet aannemen.

'Adieu,' zei hij. 'Het beste.'

Toen stond hij buiten.

48 Gregorius gaf Silveira de fotokopie van Prado's boek. Hij had meer dan een uur door de stad lopen dwalen tot hij een warenhuis had gevonden dat nog open was en waar hij kon kopiëren.

'Dat is…' zei Silveira hees, 'ik…'

Toen spraken ze over de duizelingen. Zijn zuster, die iets met haar ogen had, zei Silveira, had al jaren last van duizelingen en de oorzaak hadden ze niet kunnen vinden. Ze was eraan gewend geraakt.

'Ik ben een keer met haar bij een neuroloog geweest. En verliet zijn praktijk met het gevoel: stenen tijdperk. Onze kennis van de hersenen staat in de kinderschoenen. We weten iets over verschillende gebieden in de hersenen, iets over hersenactiviteiten, iets over een paar chemische reacties. Meer weten we niet. Ik had het gevoel dat ze zelfs niet wisten waar ze naar moesten zoeken.'

Ze spraken over de angst die voortvloeide uit de onwetendheid. Plotseling merkte Gregorius dat iets hem verontrustte. Het duurde even voordat hij het begreep: eergisteren, bij zijn terugkeer uit Coimbra, het gesprek met Silveira over de reis, vandaag het gesprek met João Eça, nu weer Silveira. Konden twee intimiteiten elkaar blokkeren, storen, vergiftigen? Hij was blij dat hij Eça niet had verteld dat hij was flauwgevallen in de bibliotheek in Coimbra, nu had hij iets wat hij alleen met Silviera kon delen.

Welk woord van Homerus hij nu eigenlijk was vergeten, wilde Silveira weten. Λίστρον, zei Gregorius, een schraapijzer waarmee de vloer van een zaal werd gereinigd.

Silveira lachte, Gregorius lachte met hem mee, ze lachten, ze brulden van het lachen, twee mannen die zich een moment lang verheven konden voelen boven alle angsten, droefenissen, teleurstellingen en vermoeienissen van hun levens. Die met hun lachen op een delicate manier met elkaar waren verbonden, ondanks dat het hun heel persoonlijke angsten, droefenissen en teleurstellingen waren die hun heel persoonlijke eenzaamheid schiepen.

Toen zijn lachbui langzaam wegebde en hij het gewicht van de wereld weer voelde, dacht Gregorius eraan hoe hij met João Eça had gelachen over het gaargekookte middageten in het tehuis.

Silveira ging naar zijn werkkamer en kwam terug met het servet waarop Gregorius in de restauratiewagen van de nachttrein de Hebreeuwse woorden had geschreven: *En God sprak: Er zij licht! En er was licht!* Hij moest het hem nog een keer voorlezen, zei Silveira. Toen verzocht hij hem een bijbelcitaat in het Grieks op te schrijven.

Gregorius kon het niet weerstaan en schreef: 'In den beginne was het Woord en het Woord was bij God en het Woord was God. Dit was in den beginne bij God. Alle dingen zijn door het Woord geworden en zonder dit is geen ding geworden dat geworden is. In het Woord was het leven en het leven was het licht der mensen.'

Silveira haalde zijn bijbel en las deze beginzinnen van het evangelie van Johannes.

'Dus is het woord het licht der mensen,' zei hij. 'En de dingen bestaan dus pas echt als ze met woorden worden uitgedrukt.'

'En de woorden moeten een ritme hebben,' zei Gregorius, 'een ritme, zoals bijvoorbeeld de woorden bij Johannes hebben. Pas dan, pas als ze poëzie zijn, werpen ze werkelijk licht op de dingen. In het wisselende licht van de woorden kunnen dezelfde dingen er immers heel verschillend uitzien.'

Silveira keek hem aan.

'En daarom wordt iemand, als hij ondanks het bestaan van driehonderdduizend boeken een woord niet kan vinden, duizelig.'

Ze lachten en bleven maar lachen, ze keken elkaar aan en wisten van elkaar dat ze ook over het eerdere lachen lachten én hierover: dat je over het belangrijkste wat er bestond maar het best kon lachen.

Of hij de foto's van Isfahan mocht houden, vroeg Silveira later. Ze gingen ze ophangen in zijn werkkamer. Silveira nam plaats achter zijn bureau, stak een sigaret op en bekeek de foto's.

'Ik zou willen dat mijn ex-echtgenote en mijn kinderen dit zagen,' zei hij.

Voordat ze naar bed gingen stonden ze nog even zwijgend in de hal.

'Dat dit nu ook alweer voorbij is,' zei Silveira. 'Je verblijf hier, bedoel ik. Hier in mijn huis.'

Gregorius kon niet in slaap komen. Hij stelde zich voor hoe zijn trein zich de volgende ochtend in beweging zou zetten, hij voelde de eerste, zachte ruk. Hij vervloekte zijn duizelingen en het feit dat Doxiades gelijk had.

Hij maakte licht en las wat Prado had geschreven over intimiteit:

INTIMIDADE IMPERIOSA. GEBIEDENDE INTIMITEIT.
Door intimiteit zijn we met elkaar verbonden en de onzichtbare banden zijn bevrijdende boeien. De verbondenheid is gebiedend: ze vereist exclusiviteit. Delen is verraden. Maar het is niet zo dat we slechts een enkele persoon mogen, liefhebben, en aanraken. Wat te doen? Regie voeren over de verschillende intimiteiten? Een penibele boekhouding voeren over onderwerpen, woorden, gebaren? Over gedeelde kennis en over geheimen? Dat zou een geruisloos druppelend gif zijn.

Het begon al te schemeren toen hij in een onrustige slaap gleed en over het einde van de wereld droomde. Het was een melodieuze droom zonder instrumenten en geluid, een droom die bestond uit zon, wind en woorden. De vissers met hun ruwe handen riepen elkaar ruwe dingen toe, de zilte wind waaide de woorden weg, ook het woord dat hem te binnen was geschoten, nu lag hij in het wa-

ter en dook steil naar beneden, hij zwom uit alle macht steeds dieper en voelde de lust en de warmte in zijn spieren toen ze zich verzetten tegen de kou, hij moest de bananenboot verlaten, er was
haast bij, hij verzekerde de vissers dat het niets met hen te maken
had, maar ze verdedigden zich en keken hem bevreemd aan toen
hij met zijn plunjezak van boord ging in het gezelschap van zon,
wind en woorden.

DEEL 4

De terugkeer

49 Silveira was allang uit zijn gezichtsveld verdwenen maar Gregorius zwaaide nog steeds. 'Is er in Bern een bedrijf dat porselein produceert?' had hij op het perron gevraagd. Gregorius had vanuit het raam een foto gemaakt: Silveira die een lucifer afschermt tegen de wind om zijn sigaret te kunnen aansteken.

De laatste huizen van Lissabon. Gisteren was hij nog een keer in de Bairro Alto naar de religieuze boekhandel gegaan waar hij zijn voorhoofd tegen de klamme ruit had gelegd voordat hij voor de eerste keer bij het blauwe huis had aangebeld. Toen had hij zich tegen de verleiding moeten verzetten naar de luchthaven te gaan en met het eerstvolgende vliegtuig naar Zürich te vliegen. Nu moest hij zich tegen de verleiding verzetten op het volgende station uit te stappen.

Als met elke meter die de trein aflegde een herinnering werd uitgewist en als bovendien de wereld van het verleden deel voor deel werd gereconstrueerd zodat, zodra hij op het station van Bern aankwam, alles hetzelfde zou zijn als ervoor: zou dan ook de tijd van zijn verblijf in Portugal zijn vernietigd?

Gregorius haalde de envelop te voorschijn die Adriana hem had gegeven. 'Het vernietigt alles. Echt álles.' Wat hij nu zou gaan lezen, had Prado ná de reis naar Spanje geschreven. Na het meisje. Hij dacht aan wat Adriana over zijn terugkeer uit Spanje had gezegd: ongeschoren en met ingevallen wangen was hij uit de taxi gestapt, had uitgehongerd als hij was alles opgegeten, een slaappil genomen en een dag en een nacht lang geslapen.

Terwijl de trein op weg was naar Vilar Formosa, waar ze de grens zouden passeren, vertaalde Gregorius de tekst die Prado met heel kleine letters had opgeschreven.

CINZAS DA FUTILIDADE. AS DER VERGEEFSHEID.
Het is een eeuwigheid geleden dat Jorge me midden in de nacht belde omdat de angst voor de dood hem had overvallen. Nee, geen eeuwigheid. Het was in een andere tijd, een volkomen andere tijd.

Terwijl het nog maar net drie jaar geleden is, drie heel gewone, saaie kalenderjaren. Estefânia. Hij sprak destijds over Estefânia. De Gold-berg-variaties. Ze had ze voor hem gespeeld en hij zou ze graag zelf op zijn Steinway willen spelen. Estefânia Espinhosa. Wat een betove-rende, magische naam! dacht ik die avond. Ik wilde die vrouw niet zien, geen vrouw zou kunnen voldoen aan die naam, het kon alleen maar op een teleurstelling uitlopen. Hoe kon ik weten dat het omge-keerd was: de naam kon niet voldoen aan háár.

De angst dat het leven onvoltooid zou blijven, een torso: het besef dat je niet meer kon worden waar je jezelf op had toegelegd. Zo had-den we uiteindelijk de angst voor de dood geïnterpreteerd. Maar hoe, vroeg ik, kun je bang zijn voor de ontbrekende heelheid en harmonie van het leven als je die, wanneer ze eenmaal onherroepelijk vast zijn komen te staan, helemaal niet meer beleeft? Jorge leek het te begrij-pen. Wat zei hij?

Waarom blader ik niet, waarom zoek ik het niet op? Waarom wil ik niet weten wat ik destijds heb gedacht en geschreven? Vanwaar die onverschilligheid? Is het wel onverschilligheid? Of is het verlies gro-ter, dieper?

Willen weten hoe je vroeger dacht en hoe het is geworden tot wat je nu denkt: ook dat hoort, als er al sprake is, tot de heelheid van een leven. En dus zou ik wat de dood zo beangstigend maakt hebben ver-loren? Het geloof aan een harmonie van het leven waarvoor het de moeite waard is te strijden en die we proberen te veroveren op de dood?

Loyaliteit, zei ik tegen Jorge, loyaliteit. Dáárin vinden we onze be-stemming. Estefânia. Waarom kon de branding van het toeval haar niet op een andere plaats aan land spoelen? Waarom uitgerekend bij ons? Waarom moest ze ons op de proef stellen, terwijl we daar niet tegen opgewassen waren? Een proef die we geen van beiden hebben doorstaan, elk op zijn eigen wijze?

'Je bent me te hongerig. Het is heerlijk met jou. Maar je bent me te hongerig. Ik kan deze reis niet willen. Zie je, het zou jóúw reis zijn, helemaal alleen jouw reis. Het zou niet de ónze kunnen zijn.' En ze had gelijk: je mag van de anderen niet de bouwstenen van je eigen leven maken, niet de waterdragers bij de hardloopwedstrijd om je ei-gen zaligheid.

Finis terrae. *Nooit ben ik zo wakker geweest als daar. En zo nuch-*

ter. Sindsdien weet ik: mijn wedstrijd is gelopen. Een wedstrijd waarvan ik niet wist dat ik eraan meedeed, mijn hele leven al. Een hardloopwedstrijd zonder concurrenten, zonder doel, zonder beloning. Heelheid? Espejismo, zeggen de Spanjaarden, ik heb het woord tijdens die dagen in de krant gelezen, het is het enige wat ik nog weet. Luchtspiegeling. Fata morgana.

Ons leven – dat zijn vluchtige formaties van drijfzand, gevormd door een windstoot die door de volgende windstoot wordt verwoest. Vormsels van vergeefsheid die al verwaaien voordat ze werkelijk hun vorm hebben gevonden.

Hij was niet meer zichzelf, had Adriana gezegd. En met die vreemde, die vreemd geworden broer wilde ze niets meer te maken hebben. Ver weg. Heel ver weg.

Wanneer was iemand zichzelf? Als hij was als altijd? Zoals hij zichzelf zag? Of zoals het was wanneer de gloeiende lava van de gedachten en gevoelens alle leugens, maskers en zelfbedrog onder zich begroef? Vaak waren het de anderen die erover klaagden dat iemand niet meer zichzelf was. Misschien betekende dat dan in werkelijkheid: hij is niet meer zoals we hem graag hadden? Was het allemaal uiteindelijk dus niet veel meer dan een soort strijdkreet tegen een dreigende ingrijpende verandering van de dingen waarmee je vertrouwd bent geweest, gecamoufleerd als verdriet en bezorgdheid om het zogenaamde welzijn van de ander?

Tijdens het vervolg van de reis naar Salamanca viel Gregorius in slaap. En toen gebeurde er iets wat hij nog niet kende: hij werd midden in een duizeling wakker. Hij werd overweldigd door een aanval van totale ontregeling. Hij dreigde in de diepte te vallen en hield zich krampachtig vast aan de leuningen van zijn stoel. Zijn ogen dichtdoen maakte het nog erger. Hij sloeg zijn handen voor zijn gezicht. Het was voorbij.

Λίστρον. Alles in orde.

Waarom had hij niet het vliegtuig genomen? Morgenochtend, over achttien uur, was hij in Genève. Drie uur later thuis. 's Middags bij Doxiades, die voor de rest zou zorgen.

De trein reed langzamer. SALAMANCA. En nog een tweede bord: SALAMANCA. Estefânia Espinhosa.

Gregorius stond op, tilde zijn koffer uit het net en hield zichzelf vast tot de duizeling voorbij was. Op het station zette hij zijn voeten stevig neer om het luchtkussen kapot te trappen dat hem omhulde.

50 Toen hij later aan zijn eerste avond in Salamanca terugdacht, kwam het hem voor alsof hij urenlang, terwijl hij zijn duizeligheid probeerde te onderdrukken, door kathedralen, kapellen en kruisgangen was gelopen, blind voor hun schoonheid maar overweldigd door hun duistere zwaarte. Hij keek naar altaren, koepels en koorgestoelten, die elkaar verdrongen in zijn herinnering, kwam twee keer in een mis terecht en bleef ten slotte zitten bij een orgelconcert. *Ik wil niet in een wereld zonder kathedralen leven. Ik heb hun schoonheid en verhevenheid nodig. Ik heb ze nodig als verzet tegen de platvloersheid van de wereld. Ik wil opkijken naar de stralende kerkramen en me laten verblinden door hun bovenaardse kleuren. Ik heb hun glans nodig. Die heb ik nodig als verzet tegen de smerige eenheidskleur van uniformen. Ik wil mijzelf hullen in de bittere kou die in de kerken hangt. Ik heb hun gebiedend zwijgen nodig. Ik heb het nodig als verzet tegen het gebral van de kazernes en het stompzinnige gezwets van de meelopers. Ik wil het bruisende geluid van het orgel horen, die stortvloed van bovenaardse klanken. Ik heb die klanken nodig als verzet tegen de schelle lachwekkendheid van marsmuziek.*

Dat had de zeventien jaar oude Prado geschreven. Een jongen die gloeide. Een jongen die kort daarna met Jorge O'Kelly naar Coimbra was gegaan waar de hele wereld hun leek toe te behoren en waar hij in de collegezaal hoogleraren terechtwees. Een jongen die nog niets had geweten van de branding van het toeval, van het verwaaide drijfzand en de as van de vergeefsheid.

Jaren daarna had hij de volgende woorden geschreven aan pater Bartolomeu: *Er zijn dingen die voor ons, mensen, te groot zijn: pijn, eenzaamheid en dood, maar ook schoonheid, verhevenheid en geluk. Daarvoor hebben we de religie geschapen. Wat gebeurt er als we die verliezen? Die dingen zijn dan nog steeds te groot voor ons.*

Wat ons blijft is de poëzie van het individuele leven. Is die sterk genoeg om ons te dragen?

Vanuit zijn hotelkamer kon Gregorius de oude en de nieuwe kathedraal zien. Toen de klokken het hele uur sloegen ging hij naar het raam en keek naar de verlichte gevels. Johannes van het Kruis had hier geleefd. Florence was hier vaak geweest in de tijd dat ze aan een boek over hem werkte. Samen met andere studenten, hij had er zelf geen zin in gehad. Hij had er niet van gehouden zoals ze gedweept had met de mystieke gedichten van de grote dichter, zij en de anderen.

Met poëzie dweepte je niet, die lás je. Die las je met je tong. Je leefde ermee. Je voelde hoe poëzie je raakte, je veranderde. Hoe die ertoe bijdroeg dat je eigen leven een vorm kreeg, een kleur, een melodie. Je sprak er niet over en je gebruikte de poëzie al helemaal niet als het kanonnenvoer van een academische carrière.

In Coimbra had hij zich afgevraagd of hij niet toch een academische carrière was misgelopen. Het antwoord was: nee. Hij beleefde opnieuw hoe hij in Parijs in La Coupole had gezeten en hoe hij de zwetsende collega's van Florence te kijk had gezet met zijn Bernse tongval en zijn Bernse kennis. *Nee.*

Later droomde hij dat Aurora in de keuken van Silveira op orgelmuziek met hem in het rond walste, de keuken werd groter en hij zwom steil naar beneden en raakte in een stroom tot hij het bewustzijn verloor en wakker werd.

Bij het ontbijt was hij de eerste. Later ging hij naar de universiteit en vroeg waar hij het Instituut voor Geschiedenis kon vinden. Het college van Estefânia Espinhosa was over een uur, het onderwerp was Isabella de Eerste.

Op de binnenplaats van de universiteit stonden onder de arcaden grote groepen studenten. Gregorius verstond geen woord van hun rappe Spaans en ging op tijd naar de collegezaal, een gelambriseerde ruimte met een voorname, sobere, kloosterlijke sfeer. Voorin op een verhoging een lessenaar. De zaal liep vol. Het was een grote zaal, maar algauw was die tot op de laatste plaats bezet en aan de zijkanten zaten studenten op de grond.

'Ik haatte dat mens, met haar lange zwarte haar, haar wiegende heupen, en haar korte rok.' Adriana had haar als meisje van twintig gezien. De vrouw die nu binnenkwam was eind vijftig. 'Hij zag haar glanzende ogen voor zich, haar ongebruikelijke, bijna Aziatische teint, haar aanstekelijke lach, haar wiegende gang, en hij wilde domweg niet dat dat allemaal zou verdwijnen, hij kon het niet willen,' had João Eça over Prado gezegd.

Niemand kon dat willen, dacht Gregorius. Ook nu niet. En al helemaal niet toen hij haar hoorde praten. Ze had een diepe, verrookte alt en sprak de harde Spaanse woorden met een restje Portugese zachtheid uit. Meteen aan het begin had ze de microfoon uitgeschakeld. Het was een stem die een kathedraal zou kunnen vullen. En een blik die je deed hopen dat het college nooit zou eindigen.

Van wat ze zei begreep Gregorius zo goed als niets. Hij luisterde naar haar als naar een muziekinstrument, soms met gesloten ogen, soms met zijn blik geconcentreerd op haar bewegingen: haar hand die haar grijsgemêleerde haar van haar voorhoofd streek, de andere hand die een zilveren pen vasthield en bij dingen die ze wilde accentueren een streep in de lucht trok, haar ellebogen waarmee ze op de lessenaar leunde, haar uitgestrekte armen waarmee ze, als ze aan een nieuw onderdeel begon, de lessenaar omarmde. Een meisje dat oorspronkelijk bij de posterijen had gewerkt, een meisje met een fenomenaal geheugen waarin alle geheimen van het verzet werden bewaard, de vrouw die er niet van hield dat O'Kelly op straat zijn arm om haar middel sloeg, de vrouw die voor het blauwe huis achter het stuur was gaan zitten en die haar leven had moeten redden door naar het einde van de wereld te rijden, de vrouw die zich niet door Prado had laten meenemen op zijn reis, een teleurstelling en afwijzing die in hem de grootste en meest pijnlijke wakkerheid van zijn leven hadden veroorzaakt, het besef dat hij de hardloopwedstrijd om zijn zaligheid definitief had verloren, het gevoel dat zijn zo gloeiend begonnen leven was gedoofd en tot as verviel.

Het gestommel van de opstaande studenten deed Gregorius opschrikken. Estefânia Espinhosa stopte haar spullen in een leren aktetas en liep de treden van het podium af. Studenten gingen naar haar toe. Gregorius verliet de zaal en wachtte buiten.

Hij was zo gaan staan dat hij haar van verre zou zien aankomen.

Om dan te besluiten of hij haar zou aanspreken. Daar kwam ze aan, in het gezelschap van een vrouw tegen wie ze sprak als tot een assistente. Gregorius voelde zijn hart in zijn keel kloppen toen ze hem passeerde. Hij volgde het tweetal een trap op en daarna door een lange gang. De assistente nam afscheid en Estefânia Espinhosa verdween achter een deur. Gregorius liep naar de deur en zag haar naam. *De naam kon niet voldoen aan háár.*

Langzaam liep hij terug en hij hield zich aan de trapleuning vast. Beneden aan de trap bleef hij even staan. Toen rende hij opnieuw de trap op. Hij wachtte tot zijn ademhaling rustiger werd, daarna klopte hij op de deur.

Ze had een jas aan en stond op het punt weg te gaan. Ze keek hem vragend aan.

'Ik… kan ik Frans met u spreken?' vroeg Gregorius.

Ze knikte.

Hakkelend stelde hij zich voor en haalde toen, zoals zo vaak de afgelopen weken, Prado's boek uit zijn zak.

Haar lichtbruine ogen vernauwden zich, ze staarde naar het boek zonder haar hand ernaar uit te strekken. Seconden verstreken.

'Ik… Waarom… Komt u eerst even binnen.'

Ze pakte de telefoon en zei in het Portugees tegen iemand dat ze nu niet kon komen. Toen trok ze haar jas uit. Ze nodigde Gregorius uit te gaan zitten en stak een sigaret op.

'Staat er iets over mij in?' vroeg ze en blies rook uit.

Gregorius schudde zijn hoofd.

'Hoe weet u dan van mij?'

Gregorius vertelde. Over Adriana en João Eça. Over het boek over de onheilspellende zee waarin Prado op het laatst had gelezen. Over de speurtocht van de antiquaar. Over de flaptekst van haar boeken. Over O'Kelly zei hij niets. Ook niet over de notities in het handschrift met de kleine letters.

Nu wilde ze het boek zien. Ze las. Ze stak opnieuw een sigaret op. Toen bekeek ze het portret.

'Zo zag hij er dus vroeger uit. Ik heb nooit een foto uit die tijd gezien.'

Hij was helemaal niet van plan geweest hier uit te stappen, zei Gregorius. Maar toen had hij de verleiding toch niet kunnen weerstaan. Het beeld van Prado was zo… zo onvolledig zonder haar. Maar hij wist natuurlijk dat het nogal brutaal was hier zomaar ineens op te duiken.

Ze liep naar het raam. De telefoon ging. Ze nam niet op.

'Ik weet niet of ik het wil,' zei ze. 'Over die tijd praten, bedoel ik. Hier in elk geval niet. Kan ik het boek meenemen? Ik wil erin lezen. Nadenken. Komt u vanavond bij me op bezoek. Dan zal ik u zeggen hoe het me is vergaan met dat boek.'

Ze gaf hem haar kaartje.

Gregorius kocht een reisgids en ging kloosters bezichtigen, het ene na het andere. Hij was niet iemand die dol was op bezienswaardigheden. Als hij zag dat mensen elkaar ergens stonden te verdringen, bleef hij halsstarrig buiten staan; dat kwam overeen met zijn gewoonte bestsellers pas jaren later te lezen. En zo werd hij ook nu niet gedreven door toeristische ijver. Hij had er de hele middag voor nodig om tot het inzicht te komen dat zijn naspeuringen naar Prado zijn houding tegenover kerken en kloosters had veranderd. Kan er een ernst bestaan die ernstiger is dan de poëtische ernst? had hij tegen Ruth Gautschi en David Lehmann ingebracht. Dat verbond hem met Prado. Misschien was het zelfs de sterkste band. Maar de man die van ijverig misdienaar was veranderd in een goddeloze priester, leek een stap verder te zijn gegaan, een stap die Gregorius, terwijl hij door kruisgangen liep, probeerde te begrijpen. Was het hem gelukt de poëtische ernst boven de bijbelse woorden uit tot de gebouwen uit te strekken die door die woorden waren geschapen? Was dát het?

Een paar dagen voor zijn dood had Mélodie hem uit de kerk zien komen. *Ik wil de machtige woorden van de bijbel lezen. Ik heb de magische kracht van hun poëzie nodig. Ik heb ze nodig als verzet tegen het verraderlijke gif van de oppervlakkigheid en stompzinnigheid.* Dat waren de gevoelens van zijn jeugd geweest. Met welke gevoelens had de man de kerk betreden die elk moment verwachtte dat de tijdbom in zijn hersenen zou exploderen? De man voor wie na de reis naar het einde van de wereld alles tot as was geworden?

De taxi die Gregorius naar het adres van Estefânia Espinhosa bracht, moest voor een stoplicht wachten. Hij zag in de etalage van een reisbureau een affiche met koepels en minaretten. Hoe zou het zijn geweest als hij in het blauwe morgenland met zijn gouden koepels elke ochtend de muezzin had gehoord? Als Perzische poëzie mede de melodie van zijn leven had bepaald?

Estefânia Espinhosa droeg een spijkerbroek en een donkerblauwe zeemanstrui. Ondanks de grijze haren hier en daar zag ze eruit alsof ze pas midden veertig was. Ze had sandwiches klaargemaakt en schonk Gregorius thee in. Ze nam de tijd.

Toen ze zag dat Gregorius' blik over de boekenkasten gleed, zei ze dat hij rustig een kijkje mocht nemen. Hij nam de dikke geschiedenisboeken in zijn hand. Hij wist zo weinig van het Iberisch schiereiland en zijn geschiedenis, zei hij. Toen vertelde hij over de boeken over de aardbeving van Lissabon en de zwarte pest.

Ze liet hem over de klassieke talen vertellen en vroeg steeds maar door. Ze wilde eerst weten, dacht hij, wat voor mens hij was voordat ze over haar reis met Prado zou vertellen. Of was het alleen maar omdat ze nog meer tijd nodig had?

Latijn, zei ze ten slotte, Latijn was in zekere zin het begin geweest. 'Er was een jongen, een student, die als hulpje bij de posterijen kwam werken. Een verlegen jongen die verliefd op me was en dacht dat ik het niet merkte. Hij studeerde Latijn. *Finis terrae,* zei hij op een dag toen hij een brief naar Finisterre in zijn hand hield. En toen zei hij een lang Latijns gedicht op waarin ook sprake was van het einde van de wereld. Het beviel me, zoals hij Latijnse poëzie reciteerde zonder het sorteren van de brieven te staken. Hij merkte dat het me beviel en ging almaar door, de hele ochtend.

Ik begon in het geheim Latijn te leren. Hij mocht er niets van weten, hij zou het verkeerd hebben begrepen. Het was zo onwaarschijnlijk dat iemand als ik, een meisje dat op het postkantoor werkte en nauwelijks een school had doorlopen, Latijn leerde. Zo onwaarschijnlijk! Ik weet niet wat me er meer in aantrok: de taal of die onwaarschijnlijkheid.

Het ging snel, ik heb een goed geheugen. Ik begon me voor Romeinse geschiedenis te interesseren. Las alles wat ik te pakken kon krijgen, later ook boeken over Portugese, Spaanse en Italiaanse geschiedenis. Mijn moeder was gestorven toen ik nog een kind was, ik leefde met mijn vader, die bij de Spoorwegen werkte. Hij had nooit boeken gelezen, was eerst bevreemd dat ik het wel deed. Later was hij trots, op een ontroerende manier trots. Ik was drieëntwintig toen de PIDE hem oppakte en wegens sabotage naar Tarrafal bracht. Maar daarover kan ik niet praten, ook nu nog niet.

Jorge O'Kelly leerde ik een paar maanden later kennen op een bijeenkomst van het verzet. Papá's arrestatie was bij iedereen op het postkantoor bekend geworden en tot mijn verbazing bleek dat een hele reeks van mijn collega's bij het verzet zat. Ik was wat politieke zaken betrof door de arrestatie van mijn vader met één klap klaarwakker geworden. Jorge was een belangrijk man in de groep. Hij en João Eça. Hij werd halsoverkop verliefd op me. Ik voelde me gevleid. Hij probeerde een ster van me te maken. Ik had dat idee met de school voor analfabeten, waar we bijeen konden komen zonder op te vallen.

En toen gebeurde het. Op een avond kwam Amadeu binnenstappen. Daarna was alles anders. Er viel een nieuw licht op de dingen. Hem verging het precies zo, ik kon het al op die eerste avond aan hem merken.

Ik wilde het. Ik kon niet meer slapen. Ik ging naar zijn praktijk, telkens weer, ondanks de met haat vervulde blik van zijn zuster. Hij wilde me in zijn armen nemen, in hem was een lawine die zich elk moment kon losmaken. Maar hij wees me af. Jorge, zei hij, Jorge. Ik begon Jorge te haten.

Op een keer belde ik rond middernacht bij Amadeu aan. We maakten een wandeling, toen trok hij me een portiek in. De lawine maakte zich los. "Dat mag niet nog een keer voorkomen," zei hij later en verbood me terug te komen.

Het werd een lange, moeilijke winter. Amadeu verscheen niet meer op de bijeenkomsten. Jorge was ziek van jaloezie.

Het zou overdreven zijn te zeggen dat ik het heb zien aankomen. Ja, dat zou overdreven zijn. Maar beziggehouden heeft het me wel, dat ze meer en meer op mijn geheugen gingen vertrouwen. "En wat als er iets met mij gebeurt," zei ik wel eens.'

Estefânia ging de kamer uit. Toen ze terugkwam zag ze er anders uit. Als voor een wedstrijd, dacht Gregorius. Ze had, leek het, haar gezicht gewassen en haar haar was nu in een paardenstaart gebonden. Ze stond voor het raam en rookte met gulzige trekken een hele sigaret voordat ze verder sprak.

'De ramp deed zich eind februari voor. De deur ging veel te langzaam open, heel zachtjes. Hij droeg laarzen. Geen uniform, maar
laarzen. Zijn laarzen, dat was het eerste wat ik in de deuropening
zag. Toen het intelligente, loerende gezicht, we kenden hem, het
was Badajoz, een van de mensen van Mendes. Ik deed wat we hadden afgesproken en begon over de c-cedille te praten, het alfabet
uit te leggen. Later kon ik geen ç zien zonder aan Badajoz te moeten denken. De bank kraakte toen hij ging zitten. João Eça wierp
me een snelle, gealarmeerde blik toe. Nu hangt alles van jou af, leek
die blik te zeggen.

Ik droeg als altijd mijn doorzichtige bloes, dat was zogezegd
mijn werkkleding. Jorge haatte die bloes. Ik trok mijn blazer uit.
De blik van Badajoz op mijn lichaam, die moest ons redden. Badajoz sloeg zijn benen over elkaar, het was walgelijk. Ik beëindigde de les.

Toen Badajoz op Adrião, mijn pianoleraar, toeliep, wist ik dat
het afgelopen was. Ik hoorde niet wat ze zeiden maar Adrião werd
bleek en Badajoz grijnsde venijnig.

Adrião keerde niet meer terug van het verhoor. Ik weet niet wat
ze met hem hebben gedaan, ik heb hem nooit meer gezien.

João stond erop dat ik voortaan bij zijn tante woonde. Veiligheid, zei hij, het ging erom mij in veiligheid te brengen. De eerste
nacht al werd me duidelijk dat het klopte, maar het ging niet om
mij, het ging vooral om mijn geheugen. Om wat mijn geheugen
zou kunnen prijsgeven als ze me oppakten. Die dagen heb ik maar
één ontmoeting gehad met Jorge. We raakten elkaar niet aan, gaven elkaar zelfs geen hand. Het was heel vreemd, ik begreep er niets
van. Ik begreep het pas toen Amadeu me vertelde waarom ik het
land uit moest.'

Estefânia kwam terug van het raam en ging zitten. Ze keek Gregorius aan.

'Wat Amadeu over Jorge vertelde was zo vreselijk, zo onvoor-
stelbaar wreed, dat ik er eerst om moest lachen. Amadeu maakte
een bed voor me op in de praktijk, voordat we de dag daarop vertrokken.

"Ik kan het gewoon niet geloven," zei ik. "Mij doden." Ik keek
hem aan. "Het gaat om Jorge, je vriend," zei ik.

"Precies," zei hij toonloos.

Wat Jorge eigenlijk precíés had gezegd, wilde ik weten, maar hij was niet bereid die woorden te herhalen.

Toen ik later in de praktijk alleen in bed lag, ging alles wat ik met Jorge had beleefd door mijn hoofd. Was hij in staat aan zoiets te denken? Er serieus aan te denken? Ik werd moe en onzeker. Ik dacht aan zijn jaloezie. Ik dacht aan momenten waarop ik hem gewelddadig en meedogenloos had gevonden, ook al was het dan niet tegen mij. Ik wist het niet meer. Ik wíst het niet.

Bij de begrafenis van Amadeu stonden we tegenover elkaar aan het graf, hij en ik. De anderen waren al weg.

"Je geloofde het toch zeker niet werkelijk?" vroeg hij na een poosje. "Hij heeft me verkeerd begrepen. Het was een misverstand, gewoon een misverstand."

"Nu is het niet meer belangrijk," zei ik.

We zijn uit elkaar gegaan zonder elkaar aan te raken. Ik heb nooit meer iets van hem gehoord. Leeft hij nog?'

Nadat Gregorius antwoord had gegeven was het even stil. Toen stond ze op en haalde uit de kast haar exemplaar van *O mar tenebroso*, het grote boek dat bij Prado op het bureau had gelegen.

'En hij heeft er tot het einde in gelezen?' vroeg ze.

Ze ging zitten en legde het boek in haar schoot.

'Het was gewoon te veel, veel te veel voor het meisje van vijfentwintig dat ik was. Eerst die Badajoz, daarna van de ene dag op de andere bij João's tante, toen de nacht in de praktijk van Amadeu en de vreselijke gedachten aan Jorge, uiteindelijk de autorit naast de man die me uit mijn slaap had gehouden. Ik was volledig in de war.

De eerste uren reden we zonder iets te zeggen. Ik was blij dat ik me moest concentreren op sturen en schakelen. We zouden in het noorden, in Galicië, de grens over gaan, had João gezegd.

"En dan rijden we naar Finisterre," zei ik en vertelde hem het verhaal over de student Latijn.

Hij vroeg me te stoppen en omhelsde me. Daarna vroeg hij het telkens weer en steeds vaker. De lawine kwam in beweging. Hij zocht mij. Maar dat was het precies: hij zocht niet míj, hij zocht het léven. Hij wilde er steeds méér van hebben en hij wilde het steeds sneller en gretiger. Het is niet zo dat hij grof werd of agressief. Integendeel, voordat ik hem leerde kennen wist ik niet dat er zo'n grote tederheid bestond. Maar hij verslond me met die tederheid, zoog me bij zichzelf naar binnen, hij had zo'n vreselijke honger naar het leven, naar de hitte ervan, de begeerte. En naar mijn geest was hij niet minder hongerig dan naar mijn lichaam. Hij wilde in die paar uur mijn hele leven leren kennen, mijn herinneringen, gedachten, fantasieën, dromen. Echt álles. En hij begreep alles met zo'n snelheid en precisie dat ik bang begon te worden nadat ik me er aanvankelijk over had verbaasd en verheugd. Zijn razendsnelle begrip brak alle muren af waarmee ik me had beschermd.

In de jaren daarna sloeg ik altijd op de vlucht zodra iemand me begon te begrijpen: ik wil niet dat iemand mij helemaal begrijpt. Ik wil ongekend door het leven gaan. De blindheid van de anderen is mijn zekerheid en mijn vrijheid.

Ook al klinkt het nu alsof Amadeu werkelijk hartstochtelijk in míj was geïnteresseerd: zo was het niet. Want het was geen ontmoeting. Hij zoog met alles wat hij ervoer vooral levensstof in zich op, waar hij maar niet genoeg van kon krijgen. Ik was, om het anders te formuleren, niet een persoon voor hem, ik was voor hem vooral een schouwtoneel van het leven, waarnaar hij haakte alsof iemand het hem tot dusver had onthouden. Alsof hij nog één keer een heel leven wilde leven voordat de dood hem te pakken kreeg.'

Gregorius vertelde over het aneurysma en de kaart van de hersenen.

'Mijn god,' zei ze zachtjes.

Ze hadden in Finisterre op het strand gezeten. Op de zee voer een schip voorbij.

'"Laten we een schip nemen," zei hij, "het liefst een schip naar Brazilië. Belém, Manaus. De Amazone. Waar het warm en vochtig is. Ik zou er graag over schrijven, over kleuren, geuren, kleverige planten, het druipende oerwoud, over dieren. Ik heb altijd alleen maar over de ziel geschreven."'

De man die nooit genoeg kon krijgen van de werkelijkheid, had Adriana over hem gezegd.

'Het was geen puberachtige romantiek en ook niet de kitsch van een man op leeftijd. Het was echt, het was werkelijk. Maar het had opnieuw niets met míj te maken. Hij wilde me meenemen op een reis die helemaal zíjn reis zou zijn, zijn innerlijke reis naar de verwaarloosde zones van zijn ziel.

"Je bent me te hongerig," zei ik, "ik kan het niet; ik kán niet."

Toen hij me destijds dat portiek in trok, was ik bereid geweest hem te volgen tot aan het einde van de wereld. Maar toen wist ik nog niet van zijn verschrikkelijke honger. Want, ja, op een bepaalde manier was die ook verschrikkelijk, die levenshonger. Van een verslindende, verwoestende kracht. Angstaanjagend. Vreselijk.

Mijn woorden moeten hem heel erg hebben gekwetst. Heel erg. Hij wilde geen hotelkamer meer met mij delen. Betaalde voor twee eenpersoonskamers. Toen we elkaar weer ontmoetten, had hij zich omgekleed. Hij keek zelfverzekerd en stond stijfjes te wachten, heel correct. Toen begreep ik dat hij door mijn woorden het gevoel had gekregen dat hij zijn waardigheid had verloren. Zijn stijfheid en correctheid waren uitingen van zijn machteloze poging te laten zien dat hij die waardigheid weer had heroverd. Terwijl ik het helemaal niet zo had gezien, er had niets onwaardigs gezeten in zijn hartstocht, ook niet in zijn begeerte, het ligt niet in de aard van de begeerte onwaardig te zijn.

Ik heb geen oog dichtgedaan, ondanks mijn totale uitputting.

Hij wilde daar nog een paar dagen blijven, zei hij de volgende ochtend kortaf, en niets had zijn volledige innerlijke terugtocht beter kunnen uitdrukken dan die kortaangebondenheid.

Bij het afscheid gaven we elkaar een hand. Zijn laatste blik was naar binnen gericht en verzegeld. Hij liep terug naar het hotel zonder zich nog één keer naar me om te draaien en voordat ik wegreed wachtte ik tevergeefs op een teken van achter zijn raam.

Na een ondraaglijk halfuur achter het stuur reed ik terug. Ik klopte op zijn deur. Hij stond kalm in de deuropening, maar niet vijandig, bijna zonder enige emotie, hij had mij uit zijn ziel verbannen, voor altijd. Ik heb geen idee wanneer hij is teruggegaan naar Lissabon.'

'Een week later,' zei Gregorius.

Estefânia gaf hem het boek.

'Ik heb er de hele middag in zitten lezen. Eerst was ik ontdaan. Niet over hem. Over mijzelf. Dat ik geen idee heb gehad wie hij

was. Hoe wakker hij tegenover zichzelf was. En hoe eerlijk. Genadeloos eerlijk. En dan zijn enorme verbaliteit. Ik geneer me dat ik
tegen zo'n man simpelweg heb gezegd: "Je bent me te hongerig."
Maar intussen is me duidelijk geworden dat het toch terecht is geweest dat te zeggen. Het zou ook terecht zijn geweest als ik zijn
aantekeningen had gekend.'

Het liep al tegen middernacht. Gregorius wilde nog niet gaan.
Bern, de trein, de duizelingen – het was allemaal ver weg. Hij vroeg
hoe van het meisje dat Latijn leerde en op het postkantoor werkte, een professor was geworden. Ze legde het kort uit, bijna afwijzend. Zoiets bestond dus: dat iemand zich helemaal openstelde
voor het verre verleden maar gesloten bleef voor de latere dingen
en het heden. Intimiteit had tijd nodig.

Ze stonden bij de deur. Toen nam hij een besluit. Hij haalde de
envelop met de laatste aantekening van Prado uit zijn zak.

'Ik denk dat deze zinnen in de eerste plaats u toebehoren,' zei
hij.

51 Gregorius stond voor de etalage van een makelaars-
kantoor. Over drie uur vertrok zijn trein naar Irún en Parijs. Zijn
bagage had hij op het station in een kluis gedaan. Hij stond stevig
op het plaveisel. Hij las de prijzen en dacht aan zijn spaargeld.
Spaans leren, de taal die hij tot dusver aan Florence had overgela-
ten. In de stad van haar heilige helden wonen. De colleges van Estefânia Espinhosa volgen. De geschiedenis van de vele kloosters bestuderen. Prado's notities vertalen. De zinnen doornemen met
Estefânia, stuk voor stuk.

De makelaar regelde drie bezichtigingen binnen de daaropvolgende twee uur. Gregorius stond in lege woningen die galmden.
Hij bekeek het uitzicht, lette op het verkeerslawaai, hij stelde zich
zijn dagelijkse gang door het trappenhuis voor. Hij nam op twee
woningen een optie. Toen reed hij met een taxi kriskras door de
stad. '¡Continue!' zei hij tegen de chauffeur. '¡Siempre derecho, más
y más!'

Toen hij ten slotte weer op het station was, kon hij zijn kluis niet meteen vinden en moest hij uiteindelijk rennen om zijn trein te halen.

In de coupé viel hij in slaap en hij werd pas weer wakker toen de trein in Valladolid stopte. Er stapte een jonge vrouw in. Gregorius tilde haar koffer in het bagagerek. 'Muito obrigada,' zei ze, ging op de stoel bij de deur zitten en begon een Frans boek te lezen. Toen ze haar benen over elkaar sloeg, hoorde hij het heldere geluid van over elkaar glijdend zijde.

Gregorius bekeek de verzegelde envelop die Maria João niet had willen openen. 'Dat mag je pas na mijn dood lezen,' had Prado gezegd. 'En ik wil niet dat Adriana het in handen krijgt.' Gregorius verbrak het zegel, haalde de bladen uit de envelop en begon te lezen.

PORQUÊ TU, ENTRE TODAS? WAAROM VAN ALLE VROUWEN UITGEREKEND JIJ?

Een vraag die iedereen zich op een bepaald moment stelt. Waarom lijkt het zo gevaarlijk die vraag toe te laten, ook als het alleen in stilte gebeurt? Wat is er zo verschrikkelijk aan de gedachte aan het toeval die in de vraag besloten ligt en die niet dezelfde gedachte is als de gedachte aan willekeur of inwisselbaarheid? Waarom kun je die toevalligheid niet erkennen en er grapjes over maken? Waarom denken we dat de genegenheid er klein door wordt gemaakt, dat die teniet wordt gedaan als we toeval en willekeur als iets vanzelfsprekends zouden beschouwen?

Ik heb je dwars door de salon heen gezien, langs de hoofden en de champagneglazen heen. 'Dat is Fátima, mijn dochter,' zei je vader. 'Ik kan me voorstellen u door mijn kamers te zien lopen,' zei ik in de tuin tegen je. 'Kun je je nog steeds voorstellen mij door je kamers te zien lopen?' vroeg je in Engeland. En op de boot: 'Geloof je ook dat we voor elkaar bestemd zijn?'

Niemand is voor een ander bestemd. Niet alleen omdat er geen voorzienigheid en ook verder niemand is die het zou kunnen arrangeren. Nee: omdat er tussen mensen gewoon geen onvermijdelijkheden zijn die verder reiken dan toevallige behoeftes en de enorme macht der gewoonte. Ik had vijf jaar lang in ziekenhuizen gewerkt, vijf jaar lang, en al die tijd was er niemand door mijn kamers gelopen. Ik

stond heel toevallig hier, jij stond heel toevallig daar, tussen ons in
champagneglazen. Zo was het. Niet anders.

Het is goed dat je dit niet zult lezen. Waarom heb jij ervoor geko-
zen met mamã samen te spannen tegen mijn goddeloosheid? Iemand
die een aanhanger is van de toevalligheid hoeft toch zeker niet min-
der lief te hebben. En minder loyaal is hij ook niet. Eerder méér.

De lezende vrouw had haar bril afgezet en maakte de glazen
schoon. Haar gezicht leek niet erg op het gezicht van de naamloze Portugese op de Kirchenfeldbrücke. Maar de twee vrouwen hadden wel iets gemeen: de ongelijke afstand tussen wenkbrauwen en
neuswortel, de ene wenkbrauw hield eerder op dan de andere.

Hij wilde haar graag iets vragen, zei Gregorius. Of het Portugese woord *glória* behalve roem ook zaligheid in religieuze zin kon
betekenen?

Ze dacht na, toen knikte ze.

En of een ongelovige dat woord kon gebruiken als hij wilde spreken over wat er overbleef als je van de religieuze zaligheid de religieuze zaligheid aftrok?

Ze lachte. 'Que c'est drôle! Mais… oui. Oui.'

De trein verliet Burgos. Gregorius las verder.

UM MOZART DO FUTURO ABERTO. EEN MOZART VAN DE OPEN TOE-
KOMST.

Je kwam de trap af. Net als de duizenden keren daarvoor zag ik
hoe er steeds meer van je zichtbaar werd, terwijl je hoofd tot het laatst
verborgen bleef achter de opgaande trap. Altijd had ik wat nog niet
zichtbaar was, in gedachten aangevuld. En altijd op dezelfde manier.
Het stond vast wie de trap af kwam lopen.

Die ochtend was het opeens anders. Spelende kinderen hadden de
dag ervoor een bal tegen het raam met het getint glas gegooid en de
ruit gebroken. Het licht op de trap was anders dan anders – in plaats
van het gouden, diffuse licht dat aan het licht in een kerk deed den-
ken, stroomde het daglicht ongehinderd naar binnen. Het was alsof
dat nieuwe licht een bres sloeg in mijn gebruikelijke verwachtingen,
alsof er iets met geweld werd geopend dat nieuwe gedachten van mij
verlangde. Ik was plotseling heel nieuwsgierig hoe je gezicht eruit zou

zien. *Die onverwachte nieuwsgierigheid maakte me gelukkig en maakte me ook aan het schrikken. Het was jaren geleden dat de tijd van de nieuwsgierigheid naar elkaar, die bij de verovering past, voorbij was gegaan en de deur achter ons gemeenschappelijke leven was gesloten. Waarom, Fátima, had er een ruit moeten breken om je weer met open blik tegemoet te kunnen zien?*

Ik heb dat toen ook met jou geprobeerd, Adriana. Maar onze vertrouwdheid was een loodzware last geworden.

Waarom eigenlijk is de open blik zo moeilijk? Wij zijn trage wezens die behoefte hebben aan vertrouwdheid. Nieuwsgierigheid als zeldzame luxe op vertrouwd terrein. Vaststaan en toch te kunnen spelen met wat open is, elk moment, alsof het een kunst is. Je zou Mozart moeten zijn. Een Mozart van de open toekomst.

San Sebastián. Gregorius bekeek het reisschema. Algauw zou hij in Irún moeten overstappen op de trein naar Parijs. De vrouw sloeg haar benen over elkaar en ging door met lezen. Hij haalde de laatste notitie uit de verzegelde envelop.

MINHA QUERIDA ARTISTA NA AUTO-ILUSÃO. MIJN GELIEFDE VIRTUOZE VAN HET ZELFBEDROG.

Veel van onze verlangens en gedachten zouden voor onszelf in duisternis zijn gehuld en de anderen zouden er vaak beter van op de hoogte zijn dan wijzelf? Wie geloofde destijds dat het anders was?

Niemand. Niemand die met een ander leeft en ademt. We kennen elkaar tot in de kleinste bewegingen van het lichaam en de woorden daarbinnen. We weten en willen vaak niet weten wat we weten. Vooral wanneer de afstand tussen wat we zien en wat de ander gelooft ondraaglijk groot wordt. Er zou goddelijke moed en goddelijke kracht voor nodig zijn om met zichzelf in volkomen waarachtigheid te leven. Zoveel weten we, ook van onszelf. Geen reden tot laatdunkendheid.

En als ze een ware virtuoze is in zelfbedrog, mij altijd een armlengte vóór? Had ik naar je toe moeten gaan en moeten zeggen: nee, je houdt jezelf voor de gek, zo ben je niet? Dat ben ik je schuldig gebleven. Als ik het je al schuldig ben geweest.

Hoe kan iemand weten wat hij de ander in die zin schuldig is?

Irún. *Isto ainda não é Irún,* dit is nog niet Irún. Dat waren de eerste Portugese woorden die hij tegen iemand had gesproken. Vijf weken geleden, en ook in de trein. Gregorius tilde de koffer van de vrouw uit het rek.

Even nadat hij in de trein naar Parijs had plaatsgenomen, liep de vrouw langs zijn coupé. Ze was al bijna weer verdwenen toen ze haar pas inhield, zich achteroverboog, hem zag, een moment aarzelde en toen zijn coupé binnenkwam. Hij tilde haar koffer in het bagagerek.

Ze had deze langzame trein uitgekozen, antwoordde ze op zijn vraag, omdat ze dit boek wilde lezen. *Le silence du monde avant les mots.* Ze kon nergens zo goed lezen als in de trein. Nergens stond ze zo open voor nieuwe dingen, zei ze. Ze was ook op weg naar Zwitserland, naar Lausanne. Ja, precies, aankomst morgenochtend in Genève. Blijkbaar hadden ze allebei dezelfde trein uitgekozen.

Gregorius trok zijn jas voor zijn gezicht. De reden waarom hij de langzame trein had gekozen, was een heel andere. Hij wilde niet in Bern aankomen. Hij wilde niet dat Doxiades de telefoon opnam en een bed reserveerde in het ziekenhuis. Tot Genève zou de trein vierentwintig keer stoppen. Vierentwintig gelegenheden om uit te stappen.

Hij dook naar beneden, almaar steil naar beneden. De vissers lachten toen hij met Estefânia Espinhosa door Silveira's keuken danste. Al die kloosters waarvanuit je al die lege, galmende woningen betrad. Hun galmende leegte had het woord van Homerus uitgewist.

Hij schrok op. Λίστρον. Hij ging naar het toilet en waste zijn gezicht.

Terwijl hij sliep had de vrouw het plafondlicht uitgedaan en haar leeslampje aangeknipt. Ze las en las maar door. Toen Gregorius terugkwam van het toilet, keek ze heel even op en glimlachte afwezig.

Gregorius trok zijn jas voor zijn gezicht en stelde zich de lezende vrouw voor. *Ik stond heel toevallig hier, jij stond heel toevallig daar, tussen ons in de champagneglazen. Zo was het. Niet anders.*

Ze konden samen een taxi nemen naar het Gare de Lyon, zei de vrouw toen ze even na middernacht Parijs binnenreden. La Coupole. Gregorius rook het parfum van de vrouw naast hem. Hij wilde niet naar het ziekenhuis. Hij wilde geen ziekenhuislucht ruiken. De geur waar hij zich doorheen had geworsteld toen hij zijn stervende ouders had bezocht in de bedompte, oververhitte driekamerwoning, waar het ook als je had gelucht nog naar urine stonk.

Toen hij tegen vier uur wakker werd achter zijn jas, was de vrouw met het opengeslagen boek op haar schoot in slaap gevallen. Hij deed het leeslampje boven haar hoofd uit. Ze draaide zich opzij en trok haar jas voor haar gezicht.

Het werd licht. Gregorius wilde niet dat het licht werd.

De bediende van de restauratie kwam langs met zijn wagentje. De vrouw werd wakker. Gregorius reikte haar een beker koffie aan. Zwijgend keken ze naar hoe de zon opging achter een dunne laag sluierwolken. Het was vreemd, zei de vrouw plotseling, dat *glória* twee zo heel verschillende dingen betekende: de uiterlijke, luidruchtige roem en de innerlijke, stille zaligheid. En na een korte stilte: 'Zaligheid – waar hebben we het eigenlijk over?'

Gregorius droeg haar zware koffer door het station van Genève. De mensen in het open rijtuig van de Zwitserse Spoorwegen praatten luid en lachten. De vrouw zag zijn irritatie, wees naar de titel van haar boek en lachte. Nu moest ook hij lachen. Midden in hun gelach kondigde de stem door de luidspreker Lausanne aan. De vrouw stond op, hij haalde haar koffer uit het rek. Ze keek hem aan. 'C'était bien, ça,' zei ze. Toen stapte ze uit.

Fribourg. Gregorius had een brok in zijn keel. Hij beklom de burcht en keek neer op het nachtelijke Lissabon. Hij was op de veerboot over de Tejo. Hij zat bij Maria João in de keuken. Hij liep door de kloosters van Salamanca en woonde een college van Estefânia Espinhosa bij.

Bern. Gregorius stapte uit. Hij zette zijn koffer neer en wachtte. Toen hij hem oppakte en verder liep, was het alsof hij door lood waadde.

52 In zijn koude woning had hij de koffer neergezet en was toen naar de fotozaak gegaan. Nu zat hij in de woonkamer.

Over twee uur zou hij de ontwikkelde foto's kunnen afhalen. Wat moest hij intussen doen?

De hoorn van de telefoon lag nog steeds verkeerd op de haak en herinnerde hem aan het nachtelijke gesprek met Doxiades. Dat was vijf weken geleden. Toen had het gesneeuwd, nu liepen de mensen zonder jas. Maar het licht was nog bleek, niet te vergelijken met het licht op de Tejo.

De plaat van de taalcursus lag nog steeds op de grammofoon. Gregorius zette hem aan. Hij vergeleek de stemmen met de stemmen in de oude tram van Lissabon. Hij reed van Belém naar de wijk Alfama en met de metro verder naar het liceu.

Er werd aangebeld. De deurmat, ze kon altijd aan de deurmat zien als hij er was, zei mevrouw Loosli. Ze overhandigde hem een brief van de directie van de school die gisteren was bezorgd. De andere post was al onderweg naar het adres van Silveira. Hij zag bleek, zei ze. Of alles in orde was?

Gregorius las de getallen van de directie en was ze alweer vergeten toen hij de brief uit had. Hij was te vroeg in de fotozaak en moest wachten. Terug rende hij bijna.

Een heel rolletje vol met alleen de verlichte deur van de apotheek van O'Kelly. Hij was bijna elke keer te laat geweest met afdrukken. Drie keer was het gelukt en stond de rokende apotheker op de foto. Het verwarde haar. De grote, vlezige neus. De eeuwig scheefzittende stropdas. *Ik begon Jorge te haten.* Sinds hij het verhaal van Estefânia Espinhosa kende, dacht Gregorius, vond hij dat O'Kelly leep uit zijn ogen keek. Gemeen. Net zoals toen hij aan het belendende tafeltje had toegekeken, en hoe hij zich toen ergerde aan het walgelijke geluid dat Pedro om de paar minuten maakte als hij zijn snotneus ophaalde.

Gregorius bekeek de foto's van heel dichtbij. Waar was de vermoeide en milde blik die hij vroeger had gezien in het boerse gezicht? De blik met het verdriet om de verloren vriend? *We waren als broers. Ik dacht werkelijk dat we elkaar nooit zouden kwijtraken.* Gregorius vond die vroegere blik niet meer terug. *Onbegrensde openheid is domweg niet mogelijk. Die gaat onze krachten te boven. Eenzaamheid door de noodzaak te moeten zwijgen, ook dat bestaat.* Nu waren ze er weer, die andere blikken.

Is de ziel een domein van feiten? Of zijn die vermeende feiten alleen maar de bedrieglijke schaduwen van onze verhalen? had Prado zich afgevraagd. Datzelfde, dacht Gregorius, gold ook voor blikken. Blikken bestonden niet en werden toch gelezen. Blikken waren altijd interpretaties van blikken. Ze bestonden alleen als geïnterpreteerde blikken.

João Eça in de schemering op het balkon van het tehuis. *Ik wil niet aan slangen en pompen worden gelegd. Alleen maar om het een paar weken te rekken.* Gregorius voelde de hete, brandende thee die hij uit Eça's kopje had gedronken.

De foto's van het huis van Mélodie waren in het donker mislukt.

Silveira, die op het perron de sigaret die hij wilde aansteken, afschermde tegen de wind. Vandaag zou hij weer naar Biarritz gaan en zich, zoals zo vaak, afvragen waarom hij maar doorging.

Gregorius bekeek alle foto's nog een keer. En toen nog eens. Het verleden begon onder zijn ogen te bevriezen. Zijn geheugen zou uitkiezen, arrangeren, retoucheren, liegen. Het verraderlijke was dat de weglatingen, de vertekeningen en de leugens later niet meer te herkennen waren. Er was geen standpunt buiten het geheugen.

Een gewone woensdagmiddag in de stad waarin hij zijn leven had doorgebracht. Wat moest hij ermee beginnen?

De woorden van de islamitische geograaf al-Idrisi over het einde van de wereld. Gregorius haalde de papieren te voorschijn waarop hij diens woorden in Finisterre in het Latijn, het Grieks en het Hebreeuws had vertaald.

Plotseling wist hij wat hij wilde doen. Hij wilde Bern fotograferen. Vastleggen waarmee hij al die jaren had geleefd. De gebouwen, straten, pleinen die veel meer waren geweest dan alleen de coulissen van zijn leven.

In de fotozaak kocht hij fotorolletjes en tot het begon te schemeren liep hij door de straten rond de Länggasse, waar hij zijn jeugd had doorgebracht. Nu hij ze vanuit verschillende hoeken en met de aandacht van de fotograaf bekeek, waren die straten heel anders. Hij ging door met fotograferen tot in zijn slaap. Af en toe werd hij wakker en wist hij niet waar hij was. Als hij op de rand van zijn bed zat wist hij niet meer zeker of de afstandelijke, calculerende blik van de fotograaf wel de juiste blik was om er de wereld van een heel leven mee vast te leggen.

Op donderdag ging hij ermee door. Om in de oude binnenstad te komen nam hij vanaf het universiteitsterras de lift naar beneden en koos de route dwars door het station. Zo kon hij de Bubenbergplatz vermijden. Het ene na het andere rolletje schoot hij vol. De dom zag hij zoals hij die nog nooit had gezien. Een organist was aan het oefenen. De eerste keer sinds zijn aankomst voelde hij een duizeling en Gregorius hield zich vast aan een kerkbank.

Hij bracht de rolletjes weg om ze te laten ontwikkelen. Toen hij daarna naar de Bubenbergplatz ging, was het alsof hij een aanloop nam voor iets groots, iets moeilijks. Bij het monument bleef hij staan. De zon was verdwenen, een egaalgrijze hemel hing boven de stad. Hij had verwacht dat hij zou voelen of hij het plein weer kon aanraken. Hij voelde niets. Het was niet zoals vroeger en het was niet zoals bij zijn korte bezoek drie weken geleden. Hoe was het? Hij was moe en keerde zich om om weg te gaan.

'Hoe is het boek van de goudsmid u bevallen?'

Het was de boekhandelaar uit de Spaanse boekhandel. Hij gaf Gregorius een hand.

'Is wat u ervan verwachtte uitgekomen?'

Ja, zei Gregorius, absoluut.

Hij zei het kortaf. De boekhandelaar merkte dat hij geen zin had in een gesprek en nam vlug afscheid.

In bioscoop Bubenberg draaiden andere films, de verfilming van Simenon met Jeanne Moreau was niet geprolongeerd.

Gregorius wachtte ongeduldig op de foto's. Kägi, de rector, kwam de hoek om. Gregorius ging in de ingang van een winkel staan. Er zijn momenten waarop mijn vrouw eruitziet alsof ze aftakelt, had hij geschreven. Nu zat ze in een zenuwinrichting. Kägi zag er moe uit en leek nauwelijks waar te nemen wat er om hem heen gebeurde. Heel even voelde Gregorius de impuls hem aan te spreken. Toen was dat gevoel alweer voorbij.

De foto's waren klaar, hij ging in hotel Bellevue in het restaurant zitten en maakte de omslagen open. Het waren vreemde foto's, ze hadden niets met hem te maken. Hij stopte ze weer terug in de omslagen en tijdens het eten probeerde hij tevergeefs te achterhalen wat het was waarop hij had gehoopt.

Op de trap naar zijn etage kreeg hij een hevige duizeling en hij moest zich met beide armen vasthouden aan de leuning. Daarna zat hij de hele avond naast de telefoon en stelde zich voor wat er onvermijdelijk zou gaan gebeuren als hij Doxiades belde.

Telkens voordat hij in slaap viel voelde hij de angst in duizelingen en bewusteloosheid te verzinken en zonder herinnering wakker te worden. Terwijl het langzaam licht werd in de stad, raapte hij al zijn moed bijeen. Toen de assistente van Doxiades verscheen, stond hij al voor de praktijk.

De Griek kwam een paar minuten later. Gregorius had een geergerde verbazing verwacht wegens zijn nieuwe bril. Maar de Griek kneep alleen heel even zijn ogen samen, ging hem voor naar de spreekkamer en liet zich toen alles vertellen over de nieuwe bril en de duizelingen.

Vooralsnog was er geen reden voor paniek, zei hij ten slotte. Maar Gregorius moest wel een paar tests ondergaan en hij moest voor observatie een poosje worden opgenomen. Hij legde zijn hand op de hoorn van de telefoon en keek Gregorius aan.

Gregorius haalde een paar keer diep adem, toen knikte hij.

Zondagavond zou hij worden opgenomen, zei de Griek, nadat hij had opgehangen. Er was geen arts op de hele wijde wereld die beter was dan degene met wie hij had gesproken, zei hij.

Gregorius liep langzaam door de stad, langs de vele gebouwen en over de pleinen die voor hem zo belangrijk waren geweest. Zo was het goed. Hij ging eten waar hij meestal had gegeten en vroeg in de middag ging hij naar de bioscoop waar hij als scholier zijn eerste films had gezien. De film verveelde hem, maar het rook er nog steeds als vroeger en hij bleef tot het eind zitten.

Op weg naar huis kwam hij Natalie Rubin tegen.

'Een nieuwe bril!' riep ze ter begroeting.

Ze hadden geen van beiden een idee wat ze tegen elkaar moesten zeggen. De telefoongesprekken leken langgeleden en alleen nog maar een vage herinnering.

Ja, zei hij, het was heel goed mogelijk dat hij weer terugging naar Lissabon. En het onderzoek? Nee, nee, alleen maar iets onschuldigs met zijn ogen.

Ze was niet veel verder gekomen met Perzisch, zei Natalie. Hij knikte.

Of ze al gewend was aan de nieuwe leraar, vroeg hij ten slotte. Ze lachte. 'De geïncarneerde saaiheid!'

Allebei draaiden ze zich na een paar stappen om en zwaaiden.

Op zaterdag bracht Gregorius vele uren door met bladeren in zijn Latijnse, Griekse en Hebreeuwse boeken. Hij bekeek de vele notities in de kantlijn en de verandering die zijn handschrift in de loop der jaren had ondergaan. Uiteindelijk lag er een klein stapeltje boeken op de tafel, die hij in het koffertje voor het ziekenhuis deed. Toen belde hij Florence en vroeg of hij bij haar langs mocht komen.

Ze had een miskraam gehad en was een paar jaar geleden aan kanker geopereerd. De ziekte was niet teruggekomen. Ze werkte als vertaalster. Ze was helemaal niet zo moe en uitgeblust als hij onlangs had gedacht, toen hij haar thuis had zien komen.

Hij vertelde over de kloosters in Salamanca.

'Vroeger wilde je er niet heen,' zei ze.

Hij knikte. Ze lachten. Over het ziekenhuis vertelde hij niets. Toen hij later over de Kirchenfeldbrücke liep, had hij daar spijt van.

Hij wandelde een keer helemaal om het gymnasium heen. Toen schoot hem de Hebreeuwse bijbel te binnen die hij in de bureaula van senhor Cortês in zijn trui had gewikkeld.

Op zondagochtend belde hij João Eça. Wat hij vanmiddag ging doen, zei Eça, of hij hem dat alsjeblieft wilde vertellen.

Hij zou vanavond worden opgenomen in het ziekenhuis, zei Gregorius.

'Dat hoeft niets te betekenen,' zei Eça na een korte stilte. 'En dan nog – niemand kan u daar vasthouden.'

's Middags belde Doxiades om te vragen of hij zin had om te komen schaken, daarna zou hij hem naar het ziekenhuis brengen.

Of hij er nog steeds over dacht op te houden met zijn werk, vroeg Gregorius na de eerste partij aan de Griek. Ja, zei de Griek, hij dacht er vaak aan. Maar misschien ging het wel voorbij. De volgende maand zou hij eerst maar eens naar Thessaloniki gaan, hij was er al meer dan tien jaar niet geweest.

De tweede partij was voorbij, het werd tijd.

'Wat, als ze iets ergs vinden?' vroeg Gregorius. 'Iets waardoor ik mijzelf verlies?'

De Griek keek hem aan. Het was een rustige, vaste blik.

'Ik kan een recept uitschrijven,' zei hij.

Zwijgend reden ze door de schemering naar het ziekenhuis. *Het leven is niet het leven dat we leven; het is het leven dat we ons voorstellen te leven,* had Prado geschreven.

Doxiades schudde hem de hand. 'Allemaal volkomen onschuldig, waarschijnlijk,' zei hij, 'en de man is, zoals ik al zei, de beste.'

Voor de ingang van het ziekenhuis draaide Gregorius zich om en zwaaide. Hij ging naar binnen. Toen de deur achter hem dichtging, begon het te regenen.

Inhoud